VAN GOGH A PARIS

VAN

Musée d'Orsay
2 février - 15 mai 1988

GOGH A PARIS

 Ministère de la Culture et de la Communication
Editions de la Réunion des musées nationaux,
Paris 1988

Cette exposition
a été organisée par
le Musée d'Orsay
et la Réunion des musées
nationaux

La présentation
en a été conçue par
Renaud Piérard,
architecte

Elle a été réalisée
avec le concours
du Crédit Agricole
de l'Ile-de-France

Couverture

Vincent van Gogh
Portrait du Père Tanguy (détail)
Paris, Musée Rodin
Inv. P.73.02

Traduit de l'anglais par

J.C. Garcias
J.L. Houdebine
E. de Lavigne
M. Nonne

ISBN 2-7118-2-159-5
© Editions de la Réunion
des musées nationaux, Paris 1988
10, rue de l'Abbaye - 75006 Paris
© Spadem, Adagp, Paris 1988

Commissariat

Françoise Cachin
Directeur du Musée d'Orsay

Bogomila Welsh-Ovcharov
Professeur à l'Université de Toronto

assistées par

Monique Nonne
Documentaliste au Musée d'Orsay

Que toutes les personnalités qui ont permis par leur généreux concours la réalisation de cette exposition trouvent ici l'expression de notre gratitude :

Monsieur Samuel Josefowitz
Mr. et Mrs. Arthur G. Altschul
Mr. et Mrs. Henry W. Bloch
Madame Dominique de Menil
Monsieur Michel Le Glouannec
Monsieur Jean Quost

ainsi que toutes celles qui ont préféré garder l'anonymat.

Nos remerciements s'adressent également aux responsables des collections suivantes :

Etats-Unis d'Amérique

Baltimore, The Baltimore Museum of Art
Boston, Museum of Fine Arts
Cambridge, Fogg Art Museum
Chicago, The Art Institute of Chicago
Dallas, Dallas Museum of Art
Detroit, The Detroit Institute of Arts
Fort Worth, Kimbell Art Museum
Minneapolis, The Minneapolis Institute of Arts
New York, The Museum of Modern Art
North Hartford, Wadsworth Atheneum
Pittsburgh, Museum of Art, Carnegie Institute
Saint Louis, The Saint Louis Art Museum
San Antonio, Marion Koogler Mc Nay Art Museum
Williamstown, Sterling and Francine Clark Art Institute.

Europe

France
Albi, Musée Toulouse-Lautrec
Lyon, Musée des Beaux-Arts
Paris, Musée Carnavalet
Paris, Musée Marmottan
Paris, Musée d'Orsay
Paris, Musée Rodin
Troyes, Musée d'art moderne

Grande-Bretagne
Edinburgh, The National Galleries of Scotland
Londres, The Trustees of the National Gallery
Londres, The Trustees of the Tate Gallery
Manchester, Whitworth Art Gallery, University of Manchester
Oxford, The Ashmolean Museum

Pays-Bas
Amsterdam, Rijksmuseum Vincent van Gogh
(Fondation Vincent van Gogh)
Amsterdam, Stedelijk Museum
Otterlo, Rijksmuseum Kröller-Müller
Rotterdam, Musée Boymans-van Beuningen

République fédérale allemande
Berlin, Staatliche Museen Preussischer Kulturbesitz
Nationalgalerie
Hambourg, Hamburger Kunsthalle
Mannheim, Städtische Kunsthalle

Suisse
Bâle, Kunstmuseum Basel
Genève, Petit-Palais
Zurich, Kunsthaus Zurich.

Françoise Cachin et Bogomila Welsh-Ovcharov, commissaires de l'exposition, Irène Bizot, administrateur délégué de la Réunion des musées nationaux, expriment toute leur gratitude à Monique Nonne qui a assuré la coordination du catalogue au musée d'Orsay, à Catherine Duffault, Jacqueline Henry, Caroline Larroche ainsi qu'à tout le personnel de la documentation ; à Michelle Rongus et Elisabeth Salvan, ainsi qu'à Marie-Pierre Pichon et à l'ensemble du secrétariat de la Conservation ; à la Réunion des musées nationaux, pour toute l'organisation de l'exposition, à Claire Filhos-Petit, Ute Collinet, Marion Mangon et Nathalie Michel ; et pour l'installation de l'exposition, à Eve Alonso et à toute l'équipe du musée d'Orsay sous la direction d'Antoine Tasso. Qu'ils en soient toutes et tous remerciés ici très chaleureusement.

*«La réalité est terriblement supérieure à toute histoire, à toute fable,
à toute divinité, à toute surréalité.
Il suffit d'avoir le génie de l'interpréter.
Ce qu'aucun peintre avant le pauvre Van Gogh n'avait fait.»*

Antonin Artaud. 1947.

Pour sa première grande exposition de peinture, le musée d'Orsay a choisi de célébrer le centenaire du séjour à Paris d'un inconnu, aujourd'hui le plus célèbre peut-être des artistes qui y sont exposés. Après le Metropolitan Museum de New York, qui a consacré en 1984 et 1986 deux expositions aux années d'Arles, puis de Saint-Rémy et d'Auvers-sur-Oise (1888-1890), il nous a paru opportun de montrer le troisième volet de la série: *Van Gogh à Paris*.

Vincent y arrive en mars 1886, et part pour Arles en février 1888, il y a précisément cent ans. En moins de deux ans, le peintre sombre du Borinage, formé dans la mouvance de l'Ecole de La Haye, devient le grand van Gogh que l'on connaît, un des héros les plus singuliers et les plus audacieux de la modernité. Etait-il d'ailleurs une année plus stimulante que 1886-1887 pour venir étudier à Paris l'art en train de se faire? Et quel meilleur intercesseur pouvait-il trouver que son jeune frère Theo, chargé de l'art contemporain dans la succursale parisienne d'une galerie internationale?

Entre le Salon, la dernière exposition impressionniste et le Salon des Indépendants, on pouvait en quelques mois découvrir Puvis de Chavannes, *La Grande Jatte* de Seurat, la célèbre série des *nus à leur toilette* de Degas, les «noirs» de Redon, et dans les galeries Durand-Ruel ou Georges Petit, des ensembles de Renoir et de Monet, enfin reconnus. Notons que l'année 1886-1887 voit également la parution du *Manifeste du Symbolisme* de Moréas, celle de *L'Œuvre* de Zola, la «première» parisienne de *Lohengrin* de Wagner: autant de prétextes à débats passionnés chez les jeunes artistes et écrivains cotoyés par les van Gogh.

Cette exposition se propose donc de montrer comment le génie propre de Vincent sut profiter de tous ces contacts, et comment l'initiation à toutes les formes de l'art vivant — peinture claire, impressionnisme, néo-impressionnisme, japonisme —, paradoxalement, le révèlent peu à peu à lui-même. Sa vie quotidienne avec Theo supprime la correspondance, et par là tout témoignage direct sur son évolution, ses réflexions ou les tableaux qu'il entreprend; or, ces deux années sont cruciales.

D'où le grand mérite de Bogomila Welsh-Ovcharov, qui a bien voulu se charger de la plus grande partie de ce catalogue, premier ouvrage scientifique consacré à cette période-clé et encore mal connue de van Gogh. Qu'elle veuille bien trouver ici l'expression de notre reconnaissance. En effet, elle a su, d'une part, dater avec une grande précision chaque toile, chaque dessin qu'il faut désormais comprendre dans leur succession, et d'autre part, établir des confrontations tout à fait convaincantes avec les autres artistes, contemporains et amis — aussi variés que Lautrec et Seurat ou Signac, Bernard et Pissarro, Monet et Anquetin, etc. Ce catalogue traite à la fois des artistes admirés de loin — comme Degas, Monet, Renoir ou Seurat — et de ceux qui étaient plus intimes, camarades d'ateliers, de cafés, ou de «motifs» comme Anquetin, Bernard, Lautrec ou Signac. Chacune de leurs œuvres est étudiée ici exclusivement à la lumière des relations stylistiques avec celles de Vincent, pendant le séjour parisien de celui-ci. Aussi ne s'étonnera-t-on pas de l'absence de Gauguin, déjà brièvement rencontré, mais pour l'instant sans influence artistique sur lui.

Outre la chronologie la plus détaillée à ce jour sur ces vingt-deux mois-clés de la carrière de l'artiste, on trouvera ici une documentation unique sur la topographie parisienne de l'époque, qui restitue un Montmartre, un Clichy et un Asnières aujourd'hui disparus et localise les ateliers et les domiciles de tous les artistes concernés, bref fait revivre avec une précision inédite le «Paris» de van Gogh. Il faut souligner à ce propos l'intérêt de la publication du carnet d'adresses de Theo van Gogh par les soins de Ronald de Leeuw, directeur du Rijksmuseum Vincent van Gogh d'Amsterdam, ainsi que de Fieke Pabst. Egalement grâce à des documents inédits, Monique Nonne, du musée d'Orsay, a tracé le rôle de la famille van Gogh dans le marché de l'art — de Vincent, l'oncle, associé de Goupil dans les années 1860, au nôtre, le neveu et homologue qui, avant d'être peintre fut six ans employé dans diverses succursales de la galerie. Le point qu'elle fait ici sur différents marchands parisiens qui tentèrent de vendre la peinture de van Gogh — le plus célèbre étant le Père Tanguy — est également neuf et précieux, et ne peut que remplir de mélancolie historique les contemporains des «ventes du siècle».

Si l'on prend conscience de la brièveté de la carrière du peintre — cinq ans à peine entre *Les Mangeurs de pommes de terre* de Nuenen et le dernier tableau des *Champs de blé* d'Auvers-sur-Oise — on mesure l'importance du séjour parisien de Vincent, la prodigieuse accélération, presque haletante, de son développement, ses émerveillements, ses refus, sa maîtrise. Comment ne pas être ému par la force grandissante dont les autoportraits scandent l'apparition, témoignant à la fois de la tension ressentie dans cette «serre chaude d'idées» qu'était Paris, et de l'enrichissement et l'encouragement spectaculaires qu'il eut le génie d'y trouver?

Françoise Cachin

Le catalogue se divise en deux grandes parties: d'une part, les œuvres de van Gogh, classées selon un ordre chronologique; d'autre part, les œuvres de ses amis et contemporains, classées par ordre alphabétique des noms d'artistes.

La correspondance de van Gogh est citée en abrégé:
LT   lettres de Vincent à Theo
W   lettres de Vincent à Willemina
B   lettres de Vincent à Emile Bernard
T   lettres de Theo
R   lettres de Vincent à Anthon van Rappard

Lettre suivie du chiffre correspondant à la numération des *Lettres Complètes*, pour les autres.

Le titre des œuvres de van Gogh est celui attribué par l'auteur du catalogue; la notice mentionne également les titres et la numérotation des catalogues raisonnés *De La Faille* (éd. française de 1928) (F...) et *Tout l'œuvre peint de van Gogh* (1971) (CdA...).

Pour les notices des œuvres des amis et contemporains de van Gogh, le titre est, sauf exception, celui de l'auteur; est mentionnée la numérotation des catalogues raisonnés respectifs.

Les renvois: INTRODUCTION, CHRONOLOGIE, PLAN ET ANNEXES sont indiqués en petites capitales
ANNEXE *Theo* renvoie à l'Annexe III.
ANNEXE *Lettres* renvoie à l'Annexe IV.

Publications: les références bibliographiques sont données en abrégé et en italique dans les notices lorsque les ouvrages sont souvent cités: voir bibliographie, p. 396.

Expositions: les références concernant les expositions, citées en abrégé et en italique (date et lieu) sont détaillées dans la bibliographie.

Les œuvres qui ne sont pas montrées à l'exposition mais dont les notices figurent néanmoins au catalogue sont indiquées de la façon suivante: ■.

Introduction

Quand Vincent apprend en juin 1888 que sa sœur Willemina projette de venir à Paris, il lui écrit (*W* 4) :

« C'est très gentil à Theo de t'avoir invitée à aller un jour à Paris. J'ignore quelle impression Paris pourrait faire sur toi. La première fois que je l'ai vu, j'ai senti surtout les choses tristes qu'on ne peut pas plus chasser de sa mémoire qu'on ne peut chasser l'atmosphère de maladie d'un hôpital, même très proprement tenu. Et cela m'est longtemps resté, bien que j'aie fini, plus tard, par comprendre que Paris est une serre chaude d'idées, et que les gens y cherchent à tirer de la vie tout ce qu'il est possible d'en tirer. Auprès de cette ville-là, toutes les villes deviennent petites ; Paris semble grand comme la mer. Mais on y laisse toujours un grand morceau de sa vie. Et une chose est certaine, c'est que rien n'y est sain. C'est pourquoi, quand on vient de là, on trouve ailleurs des tas de choses excellentes. »

Le Paris de Vincent van Gogh

A partir de 1880, année où il perd son poste de prédicateur dans le Borinage et se rend à Bruxelles pour y entreprendre sa carrière artistique, les activités de Vincent van Gogh vont l'amener à séjourner alternativement à la ville et à la campagne. En effet, après un séjour à Bruxelles, il passe quelque temps dans la région rurale d'Etten, puis à La Haye, ville de résidence royale ; après une brève période de randonnées à travers les fondrières, les landes et les terres agricoles de la Drenthe, il séjourne plus longtemps à Nuenen où il peint les paysans du Brabant ; il va ensuite étudier à Anvers avant de passer deux années à Paris. Finalement, il retrouvera définitivement la campagne avec Arles, Saint-Rémy-de-Provence et Auvers-sur-Oise. Van Gogh décrit d'ailleurs, à maintes reprises, la distinction ville-campagne comme fondamentale dans sa carrière, résultat de choix délibérés ; il identifie Millet au « peintre-paysan » et fait de lui son idéal quand il choisit de travailler dans l'isolement, en Drenthe et au Brabant[1]. Et si, par la suite, il préfère résider à Anvers et à Paris, c'est avant tout pour se donner les moyens d'étudier la figure humaine, ce qui ne pouvait se faire que dans un contexte académique. Les villes offraient, outre des facilités pour étudier l'art et apprendre au contact d'autres artistes, l'occasion de vendre. Il énumère tous ces avantages dès les premières lettres qu'il envoie à Theo, de Bruxelles (*LT* 137-138), et c'est peu après qu'il mentionne pour la première fois la possibilité de venir s'installer à Paris.

Alors qu'il n'arrive à Paris qu'autour du 1er mars 1886, dès février Vincent implore son frère de lui permettre de venir le plus rapidement possible, sans même passer par Nuenen comme il avait été initialement prévu (*LT* 448-458)[2]. Il préfère en effet se concentrer sur l'étude de la figure humaine dans un environnement citadin, plutôt que sur celle de paysages ou de personnages en plein air. Il souligne en particulier son désir de passer un an à dessiner d'après le nu ou l'antique. On a souvent supposé que ce choix résultait de l'influence de Theo : son frère lui suggéra en effet d'étudier à l'atelier de Fernand Cormon ; peut-être donc y a-t-il débuté dès son arrivée à Paris. Mais dans ces lettres de février, écrites d'Anvers, Vincent évoque la possibilité de dessiner au Louvre, à l'Ecole des Beaux-Arts ou d'après des moulages en plâtre. A plusieurs reprises (*LT* 452, 455-458), il fait part à Theo de la nécessité de travailler seul avant d'aborder l'atelier Cormon. Il est donc permis de douter que Vincent y soit entré avant l'automne 1886, ce que corrobore une lettre de juin 1886 de Theo à sa mère qui rapporte, sans mention de l'atelier Cormon, que Vincent peint surtout des fleurs[3].

D'après le billet de Vincent (fig. 1) annonçant à Theo (fig. 2) son arrivée, il est clair que celui-ci n'était pas prévenu[4], ce qui dut poser des problèmes d'ordre pratique à Theo. Bien que Vincent, depuis Anvers, se soit déclaré prêt à vivre seul dans une mansarde, Theo l'accueille dans son appartement de la rue de Laval. Ils déménagent en juin au 54, rue Lepic, au troisième étage, dans un appartement de quatre pièces (fig. 3). Ce billet présente également un autre intérêt : le choix du Louvre, comme lieu de retrouvailles, est symbolique à la fois de son intérêt pour cet ensemble de trésors artistiques et de sa vénération pour Delacroix dont le *Triomphe d'Apollon* avoisinait le Salon Carré, lieu de leur rendez-vous. Vincent avait de longue date une dévotion toute particulière pour le Louvre : dès le mois de mai 1873 (*LT* 9) puis de 1874 à 1876, il travaille pour la galerie Goupil et Cie et dans une lettre à Theo, il raconte qu'il passe généralement ses dimanches au Louvre ou au musée du Luxembourg (*LT* 35). En fait, pendant les années où il travaille pour Goupil — de 1869 à 1876 — Vincent fait, entre 1874 et 1876, deux séjours à Paris d'une durée totale de douze mois ; il acquiert ainsi une bonne connaissance de la ville et de ses ressources artistiques. Cela apparaît clairement dans les trente-deux lettres datant du second séjour de Vincent à Paris (mai 1875-mars 1876), où se perçoit la fascination qu'exerçait sur lui la peinture du XVIIe siècle hollandais et du XIXe siècle hollandais et français — les écoles de La Haye et de Barbizon. Mais si, à cette époque, il admirait tout particulièrement Rembrandt et Millet, il ne mentionne ni les impressionnistes, ni même Manet ou Courbet. Ultérieurement, pendant son séjour à Anvers, sa correspondance montre qu'il connaît ces deux artistes (*LT* 255, 440) ; pourtant dans une lettre écrite de Paris en 1887, Vincent rapporte qu'à son arrivée il n'avait jamais vu l'original d'un tableau impressionniste (ANNEXE *Lettres*).

Le Paris que Vincent redécouvre en 1886 est resté, pour l'essentiel, celui qui lui était familier. Les transformations radicales d'Haussmann étaient terminées à la fin du règne de Napoléon III en 1870, c'est-à-dire peu avant le premier séjour de Vincent. Ayant habité Montmartre en 1875-76 (*LT* 30) il aura pourtant remarqué que l'expansion de la population et des constructions vers les faubourgs — d'abord provoquée par les rénovations haussmanniennes — avait continué pendant les dix années de son absence. La modification la plus importante survenue depuis 1876 dans cette banlieue était la reconstruction des ponts, de la gare de chemin de fer, et celle de bâtiments à la lisière d'Asnières, détruits en 1870-1871 pendant la Commune. Ces travaux ne furent réalisés, pour l'essentiel qu'en 1877 ; aussi, Asnières sur la rive gauche de la Seine et Clichy plus proche de Paris, sur la rive droite, (PLAN), étaient redevenues des centres agricoles et industriels et des

459 Mon cher Theo, ne m'en veux pas d'être venu tout d'un trait
J'y ai tant réfléchi & je crois que de cette manière nous
gagnerons du temps. Serai au Louvre à partir de midi ou
Réponse s.v.p pour savoir à quelle heure tu pourrais
venir dans la salle carrée. Quant aux frais je te le
repète cela revient au même. J'ai de l'argent de reste cela
va sans dire et avant de faire aucune dépense je désire
te parler. Nous arrangerons la chose tu verras.
Ainsi viens y le plustot possible je te serre la main
t. à t. Vincent

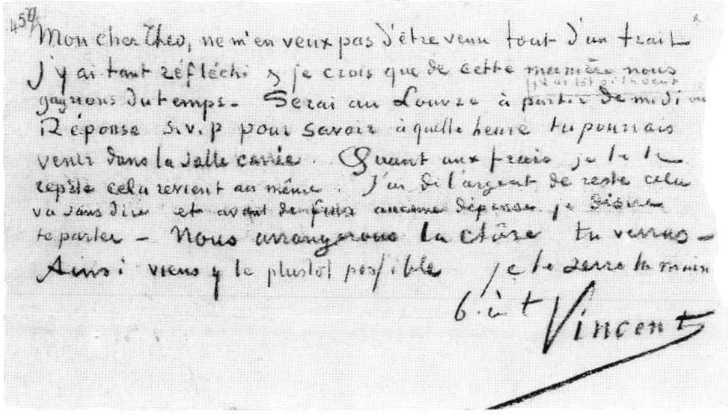

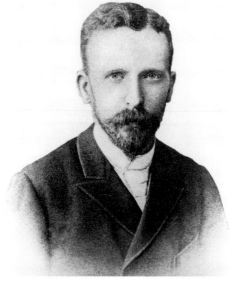

Fig. 1 Billet de Vincent à Theo (*LT* 459). Amsterdam, Rijksmuseum Vincent van Gogh (Fondation Vincent van Gogh).

Fig. 2 Photographie de Theo van Gogh. Amsterdam, Rijksmuseum Vincent van Gogh (Fondation Vincent van Gogh).

Fig. 4 Photographie du boulevard Montmartre. La succursale de la galerie Boussod, Valadon et Cie était située 19, boulevard Montmartre (à droite sur la photographie, le deuxième bâtiment après l'angle de la rue). Paris, B.N.: Cabinet des estampes.

Fig. 3 Photographie du 54, rue Lepic. Amsterdam, Rijksmuseum Vincent van Gogh (Fondation Vincent van Gogh).

lieux de villégiature. A une distance raisonnable de son domicile rue Lepic, Vincent découvre une variété de paysages, à la fois urbains et campagnards: sa peinture en témoignera, enrichissant l'iconographie traditionnelle de la peinture impressionniste.

L'atmosphère dans laquelle Vincent vit et travaille pendant la période parisienne est relativement bien illustrée par des photographies et des œuvres — au premier rang desquelles figurent ses propres tableaux. Les quartiers à la mode sur la rive droite sont alors à l'image du boulevard Montmartre, tel qu'il a été fixé par la photographie au tournant du siècle, au temps de la voiture à cheval (fig. 4). C'est là que Theo dirige la plus petite des deux succursales de la galerie Boussod, Valadon et Cⁱᵉ. Pour Vincent, ce quartier symbolise la réussite commerciale des artistes qu'il désigne par l'expression «Impressionnistes du Grand Boulevard» (c'est-à-dire Monet, Degas, Renoir, etc.); par opposition, il se définit, avec d'autres artistes moins réputés, comme «Impressionniste du Petit Boulevard». Il désigne par là le quartier à proximité immédiate de la rue Lepic et du boulevard de Clichy; celui-ci sur le tableau de Vincent (cat. n° 27), apparaît bordé de façades de hauteurs inégales et d'une élégance moins conventionnelle que celle des grands boulevards tel le boulevard Montmartre⁵. Beaucoup d'artistes contemporains résidaient ou avaient un atelier dans ce quartier (PLAN) et nombre d'entre eux l'ont dépeint. Manifestement, le regroupement par Vincent de Bernard, Anquetin, Lautrec, Gauguin et lui-même en «Impressionnistes du Petit Boulevard» (*LT* 468, 510, 553a) affirme une diversité de styles qui va au-delà de toute définition orthodoxe de l'impressionnisme. Cependant, quand il fait de Seurat le «chef du Petit Boulevard» (*LT* 500), on peut douter que celui-ci en ait tiré une source de fierté et que Gauguin, ennemi juré de Seurat, ait pu en accepter l'idée. Pourtant, comme nous le verrons, en dehors de Seurat et de Gauguin, les autres membres du groupe travaillèrent fréquemment ensemble, dans le quartier du «Petit Boulevard» ou à Asnières. C'est d'ailleurs ensemble qu'ils exposèrent dans un restaurant de l'avenue de Clichy.

Dominant la vallée de la Seine qui l'encercle presque complètement, la Butte Montmartre a, de tout temps, offert une diversité de points de vue sur la ville et la campagne environnante. Au XIXᵉ siècle, la Butte était bien moins construite qu'aujourd'hui, et les rues des versants nord et ouest n'étaient pas flanquées d'habitations et de boutiques comme celles qui regardaient vers le centre de Paris. En fait, le flanc de la colline qui s'étend vers le nord, à l'est de la rue Caulaincourt (fig. 5), était couvert, en majeure partie, de petits appentis desservant des jardins potagers. Sur la crête, il n'existait plus que trois des moulins autrefois nombreux à cet endroit: parmi eux, le Moulin Debray (aussi appelé «Le Blute-Fin») était surmonté d'une plate-forme d'où l'on pouvait admirer aussi bien Paris vers le sud que les zones industrielles au nord[6]. Il était situé au coude de la rue Lepic, un peu au-dessus du numéro 54; cette proximité explique en partie la fréquence des motifs de moulins et de jardins potagers dans les tableaux de van Gogh (cat. n°s 21, 22, 24, 52). Une autre photographie du «Vieux Montmartre» (fig. 6) montre le même versant vu du Moulin Debray, mais dans la direction de Clichy. Bien que moins pittoresque, c'est pourtant de ce point de vue ou un d'autre avoisinant que Vincent exécuta *Aux confins de Paris près de Montmartre* (cat. n° 50), l'une des plus belles et plus célèbres aquarelles de cette période. Cette photographie montrant les jardins potagers en vue plongeante permet également de localiser avec précision le motif de l'un des plus grands et plus importants paysages parisiens de Vincent *Vue de Montmartre* (cat. n° 51): en effet, on y retrouve le même corps de ferme à deux étages. La *Vue de Montmartre*, avec les *Jardins potagers à Montmartre: la Butte Montmartre* (cat. n° 52) et le tableau *Romans parisiens* (cat. n° 56) constituent l'envoi de Vincent à l'*Exposition de la Société des Artistes Indépendants*, au printemps 1888. On mesure ainsi l'importance qu'avait pris à lui seul ce versant de la Butte dans ses paysages parisiens. Le fait que moulins et potagers appartiennent tout autant à l'environnement suburbain hollandais que français est une raison supplémentaire de la fascination du peintre pour ce site.

Un autre secteur exige une analyse topographique: celui auquel Vincent van Gogh se réfère sous le terme générique d'Asnières. En réalité, cette dénomination ne comprend pas seulement la commune d'Asnières, mais également celle de Clichy. Il lui était facile de s'y rendre à pied depuis la rue Lepic en prenant l'avenue de Clichy qui, à cette époque, après la porte de Clichy, prenait le nom de boulevard National[7]. Par le pont de Clichy, elle conduisait à Asnières puis à Argenteuil (PLAN). Un autre itinéraire débutait également par l'avenue de Clichy mais opérait un virage à gauche de façon à atteindre la porte d'Asnières ou l'actuelle rue Victor-Hugo conduisant au pont d'Asnières. Ces précisions peuvent sembler superfétatoires, mais elles permettent de délimiter précisément le périmètre restreint où Vincent peignit la majorité des paysages qu'il classait lui-même sous la rubrique «Asnières». Mis à part un petit tableau (F 304) qui, semble-t-il, montre un pont conduisant à l'île de la Grande-Jatte, tous les paysages identifiables peints par van Gogh au-delà de Paris sont situés entre le pont du chemin de fer d'Asnières (cat. n° 42 fig. a), qui en marque la limite en amont, et le pont de Clichy, en aval. Ainsi, plusieurs tableaux ont été exécutés soit sur l'île des Ravageurs (ou île de la Recette) et sur l'île Robinson (ou île Roguet), reliées par le pont de Clichy, soit en regardant dans leur direction (PLAN). Les représentations suburbaines de la Seine ont été peintes, la plupart, sinon toutes, dans un même périmètre dont la longueur totale n'excède pas un kilomètre et demi[8]. Il faut ajouter à cela la proximité des parcs et des usines qui permet de mieux appréhender l'intensité avec laquelle Vincent scruta certains coins d'Asnières et de ses environs.

Fig. 5 Photographie du Moulin Debray, vu de la rue Caulaincourt, prise le 19 juin 1887. Paris, B.N.: Cabinet des estampes.

Fig. 6 Photographie du Moulin Debray, vu du côté nord, prise en 1887. Paris, B.N.: Cabinet des estampes.

Ce parcours situe les paysages si variés peints par van Gogh dans le secteur d'Asnières. Prenons par exemple le motif des ponts. Les deux ponts situés à la limite amont de la ville ont été peints à deux reprises : une fois avec le pont du chemin de fer au premier plan (cat. n° 42 fig. b), l'autre fois en montrant le pont d'Asnières proprement dit (cat. n° 42) ; dans les deux cas, la vue est prise de la rive d'Asnières. Dans le cas du pont d'Asnières, Vincent s'est installé devant le restaurant de la Sirène, c'est-à-dire en aval des piles du pont. Si le pont de Clichy figure sur un plus grand nombre de toiles que celui d'Asnières, il reste cependant moins facilement identifiable. L'ouverture de l'arche qui relie l'île des Ravageurs à Asnières (fig. 7) apparaît sur au moins deux, et même vraisemblablement quatre tableaux. Les deux cas indiscutables le montrent en amont : le *Pont de Clichy* (fig. 8) est vu de l'île, et l'autre (F 302) du quai d'Asnières. Dans ces deux exemples, deux maisons flanquent l'entrée d'Asnières à l'extrémité du pont : celle de gauche abritant le restaurant du vieux Perruchot, avec, à l'étage, l'appartement de la comtesse de la Boissière dont Vincent se souviendra à Arles (*LT* 489). Sur les deux autres tableaux (cat. n°ˢ 31 et 32), le point de vue étant situé plus bas sur l'île, les deux immeubles ne sont pas toujours visibles. Une autre photographie de cette partie du pont, prise au même niveau, de l'île des Ravageurs (fig. 9) montre les deux immeubles et, plus loin à gauche, le château Pouget qui fut construit dans le parc Voyer d'Argenson pendant les années 1885-1889. On y remarque également deux des nombreux portails d'accès au parc, mais pas l'entrée principale que van Gogh a représentée dans *L'Entrée du parc* (fig. 10). Cet endroit et ses alentours ont été d'ailleurs le prétexte à de nombreux autres tableaux : *Bords de la Seine* (fig. 11), *L'allée. Le parc Voyer d'Argenson à Asnières* (fig. 12) peuvent fort bien constituer avec *L'Entrée du parc* un « tryptique » exécuté par Vincent en 1887[9]. A la fin de l'été 1887, Vincent connaît alors Asnières aussi bien que Paris et la Butte Montmartre, explorés auparavant.

Les paysages parisiens de Vincent décrivent ainsi essentiellement un environnement familier, des lieux proches. A la différence de certains impressionnistes qui, l'été, peuvent payer le prix — même modique — du voyage et des frais de séjours dans des endroits comme Giverny (Monet), Eragny (Pissarro), Le Vésinet (Renoir), Vincent, soit par goût, soit par nécessité, recherche plutôt des lieux proches de l'endroit où il habite. En cela, il reste non seulement fidèle à son habitude de peindre autour de chez lui mais il exploite aussi les ressources offertes par un environnement en harmonie avec ses aspirations artistiques.

Fig. 7 Photographie du pont d'Asnières.
Paris, B.N. : Cabinet des estampes.

Fig. 8 Vincent van Gogh, *Le Pont de Clichy*
(F 303). Collection particulière.

Fig. 9 Photographie du pont d'Asnières,
prise depuis l'île des Ravageurs.
Paris, B.N. : Cabinet des estampes.

Fig. 10   Vincent van Gogh,
L'Entrée du parc (F 305).
Collection particulière.

Fig. 11   Vincent van Gogh,
Bords de la Seine (F 298).
Paris, collection particulière.

Fig. 12   Vincent van Gogh, *L'Allée.*
Le parc Voyer d'Argenson à Asnières (F 277).
Collection particulière.

Vincent et le milieu artistique parisien

La période 1886-1887, est la moins riche en documents de toute la carrière de Vincent : les deux frères vivant ensemble, seules subsistent quelques lettres écrites à des tiers. Cependant ce sont les années au cours desquelles il a le plus de contacts avec l'art des autres peintres, vivants ou morts : ainsi va s'opérer un changement radical dans sa propre manière de peindre. Seule l'analyse de sa production durant cette période permet de retracer ses activités. Il est particulièrement difficile d'établir ce que furent les six premiers mois de son séjour, du moins si l'on accepte le point de vue de l'auteur, à savoir que Vincent n'entra pas à l'atelier Cormon avant l'automne 1886. Une lettre envoyée par Theo à sa mère après l'emménagement dans l'appartement de la rue Lepic précise que Vincent vient de subir une intervention de chirurgie dentaire et qu'il a déjà noué des contacts fructueux avec d'autres artistes, ainsi qu'avec un marchand ; ce dernier est probablement le courtier Alphonse Portier, l'un des premiers à soutenir les impressionnistes[10]. Il habitait au premier étage du même immeuble que les frères van Gogh et avait déjà admiré les œuvres envoyées par Vincent à Nuenen (*LT* 401, 404). Plus tard, Theo rappellera à Vincent, alors à Arles (*T* 3), qu'il doit continuer (dans le cadre du projet en cours, d'amener Gauguin à se rendre à Arles), de «... créer un entourage d'artistes et d'amis... » et ajoute : « Ce que tu as cependant, créé, plus ou moins, depuis que tu es en France. » Dans la lettre à sa mère citée plus haut, Theo mentionne deux autres activités de Vincent : ses échanges de tableaux, probablement avec d'autres artistes, et sa peinture : « surtout des fleurs, avec pour objectif de poser à chaque tableau des couleurs toujours plus vives. » De la première de ces activités, seule la tentative avortée d'un échange de tableaux avec Charles Angrand est confirmée par une lettre (ANNEXE *Lettres* ; le timbre de la poste est du 25 octobre), mais il est cependant fort probable qu'il eut des échanges avec d'autres peintres. Quant aux tableaux de fleurs, il en subsiste, fort heureusement, un grand nombre de style pré-impressionniste ou pré-pointilliste, qu'on peut donc dater de 1886 (cat. n⁰ˢ 5, 6, 7)[11]. Mais, si les fleurs retiennent son attention pendant l'été 1886, un certain nombre de paysages datent par leur style de cette même année[12]. De plus, van Gogh consacre indiscutablement une grande part de son temps à la figure humaine car il souhaite améliorer son dessin avant d'entrer à l'atelier Cormon. Néanmoins, d'autres activités, telles que l'étude d'œuvres d'art dans les galeries et les expositions, l'établissement de relations personnelles avec des artistes, la recherche de débouchés commerciaux pour son art avec l'aide de Theo, de Portier, de l'Ecossais Alexander Reid et celle d'autres marchands, occupent beaucoup Vincent en dehors du dessin et de la peinture. Son art passe progressivement d'un réalisme couleur de terre à une des manières les plus intensément colorées de l'histoire de la peinture occidentale. Tout cela témoigne de l'énergie et de la concentration qui ont déterminé sa conduite au cours des premiers mois passés à Paris.

Si l'été 1886 il se consacre surtout à la peinture de fleurs, à partir de l'automne l'atelier Cormon devient son principal centre d'activité. Quand il écrit à son vieux camarade de l'Académie d'Anvers, Horace Mann Livens (ANNEXE *Lettres*), qu'il en a terminé avec les fleurs, mais aussi avec les « trois ou quatre mois » de l'atelier Cormon[13], il conclut au même sentiment de déception qui l'avait auparavant conduit à quitter l'Académie d'Anvers (*Lettre* 459a). Ainsi pour van Gogh, la période passée chez Cormon n'a pas réellement contribué à sa formation ou à ses progrès. Par la suite, comme il l'écrit à Livens : « j'ai travaillé seul... je me sens moi-même davantage. » Pourtant, il avait souhaité fréquenter cet atelier pour améliorer son habileté à rendre le corps humain, soit par l'étude du modèle vivant, soit d'après des moulages en plâtre représentant des nus. Remarquons que la période parisienne est la dernière tentative dans cette direction (cat. n⁰ 18) et qu'on n'a jamais pu rapprocher ces études des figures peintes par la suite. Il ne faudrait pas pour autant conclure que le temps passé chez Cormon ne joua aucun rôle dans la carrière de Vincent. Certes, il faut reconnaître qu'on ne sait si les études de nu ou de figure drapée (dessin ou tableau), furent exécutées à l'atelier Cormon, au Louvre ou dans l'appartement des frères van Gogh. Il reste vrai que Vincent s'applique à ce travail académique avec autant d'intensité l'automne 1886 que quelque neuf mois plus tôt à Anvers. Faut-il conclure à l'inutilité de cette ascèse pour un artiste moderne ? Dans le cas de Vincent, il serait déraisonnable de supposer que l'expérience n'eut aucune conséquence positive. Les nombreuses études à l'huile d'après des moulages d'antiques (cat. n° 17) témoignent de la capacité de Vincent à produire des œuvres de toute beauté qui pourraient être considérées — d'un point de vue «moderniste» plus dogmatique — comme un moment de faiblesse, une concession. De plus, c'est à l'atelier Cormon que Vincent rencontre Lautrec pour la première fois, et que Bernard le voit travailler, avant de lui être présenté dans la boutique du Père Tanguy; par l'intermédiaire de Bernard, Vincent va connaître Anquetin, l'ancien massier de l'atelier Cormon tombé en disgrâce auprès du maître et qui avait quitté l'atelier l'été précédent[14]. Vincent noue aussi d'autres contacts et amitiés lors de son séjour chez Cormon : il en résulte des échanges de tableaux actuellement conservés au Rijksmuseum Vincent van Gogh d'Amsterdam[15]. Ainsi l'automne 1886 ne doit pas être considéré comme une période de jachère dans la carrière de Vincent, mais plutôt comme le nécessaire prélude à l'année suivante, si remarquable par la rapidité de son évolution et la richesse de ses réalisations.

Lorsque van Gogh abandonne l'atelier Cormon, fin 1886, il a saisi toutes les occasions de voir non seulement les maîtres du Louvre, mais également tous les aspects de l'art français du XIXᵉ siècle jusqu'aux plus contemporains. Le Salon annuel, ouvert au cours des mois de mai et de juin, n'était certainement pas «avant-gardiste»; y étaient cependant accrochées des œuvres de Cormon, Raffaëlli, Fantin-Latour et Ernest Quost, peintres auxquels Vincent s'intéressait. Il a visité, sans doute à plusieurs reprises, le musée du Luxembourg qui, récemment rénové, avait ouvert ses portes le 1ᵉʳ avril de cette année-là et montrait des œuvres de Th. Ribot, F. Ziem, G. Courbet et des maîtres de l'Ecole de Barbizon admirés par Vincent dès ses précédents séjours[16]. On a prêté, à juste titre, une attention toute particulière au fait qu'en 1886, nombreux étaient les tableaux impressionnistes et néo-impressionnistes présentés dans des expositions publiques. Ainsi la *VIIIᵉ Exposition* du groupe des impressionnistes eut lieu de mi-mai à mi-juin pour la première fois depuis 1882 et il faut aussi mentionner les œuvres de Renoir et Monet présentées à la *Vᵉ Exposition Internationale de peinture et de sculpture* chez Georges Petit du 15 juin au 15 juillet; ces manifestations permettent d'apprécier à quel point, peu après son arrivée, Vincent fut amplement en contact avec la peinture impressionniste et néo-impressionniste la plus récente. Par exemple, *La Grande Jatte* de Seurat est exposée à la *VIIIᵉ Exposition de Peinture Impressionniste*, puis avec un grand nombre d'œuvres néo-impressionnistes à la *IIᵉ Exposition de la Société des Artistes Indépendants* qui eut lieu du 20 août au 21 septembre. De plus, dès 1886, Theo commence à présenter certains impressionnistes à la galerie Boussod, Valadon et Cⁱᵉ (ANNEXE *Theo*); et Portier, dans son appartement, a un choix de toiles encore plus important; ses richesses comprenaient des tableaux des différentes périodes de Manet, Desboutin et Cézanne[17]. Ce dernier était d'ailleurs fort bien représenté dans la boutique du Père Tanguy que Vincent connut de façon certaine au plus tard à la fin de l'année: le premier portrait qu'il fit du marchand (fig. 13) est en effet daté de janvier 1887[18]. Vincent vit également — plutôt en 1887 d'ailleurs[19] — des tableaux impressionnistes importants de la collection Faure présentés par roulements dans la vitrine d'un marchand de cadres de la rue Laffitte au service du collectionneur, comme il devait le rappeler dans une lettre d'Arles (*LT* 574). Ainsi dès 1886, Vincent connaît parfaitement les dernières évolutions de la peinture française.

En cette même année, le nombre de peintres d'avant-garde qu'il rencontre est moins certain, sans parler des amitiés qu'il noue. Les seuls exemples confirmés sont: Charles Angrand dont il visite l'atelier avant d'envoyer sa lettre du 25 octobre et Lautrec qui l'invite en décembre 1886 à un spectacle au cabaret d'Aristide Bruant, Le Mirliton, où l'on inaugure les tableaux commandés à l'artiste[20]. Par la suite, Vincent assiste de temps en temps aux réceptions hebdomadaires de Lautrec, mais il est probable que des personnalités d'éducation et de tempérament si différents n'aient jamais pu devenir intimes. Et mis à part le portrait au pastel de Vincent par Lautrec (cat. n° 22), peut-être exécuté au café-restaurant du Tambourin, on ne trouve pas trace des deux hommes travaillant ensemble[21]. Nous tenterons de démontrer plus loin que les contacts personnels avec les artistes qui furent de la plus haute importance pour la carrière de Vincent — Signac, Bernard et Gauguin — sont tous postérieurs à 1886; il est également improbable qu'il eut des contacts, même fortuits, avec des impressionnistes connus avant 1887[22].

Fig. 13 Vincent van Gogh,
Le Père Tanguy (F 263).
Copenhague, Ny Carlsberg Glyptotek.

Fig. 14 Vincent van Gogh,
L'Homme à la calotte (F 289).
Amsterdam, Rijksmuseum Vincent
van Gogh (Fondation Vincent van Gogh).

Si, comme il l'admit lui-même, ses tableaux de fleurs et la fréquentation de l'atelier Cormon sont à mettre au compte d'une activité d'étudiant, autre est sa décision, dès le début de 1887, de travailler seul — décision suivie d'une rapide maturation de son style vers l'impressionnisme et le pointillisme. D'autres types d'activités s'ajoutent à cette évolution : il se met à collectionner, à organiser des expositions qui furent d'une importance capitale pour lui-même et pour certains de ses associés-artistes. Dans la seule lettre datée qu'on connaisse du début de 1887, Theo écrit le 28 février à sa mère que Vincent « a peint quelques portraits qui se sont révélés bons, mais il les fait toujours gratuitement », ce que Theo déplore (*WTRT* 9). Les modèles étaient probablement des amis que Vincent ne voulait pas faire payer, que ce soit Tanguy en janvier, ou Reid figuré assis dans l'appartement des van Gogh (cat. n° 38 fig. a)[23]. *La Femme au Tambourin* (cat. n° 24), quant à lui, représente très certainement un ancien modèle bien connu, Agostina Segatori, alors propriétaire du café du Tambourin. Deux lettres de l'été 1887 à Theo, faisant allusion à la Segatori (*LT* 461, 462) suggèrent que Vincent eut avec elle une relation amoureuse. Quoi qu'il en soit, c'est dans son café-restaurant que Vincent organise tout d'abord une exposition d'estampes japonaises (*LT* 510). Par la suite, selon Bernard, c'est là que pour la première fois il montre ses propres tableaux — surtout des natures mortes de fleurs — à la suite d'un arrangement commercial assez obscur[24] qui prend fin au cours de l'été 1887, bien qu'alors Vincent attende toujours de récupérer ses tableaux (*LT* 462). En tout cas cet accord dura certainement plusieurs mois et il s'agit là de sa première tentative d'organisation d'exposition à Paris.

Son intérêt pour les estampes japonaises est à son apogée à la fin de l'hiver ou au printemps 1887, date à laquelle il entre en relation avec celui qui était alors le principal marchand parisien d'art de l'Extrême-Orient, Siegfried Bing. Son magasin était situé à l'angle de la rue de Provence et de la rue Chauchat, non loin de la succursale de la maison Goupil où travaillait Theo[25]. Vincent acquit « en commission » la plupart des quelque quatre cents estampes japonaises au cours de « quatre ou cinq » visites qu'il rendit, le dimanche, sans doute dans une mansarde du domicile de Bing, rue de Vézelay, près du parc Monceau[26]. Plus tard, à Arles, Vincent devait se souvenir d'y avoir emmené Anquetin et Bernard qu'il entraîna aussi à l'exposition du Tambourin pour les initier aux qualités intrinsèques de l'estampe japonaise. Quel que soit l'ordre de ces événements, Vincent fut, à l'évidence, le principal responsable de ce regain d'intérêt pour l'art japonais au sein du milieu des « récalcitrants » de l'atelier Cormon et, dans sa tentative, il se tourna vers des personnages comme Siegfried Bing et la Segatori[27]. Il décrivit lui-même comme désastreux le bilan commercial de cette exposition d'estampes et tout donne à penser qu'il en fut de même de l'accrochage de ses propres toiles aux murs du Tambourin. En dépit de leurs résultats négatifs, ces manifestations témoignent du rôle grandissant de Vincent parmi les anciens élèves de l'atelier Cormon, dans la recherche de moyens d'exposer ; il devait d'ailleurs organiser à la fin de cette même année une exposition d'œuvres d'Anquetin, de Bernard et de Lautrec, en plus des siennes.

Van Gogh rencontre vraisemblablement Anquetin et Bernard avant de faire la connaissance de Signac vers janvier-février 1887 ; c'est cependant avec ce dernier qu'il va tout d'abord peindre le long des berges de la Seine à Asnières, Clichy, et aux alentours[28]. Signac quittant Paris pour le sud de la France le 23 mai 1887 et ne revenant pas avant novembre, les deux artistes n'ont eu l'occasion de se retrouver pour peindre ensemble qu'en avril-mai : l'atmosphère printanière et estivale des paysages des bords de Seine peints par van Gogh, d'un style pointilliste naissant le confirme. Il est significatif que dans une lettre du 15 mai à sa mère, rapportant les progrès artistiques de Vincent (*WTRT* 12), Theo loue l'activité et l'intelligence de son frère ; il caractérise ainsi son évolution du moment : « Ses peintures deviennent plus claires et il tente avec beaucoup d'application d'y mettre plus de soleil. » Le rôle de Signac qui l'encourage à l'emploi d'une palette plus claire, plus vive et qui l'initie à la théorie scientifique des couleurs — fondement du Néo-impressionnisme — se révèle des plus importants et même décisif pour Vincent. Il est vrai que les conseils de Signac ne s'adressaient pas à un néophyte. Vincent avait étudié la théorie des couleurs dès la période de Nuenen quand, au travers des écrits de Charles Blanc, il en attribuait le mérite à un de ses artistes-héros, Eugène Delacroix. C'est sans doute cet intérêt premier qui a guidé ses expériences dans l'utilisation des complémentaires et des tons dits « rompus » pour les peintures de fleurs exécutées en 1886[29]. Il est également possible que Vincent ne se soit pas senti concerné par la distinction entre Néo-impressionnisme et Impressionnisme, bien que, dès le printemps 1887, il ait compris les nuances de ces deux dénominations. Cette distinction avait dû se préciser, tout d'abord grâce à la *IIIe Exposition des Artistes Indépendants* (26 mars-3 mai 1887), puis à la galerie Georges Petit grâce à la *VIe Exposition Internationale de Peinture et de Sculpture* (8 mai-8 juin 1887)[30]. Il est assez piquant que le premier contact de Vincent avec un impressionniste se soit fait avec un chef de file néo-impressionniste — Signac — qui quitte Paris presque au moment même où Theo noue des relations commerciales avec des impressionnistes de la première génération (ANNEXE *Theo*)[31]. Il ne s'ensuit d'ailleurs pas de contacts personnels entre Vincent et ces « Impressionnistes du Grand Boulevard », la plupart d'entre eux étant absents de Paris en cet été 1887 (CHRONOLOGIE). A l'opposé, les deux semaines qui séparent le départ de Gauguin en février 1888 de celui de Vincent pour Arles seront riches d'échanges d'idées, entre les frères van Gogh, Camille et Lucien Pissarro, Guillaumin et Seurat (*Lettre* 553a). Dans l'intervalle, s'il s'est produit des rencontres fortuites à l'automne 1887, entre Vincent et les impressionnistes, elles ont été sans conséquences sur sa manière de peindre déjà indépendante et par bien des aspects, anti-impressionniste. Ainsi, mis à part les quelques semaines où il travaille en partie avec Signac, l'adoption et le développement chez van Gogh d'un style tout d'abord impressionniste, puis néo-impressionniste entre le printemps et l'automne 1887, résultent bien plus de l'étude de tableaux peints suivant ces manières que de conseils et d'enseignements.

L'événement essentiel du séjour de Vincent à Paris est sans nul doute l'exposition qu'il organise au « Grand Bouillon, Restaurant du Chalet », 43, avenue de Clichy, à proximité du carrefour dit de La Fourche. On l'aperçoit à l'arrière-plan du tableau d'Anquetin, daté de 1887, *L'Avenue de Clichy* (cat. n° 73) certainement exposé à cette occasion et que Vincent reprendra en septembre 1888 dans *Le café, le soir, place du Forum à Arles* (F 467). Monsieur Martin, propriétaire de ce grand restaurant populaire, est sans doute l'homme trapu et moustachu peint par Vincent dans un des portraits exécutés à la fin de la période parisienne (fig. 14)[32]. Bien que cette exposition ait eu peu de succès financier (une vente pour Anquetin et pour Bernard mais aucune pour Lautrec, Vincent et son ami hollandais, Arnold Koning), Vincent se souviendra plus tard de l'échange de tableaux qu'il fit avec Gauguin comme un autre résultat positif, en la citant comme un exemple pour l'avenir[33].

On sait peu de choses du contenu de l'exposition. Bernard fait référence au tableau de Lautrec : *Prostituées*, à celui d'Anquetin : *Abstractions japonaises* ainsi qu'au sien : *Synthèses géométriques*, à celui de Koning : *Visages multicolores* et aux toiles de van Gogh : des natures mortes «violentes», des «visages enflammés» et des paysages d'Asnières[34]. Un autre récit mentionne la participation de Guillaumin, C. Pissarro et Gauguin mais donne plutôt des détails sur les visiteurs connus que sur les œuvres exposées[35]. Cette manifestation se termine de façon «désastreuse» : Vincent doit remballer prématurément les toiles exposées à la suite d'une dispute avec le propriétaire du restaurant. Pourtant, outre les habitués du Restaurant du Chalet, Guillaumin, les Pissarro, Seurat et d'autres peintres sont venus la voir[36]. Et si cette exposition n'attira pas l'attention de la presse, elle intéressa assez d'artistes — participants ou observateurs — pour qu'on puisse y voir une étape dans l'histoire de la peinture en France : le début d'une transition du style impressionniste au style symboliste[37].

Vincent et l'Impressionnisme

Le style parisien de Vincent van Gogh peut s'analyser à partir de quatre catégories : Réalisme, Impressionnisme, Pointillisme et Japonisme. On pourrait penser que ces styles sont exclusifs dans un même tableau, et consécutifs dans l'évolution du peintre mais il n'en est rien. Des tableaux réalistes par leur palette sombre et naturalistes par leur description «photographique» sont parfois combinés avec une technique impressionniste ou pointilliste, ou toute autre application des dites «Lois» des contrastes. De même, après le passage des tonalités plus sombres du Réalisme aux teintes vives de l'Impressionnisme, il est souvent difficile de déterminer si, par la touche, il s'agit d'un tableau impressionniste ou pointilliste[38]. D'ailleurs, alors que plusieurs toiles peintes les derniers mois passés à Paris — notamment celles directement inspirées de célèbres estampes — comptent parmi les exemples du Japonisme le plus pur, il est typique de Vincent que ce Japonisme soit fondu dans un style impressionniste ou néo-impressionniste. D'Arles, Vincent insistera sur l'identification entre le Japonisme et l'Impressionnisme français (*LT* 500, 510). Cette combinaison d'influences apporta évidemment beaucoup à son œuvre à la fin de son séjour à Paris.

L'installation de Vincent à Paris ne semble pas avoir, au départ, provoqué de grands changements dans le réalisme de Nuenen et d'Anvers. Parfois même, on note un regain d'intérêt pour la tradition française, dû aux exemples immédiatement accessibles. Ainsi, les quelques natures mortes qui représentent des harengs (fig. 15) peuvent sembler une variation personnelle d'un tableau de Théodule Ribot (fig. 16), depuis peu de temps dans la collection des frères van Gogh. Malgré la couleur vive, peut-être simplement due au ton local des fruits, des oignons et du pot, mais aussi à la théorie des couleurs, le travail du pinceau reste fidèle à la technique largement empâtée des toiles de Nuenen et d'Anvers. En outre, la réputation de «Frans Hals des temps modernes» du peintre

Fig. 15 Vincent van Gogh, *Nature morte : maquereaux* (F 285). Winthertur, collection Dr. Oskar Reinhart.

français Ribot a pu le rendre cher à la fibre patriotique de Vincent et il n'est pas impossible de penser que *Nature morte avec poissons* soit dû à un échange avec Ribot.

Les quelque trente tableaux de fleurs que l'emploi de fonds sombres et la technique pré-impressionniste font dater vraisemblablement de l'été 1886, sont d'un réalisme tout aussi traditionnel. Et dans quatre des rares lettres de la période parisienne, Vincent mentionne ces études comme sa principale occupation en 1886 (ANNEXE *Lettres*). Il est difficile d'en établir la chronologie, surtout parce qu'un certain nombre de toiles ont été perdues — toutes n'ayant pas été récupérées après l'exposition du «Tambourin» en 1887. Néanmoins la présence chez les frères van Gogh de six toiles de fleurs de Monticelli, d'une de Fantin-Latour et de deux de Georges Jeannin, prouve que Vincent connaissait la manière des Réalistes français[39]. Plus tard, en février 1890, Vincent devait recommander deux de ces artistes, ainsi que le Père Quost, au critique Albert Aurier (*Lettre* 626a) qui, dans un célèbre article en l'honneur de Vincent, avait loué ses derniers tableaux de fleurs[40]. Cette fidélité à la tradition réaliste n'empêche pas une expressivité personnelle dans l'utilisation de la théorie des couleurs et du Japonisme.

Réaliste également est son traitement de la figure humaine jusqu'au début de 1887. Dans plusieurs autoportraits, dont au moins un fut peint peu après son arrivée à Paris (cat. n° 1), l'artiste se représente avec une précision de miroir mais l'intensité fixe du regard n'est pas sans rappeler le Romantisme. Le nombre relativement élevé d'autoportraits de la période parisienne s'explique en partie par son incapacité financière à payer des modèles, ce qu'il aurait préféré à la peinture de fleurs (*Lettre* 459a et *W* 1). A ce propos, il faut noter que son activité à l'atelier Cormon se limite au dessin, ainsi qu'il l'avait si souvent souhaité à Anvers et comme il le rappela dans une lettre d'Arles (*LT* 539). Il est révélateur qu'on ne connaisse de lui qu'un seul tableau d'après le modèle (F 215), l'étude de *Fillette nue, assise* (cat. n° 15 et cat. n° 15 fig. a) et quelques dessins exécutés, du moins on le suppose, à l'atelier Cormon. De même, les quelques études à l'huile d'après des moulages d'antiques, pour la plupart sur carton, n'ont certainement pas été peints chez Cormon : leur coloris vif et une certaine liberté de la touche les font dater de 1887 plutôt que de l'automne précédent. En outre, qu'ils soient d'après des moulages ou d'après un modèle vivant, les dessins de Vincent à l'atelier Cormon relèvent plus d'une conception naturaliste que de la perfection préconisée par les normes académiques. Il n'est pas étonnant que plus tard à Arles, opposant son approche personnelle du dessin à celle du maître de l'atelier, il ait rappelé : «C'est comme pour le dessin, je ne mesure presque pas et en cela je suis catégoriquement opposé à Cormon, qui dit que s'il ne mesurait pas, il dessinerait comme un cochon» (*LT* 539).

Vincent reste dans l'ensemble fidèle au Réalisme pendant toute l'année 1886, même dans ses paysages, où perce pourtant parfois l'influence impressionniste. On a ainsi une curieuse illustration de la volonté de Vincent de combiner les deux

Fig. 17 Vincent van Gogh,
Allée de peupliers près de Nuenen (F 45).
Rotterdam, Museum Boymans - van Beuningen.

Fig. 18 Vincent van Gogh, *Jardin public à Paris* (F 225).
Collection particulière.

styles dans l'*Allée de peupliers près de Nuenen* (fig. 17) : ce tableau fut terminé aux Pays-Bas à l'automne 1885, mais l'artiste applique, peu après son arrivée à Paris, des touches de couleurs plus claires[41]. Ces mêmes parties diversement striées ou pointillées se retrouvent dans les quatre vues de parcs parisiens que Vincent peint en 1886, versions «métropolitaines» en quelque sorte de l'*Allée de Nuenen*. Si une des scènes de parc, *La Terrasse au jardin du Luxembourg* (cat. n° 3) montre un feuillage caractéristique de la fin du printemps ou de l'été, les trois autres, comme *Jardin public à Paris* (fig. 18), décrivent les feuilles rouges, orangées et brunes de l'automne : la période d'expérimentation, où se mélangent les manières de Barbizon et l'Impressionnisme, s'est prolongée assez tard. On peut faire les mêmes remarques à propos des paysages de la Butte Montmartre en 1886. Ainsi, les deux représentations du *Moulin Le Blute-Fin* (F 273, F 274), où la croissance de la végétation indique l'été, reflètent la tradition de Barbizon modifiée par des éléments de couleur ou de touche impressionnistes. En revanche, quand à l'automne Vincent peint *Le Moulin Le Radet* (cat. n° 9), il revient à un style, une couleur et une touche évocateurs des périodes de Nuenen et d'Anvers. De même, dans le groupe des quatre tableaux montrant les toits de Paris vus de Montmartre (cat. n° 4, F 231, F 261 et F 265), trois ont un feuillage vert assez dense pour indiquer l'été mais le style reste fondamentalement réaliste ; d'ailleurs ce type de point de vue embrassant la ville a des précédents dans l'œuvre d'artistes tels que Daubigny ou Vollon ainsi que dans la gravure populaire et la photographie[42].

Dans tous les tableaux de paysage de 1886 Vincent tente, en quelque sorte, de faire à Paris — et en particulier sur la Butte Montmartre — ce qu'il avait fait auparavant à La Haye et à Nuenen : il décrit avec une attention toute particulière son environnement immédiat et ceux qui y vivent. A cet égard, les figures isolées ou en petits groupes qui traversent à la hâte les rues, les parcs ou les jardins de Paris remplissent la même fonction qu'auparavant. Il s'en était déjà expliqué de Nuenen à Theo en janvier 1885 (*LT* 388a) : «Il y a des choses *grandioses* dans le monde, la mer et les pêcheurs, le sillon et les paysans, la mine et les mineurs. *Mais je trouve aussi grandioses* les trottoirs de Paris, de même que les gens qui connaissent leur Paris à fond.»

L'œuvre de Vincent au cours de l'année 1887 peut s'analyser dans le sens d'une progression stylistique. Certes les saisons fournissent des indications de date, mais les changements progressifs de la technique du pinceau, de l'utilisation de la couleur et du traitement de l'espace permettent de toute façon une description d'ensemble de l'évolution de son art. Comme les portraits et les moulages de l'hiver 1886-1887, le groupe de trois nus allongés (cat. n° 18) et la série de souliers (cat. n°ˢ 13, 14, F 332a et F 255) de cette même période offrent l'exemple de vues rapprochées avec des fonds décoratifs et des couleurs pures qui annoncent le style ultérieur; la conception picturale d'ensemble reste cependant réaliste. Quand Vincent recommence à peindre en plein air au début du printemps 1887, il retourne tout d'abord sur la Butte, en particulier au «Moulin du Blute-Fin» qu'il représente à deux reprises (F 348, cat. n° 24 fig. a). Auparavant, il avait déjà peint à deux reprises ces mêmes lieux avant la frondaison (cat. n°s 21, 22)[43]. Sur une de ces toiles (cat. n° 22 fig. 19), van Gogh a ajouté près de la clôture la figure d'un peintre vu de dos, avec un chevalet, symbolisant peut-être son attirance personnelle pour ce thème; sur une autre toile (cat. n° 20), des couples emmitouflés se retrouvent au Blute-Fin malgré le temps encore frais. Ces premières tentatives de peinture de paysage en 1887 sont de deux types: celles où le travail du pinceau est encore réaliste et celles qui comportent des touches pointillistes, bien que dans les deux cas prédomine une forme de pittoresque propre au Réalisme.

La prédominance du pointillisme dans ces tableaux et dans les vues de Paris peintes depuis l'appartement de la rue Lepic (cat. n°s 28 et 29) soulève le problème de savoir s'ils furent peints avant ou après la rencontre de Vincent et de Signac. Van Gogh avait eu amplement l'occasion de voir des tableaux néo-impressionnistes importants en 1886; pourtant, quand il utilise pour la première fois la technique du pointillé au début du printemps 1887, on peut se demander, si c'est de sa propre initiative à la suite de ses incursions sur la Butte Montmartre, ou si Signac l'accompagne régulièrement dans ses randonnées. Cette dernière hypothèse est peu vraisemblable compte tenu du petit nombre de sujets communs dans leurs œuvres. Vincent décida plutôt de son propre chef, ou après en avoir discuté avec son frère, de s'essayer à l'impressionnisme, quelle qu'en soit la tendance. Les œuvres montrées dans cette exposition permettent de suivre la chronologie de cette évolution. Toutefois il nous faut, dans ce bref survol du développement de l'art de Vincent, attirer l'attention sur les influences réciproques qui ont pu s'exercer entre Vincent et les autres peintres, plus encore par leurs tableaux, que par des contacts personnels.

A cet égard, il faut rappeler que c'est au printemps 1887 que Theo tente pour la première fois sérieusement d'acquérir et de vendre des toiles impressionnistes; il n'existe cependant aucune preuve de ce que Vincent ait fait la connaissance de Monet en accompagnant son frère à Giverny[44]. A cette époque, Vincent eut l'occasion d'apprécier tout d'abord les dernières productions néo-impressionnistes: l'exposition des Indépendants, présentant des œuvres de Seurat et de son cercle, ouvrit le 26 mars puis celle des Impressionnistes à la galerie Georges Petit débuta le 7 mai. L'exposition d'œuvres pointillistes, coïncidant avec son travail en compagnie de Signac à Asnières et aux alentours, explique mieux la présence de surfaces pointillées sur les paysages de printemps de 1887, par

Fig. 19   Vincent van Gogh,
Le Blute-Fin: le Moulin de la Galette (F 348 bis).
Pittsburgh, Institut Carnegie
(don de la famille Sarah Mellon Scaife).

ailleurs, tout à fait impressionnistes du point de vue de la technique (cat. nᵒ 30). Ce n'est que l'été suivant qu'il peignit des paysages d'un impressionnisme classique, sans touche pointillée. L'utilisation du pointillé est un trait marquant de ces paysages printaniers d'Asnières et de la région où il peignit avec Signac : *Bords de rivière au printemps* (cat. nᵒ 31) et *Aux confins de Paris* (cat. nᵒ 46) en témoignent. Il convient donc d'attribuer un rôle fondamental au Néo-impressionnisme en général et à Signac en particulier, car ils contribuèrent à éloigner Vincent d'un réalisme résiduel : il adopte alors une conception très personnelle de l'Impressionnisme et du Pointillisme.

Si l'on mesure l'ampleur des innovations stylistiques de l'art de van Gogh pendant l'été 1887, il faut remarquer deux points essentiels. En premier lieu, il ne travaille selon les directives d'aucun autre peintre et aucun tableau ne lui sert de modèle dans sa recherche d'une source d'inspiration, sauf pour les tout premiers paysages. A l'instar des impressionnistes reconnus, Anquetin, Signac, et pour une partie de la saison, Lautrec et Bernard vont travailler ou passer des vacances en dehors de la capitale. Seul Seurat reste à Paris tout l'été mais nous savons que Vincent et lui ne font connaissance qu'à la fin de l'année (CHRONOLOGIE). L'été est aussi l'époque de l'année où il y a peu d'expositions et le stock de tableaux impressionnistes achetés par Theo pour Boussod, Valadon et Cⁱᵉ n'est pas encore très important. Il faut imaginer un Vincent solitaire travaillant sur les rives de la Seine au moins jusqu'en août quand Bernard rentre de Bretagne et même très certainement jusqu'en septembre où l'on sait qu'il rencontre par hasard Camille et Lucien Pissarro (CHRONOLOGIE).

En second lieu, si l'œuvre qui nous est parvenue comprend certes plus de quarante paysages, environ quatorze autoportraits et à peu près une demi-douzaine de natures mortes, il importe plus de saisir la variété d'approches dans le travail du pinceau, l'usage de la couleur et la composition à l'intérieur d'un style dans l'ensemble impressionniste, que de dégager une progression claire dans une direction ou une autre. Ainsi, les surfaces pointillées et les hachures parallèles — courbes ou droites — plus ou moins empâtées suivant la partie de terre, de ciel, de bâtiment ou de feuillage à peindre, dominent par endroits. La couleur varie d'une quasi monochromie à une utilisation éblouissante de toute la palette, de tons différenciés souvent posés comme par hasard, sans organisation apparente, par contrastes de complémentaires ou par dégradés d'une même teinte. Comme on le verra dans les notices des tableaux exposés, Vincent doit beaucoup aux exemples de l'Impressionnisme, et ses paysages de l'été 1887 s'en rapprochent fortement par le choix des motifs, le style, le cadrage des vues et autres procédés de composition. Pourtant, Vincent en diffère par bien des aspects. S'il lui arrive de transformer Asnières et les jardins potagers de Montmartre en paradis campagnards, ce sont rarement des paradis bourgeois comme dans la plupart des scènes impressionnistes. Ses paysages (et même ses intérieurs de restaurant) sont en général sans personnage ou animés par une ou deux petites figures — paysan des environs ou passants vacant à leurs occupations quotidiennes. Vincent a souvent concentré son attention sur un seul motif (un bâtiment, une étendue de terre ou d'eau, un coin de parc ou un moulin) jusqu'à l'isoler de son environnement, se démarquant ainsi des vues plus pittoresques chères à l'Impressionnisme classique. Cette exposition permet de confronter pour la première fois les œuvres de Vincent peintes à Paris à celles des principaux maîtres des avant-gardes de l'époque et donne l'occasion de mieux reconnaître sa main, à l'égal d'artistes plus familiers.

La dernière période, qui couvre l'automne et le début de l'hiver 1887-1888 occupe une place toute particulière dans le séjour de van Gogh à Paris car on n'y trouve aucun tableau de plein air. Que ce soit à Nuenen ou à Arles, il a toujours peint des paysages de neige, mais à Paris il n'exécute aucun paysage hivernal malgré leur popularité chez les impressionnistes. Quelle qu'en soit la raison, il se tourne plutôt vers la nature morte — genre qu'il semblait avoir délaissé pendant l'été — et s'intéresse aussi au portrait. Parmi les natures mortes, six représentent des fruits ou des légumes, quatre des fleurs de tournesol, certainement peintes à la fin de l'été et au début de l'automne tant que la saison le permet ; le sujet des autres toiles — des crânes (cat. nᵒ 67) et des livres — n'a évidemment rien à voir avec les saisons, mais une de ces natures mortes a sans doute été peinte avant la fin de l'automne[45]. Parmi les portraits, on compte six autoportraits, deux du *Père Tanguy* (cat. n° 65 et F 364), un supposé représenter la Segatori (cat. n° 66), et enfin, *L'homme à la calotte* (fig. 14). Si ce dernier est bien le propriétaire du «Restaurant du Chalet» où Vincent organise à la fin de l'automne une exposition de ses œuvres avec celles d'Anquetin, Bernard et Lautrec, ces quatre derniers portraits peuvent avoir été conçus comme un hommage aux propriétaires des lieux où il avait exposé. Les seuls autres tableaux peints par Vincent pendant cette dernière période sont les trois toiles exécutées d'après des gravures sur bois japonaises : deux inspirées d'Hiroshige (cat. n° 62 et F 372) et *Japonaiserie* (F 373) exécutée d'après une figure de Keisai Yeisen.

Malgré la diversité des sujets traités, ces peintures de la fin de la période parisienne forment un ensemble stylistique remarquablement cohérent. La touche simplifiée, fortement empâtée, forme à la surface un motif harmonieux sur toute la composition. Ce procédé est sans doute inspiré de l'aspect chiffonné des crépons japonais bon marché, alors en vogue, que Vincent admirait tout particulièrement et collectionnait. En outre, cette technique préfigure la touche qu'il utilisera largement à Arles et ultérieurement. Les natures mortes de fruits et autres comestibles peintes à Arles (F 384, F 386, F 395, F 510, F 602) sont tellement proches par leur couleur intense et sonore de leurs antécédents parisiens que seules les références dans les lettres permettent de les situer plus tard.

Les thèmes de la dernière série de tableaux peints à Paris annoncent également le départ pour le Sud de la France. Il n'est pas interdit, par exemple, de voir dans le choix des tournesols de ses derniers tableaux de fleurs un symbole de son désir d'aller vers des contrées où ils abondent. De plus, non seulement Vincent donna deux de ces tableaux à Gauguin à titre d'échange au moment de l'exposition au Restaurant du Chalet (*LT* 571) mais c'est encore avec plusieurs toiles, également consacrées à ce thème, qu'il décora la chambre de celui-ci dans ladite «Maison jaune» à Arles (*LT* 574). Et si Vincent collectionnait les estampes japonaises, les exposait au public et les utilisait dans ses tableaux quand il était à Paris, peu après son arrivée à Arles, il devait écrire «le pays me paraît aussi beau que le Japon.» De plus, en septembre 1888, Theo lui envoie à sa demande un lot d'estampes japonaises ainsi que les deux premiers numéros d'un nouveau périodique lancé par Bing, *Le Japon artistique* (*LT* 540). De même que la lecture passionnée de romans réalistes parisiens avait influencé son approche de la ville, la lecture en juin ou juillet 1888 de *Madame Chrysanthème* de Pierre Loti (*LT* 509, *LT* 511) prépare sa perception des paysages des environs d'Arles. On sait comment Vincent identifiait l'Impressionnisme français avec l'art du Japon comme en témoigne sa correspondance d'Arles (*LT* 510), mais il n'en reste pas moins que cette conception a son point de départ à Paris et affecte déjà profondément son art pendant son séjour parisien.

Les presque deux années que Vincent passe à Paris sont perçues à juste titre comme une période de transition, mais il ne faudrait pas les considérer comme le simple passage d'une manière hollandaise à une manière française. De même que les périodes hollandaises avaient donné le jour à une synthèse personnelle — disons des traditions françaises du Romantisme et du Réalisme — de même il devait assimiler les styles impressionnistes et pointillistes avec la conviction qu'ils se situaient aussi dans la tradition de la peinture française. Cette opinion n'entame pas l'estime qu'il conserva toute sa vie pour la tradition artistique hollandaise, laquelle n'influence pas seulement le choix des sujets parisiens, mais reste ultérieurement un modèle admiré. Malgré l'ambiguïté de ses sentiments pour Paris dont témoigne la lettre à sa sœur Willemina citée ici en exergue, Vincent reconnut de tout temps que Paris lui avait donné l'opportunité de mûrir son art et de prendre place au premier rang de la peinture européenne ; même si, bien sûr, il ne doit qu'à son génie d'avoir su si brillamment tirer parti de l'atmosphère artistique parisienne du moment.

1. Voir *W-O*, ch. 1, ainsi que pour d'autres éléments biographiques concernant le séjour de Vincent à Paris; voir aussi Pollock G., «Stark Encounters: Modern Life and Urban Work in van Gogh's Drawings of The Hague 1881-83», in *Art History*, VI, 3, septembre 1883, p. 330-358. Pour la France, voir en particulier Herbeat R., «City vs Country: The Rural Image in French Painting from Millet to Gauguin», in *Art Forum*, n° 6, 1970, p. 44-55.
2. Sauf indication contraire, les dates données pour la correspondance de Vincent sont tirées de J. Hulsker, *Van Gogh door van Gogh*, Amsterdam, 1973 et du même auteur, *Lotgenoten, Het Leven van Vincent en Theo van Gogh*, Amsterdam, 1985.
3. *WTRT*, p. 8.
4. La veuve de Theo, Johanna van Gogh-Bonger, s'est souvenue du raisonnement de son mari dans son introduction à: *Complete Letters*, p. XL (ne figure pas dans l'édition française).
5. Bernard a certainement raison quand il rappelle (cf. «Vincent van Gogh», in *l'Arte*, 9 février 1901) que Vincent, pendant son séjour à Paris, associait les artistes du «Petit Boulevard» avec l'avenue de Clichy, mais plus tard, à Arles (*LT* 510), Vincent fait une confusion quand il associe l'exposition qui s'est tenue au Restaurant du Chalet (43, avenue de Clichy) avec le boulevard de Clichy où se trouvait le Tambourin.
6. On trouvera une bonne description des moulins sur la Butte Montmartre dans l'ouvrage de Ch. Sellier, *Curiosité du Vieux Montmartre*, Paris, 1893.
7. Aujourd'hui boulevard Jean-Jaurès.
8. Distance qu'il faut comparer aux quatre à cinq kilomètres parcourus par Vincent de l'appartement de la rue Lepic jusqu'au pont de Clichy.
9. Johanna van Gogh-Bonger, dans son introduction à l'édition de 1958 (cf. note 4), p. XLII, mentionne un tryptique: *Ile de la Grande Jatte*, et l'inventaire des tableaux de Paris dans les archives de la famille Bonger répertorie un tryptique: n° 70, *Grande Jatte*; n° 81, *Asnières*; n° 82, *Clichy*; malgré leur titre approximatif, ce sont bien les trois tableaux vendus par Johanna.
10. *WTRT*, p. 8.
11. Si Theo mentionne à sa mère les tableaux de fleurs de Vincent, celui-ci fait également allusion à ce motif, sur lequel il se concentre alors, à trois reprises dans les rares lettres subsistant de la période parisienne, c'est-à-dire *LT* 549a, *LT* 460 et *W* 1.
12. Cat. n°s 2, 3, 4.
13. Pour le texte original développant une étude sur la présence de Vincent à l'atelier Cormon à l'automne 1886, voir *W-O*,

appendix II. L'auteur va ici plus loin en rejetant comme improbable la possibilité que Vincent ait pu y étudier dès le printemps 1886.
14. Dans l'article, «Louis Anquetin», in: *Gazette des Beaux-Arts*, février 1934, p. 114, Bernard dit de façon explicite qu'il présenta Anquetin à Vincent l'été suivant, en 1886, date à laquelle Anquetin quitta l'atelier Cormon.
15. Pour une analyse plus complète des contacts personnels entre Vincent et les peintres impressionnistes, voir *W-O*, p. 19-33. Le raisonnement s'appuie sur l'absence de tableaux impressionnistes importants au Rijksmuseum Vincent van Gogh à Amsterdam, qui abrite la collection personnelle de Theo et Vincent.
16. Pour l'histoire du Musée national du Luxembourg et sa réouverture en 1886 voir «Chronique des Musées», in *Courrier de l'Art*, 2 avril 1886 et F. Fénéon, *Le Symbolisme*, 15 octobre 1886. La préférence de Vincent pour la peinture réaliste et l'Ecole de Barbizon est attestée dès 1873-1874 dans ses lettres de Londres (*LT* 10, 13) et Bernard («Préface de 1893», in *Vollard*, p. 51) rapporte avoir assisté à une conversation entre Vincent et Ziem rue Lepic.
17. Voir *W-O*, p. 216, 217, *LT* 497, 506 et *T* 21. D'après Seurat, Portier aurait acquis cinq toiles à la *VIIIe Exposition Impressionniste* (*B-H*, II, p. 55, note 3).
18. On a pourtant toutes les raisons de croire que Vincent avait rencontré Tanguy plus tôt, en particulier parce que la rue de Laval (actuellement rue Victor-Massé) où Vincent habita d'abord, se trouvait deux rues plus haut que la rue Clauzel où Tanguy avait sa boutique au n° 14 et plus tard au n° 9.
19. Pour la collection Faure, voir A. Callen, *Jean-Baptiste Faure* (Mémoire de maîtrise non publié, University of Leicester, 1971).
20. Les archives du Rijksmuseum Vincent van Gogh conservent un exemplaire de la publicité annonçant la représentation de «La Chaise Louis XIII», un quadrille par Dufour» et c'est également le titre d'un tableau de Lautrec, *Le Refrain de la Chaise Louis XIII au cabaret d'Aristide Bruant* (New York, Metropolitan Museum of Art).
21. Le Rijksmuseum Vincent van Gogh à Amsterdam conserve, avec le pastel représentant Vincent, deux autres tableaux de Lautrec de la collection de Theo: *Poudre de riz* (cat. n° 123) et *Deux femmes*.
22. Bien qu'à Arles (*W* 4) Vincent se soit rappelé avoir rencontré plusieurs impressionnistes, il n'est pas prouvé que même Theo ait eu des contacts personnels avec l'un d'entre eux avant le printemps 1887 (voir ANNEXE *Theo*).
23. Les autres portraits, peut-être peints

gratuitement pendant cette période, sont un portrait d'homme (F 288, un marchand qu'il connaissait?) et une tête de femme datée de 1887 (F 357).

24. Emile Bernard, dans: «Julien Tanguy» in *Mercure de France*, LXXXIV, 16 décembre 1908, p. 606, affirme que Vincent prenait ses repas au Tambourin en échange de «quelques toiles par semaine», la plupart représentant des fleurs mais, plus tard (*Souvenirs*, p. 393-400), il ajoute que Vincent était également lié à la propriétaire par un attachement romantique et que tout cela se termina par la vente par la Segatori de nombreuses toiles à des prix ridiculement bas.

25. *1986, New York*, p. 142, reproduit le plan du magasin et des ateliers appartenant à Bing 19, rue Chauchat et 22, rue de Provence (l'immeuble faisant l'angle de deux rues).

26. Je remercie G. Weisberg de m'avoir communiqué généreusement des informations concernant Bing et en particulier l'adresse de son domicile 9, rue Vézelay. G. Weisberg (*1986, New York*, p. 28-29) fait remarquer que Vincent avait des relations commerciales avec Bing pour l'achat d'estampes japonaises, et, parlant de leur accord dans une lettre d'Arles (*LT* 510, 511), Vincent demande expressément à Theo de régler sa facture et lui suggère même d'acheter pour 100 francs le plus d'estampes possible afin de les revendre éventuellement avec un profit à la galerie Goupil.

27. Alors que Bernard (*Vollard*, p. 50) reconnaît avoir vu beaucoup de crépons japonais dans l'appartement des van Gogh, il ne mentionne pas le fait que Vincent l'a emmené au moins une fois avec Anquetin dans le grenier de Bing (*LT* 511) et, ce qui est plus curieux, il ne parle pas de l'exposition d'estampes japonaises au Tambourin bien qu'il raconte que Vincent y avait emmené «Lautrec, Anquetin et d'autres» («*Souvenirs*», p. 394).

28. G. Coquiot (*Coquiot*, p. 140) rapporte que Signac se rappelait avoir rencontré Vincent dans la boutique du Père Tanguy et qu'ensuite ils peignirent ensemble à Asnières. Bernard (*L'Arte*, p. 1, 2) précise bien que l'association entre Vincent et Signac précéda toute relation avec lui-même, Anquetin ou Lautrec.

29. En ce qui concerne l'intérêt de Vincent pour les théories de la couleur et leur utilisation pendant le séjour à Paris, voir *W-O*, ch. 2.

30. Dans deux lettres, C. Pissarro donne par ses commentaires sur l'exposition un bon aperçu de son contenu (*B-H*, p. 161-166), les œuvres présentées par les impressionnistes et, en particulier, Monet avec neuf paysages peints l'été précédent à Belle-Ile et six datant des dix dernières années.

31. Dans une lettre non publiée datée du 25 mai 1887 (Oxford, Ashmolean Museum), Lucien Pissarro signale à son père le départ de Signac pour un séjour de trois mois en Auvergne, mais le 26 juillet, Signac fait part à Lucien de son arrivée à Collioure et le 29 août de son intention de rentrer à Paris «vers novembre».

32. D'après l'inventaire des tableaux de la période parisienne, conservé avec les archives de la famille Bonger au Rijksmuseum Vincent van Gogh d'Amsterdam, sous le n° 55, on trouve un «patron de restaurant» et on sait par la déclaration de faillite du Restaurant du Chalet en date du 25 juillet 1888 (Archives de Paris) qu'il s'appelait Lucien Martin. La calotte de l'homme peut avoir été un signe de sa profession et c'est le seul portrait d'homme qu'on puisse dater, par le style, vers 1887. On remarque sur le tableau *Intérieur de Restaurant à Arles* (F 549) un homme assis à côté de la serveuse debout au milieu de la salle, la serviette autour du cou et portant sur la tête un couvre-chef tout à fait semblable. Ce pourrait être M. Martin, le propriétaire du Restaurant du Chalet. Cette possibilité m'a été suggérée par Ronald Pickvance (*1981, Toronto*, p. 154, 135).

33. On a supposé que Vincent et Gauguin s'étaient rencontrés en 1886 mais rien dans la correspondance de Vincent ne permet de l'affirmer. Bernard, leur ami commun, qui était donc à même de le savoir, plaçait cette rencontre après le retour de Gauguin de la Martinique fin 1887 (*L'Arte*, p. 1, 2) et les premiers achats documentés de Theo datent aussi de l'hiver 1887-1888 (ANNEXE *Theo*). Mais Vincent a vu les dix-neuf tableaux présents à la *VIIIe Exposition Impressionniste*, la plupart datant de 1883-1884. Ni ces toiles, ni celles des deux années suivantes n'ont eu de véritable influence sur Vincent pendant son séjour à Paris.

34. *Souvenirs*, p. 393.

35. A. Cristobal, «Notes et Souvenirs: Vincent van Gogh», in *La Butte*, 21 mai 1892. Mais cet ancien compagnon d'étude de l'atelier Cormon a sans doute confondu l'exposition du Restaurant du Chalet avec celle qui s'est tenue en décembre 1887 à la galerie du boulevard Montmartre et montrait des œuvres des trois impressionnistes mentionnés. C'était certainement la première de ce genre organisée par Theo (voir la critique de F. Fénéon dans: «Calendrier de décembre 1887», in *La Revue Indépendante*, janvier 1888).

36. Cristobal (*ibid.*) et Bernard (*Souvenirs*, p. 383) rapportent le démantèlement anticipé de l'exposition à la suite d'une dispute entre Vincent et le propriétaire du restaurant. Pour

les récits des rencontres entre l'un ou les deux frères van Gogh et certains artistes, voir *Coquiot*, p. 139: il date de l'automne 1887 leur rencontre avec Guillaumin. Pour Seurat voir la lettre reproduite in Rey, *La Renaissance du Sentiment Classique*, Paris, 1921 (face à la p. 132); il fait coïncider leur rencontre avec l'exposition du Restaurant du Chalet ; en ce qui concerne C. Pissarro, il faut situer la rencontre entre le 6 juin où il est clair qu'il ne connaissait pas Theo et le 8 août quand celui-ci achète un tableau à l'artiste (*T* 50 et annexe *Theo*). Bernard rapporte («Julien Tanguy» in *Mercure de France*, LXXXIV, décembre 1908, p. 607) que Vincent a rencontré par hasard Cézanne dans la boutique du Père Tanguy, (également en 1887 étant donné le nombre de toiles que Vincent y avait accumulées) mais dans le cas de Cézanne comme pour d'éventuelles rencontres avec les autres «Impressionnistes du Grand Boulevard» il n'existe aucune preuve de relations suivies par la suite.

37. Cf. «From cloisonism to symbolism», *1981, Toronto*.

38. Bernard (*Souvenirs*, p. 393) raconte que Vincent «sur les conseils de Signac, s'essayait à un *divisionnisme* libre où il introduisait des gris» et Vincent comptait Seurat et les autres néo-impressionnistes parmi les impressionnistes.

39. Cat. n° 93 et cat. n° 93 fig. a; cat. n° 6 fig. a; cat. n° 7 fig. a et cat. n° 101.

40. C'est-à-dire, «Les isolés: Vincent van Gogh», in *Mercure de France*, janvier 1890, p. 257-265.

41. A. Tellegen, «De Popilierenlaan Bij Nuenen van Vincent van Gogh», in *Bulletin Museum Boymans-van Beuningen*, XVIII, 1967, p. 8-15.

42. *W-O*, repr. VI-VIII.

43. Pour compliquer encore le problème, à la fin du XIXe siècle les deux moulins, le Blute-Fin et le Radet étaient appelés «Moulin de la Galette»; F 266a bien qu'il ne montre ni moulin ni jardin potager, serait bien une autre vue de la Butte prise en regardant vers le nord, dans la direction de la banlieue plus industrielle de Clichy.

44. In *LT* 483 (mai 1888) Vincent dit à Theo qu'il verra «de belles choses chez Claude Monet» mais ceci peut fort bien n'être qu'une considération générale et non l'indication de contacts personnels dans le passé.

45. Voir note 38 et cat. n° 56: *Romans parisiens*: Guillaumin eut l'occasion de voir ce tableau lors de sa première visite à Vincent, fin 1887.

Mars 1886

Au début du mois, Vincent arrive à l'improviste à Paris. Il s'installe chez son frère qui est célibataire et habite un appartement 25, rue de Laval. Il commence à peindre une série d'autoportraits et de natures mortes avec la même palette sombre qu'auparavant (mars-avril).
A cette époque, Theo a déjà vendu pour Boussod, Valadon et Cie quatre tableaux impressionnistes de A. Sisley, C. Pissarro, C. Monet et A. Renoir (*Goupil*, pp. 89-104).

1er mars
C. Pissarro se plaint de ce que Portier est incapable de lui vendre ses gouaches (*B-H*, p. 27).

3 mars
Guillaumin, Signac, Seurat et Gauguin félicitent Lucien Pissarro pour les *Types Suburbains*, croquis publiés dans *Le Chat Noir*. Ils trouvent sa «paysanne... très bien» (*B-H*, p. 29).

6 mars
Portier vend une gouache de C. Pissarro (*B-H*, p. 33).

13 mars
Durand-Ruel part pour New York (*B-H*, p. 35, n° 1).

17 mars
Andries Bonger (fig. 1) écrit à ses parents que Vincent est arrivé à Paris et que les deux frères prennent leurs repas «dans le quartier» (*LT* 462 a).

Fig. 1 Andries Bonger.

27 mars
Exposition d'aquarelles de Gustave Moreau, galerie Boussod, Valadon et Cie.

30 mars-30 mai
Exposition posthume des œuvres de Paul Baudry, Ecole nationale des Beaux-Arts.

Fin mars
Le roman de Zola, *L'œuvre*, est édité par Charpentier. Vincent peint des autoportraits, des natures mortes et des vues de Paris et de Montmartre (mars-avril).

Avril

Ouverture du musée du Luxembourg rénové.
Monet est à Giverny jusque vers le 27 avril, puis il part jusqu'au 6 mai pour les Pays-Bas (*B-H*, p. 38, n° 1).

6 avril
Départ d'Emile Bernard pour la Bretagne : premier «voyage à pied».

3-30 avril
IIe Exposition de la Société des Pastellistes français, galerie Georges Petit.

15 avril-mai
Exposition des Maîtres du Siècle, 3, rue Bayard (environ 200 œuvres de Delacroix, Diaz, Jongkind, Corot, Millet, Puvis de Chavannes, etc.).
Pissarro travaille à Eragny et correspond avec Lucien qui est à Paris. Il prépare la *VIIIe Exposition Impressionniste* (*B-H*, pp. 37-42).

Mai

1er mai-30 juin
Salon de 1886 (F. Cormon, J.F. Raffaëlli, H. Fantin-Latour, E. Quost, etc.).

6 mai
Monet revient de Hollande.
C. Pissarro annonce l'ouverture de l'*Exposition Impressionniste* pour le 15 mai (*B-H*, p. 43).

15 mai-15 juin
VIIIe Exposition de Peinture Impressionniste, Maison Doré, 1, rue Laffitte (M. Bracquemond, A. Guillaumin, B. Morisot, C. Pissarro, L. Pissarro, O. Redon, E. Schuffenecker, G. Seurat, P. Vignon, etc.).
F. Boggs peint à Barbizon.

Anquetin visite la *VIIIe Exposition du groupe impression-niste.*
Lautrec fait des portraits d'Anquetin à l'Elysée Montmartre et au Cabaret du Mirliton.

Juin

Vers le 1er juin
Theo annonce à sa mère qu'ils viennent d'emménager dans un nouvel appartement plus grand (54, rue Lepic) et que Vincent vient de subir une importante intervention de chirurgie dentaire à la suite de troubles de l'estomac. Un courtier en tableaux (A. Portier) a pris quatre tableaux de Vincent et promet d'organiser une exposition de ses œuvres l'année suivante (*WTRT*, p. 8).

15 juin-15 juillet
Ve Exposition Internationale de Peinture et de Sculpture chez Georges Petit, 8, rue de Sèze (Raffaëlli, Renoir, Monet, etc.). Les Ombres Japonaises du Chat Noir au Cabaret du Mirliton.

14 juin
Signac arrive aux Andelys et peint avec Lucien Pissarro (*Thorold*, p. 4).

20 juin
Seurat est à Honfleur (jusqu'au 15 août).

23 juin
A. Bonger écrit à ses parents que Theo a l'air terriblement malade et décrit le nouvel appartement comme grand suivant les critères parisiens. Les frères van Gogh ont maintenant une cuisinière à leur service (*LT* 462a).

29 juin
Mort de Monticelli.
Renoir est à La Roche-Guyon près de Giverny.
C. Pissarro est à Paris.
Vincent peint des natures mortes de fleurs.

Juillet

18 juillet
Renoir, Monet et C. Pissarro sont à Paris.
Durand-Ruel rentre à Paris.

fin juillet
Emile Bernard rencontre Emile Schuffenecker à Concarneau et le lendemain il est à Pont-Aven.
Vincent informe Theo, alors en vacances aux Pays-Bas, qu'il a des difficultés avec son amie «S» qui habite dans l'appartement et que Lucie, la femme de ménage, a été congédiée car elle revenait trop cher (*LT* 460).
Vincent continue de peindre des natures mortes de fleurs. Il tombe malade pendant l'absence de Theo (*LT* 462a).

26 juillet
C. Pissarro rencontre Portier, découragé, car les ventes ne marchent pas (*B-H*, p. 64).

Août

Theo rentre de vacances. Bonger est invité à partager les repas des deux frères (*LT* 462a).
Signac rapporte à C. Pissarro sa querelle avec Gauguin et Guillaumin qui refusent d'exposer avec les «Néos» (impressionnistes) au prochain *Salon des Indépendants* (*B-H*, p. 66, n° 1).

21 août-21 septembre
IIe Exposition de la Société des Artistes Indépendants, baraquement des Tuileries (Angrand expose 6 œuvres, Cross : 7, Dubois-Pillet : 10, L. Pissarro : 10, Seurat : 10 et Signac : 5).
Bernard travaille à Pont-Aven avec Paul Gauguin et Charles Laval.
Lautrec est à Villiers-sur-Morin et à Arcachon jusqu'en septembre.
Renoir est à La Chapelle-Saint-Briac en Bretagne du nord, jusqu'en septembre.

Septembre

Bernard est de retour à Paris à temps pour voir la *IIe Exposition des Indépendants*. Il habite chez ses parents 5, avenue Beaulieu à Asnières.
Vincent travaille à l'Atelier Cormon (jusqu'à fin novembre ?) ; il rencontre Louis Anquetin par l'intermédiaire de Bernard qui, de passage chez Cormon, observe pour la première fois van Gogh travaillant sur une étude (*W-O*, pp. 209-212).

18 septembre
Jean Moréas publie le «Manifeste du Symbolisme» dans le *Supplément Littéraire du Figaro*.

26 septembre
Lautrec publie pour la première fois un dessin, «Gin Cocktail» dans *Le Courrier Français*.
Monet est à Belle-Ile en novembre.
Vincent peint une série de paysages d'automne, de Montmartre avec les moulins, les potagers, etc. de la banlieue et de Boulogne.

Octobre

Vincent est devenu un habitué de la boutique du Père Tanguy. Il y admire le tableau *Dans la basse-cour* (cat. n° 69 fig. a) de Charles Angrand (ANNEXE *Lettres*).

22 octobre
Theo vend une marine de Manet (*En bateau*, W 223 (?), ANNEXE *Theo*).

23 octobre
Renoir s'installe 35, boulevard Rochechouart où il travaille au moins un an.

25 octobre
Vincent écrit à Charles Angrand pour lui proposer un échange (ANNEXE *Lettres*) et le presse de rencontrer Frank Boggs également intéressé par la possibilité d'un échange. Theo, d'après Vincent, montre un beau Degas à la galerie Boussod, Valadon et Cie, (ANNEXE *Lettres*). Lautrec quitte définitivement l'atelier de Cormon. Il expose pour la première fois au *Salon des Incohérents* (octobre-décembre). Félix Fénéon publie *Les Impressionnistes en 1886*. Vincent et Theo s'associent avec le marchand de tableaux écossais

Alexander Reid.
Alexander Reid est probablement l'acheteur de tableaux de Monticelli provenant de Delarebeyrette (*W-O*, p. 202, n° 32). Vincent et son frère commencent à cette époque leur collection de tableaux de Monticelli, six tableaux au total, provenant surtout de la galerie de Joseph Delarebeyrette.

Novembre

Signac, Seurat, C. Pissarro envoient des tableaux à l'*Exposition Les XX* à Bruxelles (*B-H*, p. 77).
John Russell peint le *Portrait de Vincent van Gogh* (nov.-déc.) (cat. n° 105).
Le peintre écossais A.S. Hartrick rencontre Vincent dans l'atelier de Russell : il le voit en compagnie d'Alexander Reid (*Hartrick*, p. 40-50).
A cette époque, Vincent a fait des échanges avec d'autres artistes (par exemple Frank Boggs et Fabian).

Décembre

Vincent peint le premier portrait d'Alexander Reid (hiver 1886-1887) (cat. n° 38).

29 décembre
Aristide Bruant publie *Le Quadrille de la chaise Louis XIII* de Lautrec dans *Le Mirliton*.
Vincent assiste à des soirées de café-concert au cabaret d'Aristide Bruant Le Mirliton .

Jusqu'en janvier 1887
La galerie Martinet, 26, boulevard des Italiens expose des œuvres de Signac, C. Pissarro et Seurat (trois tableaux pour ce dernier).
Les Ombres Chinoises au Cabaret du Mirliton.
Guillaumin et Gauguin rencontrent C. Pissarro, Signac, Dubois-Pillet à La Nouvelle Athènes . Guillaumin et Gauguin refusent à Signac de lui serrer la main (*B-H*, p. 80).
Vincent est surtout occupé par la peinture de portrait (hiver 1886-1887) (*WTRT*, p. 9).
C. Pissarro est à Paris les deux premières semaines du mois où il est en contact avec Signac (*B-H*, p. 88) ; le reste du mois il travaille à Eragny.
Renoir passe des vacances à Essoyes.

Janvier 1887

Vincent peint son premier portrait du Père Tanguy (INTRODUCTION fig. 13). Lautrec, Bernard et Anquetin sont en relations étroites et se rencontrent dans les cafés du boulevard de Clichy.

8 janvier
Gustave Eiffel signe avec la ville de Paris un contrat pour construire une tour métallique de 300 m de haut pour l'*Exposition Universelle*.
C'est peut-être à cette époque que Vincent noue des relations avec Agostina Segatori, propriétaire du café du Tambourin, où il peut accrocher ses œuvres pour les montrer au public. Il rencontre Signac dans la boutique du Père Tanguy (janv.-fév.).
Il connaît bien le magasin de Siegfried Bing (fig. 2), à l'angle du 22, rue de Provence et du 19, rue Chauchat ainsi que la demeure du marchand qu'il fréquente assidûment pour

Fig. 2 Siegfried Bing.

étudier, acquérir ou prendre en commission des estampes japonaises (*LT* 510, 511).

13 janvier
C. Pissarro, Seurat et F. Fénéon passent la soirée avec Signac dans la maison de sa mère à Asnières (*B-H*, p. 111).

15 janvier
C. Pissarro parle de A. Guillaumin qui vient tout juste de se marier (*B-H*, p. 113).
C. Pissarro a des difficultés financières et ne parvient pas à faire vendre par Portier un tableau de Degas lui appartenant (*B-H*, p. 124).

Février

Theo écrit à sa mère que Vincent n'a plus l'intention de partir à la campagne comme il le projetait et qu'il a peint gratuitement quelques portraits (*WTRT*, p. 10).

2 février
Seurat et Signac exposent à la *IVe Exposition Les XX* à Bruxelles.
Signac, à Bruxelles pour l'*Exposition Les XX*, écrit à C. Pissarro pour lui soumettre un projet d'exposition à Paris avec les *XX* (*B-H*, p. 133).
Vincent resserre son amitié avec Bernard.
Bernard annonce à ses parents qu'il pose pour le grand tableau d'Anquetin *Chez Bruant* mais aussi qu'il travaille aux environs de Paris et fréquente la boutique du Père Tanguy.
John Russell peint en Italie jusqu'en mai.

25 février
C. Pissarro écrit à son fils Lucien de demander au Père Tanguy de lui envoyer des couleurs (*B-H*, p. 134).

28 février
Bernard rencontre pour la première fois Lucien Pissarro dans la boutique du Père Tanguy et le même jour il y fait connaissance de Charles Angrand *(1981, Toronto)*.

Mars

4 mars
C. Pissarro accepte l'invitation de participer à la *VIe Exposition Internationale* chez Georges Petit avec, entre autres, Monet, Renoir et Sisley (*B-H*, p. 138).

11 mars
Theo écrit à son frère cadet Cor que Vincent poursuit ses études et travaille avec talent, mais que son caractère pose des problèmes et qu'il est presque impossible de s'entendre avec lui (*WTRT*, p. 10).
Une petite exposition à Asnières montre les dernières recherches pointillistes de Bernard; Signac vient la visiter et se présente à l'artiste *(1981, Toronto, p. 263)*.

Vers le 12 mars
Bernard et Anquetin rendent visite à Signac et voient son dernier tableau que C. Pissarro admire aussi le lendemain (*B-H*, p. 140).

14 mars
Theo confesse à sa sœur Willemina (fig. 3) que le différend entre les deux frères ne fait que s'accentuer à cause des habitudes de malpropreté et de désordre de Vincent et de son comportement fantasque. Pourtant Theo reconnaît que Vincent devient «chaque jour plus habile» (*WTRT*, p. 11).

22 mars
Vincent s'inquiète de l'état de sa collection de gravures sur bois qu'il a laissée à Nuenen. Theo propose de venir faire un tri si elles doivent être envoyées au nouveau domicile de sa mère à Breda (*WTRT*, p. 12).
Les parents de Bernard louent une maison à Asnières (lettre non publiée du 27 février 1887).
Vincent organise au «Tambourin» sa première exposition d'estampes japonaises qui influencera le travail de Bernard et Anquetin (mars-avril).
Vincent a déjà emmené Bernard et Anquetin dans le grenier du domicile de S. Bing étudier la fabuleuse collection d'estampes japonaises du marchand (*LT* 511).
Bernard est devenu un ami proche de Vincent et se rend fréquemment à l'appartement des frères van Gogh, 54, rue Lepic.

26 mars-31 mai
IIIe Exposition de la Société des Artistes Indépendants, pavillon de la ville de Paris, Champs-Elysées; Angrand présente 4 œuvres, Cross: 6, Luce: 10, Lucien Pissarro: 8, Seurat: 10, Signac: 10.

Avril

Camille Pissarro rend visite à Portier qui lui rapporte que d'après Theo, la maison Boussod, Valadon et Cie ne souhaite plus acheter pour le moment. Il reste à Paris jusque vers le 15 avril dans l'espoir de pouvoir vendre des œuvres (*B-H*, p. 150).

7 avril
Theo vend son premier tableau de Monet (ANNEXE *Theo*).

9 avril
Paul Gauguin et Charles Laval partent pour Panama.

23 avril
Theo vend un deuxième tableau de Monet (ANNEXE *Theo*).

25 avril
Theo annonce à Willemina qu'il s'est réconcilié avec Vincent (*WTRT*, p. 12).
Signac et Vincent peignent ensemble le long des berges de la Seine à Asnières et aux alentours *(1981, Toronto, p. 91)*.

Fig. 3 Willemina van Gogh.
Amsterdam, Rijksmuseum Vincent van Gogh
(Fondation Vincent van Gogh).

27 avril
Bernard est arrivé au Ribay en Normandie.
Renoir quitte son atelier de la rue de Laval pour s'installer au 11, boulevard de Clichy (en octobre, il ira au 35, boulevard Rochechouart).

Mai

Vincent travaille à Asnières avec Signac (avril-mai) jusqu'au départ de celui-ci pour le sud de la France.

1er mai-30 juin
Salon de 1887 (Cormon, Quost, Lhermitte, Mauve, Puvis, Raffaëlli ainsi que Boggs qui expose un tableau).
Monet et Renoir sont en faveur de l'admission de Pissarro à la *VIe Exposition Internationale* (*B-H*, p. 138).

8 mai-8 juin
VIe Exposition Internationale de peinture et de sculpture, galerie Georges-Petit, 8, rue de Sèze : (six œuvres de Renoir, quinze de Monet, quinze de Sisley et aussi Camille Pissarro, Morisot, Puvis, Whistler, Redon, etc.).

9 mai-20 juin
Exposition *Jean-François Millet* à l'Ecole des Beaux-Arts.

10 mai
Frank Boggs part en voyage à Londres.
Theo se rend à Giverny et achète deux toiles de Monet pour Boussod, Valadon et Cie ; le même jour il en vend une au collectionneur Victor Desfossés (ANNEXE *Theo*).

14 mai
Theo rend visite à Sisley et lui achète une toile pour Boussod et Valadon (ANNEXE *Theo*).

15 mai
Willemina apprend par une lettre de Theo que la peinture de Vincent s'éclaircit et qu'«il essaye d'y mettre de la lumière du soleil» (*WTRT*, p. 12).

Vers le 16-20 mai
C. Pissarro rencontre Anquetin à l'exposition Millet. Il rapporte à Lucien qu'Anquetin a adopté la technique pointilliste. (Pissarro C., *Lettres à son fils Lucien*, éd. J. Rewald, Paris, 1950, p. 153).

17 mai
Theo achète trois autres tableaux de Monet pour Boussod et Valadon.
John Russell travaille à Longpré.

23 mai
Theo achète une toile de Monet et la vend le même jour à l'agent de change et collectionneur Léon-Marie Clapisson (ANNEXE *Theo*).
Signac part pour Comblat-le-Château dans le Cantal, puis il passe l'été à Collioure dans les Pyrénées-Orientales.
C. Pissarro travaille à Eragny.
Anquetin et Bernard s'écartent du Néo-impressionnisme pour aller vers le Cloisonnisme (*1981 Toronto*, p. 263).

25-27 mai
Tableaux Aquarelles et Dessins de l'Ecole Moderne — Vente

par suite de renouvellement de l'ancienne Société Goupil et Cie ; Boussod, Valadon et Cie tiennent une vente de trois jours pour liquider le stock de la société précédente (*Goupil*, p. 60, n. 25).

Juin

Vincent peint des paysages à Asnières et déclare à sa sœur qu'il voit dans ses tableaux «plus de couleurs qu'auparavant» (*W* 1).
Anquetin passe l'été à Etrépagny à travailler sur ses études et ses recherches chromatiques.
Bernard séjourne à Saint-Briac ; il peint des fresques pour sa chambre et rencontre l'écrivain symboliste Albert Aurier (*1981, Toronto*, p. 263).
Lautrec est à Arcachon jusqu'à la fin de l'été.

4 juin
Lucien Pissarro écrit à son père que Portier va montrer ses gouaches à Theo van Gogh et qu'il a d'ailleurs failli rencontrer Theo chez Boussod, Valadon et Cie (lettre du 4 juin 1887, Pissarro Family Archives, The Ashmolean Museum, Oxford).

16 juin
C. Pissarro raconte à Signac qu'il a rendu visite à Seurat dans son atelier et que le tableau *Les Poseuses* avance (*B-H* p. 187).

Fig. 4   Johanna van Gogh-Bonger.
Amsterdam, Rijksmuseum Vincent van Gogh
(Fondation Vincent van Gogh).

22 juin
Theo rend visite à Sisley qui est à Moret et lui achète deux toiles (ANNEXE *Theo*).

Juillet

Vincent travaille à des tableaux de paysage à Montmartre et à Asnières et peint des autoportraits.
Bernard arrive à Pont-Aven pour découvrir que Gauguin est à la Martinique. Il rentre à Paris à la fin du mois.

6 juillet
C. Pissarro écrit à Lucien qu'il ne peut pas compter sur Theo pour lui vendre ses œuvres (*B-H*, p. 192).

11 juillet
Theo va passer de courtes vacances aux Pays-Bas. Il courtise Johanna Bonger (fig. 4).
Portier vend un tableau de Lautrec (*LT* 461).

Fin juillet
Vincent a rompu ses relations sentimentales et commerciales avec Agostina Segatori (*LT* 462 et *W-O*, p. 251).
Tanguy met en vitrine un tableau que Vincent vient de terminer (*LT* 462).

22 juillet
Theo est rentré de vacances, pour la première fois il achète à Degas un tableau pour Boussod, Valadon et Cie (ANNEXE *Theo*).

Août

8 août
Pour la première fois Theo achète un tableau directement à C. Pissarro et le vend le même jour au collectionneur P. Aubry (ANNEXE *Theo*).

13 août
Le marchand de cadres Dubourg vend à Theo le tableau de Sisley *La Seine à Suresnes* (ANNEXE *Theo*).
C. Pissarro est à Eragny. Il travaille à ses gouaches et à ses toiles.
Monet fait un court séjour à Londres.
Renoir s'installe au Vésinet.
Vincent écrit au peintre anglais H.M. Livens et lui fait part de son intention de partir le printemps suivant pour le sud de la France (août-septembre) (*Lettre* 459a et ANNEXE *Lettres*).

Septembre

Vincent travaille avec Bernard à des portraits du Père Tanguy dans un atelier que la grand-mère de celui-ci a fait construire dans le jardin de la nouvelle maison de ses parents, à Asnières (*1981, Toronto*, p. 9).
Vincent, Bernard et Anquetin se fréquentent beaucoup après le retour de ce dernier à Paris. A l'instigation de Vincent, l'idée d'une exposition du groupe des «Impressionnistes du Petit Boulevard» prend forme.
Anquetin fréquente les cabarets de Montmartre avec Lautrec et travaille avec Bernard à des toiles cloisonnistes.
Willemina apprend de Vincent qu'il travaille actuellement le portrait après avoir peint des paysages à Asnières pen-

dant l'été (*W* 1 et *W-O*, p. 33).
Renoir passe son temps entre Paris et Louveciennes; il se rend à Auvers où il rencontre C. Pissarro.
Lucien et Camille Pissarro rencontrent par hasard, rue Lepic, Vincent qui revient d'Asnières où il était allé peindre. (*W-O*, p. 28).

Octobre

1er octobre
Monet vend trois tableaux à la galerie où travaille Theo. (ANNEXE *Theo*).
Portier emmène Guillaumin à l'appartement de Theo, ils voient le tableau de Vincent *Romans parisiens* (cat. n° 56). Par la suite, Vincent se rend fréquemment à l'atelier de Guillaumin.

22 octobre
Theo achète deux tableaux de Monet (ANNEXE *Theo*).

23 octobre
Degas demande à Theo de lui envoyer l'argent de la vente d'un petit pastel (ANNEXE *Theo*).
John Russell travaille à l'atelier Cormon. Il a l'intention de partir pour Moret-sur-Loing.

24 octobre
C. Pissarro travaille à Eragny; il informe Lucien, alors à Paris, qu'il envoie trois nouvelles toiles à Theo (*B-H*, p. 209).
C'est vers cette date que Vincent dédie à Lucien Pissarro un de ses derniers tableaux *Nature morte, panier rempli de pommes* (cat. n° 59).
IXe Exposition de l'Union Centrale des Arts Décoratifs; S. Bing présente des vitrines consacrées à l'histoire des arts décoratifs au Japon et en Chine.
Vincent fréquente avec assiduité le magasin de Bing ainsi que son domicile pendant le dernier trimestre 1887 et tout l'hiver 1888. Il continue d'enrichir sa collection d'estampes japonaises (*LT* 510, 511).

Novembre

Signac est de retour à Paris. Vincent conseille à Bernard d'être plus tolérant avec les artistes pointillistes et Signac en particulier. Il promet de tout faire pour que l'exposition projetée soit un succès (*B* 1). Ouverture de l'exposition des peintres du «Petit Boulevard» au Grand Bouillon, Restaurant du Chalet, 43, avenue de Clichy (selon E. Bernard: cinquante à cent œuvres de Vincent, Bernard, Anquetin, Lautrec, A.H. Koning et peut-être Guillaumin). Bernard y vend son premier tableau et Anquetin une étude.
Pissarro et Guillaumin visitent l'exposition.
Seurat va également voir l'exposition. Il rencontre Vincent van Gogh pour la première fois.
Gauguin de retour de la Martinique voit l'exposition du «Petit Boulevard». Il échange des tableaux avec Vincent.
John Russell voit probablement aussi l'exposition. Il quitte l'atelier Cormon et projette de partir à Belle-Ile.

10 novembre-20 décembre
Exposition de quatre-vingt-deux tableaux et dessins de Puvis de Chavannes à la galerie Durand-Ruel.
Vincent visite l'exposition Puvis de Chavannes.
Frank Boggs est de retour à Paris.

21 novembre
Theo achète le tableau de Renoir *Sur la terrasse* et le vend le lendemain au «marchand-amateur» Guyotin (ANNEXE *Theo*). Le même jour il achète trois peintures de Sisley qu'il vend également le lendemain à Guyotin.

Décembre

9 décembre
Theo achète un tableau de Guillaumin pour la maison Boussod et Valadon (ANNEXE *Theo*).

13 décembre
Portier vend à Theo un tableau de Monet. Theo le revend quatre jours plus tard à Guyotin (ANNEXE *Theo*).
Vincent expose au moins un tableau *Le Parc Voyer d'Argenson à Asnières, les amoureux* (cat. n° 33) à la salle de répétition du Théâtre Libre d'Antoine, 96, rue Blanche ; Seurat et Signac y montrent également des œuvres (fin nov.-déc. à janv. 1888).
Anquetin, Seurat, Signac, Camille et Lucien Pissarro, etc. exposent dans les salons de *La Revue Indépendante* (déc.-janv.). Seurat et Aman-Jean vont sans doute voir Vincent chez lui pour parler d'un tableau (*W-O*, p. 41).

Décembre 1888-5 janvier 1889
Exposition de deux cent quatre-vingt-deux eaux-fortes, peintures, éventails, dessins, aquarelles, impressions de couleur de Henri Guérard, galerie Berheim-Jeune (avec des estampes, des éventails, etc. japonais des collections de S. Bing, Ph. Burty, L. Gonse et H. Cernuschi).

15 décembre
Theo achète un tableau à C. Pissarro et le vend le même jour à Guyotin (ANNEXE *Theo*).
Theo organise à la galerie Boussod, Valadon et Cie une exposition comprenant trois tableaux et cinq céramiques de Gauguin, trois éventails et des peintures de C. Pissarro ainsi que des œuvres de Guillaumin.
Au cours de l'hiver, dans des cafés et en présence de Vincent, Bernard se dispute à plusieurs reprises avec Gauguin lors d'âpres discussions sur des questions artistiques (*LT* 539).
Vincent passe des moments agréables dans l'atelier de Guillaumin (*LT* 504).

Janvier 1888

Pendant l'hiver 1887-1888, l'état physique et psychique de Vincent se détériore et il peint très peu (*LT*, 489).

1er janvier
Vincent se rend trois fois au magasin de Bing pour régler ses comptes mais il trouve porte close (*LT* 510).

4 janvier
Vincent accompagne peut-être Theo quand il va voir Gauguin et lui achète une toile de la Martinique *Négresse* (*Goupil*, p. 19).

12 janvier
Lautrec vend à Theo son tableau *Poudre de Riz* (cat. n° 123).

3 janvier-15 février
Seurat expose dans les salons de *La Revue Indépendante*.
Theo expose chez Boussod, Valadon et Cie un nouveau tableau de Gauguin.
Bernard écrit à Albert Aurier au sujet d'un projet de publication de lithographies avec Gauguin, Degas, etc.
Monet travaille à Antibes et Juan-les-Pins jusqu'en mai.

30 janvier
Theo informe C. Pissarro qu'il n'a pu vendre aucune des œuvres exposées à la galerie Boussod, Valadon et Cie, en décembre.
Signac annonce à C. Pissarro qu'il part pour Bruxelles à l'exposition annuelle des *XX* à laquelle il est invité à participer (*B-H*, p. 216).

Février

9 (ou 16) février
Gauguin part pour Pont-Aven.
Après le départ de Gauguin, Vincent et Theo se retrouvent souvent dans les ateliers des artistes et les cafés du «Petit Boulevard» avec Guillaumin, C. et L. Pissarro et Seurat, pour discuter (*LT* 553a).
Anquetin, Lautrec, Signac et Guillaumin participent à la *Ve Exposition des XX* à Bruxelles.

14 février
Inauguration de l'exposition *Cent Quatre portraits de peintres* au musée du Louvre avec des autoportraits de David, Poussin, Courbet, Rembrandt, Delacroix, etc.
Vincent peint son *Portrait de l'artiste par lui-même, au chevalet* (cat. n° 68) et assiste à un concert de Wagner.
Renoir séjourne chez Cézanne au Jas de Bouffan.
Vincent souffre mentalement et physiquement des tensions de la vie à Paris (*LT* 544a).

18 février
A la veille de son départ, Vincent, en compagnie de Bernard, décore l'appartement de Theo avec des estampes japonaises et des toiles qui doivent en quelque sorte symboliser sa présence.

19 février
Quelques heures avant son départ, Vincent et Theo vont voir les tableaux de Seurat dans son atelier (*LT* 633).

20 février
Vincent arrive vers midi à Arles.

Adresses des lieux et personnalités fréquentés par Vincent van Gogh 1886-1888

Boulevard de Clichy

6	E. Degas
11	A. Renoir (à partir d'avril 1887)
21	Louis Dumoulin
25	Antoine Vollon
33	Café des Arts
62	Agostina Segatori, café-brasserie du Tambourin
65	L. Gérôme (atelier)
71	F. Buhot
73	Charles Jacques
73	John Russell (domicile 1886-1887)
104	Frank Boggs (atelier 1886-1888)
104	F. Cormon - atelier libre (fin 1883 à 1888)
128 bis	G. Seurat (à partir de 1887)
130	P. Signac (atelier 1886-1888)

Avenue de Clichy

7	Cabaret du Père Lathuille
9	Café Guerbois
20	P. Signac (domicile - 1889)
43	Martin et Cie, Grand Bouillon - Restaurant du Chalet
86	Louis Anquetin (atelier et domicile 1885-1889)

Rue de Laval

12	Cabaret du Chat Noir
25	Theo van Gogh (jusqu'en juin 1886)
37	A. Renoir (jusqu'en octobre 1886)

Boulevard Rochechouart

35	Renoir (atelier jusqu'en octobre 1887)
80	Bal de l'Elysée-Montmartre
84	Cabaret Le Mirliton

Rue Lepic

54	Alphonse Portier au 1er étage ; Theo et Vincent van Gogh au 3e étage
59	E.C. Yon
72	Félix Ziem
79	Moulin de la Galette
92	Auguste Delâtre (un de ses magasins d'estampes)

Autres adresses

38	rue Rochechouart, F. Cormon (domicile)
74	rue Rochechouart, E. Quost
45	boulevard des Batignolles, Charles Angrand
6	place d'Anvers, Alexander Reid
13	quai d'Anjou, A. Guillaumin
7	rue Tourlaque (qui fait l'angle avec le 27 de la rue Caulaincourt), atelier de Toulouse-Lautrec (1886-1889)
66	rue Saint-Lazare, Dr. David Gruby (médecin de Theo et Vincent)
15	impasse Hélène, atelier de Bonnat
15	impasse Hélène, J. Russell (atelier 1886-1887)
6	rue de la Victoire, Dr. Louis Rivet (médecin de Theo et Vincent)
9	rue Vincent-Compoint, Luce (atelier et domicile jusqu'en 1886)
6	rue Cortot, Luce (atelier et domicile à partir de 1887)
95	rue de Vaugirard, F. Boggs (domicile 1885-1886)
32	rue des Dames, Georges Jeannin
11	rue de la Chaussée-d'Antin, Ed. Dujardin (1888)
19-21	rue Fontaine, Toulouse-Lautrec (domicile de 1884 à 1891)

Marchands

19	rue Chauchat, S. Bing «Articles de Chine et du Japon», à l'angle du 22 rue de Provence
9	rue Vezelay, S. Bing (domicile)
43	rue de Provence, J. Delarebeyrette
8	rue Saint-Georges, Arnold et Tripp
29	rue Saint-Georges, P.F. Martin «tableaux modernes»
43	boulevard Malesherbes, Georges Thomas «tableaux modernes»
14	rue Clauzel, J. Tanguy «fabricant de couleurs fines»
47	rue Le Pelletier, galerie Le Barc de Boutteville
8	rue Laffitte, galerie Bernheim-Jeune
16	rue Laffitte, galerie Durand-Ruel
8	rue de Sèze, galerie G. Petit
19	boulevard Montmartre, galerie Boussod, Valadon et Cie (Theo van Gogh)
41	rue Chaussée-d'Antin, Bague et Cie
96	rue Blanche, siège social, bureaux et salle de répétition du Théâtre-Libre
79	rue Blanche, bureau de *La Revue Indépendante* de F. Fénéon, domicile de Ed. Dujardin (1885-1887)

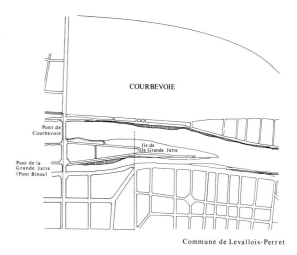

COURBEVOIE

Pont de
Courbevoie

Ile de
la Grande Jatte

Pont de la
Grande Jatte
(Pont Binou)

Commune de Levallois-Perret

Légendes du plan

1. Gazomètres de Clichy
2. Grues de l'usine à gaz
3. Restaurant de la Sirène
   7, boulevard de la Seine (quai d'Asnières)
4. Maison de la famille Bernard
   5, avenue de Beaulieu (1887 →)
5. Maison de la famille Signac
   42 bis, rue de Paris (1880 →)
6. Château Voyer d'Argenson
7. Parc Voyer d'Argenson
8. Château Pouget
9. Restaurant du Père Perruchot
   (1er étage : appartement de la Comtesse de la Boissière)
10. Restaurant Rispal
    117, boulevard de la Seine (quai d'Asnières)
11. Bastion, n° 43, de la Porte de Clichy
12. L. Anquetin (domicile-atelier 1885-1889)
    86, avenue de Clichy
13. Grand-Bouillon - Restaurant du Chalet
    43, avenue de Clichy
14. J. Russell (atelier 1886-1887)
    15, impasse Hélène
15. P. Signac (domicile 1889)
    20, avenue de Clichy
16. P. Signac (atelier 1886-1888)
    130, boulevard de Clichy
17. G. Seurat (atelier 1887 →)
    128, bis boulevard de Clichy
18. F. Cormon - atelier libre (1883 →)
    104, boulevard de Clichy

19. Café Le Tambourin
    62, boulevard de Clichy
20. Theo et Vincent van Gogh (domicile juin 1886 →)
    et A. Portier : 54, rue Lepic
21. H. de Toulouse-Lautrec (atelier 1886-1889)
    27, rue Caulaincourt
22. Moulin Le Blute-Fin
23. Moulin Le Radet
24. Moulin à Poivre
25. Ch. Angrand (Collège Chaptal)
    45, boulevard des Batignolles
26. H. de Toulouse-Lautrec (domicile 1884-1891)
    19 et 21, rue Fontaine
27. Theo van Gogh (domicile → juin 1886)
    25, rue Laval
28. Boutique du Père Tanguy (1873-1891/1892)
    14, rue Clauzel
29. A. Reid (domicile 1886-1887)
    6, place d'Anvers
30. A. Renoir (atelier oct. 1886-oct. 1887)
    35, boulevard Rochechouart
31. F. Cormon (domicile)
    38, rue Rochechouart
32. E. Degas (domicile-atelier 1881 →)
    19 bis, rue Fontaine
33. E. Quost (domicile-atelier)
    74, rue Rochechouart

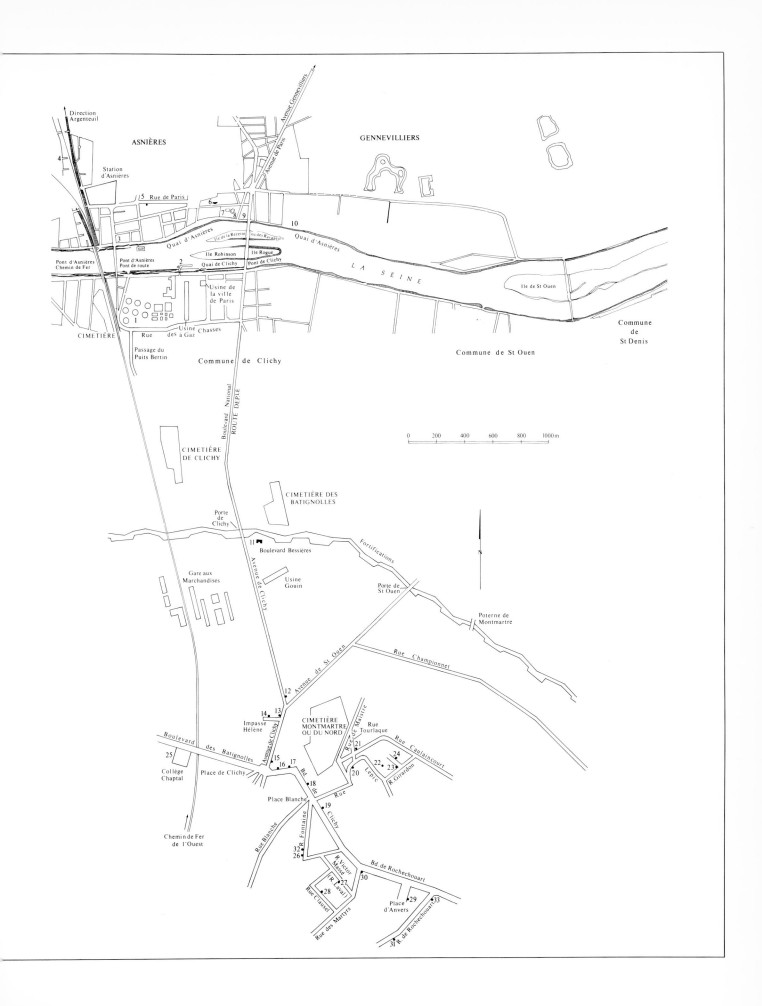

Direction
Argenteuil

ASNIÈRES

GENNEVILLIERS

Station
d'Asnières

4

5 Rue de Paris

6

7 8 9

10

Quai d'Asnières

Île de la Recette ou des Ravageurs

Quai d'Asnières

LA SEINE

3

Pont d'Asnières
Chemin de Fer

Pont d'Asnières
Pont de route

2

Île Robinson

Île Rogue

Quai de Clichy

Pont de Clichy

Île de St Ouen

Usine de
la ville
de Paris

Commune
de
St Denis

1

CIMETIÈRE

Rue des

Usine
à Gaz

Chasses

Commune de St Ouen

Passage du
Puits Bertin

Commune de Clichy

Boulevard National
ROUTE DEPLE

0   200   400   600   800   1000m

CIMETIÈRE
DE CLICHY

CIMETIÈRE DES
BATIGNOLLES

Porte
de
Clichy

11

Fortifications

Boulevard Bessières

N

Gare aux
Marchandises

Avenue de Clichy

Usine
Gouin

Porte de
St Ouen

Poterne de
Montmartre

Rue Championnet

Avenue de St Ouen

12

14 13

Impasse
Hélène

CIMETIÈRE
MONTMARTRE
OU DU NORD

Rue de Maistre

Rue
Tourlaque

Rue Caulaincourt

21

Boulevard des Batignolles

25

Collège
Chaptal

Avenue de Clichy

15

16 17

Bd. de

20

Lepic

22

23

24

R. Girardon

Place de Clichy

18

Rue

Place Blanche

19

Clichy

Rue Blanche

R. Fontaine

Bd. de Rochechouart

Chemin de Fer
de l'Ouest

32

26

R. Victor
Masse

(R. Laval)

27

30

28

29

33

Rue Clauzel

Place
d'Anvers

Rue des Martyrs

31 R. de Rochechouart

Les œuvres de van Gogh

1 | *Portrait de l'artiste par lui-même, avec un chapeau de feutre*
Vers le printemps 1886
Huile sur toile
H. 41; L. 32,5
Amsterdam, Rijksmuseum Vincent van Gogh
(Fondation Vincent van Gogh; Inv. s 162V/1962)
F 208 a; CdA 239

Van Gogh peignit au moins vingt-cinq autoportraits au cours de son séjour à Paris, beaucoup plus qu'à tout autre moment de sa carrière — nombre qui paraît d'autant plus important s'il est comparé à la production de ses contemporains. L'exemple ici présenté compte parmi les tout premiers exécutés après son arrivée à Paris: la pose est semblable à celle du *Portrait de l'artiste par lui-même, devant son chevalet* (F 181, Rijksmuseum Vincent van Gogh) mais il s'agit d'une version tronquée: le motif est vu de plus près et ne montre que les épaules et la tête tournée de trois quarts, dans une attitude qui allait par la suite dominer dans ses autoportraits. Ce tableau se situe tout à fait dans la tradition romantico-réaliste. La couleur sombre est allégée par la lumière qui vient éclairer la partie supérieure droite du visage et par le contraste des complémentaires: l'orangé de la barbe et le bleu du tour de cou.

Il est permis de penser que van Gogh s'est inspiré de l'art du portrait selon ses peintres préférés, Rembrandt et Delacroix, bien qu'ici le but recherché ait plutôt été de se présenter sous un aspect respectable et avec un naturalisme conforme aux exigences du portrait académique[1]. Il voulait sans doute montrer par là les progrès accomplis dans la représentation de la figure humaine grâce à ses études à l'Académie d'Anvers et utiliser ces autoportraits pour attirer d'éventuelles commandes qui ne vinrent pas. De même, par la suite, il se servira de ses autoportraits, de conception certes moins rigide, pour témoigner, en quelque sorte, des progrès de son évolution artistique.

NOTES

1. On note également une affinité avec le remarquable autoportrait de 1860 de Monticelli, lui aussi inspiré de Rembrandt, avec une barbe et un chapeau à larges bords. (reprod. coul. dans: A.M. Alauzen et P. Ripert, *Monticelli: sa Vie et son Œuvre*, Paris, 1969, p. 80). Si Vincent le connaissait, il en aura été influencé.

2 | *Le Pont du Carrousel et le Louvre*
Vers juin 1886
Huile sur toile
H. 31 ; L. 44
Etats-Unis, collection particulière
F 221 : *Pont sur la Seine à Paris*
CdA 267 : *Le Pont du Carrousel (et le Louvre)*

Comme *La Terrasse du Luxembourg* (cat. nº 3), ce tableau représente un des sites les plus familiers du cœur de Paris et c'est le seul tableau connu de Vincent ayant pour sujet un pont ou un monument historique de la capitale. Etant donné l'attachement profond de Vincent pour le Louvre et ses collections, le choix du sujet n'est pas surprenant. La Seine, avec ses ponts et les monuments qui la bordent, était très populaire aussi bien chez les réalistes que chez les impressionnistes. Vincent découvrira d'ailleurs, par la suite, que Guillaumin avait commencé à se spécialiser dans la peinture des ponts et des quais de Paris dès les années 1870[1]. Mais le traitement du pont du Carrousel est ici strictement réaliste et, mis à part sa provenance — ce tableau a appartenu au Père Tanguy — il n'est pas facile d'y reconnaître une œuvre de Vincent. Gustave Coquiot, un des premiers critiques à s'intéresser à l'artiste, en fit l'observation : «On dirait un tableau de Lépine, mais plus argenté, Corot par la matière. Très fin, très délicat, mais pas van Gogh du tout»[2]. La conception est très proche de celle du tableau *Le Pont d'Arcole et le Palais de Justice en hiver* (fig. a) peint l'hiver 1886 par Pierre Prins[3]. Mais à l'examen, on remarque certains traits caractéristiques de Vincent. Comme Prins, il a disposé sur toute la scène des petites silhouettes. Il met en valeur au premier plan les détails pittoresques d'un bateau-lavoir et d'un débarcadère et, sur l'eau, un bateau et ses passagers. Les personnages sur le quai et aux alentours sont très proches de ceux de *La Terrasse du Luxembourg* ; d'ailleurs sur ces deux tableaux, on retrouve une femme avec une ombrelle. Bien que son intention n'ait pas été de développer un thème majeur, ce tableau plein de charme n'en traduit pas moins l'admiration que van Gogh vouait, déjà à Nuenen, aux «trottoirs de Paris, de même que les gens qui connaissent leur Paris à fond» (*LT* 388 a).

NOTES

1. En ce qui concerne le traitement stylistique des ponts de Paris par les réalistes et les impressionnistes, voir l'argumentation de *1982, Washington*, p. 32-51.
2. Citation d'un manuscrit non publié conservé au Rijksmuseum Vincent van Gogh d'Amsterdam. Pour Stanislas Lépine, élève de Corot, voir J. Couper, *Stanislas Lépine (1835-1892), sa vie, son œuvre*, Paris, 1969, ill. 45, 46.
3. Pierre Prins avait épousé Fanny Clauss (1846-1877) l'amie de Manet et l'un des modèle du *Balcon* (Paris, Musée d'Orsay). Cf. Cachin in cat. expo. *Manet*, Paris, New York 1983, p. 303-307.

Cat. nº 2 fig. a   Prins, *Le Pont d'Arcole et le Palais de Justice en hiver* (1886).

3 | *Terrasse au jardin du Luxembourg*
Début de l'été 1886
Huile sur toile
H. 27,5 ; L. 46
Williamstown (Massachusetts), Sterling and Francine Clark Institute (Inv. 889)
F 223 : *La Terrasse des Tuileries*
CdA 254 : *Id.*

On a récemment découvert qu'une petite esquisse, auparavant intitulée *La Terrasse des Tuileries* (F 1385), représentait en fait la façade sud du Palais du Luxembourg et une partie des jardins[1]. Ceci permet de proposer une nouvelle identification pour ce tableau, qui montre donc les jardins du Luxembourg et non pas les Tuileries. Sur le dessin (F 1385) et sur une esquisse d'un carnet de croquis (fig. a), on voit une colonne surmontée d'une statue, en contrebas de la terrasse, vers la droite : il s'agit bien d'un monument des jardins du Luxembourg[2]. On retrouve cette colonne sur le tableau, au deuxième plan, à droite, bien qu'en partie cachée par le feuillage[3] ; entre les arbres au fond du tableau, sur la droite, van Gogh indique en blanc le jet d'eau du grand bassin.

Ce paysage parisien, des plus familiers, a pour van Gogh plus d'importance symbolique que les Tuileries. Ses deux musées favoris, le Louvre (cat. n° 2) et le musée du Luxembourg, motivèrent en grande partie son retour à Paris ; les voilà ainsi à l'honneur dans ces deux pendants.

Mis à part le caractère pittoresque du site, cette œuvre s'inspire de sources artistiques bien spécifiques : l'Ecole de Barbizon et Corot en particulier dont les toiles étaient alors montrées en permanence au musée du Luxembourg ; mais aussi Manet : van Gogh connaissait ses panoramas parisiens et ses vues des jardins des Tuileries, ne serait-ce que par son voisin du 54, rue Lepic, le courtier Alphonse Portier[4]. Une gravure qui appartenait à van Gogh a dû également jouer un rôle dans cette composition : il s'agit d'*Etude parisienne. Au jardin du Luxembourg* d'Auguste Lançon, un artiste qu'il admirait depuis longtemps (fig. b). Mais van Gogh évite soigneusement les représentations des élégants de la modernité baudelairienne peints par Manet et Lançon ; il préfère des personnages dispersés et des couples, suivant sa propre tradition. L'effet d'ensemble est celui d'une frise de silhouettes, comme dans certaines estampes japonaises.

NOTES

1. J. Van der Wolk, *De Schetsboeken van Vincent van Gogh*, Amsterdam, 1986, p. 293, 294.
2. Les deux colonnes de marbre (l'une surmontée par une sculpture représentant un David, l'autre par une nymphe), du XVIe siècle italien, flanquent le bassin avec le jet d'eau. Elles étaient visibles des deux terrasses. Rien de tel ne semble avoir existé aux Tuileries.
3. Van Gogh, pendant les premiers temps de son séjour à Paris, parcourait les rues de la capitale à la recherche de motifs comme le montrent ces esquisses avec des arbres sans feuilles et un dessin au dos d'un menu en date du 8 avril 1886 (F 1377).
4. Plusieurs tableaux de Manet sont passés par Portier ; cf. D. Rouart et D. Wildenstein, *Edouard Manet : Catalogue Raisonné*, Paris, 1975, notices n°s 10, 126, 155, 162, 197, 204, 242, 271, 297, 306, 369, 430, 431. Van Gogh connaissait l'œuvre de Manet dès l'époque d'Anvers (*LT* 440).

Cat. n° 3 fig. a   Vincent van Gogh, *Le Jardin du Luxembourg*. Amsterdam, Rijksmuseum Vincent van Gogh. (Fondation Vincent van Gogh).

Cat. nº 3 fig. b Fac-similé d'un dessin d'Auguste Lançon,
Etude parisienne. Au jardin du Luxembourg
in *L'Art*, vol. 3, 1875, p. 31.

4 | *Vue de Paris, prise de Montmartre*

Fin de l'été 1886
Huile sur toile
H. 38,5 ; L. 61,5
Signé en bas à gauche *Vincent*
Bâle, Kunstmuseum (Fondation Dr. h.c. Emile Dreyfus ; Inv. G 1970.7)
F 262 ; CdA 310

Ce tableau fait partie d'un groupe de quatre «vues de Paris» également appelées «les toits de Paris», peintes en 1886 (F 231, F 261, F 265) ; comme elles, il a longtemps été ignoré par la critique. En effet, la toile montre une vue prise de la Butte Montmartre avec, sur la gauche, Le Radet (un des trois moulins subsistants sur la crête), la ville qui s'étend vers le sud avec au premier plan les toits que les parisiens, à l'époque, pouvaient voir depuis le promontoire du Moulin Debray. Au loin, on aperçoit également Notre-Dame et le Panthéon, à gauche sur la ligne d'horizon.

La photographie panoramique prise en 1887 du Moulin Debray (fig. a) ne les indique que très vaguement mais, pour l'essentiel, le point de vue est identique à celui de la *Vue de Paris* du Rijksmuseum Vincent van Gogh (fig. b) avec la tour de l'église Saint-Jacques et celles de Notre-Dame à gauche, le Panthéon au centre et l'Opéra à droite, à l'horizon. Cette perspective a particulièrement attiré Vincent, ce que confirme la série de dessins (F 1387 et 1390) exécutés à peu près du même

Cat. nº 4 fig. a   Photographie : vue de Paris
prise du Moulin Debray en 1887.
Paris, B.N. : Cabinet des estampes.

Cat. nº 4 fig. b   Vincent van Gogh, *Vue de Paris,
prise de Montmartre* (F 1383).
Amsterdam Rijksmuseum Vincent van Gogh
(Fondation Vincent van Gogh).

NOTES

1. *1982, Washington,* p. 3-51.
2. Pour des comparaisons avec Daubigny, voir
W-O, p. 285.

endroit. Ceux-ci contiennent des études détaillées (comme vues au télescope) des principaux monuments de Paris et sont d'une importance capitale pour la compréhension des tableaux de Bâle et d'Amsterdam. Les «toits de Paris» de Vincent ont peu de rapport avec les panoramas parisiens, pleins d'animation citadine des boulevards et des jardins des impressionnistes[1]. Vincent préfère les *vedute* distantes, très populaires parmi les peintres et les graveurs des années 1830-1870 (l'œuvre de Charles Daubigny et Auguste Delâtre offre à cet égard de nombreux exemples)[2]. La littérature l'inspira également. Dès 1882, dans une lettre à Theo, il se souvient avoir vu le même «Paris tout gris» que décrit Zola dans son roman *Une page d'amour* (*LT* 212).

Le tableau de Bâle présente Paris comme un compromis entre la tradition (les moulins), le modernisme (l'industrialisation) et l'histoire (les monuments au loin). Bien que Vincent ait souvent produit des toiles avec une rapidité qui contredit sa technique méticuleuse, il offre ici une construction patiemment élaborée. Malgré son apparente modestie, ce tableau est une des vues les plus étendues de la capitale que van Gogh ait peintes; il permet, de plus, d'appréhender les effets de l'industrialisation, alors en plein essor en France, sur le paysage parisien.

5 | *Le Cinéraire*
Vers juillet-août 1886
Huile sur toile
H. 54,5 ; L. 46
Signé en bas à gauche *Vincent*
Rotterdam, Museum Boymans-van Beuningen (Inv. ST 92)
F 282 : *Cinéraires*
CdA 320 : *Le Cinéraire*

Le cinéraire du musée Boymans est la seule représentation connue de cette variété de fleurs par Vincent van Gogh et il fait partie des trois seuls tableaux parisiens avec des fleurs en pot et non en bouquet dans un vase. Cette plante lui avait été offerte par des amis au cours de l'été 1886[1]. Renoir, en 1864, avait déjà représenté un cinéraire en pot dans son tableau *Nature morte* (fig. a), mais associé à d'autres fleurs dans un coin de jardin ou de serre[2]. Bien que dans l'ensemble ces deux tableaux soient réalistes, celui de Renoir est plus proche de Manet. En effet la couleur plus sombre et la touche empâtée de Vincent rappellent plutôt la période hollandaise et celle d'Anvers, mais aussi les peintres réalistes comme Courbet et Fantin-Latour qui utilisaient toujours des fonds sombres pour le rendu des fleurs.

On ne doit cependant pas en conclure que Vincent se soit seulement attaché au rendu du ton local des fleurs sur un fond faiblement éclairé. En effet, à plusieurs reprises, parlant des tableaux de fleurs de la période parisienne, il les associe à ses recherches sur la théorie des couleurs. Malheureusement, bien qu'on retrouve sur les tableaux un grand nombre des espèces mentionnées dans ses lettres, celles-ci ne contiennent pas d'indications assez précises pour permettre d'identifier tel ou tel tableau particulier. Mais la mise en pratique de la théorie des couleurs apparaît clairement ; ses «exercices» avec les fleurs, comme il l'écrit à Livens (*Lettre* 459a, voir ANNEXE *Lettres*), étaient basés sur les «oppositions de bleu avec l'orangé, de rouge avec le vert, de jaune avec le violet, cherchant *les tons rompus et neutres* pour harmoniser la brutalité des extrêmes, essayant de rendre des *couleurs* intenses et non une harmonie en *gris*». Il manifeste à plusieurs reprises dans trois autres lettres (*LT* 460, *W* 1, *W* 4) son attachement presque exclusif aux trois contrastes de couleurs complémentaires et Andries Bonger

NOTES

1. Voir *WTRT* p. 8 et 9. Le cinéraire fleurit de mai à juillet-août mais, cultivé en serre, il peut apparaître dès le printemps et même en hiver. Ces précisions m'ont été apportées par le Dr Segal (voir note 4).
2. *1985, Paris*, cat. n° 2, reprod. coul. p. 65.
3. Les propos mentionnés dans les trois lettres de Paris sont bien connus, mais il faut aussi savoir que dans la lettre *W* 4 (Arles, juin 1888) Vincent développait plus avant le système de couleurs élaboré autour de ses peintures de fleurs de Paris, comme il l'avait déjà expliqué dans la lettre *W* 1 quelques mois auparavant. Les fleurs citées : les bleuets, les chrysanthèmes, les roses et les coquelicots figurent sur les tableaux de Paris mais pas sur ceux peints à Arles, et d'ailleurs, il ne s'intéressa pas de nouveau à ce genre de natures mortes avant le mois qui suit la lettre *W* 4.
4. Pour dater ce tableau ainsi que d'autres natures mortes de fleurs, j'ai tenu compte des informations concernant les dates de floraison de ces diverses espèces ; elles m'ont été fournies par un éminent botaniste, le Dr Sam Segal d'Amsterdam, dans une lettre du 28 août 1986. Dans ce tableau en particulier, il a identifié un cinéraire qui fleurit en principe de juin à août et un zantedeschia qui, lui, fleurit de juillet à septembre, d'où la date de juillet-août donnée plus haut, correspondant à la période de floraison commune aux deux plantes.

Cat. n° 5 fig. a   Renoir,
Nature morte (1864).
Hambourg, Kunsthalle.

rapporte par ailleurs, avec agacement, que répondant aux critiques de ses tableaux de fleurs, Vincent disait invariablement «mais je voulais introduire ce contraste-ci ou celui-là»[3].

Ainsi, dans *Le Cinéraire*, on note qu'au contraste dominant entre fleurs bleues et feuilles jaunes s'ajoute le contraste entre le rouge et le vert du pot sur le fond du tableau. Il est tout à fait caractéristique de Vincent que ces contrastes ne soient pas utilisés de façon stricte, mais laissent la place à de nombreuses variations dans le choix des nuances, des tons et des intensités. Ici, il garde également sur sa palette les tons bruns, couleur de terre qu'on ne trouve d'ailleurs que dans ses tableaux de fleurs de l'été 1887[4]. A cet égard, ce tableau peut être considéré comme une œuvre de transition dans son évolution personnelle, mais déjà on note la vigueur de la touche et du dessin qui lui appartiennent en propre et annoncent les qualités qu'on retrouvera dans ses fleurs de la période d'Arles, et jusqu'à Auvers.

6 | *Fleurs et Tournesols*
Vers la fin de l'été ou le début de l'automne 1886
Huile sur toile
H. 50; L. 61
Signé en bas à gauche *Vincent*
Mannheim, Städtische Kunsthalle (Inv. M 296)
F 250; CdA 319

La date de ce tableau est des plus faciles à établir grâce à la présence des tournesols qui font là leur première apparition dans l'œuvre de van Gogh[1]. Leur floraison ne commence qu'en août mais elle dure jusqu'en octobre, époque à laquelle les roses sont fanées depuis longtemps. Il s'ensuit que cette toile a probablement été peinte vers août-septembre 1886, preuve supplémentaire de l'intensité avec laquelle Vincent travailla sur des motifs de fleurs pendant tout l'été 1886. Cette considération permet de lui associer trois autres tableaux de fleurs où figure le même vase de céramique verte (F 249, F 251, F 252), non seulement par la date, — fin de l'été, début de l'automne 1886 —, mais encore par le style et le sujet qui en font un ensemble homogène. Dans les quatre tableaux domine, de la même façon, le contraste des couleurs complémentaires rouge et vert: d'une part, la couleur du vase et celle du fond; d'autre part, le dessus des tables et les fleurs. Ce n'est que par la présence, dans tous ces tableaux, de la rose blanche ou celle d'autres fleurs que s'atténue l'omniprésence de l'opposition du rouge et du vert. La floraison des variétés représentées s'étend de juillet à octobre et la période d'exécution de ces tableaux correspond donc à l'harmonie stylistique du moment[2].

L'introduction de plusieurs fleurs différentes dans cet exemple relève plus de précédents réalistes (fig. a, un tableau de Fantin-Latour de la collection de Theo et Vincent van Gogh) que de l'Impressionnisme et il est possible d'en conclure qu'à la fin de l'été 1886, Vincent restait, pour l'essentiel, fidèle au Réalisme. Cependant, par l'utilisation d'empâtements et par sa composition, cette nature morte témoigne également de la force d'impact des tableaux de Monticelli (cat. nº 93) que les deux frères collectionnaient à cette époque.

NOTES

1. E. Blot rapporte avoir eu en sa possession ce tableau qu'il exposa à la galerie Bernheim-Jeune («Exposition d'Œuvres de Vincent van Gogh», galerie Bernheim-Jeune, 15-31 mars 1901, nº 8 [?]) et c'est à cette occasion qu'il l'échangea contre un Guillaumin. Mais il se trompe quand il décrit les fleurs: «soleils et pivoines» (E. Blot, *Histoire d'une collection tableaux modernes*, Paris, 1934, p. 18).
2. Si le tournesol ne commence sa floraison qu'à la fin de l'été, de juillet à octobre, les autres fleurs peintes dans les tableaux de cet ensemble ne fleurissent pas avant juin et la plupart (surtout les roses) continuent leur floraison jusqu'en août ou septembre, ainsi que l'a indiqué le Dr Sam Segal.

Cat. nº 6 fig. a   Fantin-Latour,
Nature morte avec des fleurs (1877).
Amsterdam, Rijksmuseum Vincent van Gogh
(Fondation Vincent van Gogh).

7 | *Roses Trémières dans une cruche*
Vers août-septembre 1886
Huile sur toile
H. 94 ; L. 51
Signé en bas à gauche *Vincent*
Zurich, Kunsthaus (Inv. 2414)
F 235 : *Roses Trémières*
CdA 287 : *Id.*

Les roses trémières ne commencent à fleurir qu'à la fin de l'été : ce tableau a donc certainement été peint vers août-septembre 1886[1]. La cruche utilisée pour ce tableau apparaît aussi sur deux des sept autres tableaux de fleurs de format vertical et incluant des glaïeuls. Trois sont consacrés uniquement à ce thème ; on les retrouve, d'un rouge cramoisi, avec la même richesse de coloris dans le tableau de Zurich, *Roses Trémières*[2]. Le contraste des complémentaires rouge et vert souvent rehaussées d'une pointe de blanc est un autre trait commun à tout ce groupe de peintures, ce qui donne à penser que le choix de ces deux espèces était pour lui associé à cette combinaison de couleurs.

Mais le choix des roses trémières était également déterminée par l'admiration de Vincent pour le peintre Ernest Quost qu'il appelait « le Père Quost ». Plus tard, dans une lettre au critique Albert Aurier (*Lettre* 626a), il devait le désigner comme le peintre des « roses trémières magnifiques et parfaites » (cat. n° 101) comme il avait dû certainement en juger en admirant au Salon officiel de 1886 des roses trémières représentées sur le tableau que Quost y exposait *Fleurs paysannes* (fig. a). En 1890, Theo, qui connaissait personnellement Quost, eut pour projet d'organiser une rencontre avec Vincent (*T* 38-39). Le tableau était peut-être un hommage au peintre tant admiré par Vincent — bien que le style, l'empâtement sculpté et la couleur vibrante doivent certainement plus à Monticelli et aux théories de Delacroix sur les couleurs qu'à Quost lui-même. C'est surtout un bel exemple de ces « exercices » sur la couleur pratiqués par Vincent au cours de l'été 1886 (*Lettre* 459a) ; le format vertical est peut-être aussi une réminiscence d'une forme très répandue dans l'art oriental (cat. n° 66).

NOTES

1. La rose trémière fleurit de juillet à septembre-octobre. Ce tableau est donc probablement postérieur à la plupart des peintures de glaïeuls, citées plus bas, car si la variété rouge fleurit parfois dès le mois de juin, les autres variétés fleurissent de juillet à août-septembre. Je remercie le Dr Sam Segal pour ces précisions (cat. n° 5, note 4).
2. F 242, F 247, F 248 représentant des glaïeuls rouges. Pour les autres voir F 237, F 248a, F 248b, F 286a.

Cat. n° 7 fig. a Quost, *Fleurs paysannes.*
Repr. in *Le Salon-Artiste*, 2ᵉ année, Paris, 1886.

8 | *Montmartre: la carrière, les moulins*

Vers l'automne 1886
Huile sur toile
H. 56; L. 62
Amsterdam, Rijksmuseum Vincent van Gogh
(Fondation Vincent van Gogh; Inv. s 12V/1962)
F 230: *Montmartre*
CdA 307: *Montmartre (carrière, cabanes, moulins, couple)*

Cette vue montre la carrière du versant nord de la Butte Montmartre. A l'époque de van Gogh, elle était presque abandonnée après avoir, pendant des siècles, fourni un calcaire de grande qualité avec lequel on fabriquait le plâtre de Paris. Cet état d'abandon était déjà visible sur un tableau peint vers 1871 par Matthijs Maris — connu de van Gogh — montrant le même site mais vu de plus près[1]. Il savait aussi que les moulins de Montmartre avaient déjà inspiré des motifs à de nombreux artistes français, comme Georges Michel (1763-1843) et Corot[2]. Mais c'est une page d'un numéro de *L'Artiste* de 1886, que possédait van Gogh (fig. a), avec neuf vues de la Butte du graveur Auguste Delâtre, qui fut pour lui une source plus immédiate.

Pourtant, c'est bien en plein air, sur le motif, que van Gogh a peint ces vues de moulins. Un petit dessin à l'encre et à la mine de plomb (fig. b) permet de mieux comprendre le sujet tel qu'il le découvrit, car il nous en donne une vue d'ensemble: il montre en effet, les trois moulins l'un à côté de l'autre, les jardins potagers à gauche et le versant avec la carrière à droite. Dans ce contexte, *La carrière, les moulins* peut s'interpréter comme faisant partie d'une série de trois compositions (les autres sont F 229 et cat. n° 52 fig. a) qui couvrent, comme sur ce dessin, le versant nord de la Butte, grâce à des vues successives, 1: de la carrière à distance, 2: de la carrière de plus près, 3: des potagers en bas avec la pente vers la carrière qui s'amorce à peine sur la droite. Dans ces trois tableaux la vue est pour ainsi dire panoramique et particulièrement dans celui-ci.

C'est aussi le paysage parisien de van Gogh le plus proche de Corot, par le pittoresque de la colline au loin et par les tons brun, vert, bleu et blanc caractéristiques, en particulier de ses paysages romains. Dès juin 1885, Vincent avait écrit à Theo au sujet de son éventuelle venue à Paris: «Je devrai un jour étudier la technique et le coloris de Delacroix, de Millet et de quelques autres» (*LT* 410); dans ses paysages de 1886, l'influence de Corot semble souveraine.

NOTES

1. Ce tableau est actuellement conservé au Gemeentemuseum de La Haye. Il est reproduit in *1983, Paris*, cat. n° 74.
2. G. Michel est mentionné à plusieurs reprises dans la correspondance de van Gogh. Il travailla, pendant toute sa carrière de peintre, aux environs de Paris et peignit fréquemment des motifs de moulins. *Le Moulin de la Galette à Montmartre*, 1840, de Corot (Genève, musée d'Art et d'Histoire) ne montre pas le même point de vue que le tableau de van Gogh.

Cat. n° 8 fig. a   Auguste Delâtre,
Montmartre.
Repr. in   *L'Artiste*, tome 1er, 1886, p. 241.

Cat. n° 8 fig. b   Vincent van Gogh,
Vue de la Butte Montmartre, côté Nord.
Amsterdam, Rijksmuseum Vincent van Gogh
(Fondation Vincent van Gogh).

9 | *Le Moulin Le Radet, vu de la rue Girardon*

Vers octobre 1886
Huile sur toile
H. 38,5; L. 46
Otterlo, Rijksmuseum Kröller-Müller (Inv. 269-12)
F 227: *Le Moulin de la Galette*
CdA 257: *Le Moulin de la Galette, vu de la rue Girardon*

Ce tableau, comme d'autres traitant du même sujet (en particulier F 226, F 228), est généralement connu sous le titre de «Moulin de la Galette»; cette inscription figure d'ailleurs, dans toutes les versions, sur le moulin lui-même ainsi que sur le café attenant. Le moulin (autrefois appelé «Moulin Chapon»), placé au coin de la rue Girardon comme le montre la photographie ici reproduite (fig. a), adopta en effet peu à peu ce nom, bien que «Le Radet» ait été le patronyme approprié. «La Galette» désigne la spécialité de l'établissement, par ailleurs consacré au «commerce de vins-buvette» comme l'indiquent les autres inscriptions reportées sur le tableau par van Gogh. Mais le «Moulin de la Galette» est aussi le nom de la guinguette située entre ce moulin et le Moulin Debray (dit aussi «Blute-Fin»). Celui-ci se trouvait un peu plus loin sur la crête de la Butte et le site était connu à l'époque comme le «Point de vue» (cat. n°s 21 et 22). Vers le milieu des années 1880, la famille Debray, qui avait été propriétaire des deux moulins pendant presque tout le siècle, décida de sacrifier Le Radet en transférant l'appellation «Moulin de la Galette» au Moulin Debray (Blute-Fin)[1].

C'est cet endroit même qui servit de cadre, en 1876, à Renoir pour son célèbre tableau *Le Moulin de la Galette* (Paris, Musée d'Orsay) qu'il peint comme un lieu de fête et de plaisir. Toulouse-Lautrec en 1889 le présente, quant à lui, comme un rendez-vous de respectabilité douteuse dans *Au Bal du Moulin de la Galette* (Chicago, The Art Institute), alors que Vincent van Gogh en montre l'aspect extérieur et le traite comme un quelconque site pittoresque des faubourgs de Paris, avec un réalisme presque naïf. L'exactitude de représentation de la scène apparaît clairement si on compare ce tableau avec la photographie prise, vers la même date, de la rue Girardon (fig. a). Vincent prend seulement la liberté d'abaisser les deux façades à pignon, à l'arrière-plan, de manière que le moulin se détache nettement sur le ciel. Il a pu être influencé par un tableau du même sujet d'Auguste Lepère (fig. b) qu'il possédait en commun avec son frère[2], mais le

NOTES

1. Ch. Sellier, *Le Vieux Montmartre*, p. 34-37; L. Maillard, *Les Moulins de Montmartre et les Meuniers*, Paris, 1981, p. 37-56 et p. 131-143; J. Hillairet, *Dictionnaire Historique des rues de Paris*, Paris, 1963, p. 58.
2. Bernard s'est souvenu d'avoir vu dans l'appartement des van Gogh «des moulins de la Galette aux bras sinistres — sur cela encore un vague brouillard grave du Nord».
3. La lettre de van Gogh à Charles Angrand, en date du 25 octobre 1886 (ANNEXE *Lettres*) raconte qu'ils ont fait un échange; il s'agit peut-être de ce tableau ou d'une autre version du même sujet (*Angrand*, p. 37).

Cat. n° 9 fig. a Photographie: Montmartre, Le Moulin de la Galette.
Paris, collection Viollet (H. Roger-Viollet).

Cat. n° 9 fig. b Lepère, *L'Hiver à Montmartre*. Amsterdam, Rijksmuseum Vincent van Gogh (Fondation Vincent van Gogh).

moulin y est vu de la rue Lepic. Le tableau de Lepère comporte également, il est intéressant de le noter, les petites silhouettes des habitants du quartier que Vincent affectionnait tout particulièrement; de plus, il représente une scène d'hiver, avec un ciel couvert et blanc, d'une technique lourdement empâtée qui ne fut pas sans séduire Vincent à cette époque. Le mode sur lequel il traite ce sujet montre que pendant les quelques mois suivant son arrivée à Paris, van Gogh résista à l'attrait du style impressionniste et préféra une forme de naturalisme plus concret[5].

10   *La Guinguette du Moulin Le Radet*
Vers novembre 1886
Plume, mine de plomb, rehauts de blanc, sur papier Ingres gris
H. 38,5 ; L.52
Amsterdam, Rijksmuseum Vincent van Gogh
(Fondation Vincent van Gogh ; Inv. d 351V/1962)
F 1407 : La Guinguette

Le terme de «guinguette», tout à fait approprié pour décrire ce café populaire des faubourgs de Paris, avec un jardin attenant, représenté sur ce dessin et le tableau correspondant (cat. n° 11), ne nous est d'aucun secours pour sa localisation[1]. Le tableau de van Gogh *Le Moulin Le Radet, rue Lepic* (ou Moulin de la Galette, cat. n° 9), ainsi qu'une photographie (cat. 9 fig. a) permettent cependant de l'identifier. Il s'agit d'une petite terrasse de café située derrière la «buvette» du «Moulin de la Galette», là où se trouvait le moulin proprement dit : l'escalier, au premier plan à gauche sur ce dessin, conduit d'ailleurs au moulin ; la façade à pignon avec une fenêtre est celle de la célèbre salle de bal que Lautrec a représentée dans le tableau de 1889, *Au bal du Moulin de la Galette* (Chicago, The Art Institute). On retrouve ces éléments sur une photographie prise à la même époque (fig. a) : le moulin avec l'escalier au milieu des arbres, derrière une clôture couverte de végétation, mais la buvette est cachée par le mur et les arbustes à droite. En outre, cette photographie explique la présence de la colonne verticale à gauche sur le dessin : il s'agit d'une mince cheminée d'évacuation qui s'élève au-dessus des bâtiments, tout au fond à gauche sur la photographie. Dans tous les cas, cette terrasse modeste bien que très fréquentée, avec ses tables grossièrement façonnées et son unique réverbère, ne doit pas être confondue avec la partie de jardin figurée par Renoir dans son chef-d'œuvre de 1876 : *Le Moulin de la Galette* (Paris, musée d'Orsay), à laquelle on accédait en passant sous le portail à l'angle de la rue Lepic et de la rue Girardon, ou bien par l'entrée de l'impasse Girardon[2].

La date de ce dessin est controversée. Les arbres et la vigne de la treille représentés n'ayant aucune feuille, il peut s'agir du début du printemps de 1886, juste après l'arrivée de Vincent à Paris, ou de l'automne de la même année. Quant au tableau, il date certainement de l'automne, car les feuilles virent au brun ;

NOTES

1. Leprohon (*Leprohon*, p. 349-350) identifie la guinguette à la terrasse du vieux restaurant «Aux billards en Bois» à l'angle de la rue des Saules et de la rue Sainte-Rustique mais les photographies montrent un cadre beaucoup plus élaboré et sans façade à pignon ; de plus, rien n'indique l'existence d'un escalier extérieur.
2. Les mots «Moulin de la Galette» sont à peine lisibles sur le tableau. Cette entrée conduisait soit à la terrasse de la guinguette soit à un passage entre la terrasse et la salle de bal, et qui mène à une autre terrasse plus grande que Renoir a représentée. Pour une analyse du tableau de Renoir, *Le Moulin de la Galette*, voir *1985, Paris*, p. 211, 212.

Cat. n° 10 fig. a   Atget, *Le Moulin de la Galette.* (Photographie).

van Gogh a sans doute exécuté le dessin après le tableau, beaucoup plus tard dans l'année : les arbres sont nus et les personnages représentés chaudement vêtus ; il apparaît clairement qu'il s'agit là d'une création indépendante : le serveur n'est plus là, van Gogh a ajouté l'escalier ; de plus la façade et le ciel sont mieux construits. D'ailleurs, le style plus élaboré du dessin témoigne d'une maîtrise mieux affirmée dans l'utilisation de la technique mixte, comparable en cela à deux autres dessins (cat. nᵒˢ 21, 43 et nᵒ 26 fig. a) de même format exécutés sur la même qualité de papier mais datant vraisemblablement du début de 1887. Ce dessin *La Guinguette* est peut-être le premier du groupe, mais n'en est pas moins beau par sa composition, son exécution et son expression.

11 *La Guinguette*
Vers octobre 1886
Huile sur toile
H. 49 ; L. 64
Signé en bas à gauche *Vincent*
Paris, Musée d'Orsay (legs Pierre Goujon, 1914 ; Inv. R.F. 2243)
F 238 ; CdA 313

Il est parfaitement possible de dater ce tableau : les feuillages des arbres, déjà bruns, indiquent l'automne (1886). On a montré plus haut (cat. n° 10) que la scène peinte est une terrasse située derrière la buvette qu'on voit sur le tableau de Vincent *Le Radet* (cat. n° 9). Il choisit ici de montrer une guinguette typique de la banlieue parisienne plutôt que la terrasse d'un grand restaurant. Le fait qu'il n'y ait ni nappe, ni couverts, la simplicité de la mise des clients indiquent qu'il s'agit là d'un établissement modeste où le choix des consommations est limité aux carafes de vin qu'on peut voir sur deux des tables. L'unique serveur est debout près d'un des réverbères, nombreux aux abords des moulins, et les couples d'amoureux en conversation sous les tonnelles ombragées — thème qu'il reprendra pour le développer l'année suivante (cat. n° 34) — participent à l'atmosphère paisible d'un moment de détente des habitants modestes de ce quartier de Montmartre. Vincent connaissait déjà bien toute les habitudes de la vie populaire, — vêtements, comportement — pour avoir habité le quartier auparavant, mais aussi par la littérature naturaliste de Zola, Goncourt, etc. Par ses qualités picturales — variété et richesse de la touche, subtilité du coloris — et le fait qu'elle fixe une image de Montmartre de la fin du siècle, cette toile est d'une valeur inestimable pour comprendre van Gogh à Paris ; elle trouve sa juste destination au musée d'Orsay. Enfin, cette première scène de restaurant avec ses habitués, toute modeste qu'elle soit, annonce les célèbres tableaux d'Arles, *Le café de nuit* (F 463, New Haven, Yale University Art Gallery), et *Le café le soir, place du Forum à Arles* (fig. a).

Cat. n° 11 fig. a   Vincent van Gogh,
Le Café le soir, place du Forum à Arles (F 467).
Otterlo, Rijksmuseum Kröller-Müller.

Le Cimetière

Fin de l'automne 1886
Encre, plume et pinceau, craie de couleur, rehauts de blanc sur papier Ingres teinté
H. 36,5 ; L 48
Otterlo, Rijksmuseum Kröller-Müller (Inv. 1121-42)
F 1399a : *La Fosse commune*

Les arbres possèdent encore quelques dernières feuilles, indiquées par de petites taches de jaune et de rouge : nous pouvons donc dater cette œuvre de la fin de l'automne. Ce feuillage excepté — ainsi que le peu de gazon jaune-vert auprès des arbres et les couronnes jaunies sur les croix et les blouses bleu pâle des fossoyeurs —, l'ensemble du dessin est dans un registre de tons qui vont du noir au blanc et s'accordent à la tristesse de la scène. Le style et le thème de ce sujet parisien et d'une étude qui lui fait pendant (F 1399) remontent aux dessins d'un cimetière à Nuenen (F 1336 recto, F 1337) ; il est possible que les fossoyeurs aient leurs modèles dans deux dessins réalisés à La Haye dès 1882 (F 907, 908)[1]. Le site représenté n'en est pas moins parisien : il s'agit selon toute probabilité du cimetière des Batignolles, à l'extérieur des fortifications et à l'est de la porte de Clichy (PLAN). Cela impliquerait que les deux bâtiments qui se dressent au-dessus de l'horizon, aussi bien dans ce dessin que dans son pendant (F 1399), soient respectivement l'usine Gouin — avec sa cheminée à droite du personnage au parapluie — et le bastion à l'extrême droite de la ligne de fortifications près de la Porte de Clichy (cat. n°s 49 et 50, et PLAN). Il s'ensuit que la vue du cimetière donne directement au sud de Paris, les fortifications restant quasiment invisibles au-dessus de l'horizon[2]. Par son exécution, cette œuvre se rattache à d'autres dessins remarquables de la fin de l'automne et de l'hiver 1886-1887, comme la *Vue prise de la chambre de Vincent* (cat. n° 27) et *Le Boulevard de Clichy* (cat. n° 26 fig. a). La tristesse du thème — le cercueil d'un petit enfant qu'on enterre sous la pluie — s'exprime subtilement dans ces hachures ininterrompues, et même parallèles, qui recouvrent toute la surface du papier.

Aussi fidèle à la réalité que puisse être cette reprise d'une scène à laquelle van Gogh a pu assister, son thème n'en revêt pas moins une signification plus générale, peut-être d'inspiration littéraire. On pense en l'occurrence au roman des frères Goncourt, *Germinie Lacerteux*, dont un exemplaire est représenté dans

NOTES

1. D'après *DLF* (F 1399 - F 1399a).
2. L'auteur pensait (*W-O*, p. 142, 143) que van Gogh avait représenté dans ce dessin le cimetière Montmartre (ou du Nord), comme dans l'illustration pour le frontispice du roman des frères Goncourt, *Germinie Lacerteux* (fig. a). Mais la lecture du manuscrit de R. Thompson, «Van Gogh à Paris : dessins des fortifications de 1887», ainsi que la correspondance entretenue avec lui, m'ont finalement convaincue qu'il s'agit bien du cimetière des Batignolles. L'absence de la Butte Montmartre qui figurait à droite dans le frontispice de *Germinie Lacerteux* et la ressemblance des deux bâtiments avec l'usine Gouin et le Bastion 43 qui apparaissent dans la série des fortifications, le prouvent.
3. *Vollard*, p. 65. Encore que mentionnées dans *Germinie Lacerteux*, les fosses communes semblent avoir disparu au cimetière Montmartre après les exécutions sommaires de la Commune de Paris : l'examen des archives du cimetière Montmartre que j'ai mené en 1971 en atteste. Peut-être est-ce la raison pour laquelle van Gogh a choisi de représenter le cimetière des Batignolles, tout en se référant au thème général du *Germinie Lacerteux*. On pourrait voir un autre indice de cette fusion thématique dans l'inscription «rue (Joseph) De Maistre» au verso du *Cimetière*. La rue Joseph De Maistre est située près de la rue Lepic et borde le cimetière Montmartre. J'ai malheureusement lu «rue de Marchie» au lieu de «rue De Maistre», et telle est la citation qui figure dans *A Detailed Catalogue of the Paintings and Drawings by Vincent Van Gogh in the Collections of the Kröller-Müller National Museum*, Otterlo, 1980, cat. n° 193.

Cat. n° 12 fig. a   Chauvel, eau-forte réalisée d'après une aquarelle de 1863 de Jules Goncourt : illustration pour le frontispice du roman des frères Goncourt *Germinie Lacerteux*.

l'une des natures mortes parisiennes de Vincent (cat. n° 58). Selon Bernard, le sujet de ce dessin ou de son pendant, qu'il eut l'occasion de voir dans l'appartement de van Gogh, était *La Fosse commune*, titre qui lui fut très vraisemblablement fourni par Vincent lui-même[5]. Ajoutons que l'illustration qui intervenait en frontispice du roman (fig. a) — une eau-forte de Théophile Chauvel d'après une aquarelle réalisée en 1863 par Jules de Goncourt — ressemble étonnamment au dessin de van Gogh qui souligne le côté sinistre de la scène en y introduisant un enterrement et en éliminant le paysage de Montmartre avec ses moulins. Il en résulte ce *memento mori* moderne qui s'inscrit dans une scène au graphisme contemporain.

13 | *Trois paires de souliers*

Fin 1886
Huile sur toile
H. 49 ; L. 72
Cambridge (Massachusetts), Fogg Art Museum
(legs Maurice Wertheim ; Inv. 1951.66)
F 332 ; CdA 324

Pendant son séjour à Paris, van Gogh exécuta cinq natures mortes de souliers, c'est-à-dire autant que pendant les périodes qui ont précédé (F 1, 54, 63 mais associés à d'autres objets) et suivi (F 461, 607) ce séjour ; ce qui peut sembler paradoxal quand on sait à quel point il s'était, auparavant, identifié au peintre-paysan personnifié par Millet. De Nuenen (*LT* 400), il décrit celui-ci comme un être indifférent aux « belles chaussures et... la vie de château », préférant peindre dans les campagnes suivant le dicton « puisque j'y vais en sabots, je m'en tirerai »[1]. Et quand van Gogh arrive à Paris, c'est avec cette même idée présente à l'esprit qu'il parcourt la campagne environnante. S'il est certain que la paire de brodequins ferrés, qu'on retrouve dans quatre des cinq tableaux de souliers, était bien celle que l'artiste portait pour aller peindre des paysages, elle est, en quelque sorte, une image de lui-même[2].

En choisissant de peindre ses propres souliers, van Gogh connaissait peut-être des précédents, en particulier, comme C. Nordenfalk l'a fait valoir, *Les Brodequins* de l'artiste suédois Nils Kreuger (fig. a), le tableau portant, de plus, l'inscription « Paris 1882 ». Celui-ci ne représente pas seulement des souliers semblables à ceux figurés par van Gogh, mais, de façon évidente, le motif fait référence à l'artiste et à son atelier, Kreuger représentant aussi sur ce tableau, ses propres toiles[3]. Ces souliers sont cependant en bon état, bien cirés et différents en cela de ceux de van Gogh, usés et mal entretenus. On sait qu'il en était souvent ainsi par un témoin oculaire rapportant ces faits, de façon anecdotique certes, mais c'est le seul récit dont on dispose. Il s'agit de François Gauzi qui étudia avec van Gogh à l'atelier Cormon et qui était, par ailleurs, un ami intime de Toulouse-Lautrec. Il rendit visite à Vincent, rue Lepic, alors que celui-ci venait tout juste d'achever un tableau représentant une paire de souliers[4].

Gauzi raconte que ces brodequins étaient du modèle de ceux portés par les charretiers et que van Gogh les avait achetés d'occasion « au marché aux puces... mais propres et cirés de frais ». Dans cet état, il ne leur trouvait aucun intérêt et ne les peignait que crottés après ses promenades sous la pluie, le long des fortifications. Gauzi ajoute, pour terminer, que les autres élèves de Cormon trouvaient ce sujet « bizarre ». Ce récit permet de dater la première nature morte de souliers

NOTES

1. Voir *W-O*, p. 138-140 et J. Leymarie, *Van Gogh*, New York, 1977, p. 55 pour une discussion approfondie de ce sujet.
2. Pour une interprétation des symboles dans les peintures de souliers, cf. M. Heidegger, « The origin of the Work of Art », in *Philosophies of Art and Beauty*, New York, 1964, p. 649-701 et M. Schapiro, « The Still Life as Personal Object, in *The Reach of Mind : Essays in Memory of Kurt Goldstein*, New York, 1968, p. 203-209.
3. Cf. C. Nordenfalk, « Van Gogh and Literature », in *Journal of The Warburg and Courtauld Institutes*, X, 1947, p. 136, note 3. Il faut également remarquer que les souliers peints à Arles (F 461) sont posés sur le sol carrelé de la maison jaune.
4. F. Gauzi, *Lautrec et son temps*, Paris, 1954, p. 31-32.
5. *1984, New York*, p. 36. Déjà à Nuenen van Gogh avait disposé des chopes de bière et des bouteilles en rang (F 49 et F 50), avec une composition qui anticipe sur le tableau du Fogg Art Museum.

Cat. n° 13 fig. a Kreuger, *Les Brodequins* (1882). Stockholm, Prins Eugens Gemäldegalerie.

peinte à Paris, de l'automne 1886 (F 255 ou F 332a), alors que Vincent étudiait encore chez Cormon. De plus, il donne une description précise de l'apparence négligée des souliers, sous-entendant la modicité des revenus de leur propriétaire.

Dans le tableau du Fogg Art Museum, aux deux paires de ce que Gauzi appelait des «souliers de charretier» ou «une paire de godillots», s'ajoute une paire des mêmes souliers ferrés que van Gogh a, par ailleurs, représentée seule sur un autre tableau peint à Paris (F 331). R. Pickvance a récemment établi un parallèle entre la nature morte de souliers du Fogg Art Museum et la grande version des fleurs de tournesols (cat. nº 58) de la fin de la période parisienne; dans les deux cas, on trouve rassemblés des éléments auparavant peints isolément[5]. Néanmoins, il fait peu de doute que cette toile fut exécutée sur le motif, tel que van Gogh l'avait disposé dans son atelier de la rue Lepic. Par le style, ce tableau est proche des deux autres natures mortes avec des souliers posés sur un fond brun monochrome (F 255 et F 331) et, comme celles-ci, date de fin 1886.

14 | *Les Souliers*
Début 1887
Huile sur toile
H. 34; L. 41,5
Signé et daté en bas à droite *Vincent 87*
Baltimore, Museum of Art (The Cone Collection, formed by Dr. Claribel Cone
and Miss Etta Cone of Baltimore, Maryland; Inv. BMA 1950.302)
F 333 ; CdA 363

Les Souliers du musée de Baltimore est un des rares tableaux que van Gogh ait daté au cours de sa carrière[1]. Le fait qu'il s'agisse de 1887, plutôt que de l'année précédente, ne signifie pas pour autant que l'artiste ait voulu marquer une étape particulière de son évolution. On retrouve d'ailleurs cette même date inscrite sur deux portraits (F 263, F 263a) de conception réaliste et, mis à part son coloris plus vif, le tableau de Baltimore présente peu de différences avec les quatre autres tableaux de la série des souliers de la période parisienne.

Le bleu de Prusse de la surface sur laquelle les souliers sont posés correspond au ton local du tissu choisi; quant à la touche, elle est tout à fait comparable à celle du tableau du Fogg Museum (cat. n° 13). Mais il est certainement postérieur à ce dernier et peut-être même en dérive-t-il. De toute façon, les deux tableaux ont été exécutés au plus à quelques mois d'intervalle. Comme cela a été récemment souligné, van Gogh utilise ici le contraste des couleurs complémentaires, en particulier le bleu et l'orangé[2].

NOTES

1. Cette toile appartenait au Père Tanguy et fut vendue après sa mort. Vente Hôtel Drouot, 2 juin 1894, n° 64, acquise pour 30 francs par Volat (sic Vollard).
2. *1984 New York*, p. 35, 36.

15 | *Etudes avec une fillette, et deux moulages*
Automne 1886
Craie noire sur papier vergé à filigrane Michallet
H. 47,5 ; L. 31,5
Amsterdam, Rijksmuseum Vincent van Gogh
(Fondation Vincent van Gogh ; Inv. d 12V/1962)
F 1366 recto : *Etudes pour un enfant nu assis.*

Cette feuille de dessins récapitule divers types de travaux de l'atelier Cormon. Sur la partie gauche de la feuille, au recto, et sur une autre moitié, au verso (fig. a), il a dessiné une petite fille, qu'on peut également voir dans la seule peinture connue dont les dessins préparatoires aient survécu, après avoir été certainement réalisés chez Cormon[1]. L'utilisation de fillettes comme modèles n'avait d'ailleurs rien d'exceptionnel : l'étude de nu à partir de modèles des deux sexes, nus ou habillés et de tous âges, était une pratique d'atelier courante.

On peut particulièrement le vérifier avec l'homme nu debout auquel manque le bras droit, qui est une copie de *L'Ecorché au bras tendu* de Houdon ; celui-ci l'avait originellement conçu à Rome pour son *Saint Jean-Baptiste* debout, utilisant à cette fin les cadavres réservés à la dissection ; la statue devint si célèbre, dans la France du XIXᵉ siècle, que des copies grandeur nature en étaient montrées au Louvre et à l'Ecole des Beaux-Arts[2]. Bien que van Gogh n'ait pu faire grand-chose avec la pose classique de la figure, ce dessin qu'il a réalisé vu de face, ainsi que d'autres vus de dos (F 1702 recto et verso), fait penser à un croquis d'après nature plutôt qu'à une étude de la structure anatomique et musculaire. Le torse de femme avec une jambe renvoie au modèle de l'antiquité grecque «Aphrodite sur une jambe» ; il en existait une copie en plâtre chez Cormon, comme on peut le voir sur une photographie de l'atelier (cat. nᵒ 16 fig. a)[3]. Dans les deux études de ce torse, au recto de la feuille et plus encore au verso, van Gogh dessine la déesse dans un style plus réaliste que classicisant et son professeur a dû y voir une approche parodique. En tout cas, cette intention se manifeste clairement dans un autre dessin (F 1365f recto) où un énorme chapeau haut-de-forme coiffe le cou et les épaules de la statue. C'est en référence à ce genre d'exercice que Bernard nous rapporte sa première rencontre avec Vincent un après-midi chez Cormon : «Assis devant un antique plâtre, il copie les belles formes avec une patience angélique. Il veut s'emparer de ces contours, de ces masses, de ces reliefs. Il se corrige, recommence avec passion, efface et finalement troue sa feuille de papier à force de frotter avec une gomme.[4]» Heureusement, cette feuille de dessin et beaucoup d'autres qui nous renseignent sur le travail de van Gogh à l'atelier Cormon, ont échappé au sort évoqué par Bernard.

NOTES

1. Cf. F 215, où la pose de la fillette diffère suffisamment de celle du dessin pour qu'on puisse penser que la peinture a été réalisée *in situ.*
2. L. Réau et Dr P. Valléry Radot, «Les deux écorchés de Houdon» in *Aesculape*, XXVIII, 1938, p. 170-184.
3. La classification de ce type de statue est établie dans : S. Reinach, *Répertoire de la statuaire grecque et romaine*, Paris, 1897-1910, t. II, p. 348, et t. III, p. 107.
4. *Vollard*, p. 10, 11.

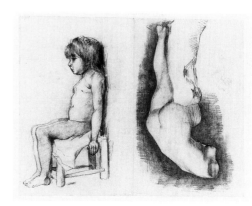

Cat. nᵒ 15 fig. a Vincent van Gogh,
Etude avec une fillette et un moulage (F 1366 verso).
Amsterdam, Rijksmuseum Vincent van Gogh
(Fondation Vincent van Gogh).

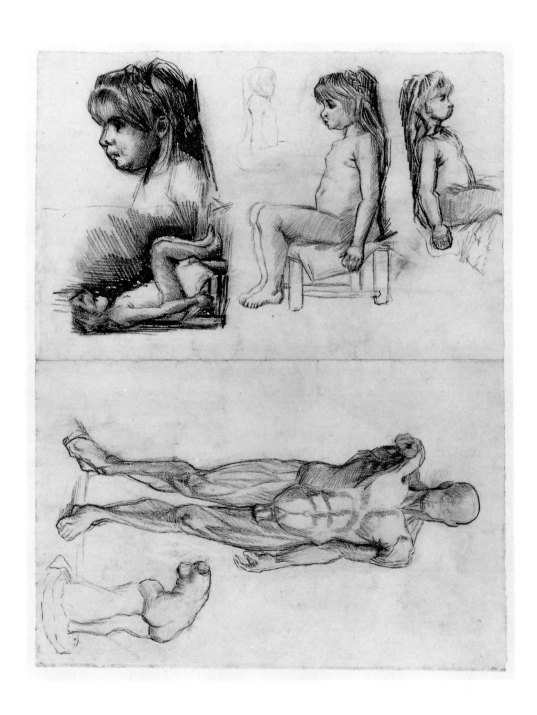

16 | *Buste d'après un plâtre d'Antonio del Pollaiuolo*

Automne 1886
Fusain et craie noire sur papier vergé brunâtre
H. 61,5; L. 47,5
Amsterdam, Rijksmuseum Vincent van Gogh
(Fondation Vincent van Gogh; Inv. d 169V/1962)
F 1701

Parmi les moulages dessinés par van Gogh, celui-ci ne pose aucun problème d'identification. Il s'agit d'un buste d'après l'œuvre d'Antonio del Pollaiuolo du Palais Bargello à Florence. Cette étude de grande dimension et d'exécution soignée fut réalisée dans l'atelier de Cormon, où l'on pouvait voir des bustes en plâtre (peut-être celui-ci, précisément) sur une étagère, derrière d'autres moulages (fig. a) que van Gogh dessina également (cat. nᵒˢ 15 et 17), comme le fit Toulouse-Lautrec (cat nᵒ 118). Curieusement, c'est Vincent qui, à la différence de Lautrec, s'est appliqué à bien dessiner l'image de ce guerrier nu qu'on voit sur la cuirasse de ce buste. Il s'agit probablement d'Hercule, car l'image en angle droit juste au-dessus de la main et du genou gauches du personnage pourrait bien être la queue du lion de Némée que le héros vient de tuer et dont il porte la dépouille protectrice; d'ailleurs, le thème repris par Pollaiuolo en décoration pour l'autre côté de la cuirasse est celui de l'Hydre de Lerne, ainsi qu'on peut l'identifier à partir de sa petite peinture sur panneau qui représente la même scène (Galerie des Offices, Florence).

Il s'agit peut-être là du dessin de van Gogh qui témoigne de sa plus grande réussite dans l'art de rendre un moulage d'après les critères académiques; le tracé des contours est précis, ferme et robuste, tandis que le modelé intérieur en bosse est traité efficacement, avec ses ombres et ses rehauts de lumière. Ces études de moulages, qu'on appelle «à la bosse», faisaient partie du cursus des ateliers; elles étaient destinées à former les étudiants dans l'art du modelé et des valeurs. Après ces exercices, van Gogh devait commencer à travailler le modèle vivant[1]. Mais on le voit déjà s'employer ici à suggérer la présence d'un être vivant sous les traits d'une figure dont le profil mêle la noblesse de la Renaissance italienne au souvenir des têtes de paysans peints à Nuenen (F 1146).

Cat. nᵒ 16 fig. a   Détail d'une photographie de l'atelier Cormon vers 1885.
Albi, Musée Toulouse-Lautrec.

NOTES

1. A. Boime, *The Academy and French Painting in the Nineteenth Century*, Londres, 1971, p. 48-65.

17 | *Etude de statuette en plâtre : torse de femme*

Hiver 1886-1887
Huile sur toile
H. 40,5 ; L. 27
Amsterdam, Rijksmuseum Vincent van Gogh
(Fondation Vincent van Gogh ; Inv. s 199V/1962)
F 216 g : *Etude de statuette en plâtre*
CdA 328 : *Etude de statuette en plâtre (torse de femme, de dos vers la droite)*

Les tableaux peints à Paris d'après des moulages en plâtre (F 216, 216a-j) traitent divers sujets : un cheval, deux torses d'homme et trois torses de femmes ; le nombre de ces études étant beaucoup plus considérable si l'on y ajoute les dessins[1]. Van Gogh avait travaillé d'après des moulages semblables à l'Académie d'Anvers (*LT 456*) et sans doute aussi à l'atelier Cormon (cat. n° 15).

C'est d'après ces exemples qu'il produisit la totalité des versions peintes. Si tous les dessins, d'après des moulages en plâtre, d'aphrodites nues peuvent être attribués à la période où il était à l'atelier Cormon, le style et la couleur des études peintes d'après ces motifs montrent que celles-ci furent exécutées durant l'hiver 1886-1887, alors que Vincent avait cessé de fréquenter cet atelier. Cette version représente le motif le plus fréquent que van Gogh représente à trois reprises de face et deux fois de dos. Il pourrait s'agir d'un moulage parmi d'autres que l'artiste possédait à Paris et dont il se serait inspiré pour cette peinture, ou peut-être a-t-il exécuté ces études peintes d'après les dessins correspondants qu'il aurait faits auparavant chez Cormon[2].

L'intérêt de Vincent pour l'étude du nu féminin existait de longue date et à Anvers, il se plaignait ainsi de l'Académie : « On y fait très rarement poser une femme nue... » (*LT 452*) ; il semble d'ailleurs en être parti fâché et en disgrâce pour avoir peint une copie de la Vénus de Milo avec les larges hanches d'une matrone flamande[5]. Ce souvenir était peut-être présent à son esprit quand il décida de peindre d'après des statuettes en plâtre, dont le type féminin dérive surtout de sculptures de déesses grecques[4]. Dans notre exemple, van Gogh ne s'attache ni au contour ni à la beauté de la ligne mais suggère au contraire, de façon naturaliste, la chair vivante d'une femme.

Cat. n° 17 fig. a Degas,
Femme au bain se séchant
(1885).
Washington, National
Gallery of Art
(don de la Fondation W. Averell
Harriman).

NOTES

1. FD 1362-1373, F 1693-1696 et 1707-1718.
2. Des moulages d'après l'antique que possédait Vincent, seul subsiste celui d'une Aphrodite accroupie (conservée au Rijksmuseum Vincent van Gogh [Fondation Vincent van Gogh]) qui servit de modèle pour F 216. En rapport avec notre *Etude* voir F 1712 recto et verso, F 1711 recto et verso et F 1713 qui prouvent que l'artiste avait fait des dessins d'après ce moulage chez Cormon. De plus, des dessins d'après un moulage semblable (F 1363a verso, F 1363b et F 1708 recto) mais vu de dos, peuvent avoir servi de modèle avec une légère modification de la jambe et du piédestal.
3. Voir : *Complete Letters*, p. 507-509, pour l'évocation de ses problèmes avec ses professeurs à Anvers.
4. Ces moulages viennent d'une sculpture grecque sans doute une Aphrodite (cf. S. Reinach, *Répertoire de la statuaire Grecque et Romaine*, Paris, 1924, t. V, p. 167-169).
5. Pour des reproductions en couleur, voir *1985, Paris*, cat. n°s 62, 64, 74.

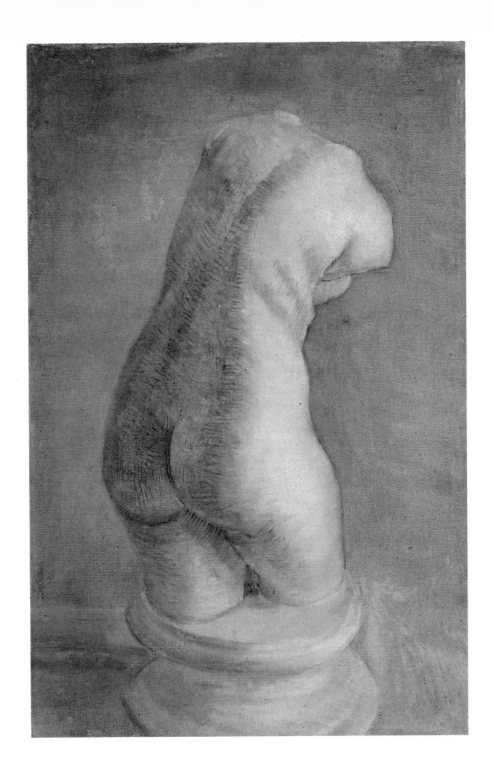

Dans son approche, il a pu prendre comme modèle Degas, qui en 1886, lors de la dernière exposition du groupe des impressionnistes, avait présenté une «suite de nus» au pastel, représentant des femmes au bain (fig. a). C'est d'ailleurs Degas que van Gogh citait en exemple à l'un de ses camarades de l'Académie d'Anvers (*Lettre* 459a), pour sa manière de traiter la figure humaine ; plus tard, à Arles il devait aussi faire l'éloge de Renoir pour «son dessin pur et net» dans les nus, dont certains d'ailleurs se détachent sur des fonds de ciel bleu d'une douce luminosité comme dans les peintures de statuettes de van Gogh[5]. Et si cette série de toiles présente les dernières études d'après l'antique que l'artiste se soit imposées, en mettant l'accent sur le modèle et sur la couleur impressionniste, il montre sa maîtrise du nu féminin, sans compromettre ses propres principes et atteint ainsi un de ses objectifs majeurs.

18 | *Femme nue couchée*
Début 1887
Mine de plomb
H. 23,5; L. 31,5
Amsterdam, Rijksmuseum Vincent van Gogh
(Fondation Vincent van Gogh; Inv. d 133V/1962)
F 1404

Ce dessin s'apparente principalement à une version peinte du même sujet (fig. a), mais on en connaît une autre variante, également peinte (cat. n° 20). Etant donné le nombre de témoignages directs faisant état de la rapidité remarquable avec laquelle, à Anvers et à Paris, van Gogh exécutait ses études de nu (sur moulages de plâtre ou modèles vivants), il semble improbable que ce dessin ait été pris comme base de l'une ou l'autre des deux peintures signalées, lesquelles durent, plus probablement, être réalisées *alla prima*. Mieux vaut donc y voir une esquisse distincte, peut-être réalisée conjointement aux tableaux, au cours de la même séance, en tant que dessin d'après nature, mais sans penser nécessairement à une peinture, si ce n'est pour y indiquer de manière générale l'orientation future du travail au pinceau. Là est d'ailleurs le trait principal qui se retrouve dans la version peinte à l'huile, de la Barnes Foundation, dans laquelle van Gogh utilise un format ovale, tout en y introduisant des rideaux et un décor plus élégant que celui indiqué dans le dessin. Ce dernier n'en a pas moins son charme propre, grâce à cette utilisation parcimonieuse mais efficace des stries linéaires sur l'ensemble de la composition et à la reprise mi-respectueuse, mi-narquoise des Majas de Goya[1].

Ce dessin se rattache stylistiquement au *Moulin de la Galette* (cat. n° 21) et au *Restaurant de la Sirène* (cat. n° 43). Bernard a décrit excellemment la technique de ces dessins qu'il avait probablement vus dans l'appartement de van Gogh au début de 1887, et dont il dit qu'ils étaient exécutés «par des barres... des lignes, dirigées dans le sens le plus expressif de la forme, ils rendent avec une singulière vigueur.»[2]

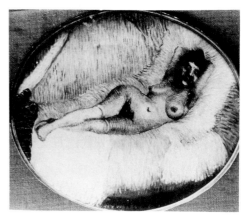

Cat. n° 18 fig. a Vincent van Gogh,
Femme nue étendue sur un lit (F 330).
Merion (Pennsylvanie), Barnes Foundation.

NOTES

1. Peut-être la *Femme nue aux bas blancs* de Delacroix (vers 1830, musée du Louvre) a-t-elle été une des sources iconographiques de ce motif voir *W-O*, p. 135 et p. 200 note 8.
2. *Vollard*, p. 25.

19 | *Femme nue couchée*
Début 1887
Huile sur toile
H. 24 ; L. 41
Signé en bas à droite *Vincent*
Pays-Bas, collection particulière
F 329 ; CdA 371

Il ne subsiste dans l'œuvre de van Gogh que trois peintures de femme nue étendue sur un lit ; deux sont signées, celle-ci et la version de dos (F 328), également datée de 1887. C'est aussi le même modèle qui a posé pour le tableau de Barnes Foundation (cat. nº 18 fig. a). Les corps des deux femmes se ressemblent et elles portent les mêmes bas blancs. C'est vraisemblablement aussi la même femme qui a posé pour un dessin (cat. nº 18), si l'on en juge par la similitude des hanches et des jambes. Ajoutons que le même lit se retrouve dans les trois peintures et qu'il était vraisemblablement placé dans l'atelier de l'appartement de van Gogh[1].

Ces trois exemples présentent un mélange de poses classiques et de représentation réaliste de la figure et sont exécutés dans une palette d'une légèreté inédite. Cette odalisque est si courante dans la peinture européenne qu'il n'y a pas lieu de privilégier une source plutôt qu'une autre, même si elle montre une similitude frappante avec le nu d'Auguste Jouve (fig. a) figurant dans la collection privée des frères van Gogh, peint dans un style romantico-réaliste. Dans ces «nus» représentés par van Gogh de face, la franchise radicale de l'approche transparaît dans l'accentuation un tantinet vulgaire des traits du visage et du corps qui respirent une sexualité franche, voire débridée. La technique de ce petit groupe de peintures a été influencée par un ouvrage de J. Gigoux, datant de 1885, dans lequel l'auteur rattachait l'art des anciens à celui de Delacroix en s'appuyant sur une affirmation prêtée à ce dernier «les anciens ne prenaient pas par la ligne, mais par les milieux» (*LT* 401)[2]. Ce nu féminin offre le résumé de cette approche antilinéaire du dessin et de la peinture. Malgré son petit format, elle traduit le vœu profond de van Gogh d'étudier, comme Delacroix, l'art ancien, avec un langage différent de celui enseigné dans les académies[3]. Aussi étrange que cela puisse paraître, cette toile et les autres, représentant des figures exécutées par van Gogh à dater du début de 1887, s'apparentent aux études d'après des statuettes de plâtre (cat. nº 17) en ce qu'elles proclament la primauté de la couleur et du modelé sur la ligne et les proportions.

NOTES

1. Pour Bernard (comme le relate P. Gachet dans *Souvenirs de Cézanne et de van Gogh, Auvers, 1873-1890*, Paris, 1928) contrairement à une hypothèse émise, ce n'est pas la Segatori qui posa pour les nus couchés, mais une «pierreuse, recrutée par Vincent qui voulut bien consentir à poser pour lui». *Gauzi*, p. 30, situe la création de l'une de ces études de nus dans l'atelier Cormon (F 328), hypothèse rendue improbable par la date de 1887 et la couleur, qui ne correspond pas à la description de l'auteur.
2. Tiré de J. Gigoux, *Causeries sur les artistes de mon temps* dont van Gogh paraphrasa la citation dans trois lettres successives (*LT* 401, 403, 408).
3. Van Gogh semble avoir été impressionné de la même façon par les peintures d'«une femme nue de Courbet ou de Degas, ces perfections calmes et modelées» (*B* 12).

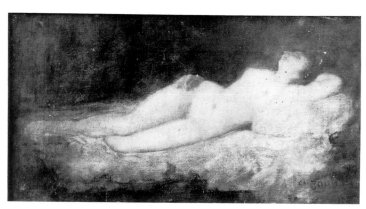

Cat. nº 19 fig. a   Jouve, *Nu*.
Amsterdam, Rijksmuseum Vincent van Gogh
(Fondation Vincent van Gogh).

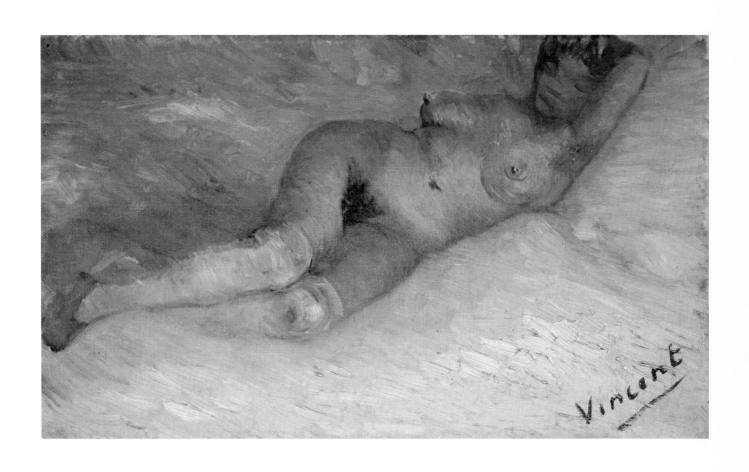

20 *La Terrasse du Moulin le Blute-fin à Montmartre*

Fin de l'hiver 1886-1887
Huile sur toile marouflée sur masonite
H. 44 ; L. 33,5
Chicago, The Art Institute (Helen Birch Bartlett Memorial Collection ; Inv. 1926.202)
F 272 : *Montmartre*
CdA 340 : *La Terrasse du Moulin de la Galette*

Bien que le lieu représenté ici n'ait pas été formellement identifié on peut supposer qu'il s'agit de la terrasse du moulin le Blute-fin, avec les mêmes réverbères que sur un dessin de technique mixte de la Phillips Collection à Washington (F 1185). D'autres représentations du Blute-fin (cat. n° 21 et n° 23) montrent également le belvédère, situé ici à droite dans la partie supérieure du tableau. La vue peinte sur la toile de l'Art Institute de Chicago est, quant à elle, prise depuis la terrasse du Blute-fin, en regardant vers Paris. Le belvédère, à l'époque de Vincent, était encore en bois (les piliers en ciment massif, qu'on voit sur la photographie [fig a], datent de la fin du siècle).

Deux autres traits particuliers font de ce tableau une œuvre remarquable. Tout d'abord, on note que, dès cette époque, Vincent van Gogh introduit un contraste de deux teintes complémentaires (ici bleu sur orangé) dans sa gamme de couleurs ; d'autre part, on devine déjà que ce contraste est destiné à traduire le thème des amoureux qui semble avoir intéressé le peintre dès l'époque parisienne (cat. n° 33) bien qu'aucune mention n'en soit faite avant les lettres d'Arles. Il est, à cet égard, caractéristique que van Gogh ait introduit un couple d'amoureux parmi les promeneurs, venus contempler le paysage, avec le contraste des couleurs complémentaires bleu et orangé : «qui se marient, qui se complètent comme l'homme et la femme se complètent» (*W* 4). Le tableau comporte d'ailleurs peut-être plus d'éléments annonçant son développement à venir qu'on ne le pense généralement. Nous sommes ici en présence d'un aspect de Montmartre familier, presque banal pour ses habitants ; mais pour l'artiste hollandais, il était si chargé de signification qu'il en venait à symboliser pour lui ce monde nouveau — c'est-à-dire «parisien».

Cat. n° 20 fig. a Photographie du Moulin
Le Blute-Fin prise vers 1900.
Paris, B.N. : Cabinet des estampes.

21 | *Le Moulin de la Galette: le Blute-fin*
Vers la fin de l'hiver 1886-1887
Mine de plomb, crayon bleu, pastel rose et vert
H. 38,9; L. 54
Amsterdam, Rijksmuseum Vincent van Gogh
(Fondation Vincent van Gogh; Inv. d 228/1962)
F 1396: *Le Moulin de la Galette*
CdA 268 a: *Id.*

Des trois moulins qui existaient encore à Montmartre, le Blute-fin est celui que van Gogh représenta le plus souvent. Il servait à cette époque exclusivement de belvédère sur Paris et ne faisait pas partie du Moulin de la Galette proprement dit, ensemble d'espaces où l'on pouvait boire et danser. Comme les deux autres, on l'appelait aussi «Moulin Debray» du nom de la famille qui en était propriétaire, ou bien le «Blute-fin» dénomination courante depuis des siècles. La plupart des représentations du Blute-fin furent prises depuis le versant nord, avec la carrière et les jardins potagers, mais huit ont été exécutées depuis la crête elle-même. Quatre de ces dernières (F 271, F 348, F 1395, F 1396a) montrent le moulin, de l'est, côté par lequel on accédait à la plate-forme par un escalier de bois, visible — lui — sur trois tableaux de cette série (tous datant de 1886). Les quatre autres vues présentent le moulin vu de l'ouest; l'une d'elles semble dater de l'été ou de l'automne 1886 alors que les trois autres appartiennent vraisemblablement au début de l'année 1887. Sur ce dessin, l'endroit est désert et dénudé; il précède donc les deux autres versions peintes, dont il est question par ailleurs (fig. a et cat. n° 23), sur lesquelles les feuilles des arbres sont en début de frondaison. Bien que le dessin ait pu remplir un rôle purement fonctionnel d'étude préparatoire pour les deux tableaux — en particulier pour la moitié droite de la version d'Amsterdam et pour le moulin lui-même avec son belvédère dans la version du Carnegie Institute de Pittsburg (cat. n° 22) —, il est d'une qualité exceptionnelle et présente ainsi un intérêt en lui-même[1].

Il se rapproche par le style du *Boulevard de Clichy* (cat. n° 26 fig. a): on y trouve la même utilisation large de hachures horizontales, bien que la couleur soit posée de façon moins dense sur le dessin. Cette touche impressionniste se combine avec une description fondamentalement naturaliste du moulin et des cabanes à proximité. Avec ce dessin et les tableaux en rapport, van Gogh réussit à traduire picturalement le charme rustique de cette scène typique de Montmartre, en opposition avec la métropole toute proche sur la droite, bien que non visible ici.

NOTES

1. Le petit appentis au toit pentu, à droite sur le dessin, fournit un point de repère pour situer les endroits depuis lesquels les trois autres versions furent peintes: dans *Vue de la Butte Montmartre* (fig. a) le point de vue est le même que sur le dessin mais pris de plus loin; dans *Coin à Montmartre* (cat. n° 23), l'appentis est placé au centre de la toile, entre la clôture et la Butte; dans *Le Moulin de la Galette* (F 274), il est dans le bas, à gauche du tableau.

Cat. n° 21 fig. a   Vincent van Gogh, *Vue de la Butte Montmartre* (F 346).
Amsterdam, Rijksmuseum Vincent van Gogh (Fondation Vincent van Gogh).

22 | *Le Blute-fin: le Moulin de la Galette*

Vers mars 1887
Huile sur toile
H. 46; L. 38
Pittsburg, The Carnegie Museum of Art
(acquis grâce à la générosité de la famille Sarah Mellon Scaife; Inv. 67.16)
F 348 bis: *Le Moulin de la Galette*
CdA 356: *Id.*

Les moulins et les jardins potagers représentés dans ce tableau étaient situés sur la crête de la Butte Montmartre et sont ici vus de l'ouest. Le moulin en haut à droite était connu comme le Blute-fin mais, comme les deux autres moulins subsistant à l'époque, il s'appelait également «Moulin de la Galette» ou «Moulin Debray», du nom des propriétaires. Le moulin plus modeste, au loin à gauche, était le Moulin à Poivre, représenté par van Gogh dans trois autres toiles, vu sous des angles différents (cat. n° 23). Dans ces images de moulins et de potagers avec leurs cabanes à outils, van Gogh traite ici un sujet familier aux peintres des Pays-Bas, mais qu'il n'avait pas personnellement abordé lors de sa période hollandaise. Il connaissait sans doute les représentations de moulins montmartrois dues à Michel, à Corot et à d'autres artistes français (cat. n°ˢ 8, 52).

De tous les tableaux parisiens de van Gogh représentant des moulins, cet exemple est sans doute le dernier traité dans un style réaliste. Il a probablement été exécuté avant le grand tableau de format horizontal *Vue de la Butte Montmartre* (cat. n° 21 fig. a), représentant le même lieu et les mêmes moulins, mais utilisant une technique pointilliste pour le premier plan. L'absence de feuilles conduit à dater ces tableaux du début du printemps 1887; *Le Blute-fin* conserve pourtant des touches visant à imiter la surface des objets représentés, et ses tonalités renvoient aux couleurs «réelles» de la végétation, de la terre et du ciel. Le choix du vert comme teinte dominante et la légèreté du coloris de ce tableau rappellent fortement la manière de Corot et celle d'autres peintres de Barbizon.

La composition est apparemment basée sur un dessin de van Gogh du même motif, mais vu de plus près et sans le Moulin à Poivre (cat. n° 21). On peut par ailleurs supposer que cette toile a été pour une bonne part réalisée en plein air: van Gogh y introduit à gauche, près de la palissade, un personnage de dos, le représentant; il est devant un chevalet et vêtu d'une veste bleue[1]. Il faut voir dans ce petit personnage non seulement une indication biographique, mais aussi une preuve de la fascination exercée sur van Gogh par les moulins de Montmartre, qu'il a peints à de multiples occasions.

NOTES

1. Le peintre hollandais Matthijs Maris, qui avait connu van Gogh à ses débuts, à l'époque de son séjour à Londres, avait peint une vue de La *Carrière près de Montmartre*, alors qu'il résidait à Paris en 1871; on y trouve une représentation similaire de l'artiste au travail sur le motif, devant le Blute-fin au loin. Voir *1983, Paris*, cat. n° 74.

23 | *Coin à Montmartre: Le Moulin à Poivre*

Début du printemps 1887
Huile sur toile
H. 35; L. 64,5
Signé en bas à gauche *Vincent*
Inscription vers le milieu, à gauche *Point de Vue*
Amsterdam, Rijksmuseum Vincent van Gogh
(Fondation Vincent van Gogh; Inv. s 14V/1962)
F 347: *Coin à Montmartre*
CdA: 358 *Id.*

Pour identifier le site représenté ici, il faut nous référer à d'autres tableaux de van Gogh montrant des vues comparables et à des photographies des trois moulins qui subsistaient sur la Butte à cette époque. Il s'agit ici du Moulin à Poivre (appellation la plus courante, bien que sa fonction ait plutôt consisté à moudre des pigments de couleurs et des ingrédients pour produits de beauté) qui, comme les deux autres moulins, portait également le nom du propriétaire et s'appelait donc aussi «Moulin Debray[1]». Van Gogh l'a représenté au centre d'un autre tableau peint en 1886 (cat. n° 52 fig. a), avec le Blute-fin à sa droite et la partie supérieure du Radet à sa gauche. Il apparaît, de plus, dans des vues du Blute-fin, prises depuis les jardins potagers vers la rue Girardon, là où se trouvait le Radet (cat. n° 21 fig. a, cat. n° 22 et F 273, F 274); mais à deux reprises, van Gogh a peint le Moulin à Poivre seul: une de ces deux vues (F 349) le montre depuis le bas du versant nord de la Butte et l'autre (fig. a) comme dans *Coin à Montmartre*, mais sans la carriole de vente ambulante en forme de moulin[2]. La scène décrit un jour de fête, sur la route conduisant le long du versant nord de la Butte, de la rue Girardon (en dehors du champ du tableau) jusqu'au portail qui permet d'accéder, par un chemin, au «Point de vue» du Blute-fin (cat. n° 9)[3].

Malgré l'absence de feuillage aux arbres, par la vivacité du coloris et le battement des drapeaux, *Coin à Montmartre* donne l'impression de l'hiver qui s'en est allé et que les habitants de la Butte savourent déjà les joies du printemps et de l'été tout proche. Cette toile présente des combinaisons quelque peu inhabituelles: elle utilise les couleurs vives de l'Impressionnisme et du Néo-impressionnisme sans en adopter la touche. L'artiste associe, avec succès, une technique proche de celle de l'Ecole de La Haye et la palette impressionniste. Ce tableau présente enfin un autre mérite, celui de conserver pour la postérité l'image pittoresque d'un «coin de Montmartre» aujourd'hui disparu.

NOTES

1. Le Moulin à Poivre fut construit vers 1865 par Pierre-Auguste Debray et détruit en 1911 lors du percement de l'avenue Junot; voir R. Delahalle in Maillard, *Les Moulins de Montmartre*, Paris, 1981, p. 185-186.
2. Ce tableau ne figure pas dans *DLF*; il fut publié par A.M. Hammacher (Hammacher A.M., «An unknown van Gogh from the Paris period: a new start», in *Vincent: Bulletin of the Rijksmuseum Vincent van Gogh*, II, 1, 1972, p. 18-20).
3. Il s'agit soit de l'impasse Girardon, soit (mais c'est moins probable) de la rue Chasseloup qui furent toutes deux sacrifiées lors du percement de l'avenue Junot.

Cat. n° 23 fig. a Vincent van Gogh,
Vue du Moulin à Poivre (vers le nord).
Collection particulière.

24 | *Agostina Segatori au café du Tambourin*
Printemps 1887
Huile sur toile
H. 55,4; L. 46,5
Amsterdam, Rijksmuseum Vincent van Gogh
(Fondation Vincent van Gogh; Inv. s 17V/1962)
F 370: *La Femme aux tambourins*
CdA 343: *La Femme au «Tambourin» (assise)*

La femme à l'air pensif et néanmoins décidé, représentée ici, est très certaine-ment Agostina Segatori, propriétaire du café du «Tambourin» et ancien modèle bien connu des peintres, tels Corot et Gérôme, pour n'en citer que deux[1]. Si Vincent van Gogh lui voua de l'affection, il lui destina également des tableaux qui décorèrent les murs du café[2]. Mais quelle que fut la nature de leurs relations, elle seule pouvait poser pour figurer la muse du «Tambourin» sur ce tableau, avec autour d'elle les tabourets et les tables en forme de tambourins. Les clients du café étaient d'ailleurs accueillis par «une immense affiche extérieure en calicot, elle-même sous forme de tambourin» comme l'indique une publicité contempo-raine de cet établissement (fig. a)[3]. On note une référence à l'art japonais par la présence, en haut à droite, d'une figure de geisha; le tableau a de ce fait certainement été exécuté à l'époque où la Segatori avait permis à Vincent d'accrocher sa collection d'estampes en couleurs aux murs du «Tambourin»; cette exposition devait, d'ailleurs, fortement influencer l'art d'Emile Bernard et de Louis Anquetin.

Il s'agit là, avec cette femme assise dans un café, d'un des thèmes de prédilec-tion des peintres impressionnistes, en particulier Manet et Degas. Toulouse-Lautrec, grand admirateur de Degas, devait à la même époque, commencer à s'intéresser à ce sujet (cat. n° 123).

Cat. n° 24 fig. a   Publicité pour l'établissement
Le Tambourin parue dans *Le Chat noir*.

NOTES

1. Née à Ancône, en Italie le 9 octobre 1841, décédée à Montmartre le 3 avril 1910 (Etat-civil, mairie du 18e arrondissement de Paris).
2. Emile Bernard (*Souvenirs*, p. 394) se rappelait que van Gogh offrait à la Segatori des natures mortes de fleurs, plutôt que de vrais bouquets, en signe de son admiration.
3. Parue dans le journal *Le Chat noir* et reproduite dans P. Gachet, *Souvenirs de Cézanne et de van Gogh, Auvers, 1873-1890*, Paris, 1953.

25 | *Femme près d'un berceau: Madame Léonie Rose Davy-Charbuy*

Printemps 1887
Huile sur toile
H. 61; L. 46
Amsterdam, Rijksmuseum Vincent van Gogh
(Fondation Vincent van Gogh; Inv. s 165V/1962)

F 369: *Dame près d'un berceau*
CdA 374: *Femme assise près d'un berceau*

L'identité de la femme qui posa pour ce portrait n'a pas été déterminée dans la littérature récente consacrée à van Gogh. Coquiot a prétendu qu'elle «n'est autre que la fille du père Martin, le marchand de tableaux»[1]: or ce dernier n'avait pas d'enfant. Le modèle représente toutefois une nièce de sa femme, Léonie-Rose Davy, qu'il considérait comme sa propre fille et qui fut en 1891 sa légataire universelle[2]. Pierre-Firmin Martin était un ancien maçon de Louveciennes qui s'établit à Paris comme marchand de tableaux et eut affaire, à ce titre, aussi bien aux peintres réalistes qu'impressionnistes, dont Pissarro, Sisley et Guillaumin. C'est sans doute par l'intermédiaire de Theo, qui considérait le marchand comme un ami, que van Gogh fit sa connaissance. Cette identification est du plus grand intérêt: elle montre que les quelques tableaux que l'on aperçoit accrochés au mur derrière le modèle sont probablement ceux qui figuraient dans l'appartement du marchand, où vécut Léonie Rose; celle-ci, comme toute jeune mère, y est naturellement représentée près du berceau de son bébé orné d'un ruban bleu. On connaît bien d'autres exemples de tableaux figurés à l'intérieur d'un autre tableau, notamment chez les impressionnistes et les artistes que van Gogh connut personnellement au printemps 1887. Il en est ainsi du portrait de *Carmen Gaudin dans l'atelier de l'artiste* de Toulouse-Lautrec (cat. n° 124).

Il se peut que le thème de la mère et de l'enfant traduise ici une situation réelle, mais Vincent van Gogh ne devait pas ignorer l'intérêt particulier d'un tel sujet pour des femmes impressionnistes comme Mary Cassatt et Berthe Morisot (fig. a), auxquelles il se réfère très explicitement, sans les nommer, lorsqu'il écrit à sa jeune sœur (*W 4*): «Il y a des Parisiennes, il y en a une, du moins, qui est vraiment bonne, parmi les impressionnistes; il y en a même deux qui sont bonnes.» Coquiot a suggéré une autre source d'inspiration possible pour cette toile lorsqu'il parle d'un «portrait qui rappelle un Renoir ancien»[3]. Il avait sans doute à l'esprit l'une des premières toiles de Renoir, le célèbre *Portrait de Madame Charpentier et de ses enfants* (New York, Metropolitan Museum of Art)[4]. Dans le tableau de Renoir comme dans celui de van Gogh, les deux jeunes mères, bien que visiblement

NOTES

1. Tiré d'un manuscrit inédit, conservé au Rijksmuseum Vincent van Gogh, où la référence à cette peinture est sans ambiguïté, alors qu'elle n'est que vaguement indiquée dans *Coquiot*, p. 147.
2. D'après la déclaration de succession de P.-F. Martin, à sa mort le 30 septembre 1891: «Mme Léonie Rose Davy, femme de Charles-Nicolas Charbuy, employé de commerce à Paris, 29, rue Saint-Georges» était la «légataire universelle» du marchand de tableaux (Archives de Paris, DQ7, 12 512, 6 fév. 1892). Pour plus amples informations, voir p. 347.
3. *Coquiot*, p. 147, où l'auteur s'est manifestement trompé en prenant la nièce de Martin pour sa fille.
4. Cette toile, ainsi que plusieurs autres portraits féminins, figura à la *Ve Exposition internationale de Peinture* chez Georges Petit, 15 juin-15 juillet 1886, où van Gogh eut l'occasion de la voir.

Cat. n° 25 fig. a   Morisot, *Le Berceau* (1872). Paris, Musée d'Orsay.

issues d'un milieu social différent, sont vêtues de robes sombres et leur visage respire une sérénité pensive. Par sa pose et la robe qu'elle porte, le modèle de van Gogh évoque aussi de façon frappante un portrait de femme par Guillaumin (cat. n° 85), dont Vincent et Theo ont pu avoir connaissance et qu'ils auraient même acheté soit au père Martin, soit à Portier, avant de faire véritablement la connaissance de l'artiste en 1887. On pourrait multiplier ainsi le nombre de sources possibles pour cette œuvre, en se référant par exemple à sa technique dérivée du pointillisme. L'important est que van Gogh manifeste sa volonté de faire des «portraits impressionnistes» et qu'il soit parvenu, à partir de ses emprunts, à créer une œuvre pleine de charme et de raffinement très personnels.

Le Boulevard de Clichy

Février-mars 1887
Huile sur toile
H. 46,5; L. 55
Amsterdam, Rijksmuseum Vincent van Gogh
(Fondation Vincent van Gogh; Inv. s 94V/1962)
F 292; CdA 353

Comme la plupart des vues de Paris peintes par van Gogh, celle-ci montre un lieu proche de son domicile, rue Lepic. Le peintre s'est installé sur la place Blanche, tourné vers le boulevard de Clichy à l'ouest et on devine, à droite, la rue Lepic qui serpente vers le sommet de la Butte Montmartre. Deux ans plus tard, le Moulin Rouge devait ouvrir ses portes au 90 du boulevard de Clichy, sur le trottoir opposé, là où l'on voit un arbre dans un terrain vague. Le café-restaurant de la Segatori était situé plus à l'est, à droite en dehors du champ du tableau; l'atelier Cormon au 104, est un des immeubles ici visibles. Seurat habitait au n° 128 plus loin vers l'ouest et Signac avait un atelier au 130 du même boulevard; il peignit d'ailleurs une vue de ce boulevard pendant l'hiver (cat. n° 115). C'est à cet endroit où le boulevard et l'avenue de Clichy débouchent sur la place Clichy que Vincent faisait référence quand il parlait des «Impressionnistes du Petit Boulevard»[1]. Cette scène est ainsi directement liée au désir de van Gogh de réunir les peintres de la deuxième génération impressionniste en un groupe dont Theo aurait assuré les débouchés; celui-ci d'ailleurs, peu après que Vincent eut achevé ce tableau, entreprit d'aider les impressionnistes, à vrai dire plutôt ceux du «Grand Boulevard» (ANNEXE *Theo*).

Cette toile est elle-même étroitement liée à l'Impressionnisme: elle est en effet une des premières œuvres peintes par van Gogh dans ce style. Dans un dessin à la plume et au crayon, très élaboré et représentant le même endroit (fig. a) en dépit d'un coloris un peu plus pâle, on retrouve une même facture d'une spontanéité tout aussi impressionniste, mais pas les trois contrastes de couleurs complémentaires, notamment celui du violet et du jaune utilisé dans la version peinte pour les deux grands immeubles proches de la rue Lepic. Le dessin, toutefois, introduit en bas à droite deux figures emmitouflées se protégeant de la froidure de l'hiver et

NOTES

1. E. Bernard (*L'Arte*, p. 1, 2) fait remarquer que la formule «Petit Boulevard» employée par van Gogh désignait aussi bien l'avenue de Clichy que le boulevard du même nom.
2. Dans l'édition anglaise de ses *Souvenirs d'un marchand de tableaux (Recollections of a Picture Dealer)*, New York, 1978, p. 53), A. Vollard dit avoir vu à plusieurs reprises chez Portier *La Place de Clichy* de Renoir, qui n'avait pas encore trouvé d'acheteur.

Cat. n° 26 fig. a   Vincent van Gogh,
Le Boulevard de Clichy (F 1393).
Amsterdam, Rijksmuseum Vincent van Gogh
(Fondation Vincent van Gogh).

Cat. n° 26 fig. b   Renoir, *Place Clichy*
(vers 1880).
Cambridge, Fitzwilliam Museum.

qui apportent une note d'intimité familière comme la jeune fille au premier plan
dans *La Place Clichy* peinte par Renoir vers 1880 (fig. b). Il est d'ailleurs possible
que van Gogh ait vu cette toile exposée chez Alphonse Portier qui habitait le
même immeuble que lui. Mais ce type de figures tronquées était peut-être plus
caractéristique de Degas que de Renoir[2]. En tout cas, il a dû être sensible au
caractère japonisant de la composition qui juxtapose les espaces libres du fond
avec des figures au premier plan, coupées par le bord du tableau.

Vue de Paris prise de la chambre de Vincent, rue Lepic
Vers le printemps de 1887
Plume et crayon, lavis sur papier vergé
H. 39,5 ; L. 53,5
Amsterdam, Rijksmuseum Vincent van Gogh
(Fondation Vincent van Gogh ; Inv. d 442V/1962)
F 1391 : *Vue de Paris*
CdA 354 A : *Vue de Paris prise de la chambre de Vincent, rue Lepic*

Ce dessin exécuté avec beaucoup de soin a sans doute servi de base au tableau conservé au Rijksmuseum Vincent van Gogh (cat. n° 29), représentant la rue Lepic depuis l'appartement de van Gogh, et peut-être à un autre tableau similaire dont le champ de vision est plus restreint (cat. n° 28). Compte tenu de son caractère relativement réaliste, que traduit par exemple la présence de jeunes pousses dans la jardinière du balcon de droite ou d'un personnage à la fenêtre à gauche — absents dans les versions peintes — il est d'autant plus remarquable que le tableau en rapport soit de style nettement pointilliste. L'explication pourrait en être que van Gogh ne considérait nullement ces styles comme incompatibles : fraîchement débarqué à Paris, il prêtait encore assez peu d'attention à l'interaction des styles chez les peintres et conservait un profond attachement à l'égard du Réalisme, dans lequel il voyait la norme en art et en littérature. Ce dessin représentant Paris fait partie d'un même groupe : taille similaire, raffinement identique de la technique mixte (cat. n° 21 et cat. n° 26 fig. a). Ajoutons que ces exemples peuvent être considérés comme des études, mais qu'ils transcendent largement leur rôle d'esquisses préparatoires.

On retrouve la fascination exercée par « le petit peuple » de Montmartre sur van Gogh, avec le couple minuscule qui chemine en bas dans la rue Joseph-De-Maistre.

28 | *Vue de Paris prise de la chambre de Vincent, rue Lepic*

Printemps 1887
Huile sur carton
H. 46; L. 38
Collection particulière
F 341a; CdA 355

En supposant que cette version du paysage peint par Vincent depuis son atelier rue Lepic précède celle qu'il exécuta sur toile (cat. n° 29), il paraît nécessaire d'expliciter dès maintenant ce point de vue. La première description de l'appartement de la rue Lepic nous est fournie par une lettre de Theo à un parent, datée du 10 juillet 1886 (*T* 1a), dans laquelle il rapporte que le nouvel appartement jouit d'une «vue splendide sur toute la ville»; il détaille ensuite: Meudon, Saint-Cloud, etc. Cependant, ceci décrit la vue que l'on a en regardant vers la droite (perspective aujourd'hui obstruée par une construction plus récente), alors que Vincent est tout entier absorbé par la peinture du cœur même de Paris.

Ainsi, la minuscule pointe qui se détache sur l'horizon au milieu du tableau n'est rien de moins que Notre-Dame, avec sa flèche à gauche des tours également reconnaissables sur une des quatre vues panoramiques de Paris peintes en 1886 (cat. n° 4). La présence sur une de celles-ci d'un immeuble au toit en pente, visible aussi sur le tableau ici présenté ainsi que sur l'autre version (cat. n° 29) et sur un dessin (cat. n° 27), prouve qu'ils ont été exécutés depuis la chambre de van Gogh. Il ressort clairement que pendant les premiers mois de son séjour à Paris, l'intérêt de Vincent ne s'est pas concentré uniquement sur son environnement immédiat mais s'étendait aussi au panorama de Paris, justement offert par son appartement de la rue Lepic et par le sommet de la Butte Montmartre toute proche. On retrouve cette même vue sur une série de dessins (F 1387-1390) et sur un tableau de Meyer de Haan peint alors qu'il habitait avec Theo pendant l'hiver 1888-1889[1]. Elle a également servi de modèle pour un autre tableau de l'été 1886 (F 265) avec les tours de Notre-Dame à l'horizon; mais, dans ce cas, on ne voit pas les immeubles de droite et de gauche. En revanche, on retrouve à gauche, dans le bas du tableau, le bâtiment au toit en pente. Tout ceci permet de se rendre compte que, pour l'exécution de ces diverses vues de Paris entre l'été 1886 et le printemps 1887, Vincent a tiré un grand parti de la situation de son appartement[2].

NOTES

1. *1981, Toronto,* p. 348, fig. 147.
2. Il n'est pas certain que Lautrec possédait ce tableau. Dans une note non publiée d'un manuscrit conservé au Rijksmuseum Vincent van Gogh, Coquiot rapporte (p. 8) qu'au cours d'une conversation avec Suzanne Valadon, le 2 avril 1922, celle-ci évoqua une réception dans l'atelier de Lautrec, rue Tourlaque où Vincent, mis à l'écart par les autres peintres, avait apporté une toile pointilliste. Si ce souvenir est exact, la discussion se serait produite au printemps 1887; Lautrec ne se serait pas fâché mais aurait échangé ce tableau contre un des siens propres, peut-être *Deux prostituées dans un café* (cf. ill. in *1981, Toronto,* p. 323) ou le portrait au pastel de Vincent (cat. n° 122).

29 | *Vue de Paris prise de la chambre de Vincent, rue Lepic*
Début du printemps 1887
Huile sur toile
H. 46 ; L. 38
Amsterdam, Rijksmuseum Vincent van Gogh
(Fondation Vincent van Gogh ; Inv. s 57V/1962)
F 341 ; CdA 354

Ce tableau est de format presque identique à celui de l'autre *Vue de Paris, prise de la chambre de Vincent* (cat. n° 28) et on serait tenté d'en conclure qu'il en est la version définitive ou du moins plus élaborée. Notons qu'ils sont ici exposés ensemble pour la première fois. Il est, d'autre part, exécuté sur toile alors que le premier est réalisé sur carton ; on y retrouve cependant, dans le ciel, les mêmes éléments schématiques , révélateurs de la structure de la composition et de la perspective. De plus, tous les deux sont, à l'évidence, à rapprocher d'un dessin très achevé de la même vue (cat. n° 27).

Pourtant, les deux tableaux diffèrent tant qu'on peut les considérer comme deux traitements d'un même thème. L'œuvre sur carton est une monochromie bleue, rompue seulement par quelques hachures dans sa complémentaire, l'orangé, et par quelques taches de vert. Cette version-ci utilise en revanche la juxtaposition systématique des complémentaires bleu et orangé, rouge et vert. L'angle de vision varie considérablement d'un tableau à l'autre, ce qui résulte peut-être de l'utilisation de fenêtres différentes ou d'une autre position lors de l'exécution. Les deux tableaux se différencient en outre par la présence ou l'absence de certains bâtiments et l'importance qui leur est accordée : ceci donne à penser que l'artiste a délibérément sélectionné tel ou tel élément. A tout le moins, les deux tableaux témoignent du sérieux de l'étude du pointillisme à laquelle se livra van Gogh au printemps 1887 (les arbres n'ont pas encore de feuilles) et de la fidélité de l'artiste aux lois des couleurs complémentaires. De tels paysages n'étaient pas courants ; néanmoins on en trouve chez les néo-impressionnistes à cette époque, par exemple *Paris, vu de Montmartre* de Maximilien Luce (cat. n° 87) et en 1886, *Vue de ma fenêtre par temps gris* (cat. n° 97 fig. a) que Camille Pissarro montra à la *VIIIᵉ Exposition Impressionniste*[2].

NOTES

1. *1981, Toronto*, p. 102.
2. Numéro 95 du catalogue. Voir : *1986, San Francisco*, p. 461, pour une illustration en couleurs.

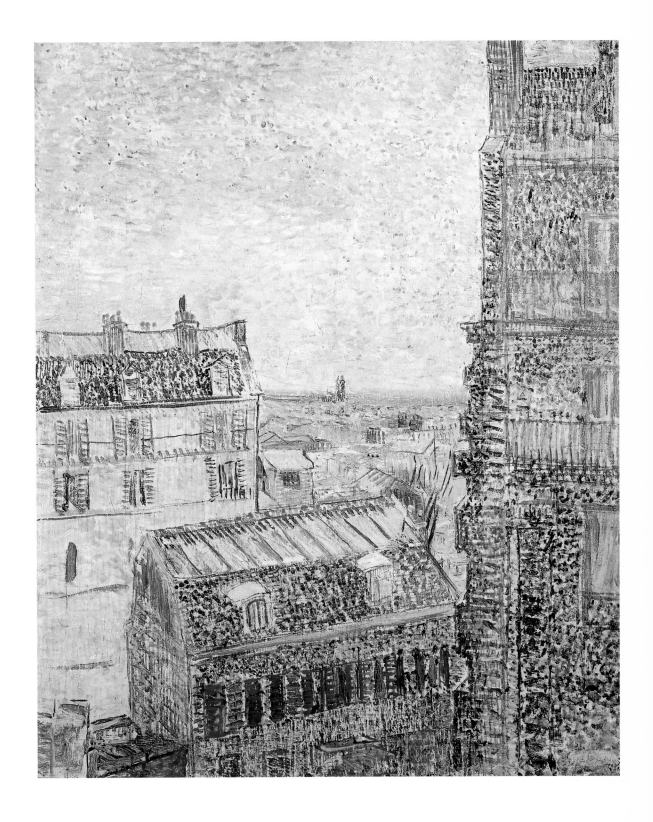

30 *La Pêche au printemps, pont de Clichy*

Printemps 1887
Huile sur toile
H. 49 ; L. 58
Chicago, The Art Institute (don Charles Deering McCormick, Brooks McCormick et Roger McCormick ; Inv. 1965. 1169)
F 354 ; CdA 382

Le paysage montré ici n'est pas, comme on l'a dit, situé près du pont de Levallois[1], mais plutôt près du pont de Clichy, si l'on en juge par l'envergure de l'arche et sa butée. Une photographie de l'époque, prise depuis la berge d'Asnières, en aval de ce pont, montre à gauche l'île des Ravageurs où van Gogh s'est installé pour peindre ce tableau (fig. a). Il ne recherche pas l'exactitude topographique, sinon il aurait accordé plus d'importance aux deux grandes maisons flanquant l'entrée d'Asnières à cet endroit, ainsi qu'il le fit, par ailleurs, à deux reprises (F 302, F 303). Au lieu de cela, il traite cette partie du pont comme un simple site pittoresque, suivant en cela les peintres impressionnistes. En particulier, le tableau de Monet *Pêcheurs à la ligne sur la Seine à Poissy* (W 748, Vienne, Kunsthistorisches Museum, Neue Galerie) eut une influence sur van Gogh, surtout dans le traitement des barques[2]. Monet avait également peint parfois sur l'île de la Grande-Jatte toute proche, prenant pour motif un pont ou une rive opposée dissimulés en partie par les feuillages[3]. Pour rendre le bleu du ciel et l'eau, van Gogh utilise le ton local et, là aussi, il suit les conventions impressionnistes. Les juxtapositions de vert et de rouge, ou même de rose (des touches à peine esquissées de rouge, d'ailleurs, dessinent une sorte de cadre autour du tableau) montrent bien qu'il applique aussi la théorie des couleurs, ce que confirme la touche inspirée du pointillisme. Il convient de rappeler que, lors de son séjour à Nuenen, van Gogh associait déjà les complémentaires aux saisons (*LT* 372) et en particulier le contraste vert et rose, parce que «tendre», caractérisait le printemps. Mais c'est Bernard qui a le mieux décrit ces toiles du printemps 1887 comme dégageant «une poésie printanière, enlevée à bout de brosse et comme dérobée aux heures fugitives»[4]. De plus, ce tableau a peut-être été conçu pour former un diptyque avec *Bords de rivière au printemps* (cat. n° 31).

NOTES

1. Localisation proposée par P. Leprohon et acceptée avec quelques réserves par De La Faille. En fait, le pont de Levallois situé en aval, à l'extrémité de l'île de la Grande-Jatte, n'existait pas comme le prouvent les cartes de l'époque et de plus, il ne figure pas sur le tableau de Seurat *Une Baignade, Asnières* (Londres, National Gallery) où il aurait dû logiquement apparaître. Seurat montra à l'Exposition Impressionniste de 1886 *Pêcheurs à la ligne* (Musée d'Art Moderne de Troyes, donation P. Levy) un sujet comparable à celui traité ici par van Gogh.
2. Ce tableau appartenait au baryton et collectionneur J.-B. Faure. Il s'agit peut-être d'un des tableaux de cette collection que van Gogh se souvenait avoir vus dans la vitrine d'un marchand de cadres, rue Laffitte (*LT* 574).
3. Cat. n° 31 fig. a et W 454, 456-458.
4. *Vollard*, p. 12.

Cat. n° 30 fig. a Photographie : la Seine et le pont de Clichy à Asnières (H. Roger-Viollet).

31 | *Bords de rivière au printemps: pont de Clichy*

Vers la fin du printemps 1887
Huile sur toile
H. 50; L. 60
Dallas, Museum of Art
(Fondation Eugene and Margaret McDermott en mémoire d'Arthur Berger; Inv. 1961. 99 MCD)

F 352: *Bords de rivière au printemps*
CdA 419: *Bords de rivière au printemps (près du pont de Clichy)*

P. Leprohon a, le premier, identifié le site du pont de Clichy; mais le feuillage est si dense qu'il est difficile de déterminer avec certitude si van Gogh a peint l'arche qui relie l'île des Ravageurs à l'île Robinson, comme le pense P. Leprohon, ou s'il s'agit d'une vue, prise en amont depuis cette île aux bois si touffus, de l'arche reliant l'île des Ravageurs à Asnières[1]. Il est fort probable que l'artiste se préoccupait peu de l'identification future du site de son tableau et le style même n'est d'aucun secours, car nombreuses sont les œuvres impressionnistes qui ont pu l'influencer. En particulier le *Pont de Chatou* peint en 1875 par Monet (fig. a) dont la végétation est d'une telle exubérance que le pont semble suspendu dans les airs. Monet a d'ailleurs fréquemment repris ce motif dans les années 1870, par exemple dans *Le Printemps à travers les branches* (cat. nº 89).

Le tableau *Bords de rivière au printemps* est très proche, par le format, ainsi que par le sujet et la pureté du style impressionniste, d'un autre tableau *La pêche au printemps* (cat. nº 30), mais la végétation est ici encore plus luxuriante; il aurait donc été peint plus tard que son pendant.

C'est vraisemblablement à cette vue de l'arche du pont de Clichy et surtout à *La pêche au printemps* que Bernard fait allusion quand il décrit la Seine à Asnières «pleine de bateaux» et qu'il évoque «des îles aux balançoires bleues»[2], établissant un parallèle approprié entre la structure métallique visible dans le tableau de van Gogh et la balançoire de Renoir évoluant librement[3].

Cat. nº 31 fig. a   Monet, *Le Pont de Chatou* (1875).
Buenos Aires, Museo Nacional de Bellas Artes.

NOTES

1. *Leprohon*, p. 414; pourtant la vue vers le pont montre plutôt le talus de la rive d'Asnières, qui n'existe pas sur les îles. Et il ne s'agit pas non plus d'une vue prise de l'île Robinson vers Clichy.
2. *Vollard*, p. 11.
3. Renoir, *La Balançoire*, 1876 (Paris, musée d'Orsay) montre un mouvement de va-et-vient, au sens littéral, qui ne peut évidemment pas s'appliquer de la même façon au pont de van Gogh.

32 | *Les Bords de la Seine*
Vers la fin de l'été 1887
Huile sur toile
H. 32 ; L. 45,5
Amsterdam, Rijksmuseum Vincent van Gogh
(Fondation Vincent van Gogh ; Inv. s 77V/1963)
F 293 ; CdA 380

Ce paysage est l'un des quatre peints par van Gogh à Asnières et ses environs, selon une composition similaire : la Seine au premier plan, la rive ornée de feuillages touffus à mi-distance et au-delà, le ciel. Sur deux d'entre eux, on voit un pont (cat. nᵒ 42, F 304) et sur un autre, un bateau amarré (F 353) ; mais ici, rien de tout cela. Le site n'est pas facilement identifiable ; pourtant, si l'on tient compte des lieux de prédilection, fort bien documentés, de van Gogh pendant l'été 1887, il s'agit vraisemblablement d'Asnières. La courte distance séparant les deux rives donne à penser que l'artiste s'est installé quelque part sur l'île des Ravageurs, tourné vers l'amont, c'est-à-dire vers Asnières, le pont de Clichy étant hors de vue.

Mais la localisation importe moins que le style du tableau. L'influence de l'Impressionnisme est prépondérante, bien qu'il ne soit pas aisé de spécifier quel modèle en a inspiré la composition. Le Néo-impressionnisme est l'autre facteur déterminant car il fournit des sujets semblables et des analogies stylistiques : on pense particulièrement à l'art de Seurat, car non seulement celui-ci peignait souvent le long des rives de la Seine (cat. nᵒ 107) mais de plus, il posait la couleur par stries horizontales semblables à celles qu'emploie ici van Gogh. On retrouve cette même technique dans le traitement, par les impressionnistes, de nombreux tableaux avec des plans d'eau (cat. nᵒ 112) mais également dans plusieurs «marines» de Signac datant de 1885 et que van Gogh devait connaître[1]. Celui-ci, dans ces tableaux, utilise de façon systématique la juxtaposition des complémentaires orangé et bleu d'une part, rouge et vert d'autre part, avec une touche large, en barres, sans que cela vienne contredire de façon essentielle son intérêt marqué pour l'Impressionnisme, et pour des artistes tels que Seurat et Signac qu'il aurait voulu voir, à l'époque, associés dans une même lutte.

NOTES

1. Par exemple, le tableau de Signac *Saint-Briac, Talus au bord de la mer*, 1885 (New York, collection particulière), repr. coul. in J. Sutter, *Les Néo-Impressionnistes*, Paris, 1970, p. 49 ; et un autre tableau peint à Saint-Briac en 1885, *La Croix des marins* (Londres, collection particulière), ill. coul. in *Cachin*, p. 10.

33 | *Le Parc Voyer d'Argenson à Asnières, les amoureux*

Vers la fin du printemps 1887
Huile sur toile
H. 75,5 ; L. 113
Amsterdam, Rijksmuseum Vincent van Gogh
(Fondation Vincent van Gogh ; Inv. s 19V/1962)
F 314 : *Parc à Asnières*
CdA 390 : *Parc à Asnières (le parc Voyer d'Argenson à Asnières)*

Ce tableau est la plus grande des trois vues peintes par van Gogh, décrivant approximativement la même partie du parc Voyer d'Argenson à Asnières (F 275 et F 276) ; c'est aussi une des œuvres les plus imposantes du peintre. *Le Parc Voyer d'Argenson* eut, de plus, le privilège de compter parmi les premiers tableaux exposés par van Gogh, pendant l'hiver 1887-1888, au Théâtre-Libre d'Antoine, dans la salle de répétition. D'un point de vue stylistique, ce choix se justifiait, puisque des œuvres de Seurat et de Signac y étaient également montrées (cat. n° 115) ; or, le tableau de van Gogh témoigne de l'influence du Néo-impressionnisme tout en conservant une certaine liberté par rapport à la théorie pointilliste. L'artiste en parle dans une lettre à Theo (*LT* 474), comme du «jardin aux amoureux». Par ailleurs, dans une lettre à Willemina où il expose les avantages de la peinture de fleurs pour l'étude des complémentaires, il termine en faisant remarquer «qu'il y a des couleurs qui se font valoir, qui se marient, qui se complètent comme l'homme et la femme se complètent» (*W* 4)[1]. Ainsi le romantisme même du thème du tableau est associé à la théorie des couleurs. Le contraste des fleurs rouges et roses et du feuillage vert correspond aux complémentaires, qui évoquent le printemps selon van Gogh (*LT* 372) ; le lien établi entre les fleurs et la féminité explique l'utilisation de ces teintes pour peindre des figures féminines. Ainsi, le tableau apparaît comme un tribut à la fois au printemps, aux amoureux et aux couleurs complémentaires ; mais peu de visiteurs de l'exposition du Théâtre-Libre, à l'exception peut-être de Signac, ont pu en saisir la portée[2].

Est caractéristique de Vincent cette façon de représenter des couples anonymes modestement vêtus qui incarnent ce qu'il avait coutume d'appeler «le petit peuple» plutôt que des individus physiquement et socialement différenciés. Au XVIIIᵉ siècle, le marquis René-Louis Voyer d'Argenson avait fait créer ce parc ainsi que le château ; quelques années avant l'arrivée de van Gogh à Paris, le domaine avait été morcelé, et, pendant son séjour, on construisait une «maison de maître» sur une des plus grandes parcelles : le château Pouget. Le parc public dépendait de la commune d'Asnières. Il y avait un étang dessinant un ovale avec une île artificielle et un petit pavillon accessible par deux ponts piétonniers d'aspect rustique. Pour le reste, il comprenait une allée bordée d'arbres, parallèle au quai d'Asnières (F 277) et des chemins tracés de façon à former également un ovale[3]. Si van Gogh retient dans un certain nombre de toiles, un peu de l'intimité, des charmes de ce petit parc, il se désintéresse des architectures proches comme du pittoresque de l'étang, à la différence de Monet dans ses vues de jardins[4]. Cette vision de gens simples goûtant la beauté d'un environnement sans faste se retrouve dans des scènes de jardins à Arles (F 240, F 479, F 485, F 517) ; ce tableau en est en quelque sorte, le prototype.

NOTES

1. Voir *LT* 531 au sujet de l'étude entreprise par van Gogh sur les couleurs pour «exprimer l'amour de deux amoureux par un mariage de deux complémentaires.»
2. Van Gogh connaissait peut-être les représentations de jardins avec des amoureux de Renoir (D 34, 35, 127, 128, 187).
3. *Leprohon*, p. 353. Pour la plupart de ces informations voir l'article de R. Dubois, «Souvenirs du Château Pouget», in *Gazette du château*, II, 5, 1982, p. 10-13 qui m'a été signalé par Madame Lucienne Jouan, historienne d'Asnières.
4. Voir par exemple W 85, 280, 398, 399.

34 | *Sous-Bois*

Eté 1887
Huile sur toile
H. 46; L. 55,5
Amsterdam, Rijksmuseum Vincent van Gogh
(Fondation Vincent van Gogh; Inv. s. 66V/1962)
F 309 a; CdA 411

Les thèmes de sous-bois ont fourni à van Gogh une occasion unique d'étudier toutes les variations possibles d'une même teinte. Il y fait d'ailleurs allusion dans une lettre de 1887 adressée à Livens: «J'ai fait ainsi une douzaine de paysages franchement verts ou franchement bleus» (*Lettre* 459a). Cette description peut faire référence au ciel opposé aux parties de sous-bois dans un ou deux tableaux déterminés; mais, dans l'œuvre ici présentée, le ton «franchement vert» domine. Van Gogh exploite le principe de variation d'une seule teinte par tonalité, par degré de saturation ou à l'intérieur même du cercle chromatique auquel il s'était beaucoup intéressé à Nuenen, à travers la lecture des écrits de Charles Blanc (*LT* 430-431, 434). La touche pointillée, ici comme dans d'autres tableaux du même sujet (F 270 a, 306-309, 315, 362) reflète bien sûr l'influence prédominante du Néo-impressionnisme; mais, par endroits, on note quelques traits rapides d'une technique plus impressionniste. Ces taillis sont vraisemblablement ceux du parc Voyer d'Argenson à Asnières, ou les parties boisées d'une des îles de la Seine, l'île des Ravageurs par exemple.

Le motif du «sous-bois» se rencontre dans des tableaux impressionnistes des années 1870, chez Cézanne, Pissarro et Monet. Bien que différent par le sujet, le traitement de la surface dans le tableau de Monet *Pommiers en fleurs au bord de l'eau* (cat. n° 91) nous frappe par sa similitude avec le *Sous-bois* de van Gogh.

35 | *Femme dans un jardin*
Vers le début de l'été 1887
Huile sur toile
H. 48 ; L. 60
Collection particulière
F 368 ; CdA 376

Le sujet traité ici rattache ce tableau de manière évidente à l'Impressionnisme : tout au long de leur carrière, des peintres comme Monet et Renoir ont peint des femmes dans des parcs ou des jardins. La toile de van Gogh évoque probablement le parc Voyer d'Argenson, près du quai d'Asnières et du pont de Clichy[1]. L'endroit était non seulement proche d'autres sites que l'on retrouve dans nombre de ses tableaux de l'été 1887, mais aussi de la résidence de la comtesse de la Boissière et de sa fille qui habitaient à l'angle du boulevard Voltaire et du pont de Clichy ; van Gogh devait d'ailleurs leur envoyer deux petits tableaux pendant son séjour à Arles (*LT* 489). Nul besoin, toutefois, d'aller imaginer que la mère ou la fille ait posé pour cette peinture ou pour l'autre toile de van Gogh représentant une figure féminine dans un jardin (fig. a). Le portrait de la femme un peu forte qui apparaît ici demeure trop imprécis pour que l'on puisse reconnaître vraiment les traits du visage ou du corps. La figure est utilisée pour offrir une présence féminine à valeur symbolique que vient souligner son association traditionnelle à la thématique des fleurs ; il existe d'ailleurs d'autres peintures de van Gogh évoquant un cadre comparable (F 309 a, 315, 362, 583), où les silhouettes, un peu imprécises, n'en sont pas moins évocatrices de la luxuriance de l'été.

Non seulement il aurait été bien difficile au pauvre van Gogh, avec sa tenue négligée, de trouver le genre de modèles élégamment vêtus qui peuplent les jardins de Renoir et de Monet, mais cela aurait été de plus parfaitement contradictoire avec son désir d'être un peintre de paysans à la Millet[2]. D'autre part, on peut fort bien imaginer son attirance pour la couleur et la liberté de la touche qu'on trouve par exemple dans *L'été : jeune femme dans un champ fleuri* de Renoir (cat. nº 104), où l'innocence et le charme serein de la jeune fille assise sont pourtant aussi éloignés de l'univers de van Gogh que ses paysans du Brabant l'étaient des idylles estivales des impressionnistes. En dépit de ces différences, on peut être certain que van Gogh étudia ces paysages impressionnistes avec toute l'attention dont il était coutumier, et ce tableau montre bien comment il pouvait effectivement traduire leurs particularités stylistiques dans son langage à lui.

NOTES

1. L'importance de ce parc dans la production d'Asnières a été reconnue pour la première fois dans *Leprohon*, p. 413-414, et l'auteur de la présente notice ne voit aucune raison de le contredire.
2. Il suffit de regarder les nombreux tableaux de Monet représentant telle figure dans un jardin pour se rendre compte de la différence entre son approche pleine d'élégance et la manière très directe, voire terrienne, dont van Gogh traite ici l'aspect de son personnage. (W 386, 414).

Cat. nº 35 fig. a   Vincent van Gogh, *Femme assise dans l'herbe* (F 367). Collection particulière.

36 | *Feuille d'études avec trois croquis de son portrait*
Début 1887
Plume, crayon, encre sur papier à dessin à filigrane :
Canson & Montgolfier-Vidalon-I...
H. 31,6 ; L. 24
Amsterdam, Rijksmuseum Vincent van Gogh
(Fondation Vincent van Gogh ; Inv. d 432V/1963)
F 1378 recto

Il n'existe aucun autoportrait connu de van Gogh antérieur à sa période parisienne ; en revanche, c'est à Paris qu'il en produisit le plus grand nombre : tableaux, mais aussi dessins ; les seuls que nous ayons de lui dans cette technique sont ceux de cette feuille et F 1379.

On peut se demander quel fut le rôle de ces esquisses par rapport aux études peintes. Les autoportraits réunis sur cette feuille sont manifestement des études exploratoires, ainsi qu'en témoignent en haut à droite les esquisses du nez, de la bouche et de l'œil. Van Gogh a dû travailler en se regardant dans un miroir ; c'est également le cas pour son dernier autoportrait peint à Paris (cat. n° 68), ainsi qu'il l'indique dans une lettre (*W* 4) ; il se représente d'ailleurs tenant une palette de la main droite. D'où le fait que dans ces dessins et dans la majorité des autoportraits parisiens, on trouve ce qu'on appelle une «vue de trois quarts vers la gauche» et qui, en fait, représente le côté droit de son visage comme s'il s'agissait de son côté gauche.

On ne sait trop à quel autoportrait rapporter ces dessins, et des rapprochements divers ont été proposés. Celui de Chicago, de style pointilliste (cat. n° 37), en est aussi proche qu'un autre et comme il fut probablement réalisé au printemps 1887, on peut proposer pour cette feuille une époque analogue. Cette datation se justifie aussi par la similitude des techniques graphiques entre les têtes de F 1378 recto et celle de la *Femme nue couchée* (cat. n° 18), étude elle aussi réalisée à un moment comparable, le début de 1887. On peut citer d'autres exemples, qui révèlent d'autres traits similaires, dans la coupe des cheveux et de la barbe ou dans les arcades sourcilières et les pommettes de la joue gauche (F 178 verso, 344, 469, 526). Dans toutes ces créations, l'intensité de l'expression confine à l'agressivité qui marque la plus grande des têtes réunies sur cette feuille.

37 | *Portrait de l'artiste par lui-même, de trois quarts vers la gauche*
Vers la fin du printemps 1887
Huile sur carton
H. 42; L. 33,7
Chicago, The Art Institute (The Joseph Winterbotham Collection; Inv. 1954. 326)
F. 345: *Portrait de l'artiste*
CdA 369: *Portrait de l'artiste par lui-même*

Cet autoportrait est, de tous, le plus orthodoxe selon la technique néo-impressionniste. A cet égard, le seul qui puisse rivaliser avec lui est le *Portrait d'Alexander Reid* (cat. n° 38), proche par le format, le support (carton) et la technique; les deux tableaux avaient certainement été conçus comme des «pendants». Dans sa biographie de van Gogh, le peintre écossais Hartrick rappelait que les deux hommes se ressemblaient tellement «qu'ils auraient pu être jumeaux»[1]. Tous deux portaient une barbe rousse et, toujours d'après Hartrick, s'habillaient de la même façon, à cette différence près que les vêtements de Reid étaient en Harris Tweed (dans cet autoportrait ainsi que dans d'autres peints à Paris, van Gogh porte cependant un veston à revers). Dans les deux tableaux, le visage est traité de façon plutôt naturaliste, contrastant sur un fond de couleurs complémentaires.

On peut également établir une comparaison entre l'autoportrait présenté ici et le *Portrait de van Gogh* par John Russell (cat. n° 105) qui réussit à capter la physionomie de l'artiste et l'intensité de son regard. Bernard donne par ailleurs une description tout à fait appropriée de l'aspect physique de Vincent: «Roux de poil (barbiche de bouc, moustache rude, toque capillaire rase), le regard d'aigle et la bouche incisive comme pour parler...»[2].

Les néo-impressionnistes ont peint peu de portraits et encore moins d'autoportraits pendant les années 1880. Seul dans le cercle de Seurat, Dubois-Pillet avait inclus des portraits dans ses envois aux expositions dès 1886-1887; cet artiste n'est cependant jamais mentionné par van Gogh dans sa correspondance[3]. Bien qu'il ait été sans doute exécuté pendant ou peu après son association avec Signac, l'autoportrait de van Gogh n'a rien de commun avec les tableaux figuratifs de celui-ci ou ceux de Seurat, antérieurs à 1888[4].

Van Gogh faisait probablement allusion à cette lacune dans l'œuvre de Seurat, quand, relatant vers la mi-octobre 1888 les échanges bien connus de portraits entre Gauguin, Bernard et lui, il déclarait: «Je voudrais bien que nous eussions le portrait de Seurat par lui-même» (*LT* 553). Cet autoportrait peut-être perçu, en un certain sens, comme un hommage de van Gogh à l'art de Seurat et de Signac; il est regrettable qu'il n'ait pu être l'occasion d'un échange avec l'un des deux peintres.

NOTES

1. *Hartrick*, p. 50, 51.
2. E. Bernard., «Vincent van Gogh», in *La Plume*, III, 1er septembre 1891, p. 300.
3. Dubois-Pillet exposa deux portraits aux «Indépendants» de 1886 et quatre en 1887; en 1887, il montrait en particulier un autoportrait «au chapeau de soie et monocle» (L. Bazalgette, *Albert Dubois-Pillet: sa vie et son œuvre (1846-1890)*, Genève, 1976, p. 162 — cette monographie ne reproduit malheureusement aucune de ces toiles).
4. La plupart, sinon tous ces tableaux comportent plusieurs personnages dans des paysages ou des vues d'intérieurs.

38 | *Portrait d'Alexander Reid*

Printemps 1887
Huile sur carton
H. 41 ; L. 33
Signé en bas à droite *Vincent*
Glasgow, Art Gallery and Museum
F 343 ; CdA 425

Ce portrait est celui d'Alexander Reid, un Ecossais arrivé à Paris à la fin de 1886, à l'âge de trende-deux ans et employé pour un temps à la maison mère de Boussod et Valadon[1]. C'est sans doute ainsi qu'il entra en contact avec les frères van Gogh, dont il partageait l'intérêt pour l'œuvre de Monticelli, ce qui devait par la suite le conduire à entrer en concurrence avec eux (*LT* 464-465, 472)[2]. Dans d'autres lettres d'Arles (*LT* 473 et *LT* 477a, adressées à J. Russell) van Gogh déclare qu'il fut proche de Reid les premiers temps qui suivirent son arrivée. Il est possible d'en inférer que ce portrait du marchand de tableaux écossais, réalisé en style pointilliste, ainsi d'ailleurs qu'une version antérieure (fig. a), datent du printemps de 1887. La première version a beaucoup de traits stylistiques communs avec le portrait du *Père Tanguy* daté de janvier 1887 (INTRODUCTION fig. 13) et remonte sans doute à la même période. La présence sur le mur du fond d'une toile de l'Américain Frank Boggs (cat. n° 80) achetée par van Gogh, voire peut-être d'une autre intitulée *Le port d'Honfleur* (fig. b), de part et d'autre d'une tête de paysanne exécutée par van Gogh à Nuenen, tend à confirmer l'hypothèse selon laquelle le portrait de Reid a bien été réalisé au début de 1887. Van Gogh avait en effet acheté ces deux toiles de Boggs en octobre 1886[3]. On remarquera en outre que ce tableau constitue le seul témoignage pictural dont nous disposons sur l'aménagement de l'appartement des van Gogh. Les autres toiles qui y furent réalisées, autoportraits ou natures mortes, ne révèlent en effet rien du décor. Reid pose ici dans la salle de séjour, assis sur ce que la veuve de Theo appelait «un sofa confortable», c'est-à-dire un siège capitonné. En costume et cravate, Reid est représenté dans l'attitude traditionnelle d'un bourgeois qui prend la pose ; la présence de toiles à l'arrière-plan symbolisant l'intérêt professionnel porté à l'art par le peintre et par son modèle. Ce tableau faisait certainement partie de ceux dont Theo écrivait le 28 février 1887 : «Il a peint quelques portraits qui ont bien marché, mais il les fait toujours pour rien.»[4]

De par son style pointilliste, le *Portrait de Reid* conservé à Glasgow peut être daté du printemps de 1887 ; Reid a sans doute également posé dans l'appartement des van Gogh. Il semble porter le même habit, la même cravate jaune et la même chemise à large col ; quant à la forme verte, arrondie, à droite de la toile, il pourrait bien s'agir du dossier du siège capitonné. En ce sens, malgré l'absence de décor bien défini et l'impression de tourbillon donnée par les touches pointillistes, le

NOTES

1. Cette date est prouvée par le fait que van Gogh a présenté Reid à John Russell (voir *Lettre* 477a), avant que Russell ne quitte Paris à la fin de 1886 pour un séjour de six mois en Italie.
2. Reid et les frères van Gogh ont commencé à fréquenter la galerie Delarebeyrette, au 43, rue de Provence, début 1887. Sur les six Monticelli que possédaient Theo et Vincent, l'un d'eux leur avait été donné par Reid (*LT* 464) en échange d'une nature morte de Vincent, *Panier de pommes* (F 379).
3. Van Gogh a bien sûr été contraint de simplifier la composition de Boggs pour l'intégrer à son tableau, mais on ne retrouve les étendues d'eau et de ciel caractéristiques de ces deux toiles du peintre américain.
4. *WTRT*, p. 9.
5. De La Faille affirme que les deux portraits de Reid sont restés quelque temps dans la collection van Gogh. Mais R. Pickvance dans le catalogue de l'exposition organisée à Edimbourg sous l'égide du *Scottish Art Council* en 1967, *A Man of Influence, Alex Reid 1854-1928*, soutient (p. 8) que Reid est rentré de Paris avec un de ces portraits. C'est aussi la thèse de D. Cooper dans «A Franco-Scottish link with the past» in : *Alex Reid and Lefevre, 1928-1976* (Londres, 1976, p. 6). Reid et van Gogh n'étaient pas sans se ressembler quelque peu et l'on a longtemps pensé que le *Portrait de Reid* conservé à Glasgow était un autoportrait. J. van der Wolk (*De Schetsboeken*, p. 279, 280) a récemment soutenu que trois petites esquisses de van Gogh représentent aussi Alex Reid.

Cat. n° 38 fig. a   Vincent van Gogh, *Portrait d'Alexander Reid* (F 270). Collection particulière.

Cat. n° 38 fig. b   Boggs, *Le Port d'Honfleur.* Amsterdam, Rijksmuseum Vincent van Gogh (Fondation Vincent van Gogh).

visage vu en plan rapproché s'éloigne assez peu d'un rendu fondamentalement réaliste. Et de fait, considérés l'un par rapport à l'autre, ces deux portraits témoignent de la rapidité avec laquelle van Gogh était parvenu à maîtriser ce genre. Mais ils évoquent aussi les liens unissant Vincent, Theo et Reid qui avaient un moment pensé fonder une association de peintres et de marchands[5].

Le caractère intime du *Portrait de Reid*, de style pointilliste, est encore souligné par sa ressemblance avec l'*Autoportrait* de van Gogh (cat. n° 37), pointilliste lui aussi : taille presque identique, même support de carton. Ils ont en commun la vue en buste et l'échelle du modèle par rapport au fond, outre les touches pointillistes pour le rendu du torse et de l'arrière-plan. Mais alors que le *Portrait de Reid* est dominé par le contraste des couleurs complémentaires rouge et vert, *L'Autoportrait* utilise celui de l'orangé et du bleu pour le fond, celui du vert et du rouge pour la veste et certains éléments du visage ; ces oppositions sont encore enrichies par l'introduction d'un troisième contrepoint, respectivement vert pour le fond et bleu pour la veste. Cette différence dans le maniement des couleurs, à l'intérieur d'un même style pointilliste, montre assez que si van Gogh maîtrisait les théories « scientifiques » sur la couleur d'un Charles Blanc par exemple, il était aussi tout à fait capable de les appliquer de façon non-conformiste, inventive et puissante.

39 | *Portrait de l'artiste par lui-même, en chapeau de paille*
Eté 1887
Huile sur toile marouflée sur panneau
H. 35,5 ; L. 27
Detroit, The Detroit Institute of Arts (Inv. 22.13)
F 526 ; CdA 437

Pendant son séjour à Paris, Vincent van Gogh a peint six autoportraits dans lesquels il porte le même chapeau de paille à larges bords (F 61, F 179 verso, F 294, F 365, F 649) et qui, tous dans un style par certains aspects impressionniste, datent de l'été 1887. Ici, van Gogh choisit de se représenter vêtu, comme Paul Signac devait fort bien s'en souvenir, d'une «cotte bleue de zingueur» et il «avait peint sur les manches de petits points de couleur!»[1]. Les taches de peinture n'existent pas dans ce portrait en buste vu de trois quarts ; il semble néanmoins difficile de remettre en question la description que fait Paul Signac de van Gogh explorant les environs de Paris aux abords d'Asnières, à la recherche de paysages à sa convenance.

Le large bord du chapeau servait, bien sûr, à protéger du soleil son teint de nordique ; de plus, par sa couleur jaune-orangé semblable à celle de la barbe, il crée un contraste de couleurs complémentaires avec la veste bleue. Il est possible qu'apparaisse également une certaine identification avec le peintre Monticelli pour les œuvres duquel van Gogh éprouvait de l'admiration, envisageant même de les collectionner. C'est sans doute dans la galerie de Joseph Delarebeyrette, 43, rue de Provence, que Vincent vit un autoportrait de Monticelli, qui lui fit une impression si forte qu'il s'en souviendra plus tard dans une lettre d'Arles à sa sœur Willemina. Parlant d'une visite qu'il projetait de faire à Marseille où Monticelli avait vécu, Vincent déclarait sa ferme intention de se «promener sur la Canebière absolument vêtu comme lui», c'est-à-dire comme il l'avait vu dans «son portrait avec un énorme chapeau jaune» (*W* 8). Il faut remarquer que Vincent avait peint un autre autoportrait avec un chapeau de paille (F 524) peu avant d'écrire cette lettre au sujet de Monticelli, ce qui ajoute à la probabilité d'une identification, déjà présente dans l'œuvre de Paris.

Cat. n° 39 fig. a   Bernard,
dessin d'après le *Portrait de l'artiste
par lui-même en chapeau de paille* pour la revue
Les Hommes d'Aujourd'hui, 8ᵉ vol., n° 390, 1891.

NOTES

1. *Coquiot*, p. 140. Vincent connaissait peut-être également le *Portrait de l'artiste au chapeau de paille* de Cézanne peint vers 1877-1880 (reproduit en couleur dans *Imp.* p. 407) et dont le point de vue et la pose sont très proches du modèle adopté par van Gogh.
2. Voir la lettre dans laquelle Vincent dit qu'il a échangé son autoportrait contre le tableau de Bernard *La Grand-mère de l'artiste* (*LT* 553) voir aussi *1981, Toronto*, cat. n° 95.

La maturation du style de van Gogh pendant l'été 1887 se traduit ici par l'utilisation de touches hachurées dans le modelé du visage. En dehors des juxtapositions des teintes complémentaires le rouge et le vert, le bleu et l'orangé, limitées au visage, il utilise la technique plus picturale des impressionnistes pour le buste et les zones du fond du tableau, s'éloignant peu en cela du tableau *Portrait de Henri de Toulouse-Lautrec* par son ami Anquetin (cat. n° 71). Pourtant, ses affinités le rapprochent plus de la tradition d'introspection de l'Europe du Nord telle que l'illustrent les autoportraits de son compatriote Rembrandt, que des prototypes impressionnistes.

Ce portrait de Vincent au chapeau de paille présente un intérêt indéniable pour cette exposition : par suite d'un échange entre les deux peintres, il devint la propriété de son ami Emile Bernard à l'époque où ils vivaient à Paris et travaillaient parfois ensemble[2]. Bernard fit d'ailleurs un croquis d'après ce portrait et, en 1891, il mit celui-là en couverture de la biographie que, pour le périodique *Les Hommes d'Aujourd'hui*, il venait d'écrire en hommage à van Gogh mort l'année précédente (fig. a). De plus, ce tableau a dû lui appartenir un certain nombre d'années car il le reproduisit en couleurs dans la publication, éditée par Ambroise Vollard en 1911, des *Lettres de Vincent van Gogh à Emile Bernard*.

40 | *Fritillaires, couronne impériale dans un vase de cuivre*

Vers avril-mai 1887
Huile sur toile
H. 73,5 ; L. 60,5
Signé en haut à gauche *Vincent*
Paris, Musée d'Orsay (legs Camondo, 1911 ; Inv. R.F. 1989)
F 213 ; CdA 416

De toutes les natures mortes de fleurs peintes à Paris par Vincent, c'est certainement la plus précisément datable. Les fritillaires sont des plantes à bulbe qui, comme les tulipes, fleurissent au printemps. L'espèce représentée par Vincent est la fritillaire impériale qui était cultivée dans les jardins français et hollandais à la fin du siècle dernier ; c'est une fleur d'un rouge-orangé à longue tige. Chaque bulbe produit trois à dix fleurs et, pour composer ce bouquet, Vincent n'a utilisé qu'un ou deux bulbes dont les fleurs coupées sont disposées dans un vase de cuivre ; il en va de même pour son pendant (F 214) dont l'essentiel correspond à un détail de la moitié supérieure du tableau du musée d'Orsay[1].

Cette date correspond à la période où Vincent était en relation étroite avec Paul Signac ; pourtant, ici encore, par le choix du motif de la nature morte, il s'écarte des thèmes traités par les néo-impressionnistes. Dans cette composition, l'utilisation de la technique pointilliste est limitée au fond du tableau, comme dans les deux autres natures mortes de fleurs exécutées soit à la fin du printemps, soit au début de l'été 1887 (F 322 et F 323)[2]. Comme c'est souvent le cas, un contraste de couleurs complémentaires, ici bleu et orangé, domine et ne limite aucunement van Gogh dans le choix des teintes, des tons et des intensités. Bernard rappellera plus tard que Vincent courtisait la Segatori en lui offrant des natures mortes de fleurs «qui durent éternellement» plutôt que des fleurs fraîches, et le Tambourin allait bientôt devenir un véritable jardin artificiel grâce à ces tableaux de bouquets de fleurs[3].

NOTES

1. L'auteur est redevable de ces détails à l'article de G. Belin, «Rendues célèbres par van Gogh : altières fritillaires», in *Mon jardin et ma maison*, février 1973, n° 177, p. 116-118.
2. Datées d'après les indications de S. Segal entre juin et juillet.
3. *Souvenirs*, p. 394.

41 | *Intérieur de Restaurant*
Vers le début de l'été 1887
Huile sur toile
H. 45,5 ; L. 56,5
Otterlo, Rijksmuseum Kröller-Müller (Inv. 271-12)
F 342 ; CdA 423

La localisation de cette scène n'a pu jusqu'à présent être précisée ; seule la présence des fleurs sur les tables indique l'été, et la technique pointilliste l'été 1887. Il ne s'agit pas ici d'un de ces restaurants de Montmartre, où Vincent et son frère avaient l'habitude de prendre leurs repas : «chez Bataille» rue des Abbesses au début de 1887, ou Au Grand Bouillon - Restaurant du Chalet avenue de Clichy où Vincent organisa, vers la fin de cette même année, une exposition qui devait mal se terminer[1]. Le lieu ici représenté est plus vraisemblablement un des restaurants d'Asnières ou des environs, peints par van Gogh (cat. n° 44 et n° 45) ou mentionnés dans sa correspondance (*LT* 489). Le sujet du tableau accroché au mur de la salle *Coin de Parc, le Parc Voyer d'Argenson à Asnières* (New Haven, Yale University Art Gallery) fournit une indication supplémentaire, bien qu'imparfaite, de l'endroit dont van Gogh s'inspira pour réaliser cette toile.

L'analyse stylistique est évidemment plus importante que les précisions de lieu et de date d'exécution. Ce tableau est, de l'opinion générale, l'hommage le plus fervent au Néo-impressionnisme jamais rendu par van Gogh. La touche pointillée et les contrastes de couleurs complémentaires (ici, surtout le rouge et le vert ainsi que le jaune et le mauve) sont appliqués avec beaucoup de recherche : il faut admettre la parfaite maîtrise du peintre, non seulement quant à la technique, mais aussi quant aux possibilités expressives qu'elle permet d'atteindre. Pourtant, la structure réaliste reste sous-jacente, en particulier dans les chaises et les tables qui ne sont pas traitées avec une touche pointillée.

Comme la plupart des tableaux parisiens de van Gogh, celui-ci n'est pas signé. La présence de la vue du parc d'Asnières et de l'estampe, peut-être japonaise, à peine esquissée, ne sont pas les seuls indices symboliques de sa main. Le chapeau haut-de-forme, accroché à la patère de façon incongrue dans cet intérieur estival, est peut-être une allusion à un détail vestimentaire qu'affectionnaient les néo-impressionnistes — pensons au principal personnage de *La Grande Jatte* ou au portrait de Signac par Seurat — et leurs défenseurs les plus acharnés tel le critique Félix Fénéon[2].

NOTES

1. G. Coquiot dans des notes non publiées et conservées aux archives du Rijksmuseum Vincent van Gogh d'Amsterdam pense qu'il s'agit d'un restaurant de l'avenue de Clichy.
2. *W-O*, p. 125, n° 52.

42 | *Le Pont à Asnières*

Eté 1887
Huile sur toile
H. 53 ; L. 73
Houston, collection Dominique de Menil

F 240 : *Le pont sur la Seine*
CdA 387 : *Le pont d'Asnières*

Ce tableau a rarement été commenté. Il représente pourtant un lieu particulièrement important pour van Gogh pendant l'été 1887, puisque c'est là qu'il franchissait la Seine pour se rendre à Asnières ou pour en revenir, tout comme les petits personnages représentés derrière le parapet. La vue est prise de la berge devant le Restaurant de la Sirène (cat. nº 44 et PLAN) en direction de Clichy : on voit d'ailleurs, à gauche de la composition, un des sept gazomètres de Clichy, motif que Signac a lui aussi représenté plusieurs fois (cat. nº 114 fig. a)[1]. On distingue sous la première arche du pont, à droite, les pylônes et le tablier du pont du chemin de fer d'Asnières, en amont. La bande horizontale de peinture blanche, sous cette arche, représente le ruban de fumée laissé par un train venant de franchir le pont.

Le but du peintre n'est pas seulement de montrer un pont particulier, mais aussi de le situer dans son environnement, ce qui permet au public de le reconnaître immédiatement. Il souhaitait de plus, sans doute, rendre hommage aux représentations impressionnistes de ponts sur la Seine, telles qu'on les voit dans les toiles de Monet consacrées à ce motif, entre autres *Le pont d'Argenteuil* (cat. nº 88). Ces ponts permettaient aux Parisiens de gagner les faubourgs et la banlieue, afin de s'y distraire et de s'y reposer[2]. Toute l'iconographie de ce tableau ainsi que celle de son pendant, *Le Pont d'Asnières* (fig. a), renvoie aux plaisirs d'une escapade en banlieue ; la présence des canotiers en atteste. On remarquera pourtant l'intrusion du motif industriel des gazomètres qui empêche toute assimilation simpliste à un quelconque embarquement pour Cythère. Plus qu'au contenu social, van Gogh s'intéresse manifestement aux procédés de la première génération des impressionnistes et à l'étude des effets d'eau et de lumière : cette toile soigneusement équilibrée en donne un exemple particulièrement heureux. On se rappellera que les ponts sur la Seine étaient alors conçus comme les équivalents occidentaux de motifs japonais (cat. nº 62). Van Gogh et ses contemporains en avaient pleinement conscience, et un tel tableau ne peut donc être considéré comme une exception.

Cat. nº 42 fig. a Vincent van Gogh,
Le Pont d'Asnières (F 301).
Zurich, collection Bührle.

NOTES

1. Voir par exemple le tableau de Signac intitulé *Asnières-Clipper amarré au pont de chemin de fer*, opus 155, 1887, qui représente presque le même emplacement, la vue étant prise d'Asnières en direction de Clichy. Reproduit en couleurs dans B. Thomson, *The Post-Impressionnists*, Londres, 1983, p. 19.
2. Monet a peint ce même pont dans *Les Déchargeurs de charbon*, 1875 (W 364) mais pris de la rive de Clichy.

43 │ *Le Restaurant de la Sirène, à Asnières*
Vers la fin du printemps 1887
Mine de plomb et craie verte sur papier vergé
H. 40; L. 54
Amsterdam, Rijksmuseum Vincent van Gogh
(Fondation Vincent van Gogh; Inv. d 357/1962)
F 1408 : *Le Restaurant de la Sirène*
CdA 396 a : *Le Restaurant de la Sirène, à Asnières*

Cette étude fait partie d'un groupe de dessins — d'un format assez grand — sur le même papier vergé (cat. nᵒˢ 10, 21, 26). Pourtant ceux-ci diffèrent considérablement par leur fonction, leur style et leur technique, au contraire de la série des fortifications (cat. nᵒ 49). La majorité d'entre eux semble dater du premier semestre 1887, ce qui se vérifie pour *Le Restaurant de la Sirène* : les roses du treillage visibles dans une version peinte du même sujet (cat. nᵒ 44), n'existent pas ici; il s'agit donc plutôt du début du printemps.

Ce dessin est une étude préparatoire au tableau aujourd'hui conservé à l'Ashmolean Museum d'Oxford (fig. a); des différences notables dans l'angle de vue et dans certains éléments permettent de conclure que tous les deux ont été exécutés en plein air, mais en des occasions distinctes. La comparaison entre le dessin et le tableau fait apparaître des ressemblances frappantes dans l'utilisation du crayon et du pinceau comme on le voit d'emblée sur la berge, au premier plan, ainsi que dans les hachures en stries, sur les clayonnages, le long des murs. Ces hachures réapparaîtront d'ailleurs, en grand nombre, dans les tableaux et dessins d'Arles.

Cette analyse des deux œuvres indique clairement que la transformation stylistique essentielle dans l'œuvre de van Gogh eut lieu à Paris vers le printemps 1887. Cependant, une différence marquante entre le dessin et le tableau pose problème : les inscriptions sur le bâtiment, lisibles sur le dessin, sont absentes du tableau. Ces inscriptions sont d'ailleurs plus nombreuses que celles du tableau du musée d'Orsay : on peut lire les mots « Ancienne Maison » et « Grand Salon » en haut à gauche sur la partie centrale du restaurant, ainsi que « Pâté Restaurateur » sur la bordure des stores déroulés.

Cat. nᵒ 43 fig. a Vincent van Gogh,
Le Restaurant de la Sirène à Asnières (F 312).
Oxford, Ashmolean Museum.

44 | *Le Restaurant de la Sirène à Asnières*

Eté 1887
Huile sur toile
H. 54 ; L. 65
Paris, Musée d'Orsay (legs Joseph Reinach, 1921 ; Inv. RF 2325)

F 313 : *Le Restaurant de la Sirène, à Joinville*
CdA 397 : *Le Restaurant de la Sirène, à Asnières*

A l'époque de van Gogh, ces trois constructions bénéficiaient d'un site privilégié, au 7, boulevard de la Seine, là où le pont d'Asnières débouche sur le quai (PLAN et fig. a)[1]. Le propriétaire, M. Louis Pâté, dirigeait un établissement important, comme l'indiquent les inscriptions «Salons pour noces» et «Salons et Cabinets de Société»[2] transcrites sur le tableau et sur le dessin préparatoire d'une version différente du même sujet (cat. n° 43). La perspective fuyante permet d'appréhender les dimensions de cet ensemble de bâtiments, avec des balcons au premier étage. Dans les années 1860, c'était l'hôtel de la Marine, fréquenté l'été par les canotiers et les promeneurs comme le montre une gravure de Weber (fig. b). Bernard faisait d'ailleurs sans doute allusion au Restaurant de la Sirène quand il rapportait que la production parisienne de van Gogh comprenait «des restaurants pimpants aux stores multicolores, aux lauriers roses[3]» ; notons que le titre «Fête d'Asnières» donné à l'autre version (F 312, Oxford, Ashmolean Museum) lors de l'exposition van Gogh à la galerie Bernheim-jeune, en 1901, conviendrait mieux à ce tableau aux couleurs plus vives.

Style et sujet ont des précédents impressionnistes ; pourtant, le tableau s'en sépare quelque peu : il reflète plus l'apparence extérieure des bâtiments que les réjouissances conviviales dont il était le cadre. Les impressionnistes, Renoir surtout, ont souvent représenté des scènes de restaurant ; et le fait que, plus tard dans l'année, Theo ait dû s'occuper de la transaction du tableau de Renoir *Sur la terrasse* (1881, Chicago, The Art Institute), prend ainsi une signification symbolique (ANNEXE *Theo*). Dans *Le Restaurant de la Sirène*, van Gogh multiplie les touches de blanc tout en utilisant pleinement la richesse de sa palette : cette toile compte parmi les peintures impressionnistes de van Gogh les plus pures et les plus accomplies. Mais s'y ajoute un motif de hachures parallèles, laissant pressentir un style plus personnel, qui atteindra bientôt sa plénitude. Paradoxalement, il reviendra donc à un artiste hollandais d'avoir préservé le souvenir de ce populaire lieu de rencontres des environs de Paris, aujourd'hui disparu.

NOTES

1. P. Leprohon (*Leprohon*, p. 412, 413), rectifie une localisation erronée et donne la véritable adresse, 7, boulevard de Clichy. En 1903, cet établissement était recensé 41, quai d'Asnières, le nom de la voie venant de changer (aujourd'hui, Quai du Docteur-Dervaux).
2. *La Sirène* est répertorié dès 1877 dans l'*Almanach du Commerce* comme : «Pâté, restaurant de la Terrasse, appartements et chambres meublés, caves et maison de 1er ordre».
3. *Vollard*, p. 11.

Cat. n° 44 fig. a Photographie : Asnières, entrée de la passerelle provisoire. (H. Roger-Viollet).

Cat. n° 44 fig. b Gravure d'après le dessin de Weber, *Le Pont d'Asnières*. Paris, B.N. : Cabinet des estampes.

LE CRÉDIT AGRICOLE DE L'ILE-DE-FRANCE APPORTE SON CONCOURS A L'EXPOSITION

VAN GOGH

A PARIS

Le Crédit Agricole de l'Ile-de-France est fier d'accompagner sur les cimaises du musée d'Orsay l'un des pères fondateurs de l'art de notre temps. En 1886, Vincent Van Gogh découvre Paris avide de nouvelles expériences artistiques. En quelques mois, sa palette d'ombres, nourrie de l'humus gras et noir des terres de Hollande s'illumine au soleil des maîtres parisiens. Le peintre des « Mangeurs de pomme de terre » prête à la ville toute l'ardeur et la curiosité de ses pinceaux mais sans jamais céder à la magie des chatoiements.

Son art continue de puiser dans la terre la sève de ses blés ; il conjugue miraculeusement galoches et cafés, tournesols et tramways. Ainsi au creuset de la ville, l'artiste au chapeau de paille se transmue en prophète passionné de la modernité.

Le Crédit Agricole de l'Ile-de-France, issu lui aussi du terroir, mais aujourd'hui fortement implanté en région parisienne se veut, par-delà son rôle économique, un acteur entreprenant de la vie culturelle. On lui doit notamment de nombreux concerts de l'Orchestre National de l'Ile-de-France et l'exposition du centenaire de Sonia et Robert Delaunay en 1985 au Musée d'Art Moderne de la Ville de Paris. Autant d'initiatives auxquelles le Crédit Agricole de l'Ile-de-France est heureux de pouvoir associer son personnel et ses clients qui lui ont permis de les réaliser.

Il fallait pour Vincent, qui dut jadis se contenter de la boutique du Père Tanguy, une enceinte digne de son génie. Il est heureux que l'art et la banque se rencontrent aujourd'hui dans cette ancienne gare d'Orsay où se saluaient autrefois, à grand fracas de locomotives, la province et la capitale, alors que désormais la grande horloge bat, regardant la Seine, le tempo d'une muséographie d'avant-garde.

45 | *Le Restaurant Rispal à Asnières*

Eté 1887
Huile sur toile
H. 72 ; L. 60
Shanwee Mission, Kansas, Mr and Mrs Henry W. Bloch
F 355 ; CdA 395

Ce restaurant, aujourd'hui disparu, était situé 117, boulevard de la Seine (aujourd'hui quai Aulagnier), à Asnières, un peu en aval du pont de Clichy[1]. Van Gogh a soigneusement reporté le nom du restaurant sur le pignon de la maison et sur un panneau à droite entre les deux premiers arbres ; de même, plus loin sur le boulevard, on peut lire l'inscription « vins » sur une pancarte. Van Gogh nous restitue fidèlement l'aspect et l'environnement d'une de ces constructions typiques de la banlieue de cette époque, le long du quai : une petite auberge, somme toute, comparée au Restaurant de la Sirène, établissement considérablement plus important (cat. n° 44).

Une fois de plus, le style relève avant tout de l'Impressionnisme ; la luminosité du ciel, la richesse du coloris ont totalement évincé les formules réalistes qui subsistaient jusqu'ici. Il révèle pourtant un sentiment anti-impressionniste, caractéristique de van Gogh, dans la façon d'éviter la saisie immédiate d'un site pittoresque. Le tableau décrit un motif sélectionné avec soin et sur lequel van Gogh concentre son attention, aux dépens des détails qui ne viennent jamais le distraire de son but. En cela, proche par l'esprit du tableau de 1885 *Le Presbytère à Nuenen* (F 182) et anticipant *La Maison de Vincent à Arles (la Maison jaune)* (F 464), il n'est en rien lié aux scènes de rue en vogue chez les impressionnistes[2].

NOTES

1. *Leprohon*, p. 413.
2. *Imp.*, reprod. p. 288, 485 bien que, à Paris, van Gogh n'ait pas connu l'œuvre de Caillebotte.

46 | *Route aux confins de Paris, avec paysan portant la bêche sur l'épaule*

Vers le début de l'été 1887
Huile sur toile
H. 48 ; L. 73
Collection particulière

F 361 : *Route où se trouve un paysan portant la bêche sur l'épaule*
CdA 359 : *Route aux confins de Paris (avec paysan bêchant)*

La luxuriance des feuillages montre que ce tableau n'a pu être exécuté avant le mois de juin et donc sans la compagnie de Signac, puisque celui-ci avait quitté Paris à la fin du mois de mai. Il s'agit là, pourtant, d'une des toiles de l'œuvre de van Gogh les plus influencées par la peinture de Signac. Le site est un lieu proche des rives de la Seine, dans une localité telle que Asnières, Gennevilliers, Clichy ou Saint-Ouen, que les deux peintres fréquentèrent ensemble ou séparément (cat. nº 116). La touche pointilliste, librement appliquée sur toute la surface, est très proche de la manière de Signac si l'on se réfère aux paysages peints pendant l'été 1886 aux Andelys ; Vincent les avait certainement vus au *Salon des Indépendants*, mais également lors de ses visites à l'atelier de Signac (fig. a)¹. Dans ces tableaux, les deux artistes parviennent à retenir un peu de l'atmosphère et de la grâce impressionniste, en opposition à la rigueur des principes esthétiques du Néo-impressionnisme illustrée par le tableau de Seurat *Un dimanche après-midi à l'île de la Grande-Jatte* (Chicago, The Art Institute) que les deux hommes connaissaient. Van Gogh emprunte également certaines caractéristiques au jeune peintre, ajoutant par exemple un pointillé blanc dans le ciel, soulignant les formes de touches mauves, une des couleurs préférées de Signac. Notons qu'à l'automne 1886, Vincent avait eu aussi l'occasion d'étudier aux Indépendants des tableaux pointillistes tels que *La Maison de la Sourde* de Lucien Pissarro (cat. nº 98).

Cependant, dans son approche de la figure, van Gogh reste lié au Réalisme. Ici, la représentation de l'homme portant une bêche sur l'épaule et un chapeau de paille sur la tête, est directement inspirée de la gravure de Millet *Le départ pour le travail* dont van Gogh avait vu la reproduction dans la monographie de Sensier sur Millet². Il rend ainsi hommage au «Père» Millet comme au «petit peuple». Le titre de la gravure de Millet serait, d'ailleurs, un sous-titre tout à fait approprié pour le tableau de van Gogh et ne trahirait aucunement son contenu thématique. Mais pourtant, le paysan de van Gogh ne donne pas l'impression d'accomplir le travail quotidien et harassant, dans les champs, que l'on associe habituellement aux scènes de la vie rurale chez Millet : van Gogh nous présente ici le travail de la ferme comme une activité aussi agréable qu'une promenade à pied ou en bateau.

NOTES

1. Pour *Les Andelys, Port Morin*, opus 136, 1886 cf. reprod. coul. in cat. exp. : *Important XIX and XX Century French and British Paintings and Drawings*, The Lefevre Gallery, London, 26 nov.-19 déc. 1986.
2. A. Sensier, *La Vie et l'Œuvre de J.-F. Millet*, Paris, 1881, p. 379. Bernard (*Vollard*, p. 50) témoigne de l'admiration fervente de Vincent pour l'œuvre de Millet et il rapporte que, rue Lepic, il avait, entre autres, «des gravures d'après Millet». Le Rijksmuseum Vincent van Gogh d'Amsterdam conserve d'ailleurs la gravure *Le départ pour le travail* faisant partie de la collection du peintre.

Cat. nº 46 fig. a   Signac, *La Seine aux Andelys* (1886).
Collection particulière.

47 | *Promenade au bord de la Seine, près d'Asnières*

Vers le début de l'été 1887
Huile sur toile
H. 49 ; L. 66
Amsterdam, Rijksmuseum Vincent van Gogh
(Fondation Vincent van Gogh ; Inv. s 55V/1962)
F 299 : *Allée longeant le fleuve près d'Asnières*
CdA 388 : *Quai à Asnières*

Les points de repère — pont, île ou bâtiment — qui permettraient d'identifier le site dépeint font défaut. Pourtant, la présence au loin des bâtiments et cheminées des usines de Clichy ou de Saint-Ouen indiquerait qu'il s'agit d'une vue de la rive de la Seine côté Asnières. Sa couleur et sa touche font de ce tableau une toile impressionniste. Cette vue de la Seine, composée suivant une diagonale, s'inspire des paysages de Monet et de Sisley[1]. De plus, très peu de tableaux, dans l'œuvre de van Gogh, ont une tonalité aussi blonde que celui-ci, attestant l'admiration de Vincent pour les peintres du groupe impressionniste. C'est d'ailleurs avec certains d'entre eux que Theo nouait alors des relations commerciales[2].

Au premier abord, cet endroit isolé au bord de la Seine ne semble pas comporter d'éléments anecdotiques, mis à part la silhouette solitaire d'un homme. Pourtant, cette scène est riche de signification pour l'artiste. Bien que le personnage ne soit pas encombré de l'attirail du peintre, tel qu'on peut le voir dans le *Portrait de l'artiste par lui-même sur la route de Tarascon* (F 448, détruit), il porte dans les deux œuvres, un chapeau de paille : emblème de Vincent dans ses autoportraits pendant l'été 1887 (cat. n° 39). Il est également vêtu de la veste bleu vif de «zingueur» que van Gogh affectionnait à cette époque, comme Signac devait s'en souvenir par la suite[3]. Plus tard, dans l'été ou à l'automne, van Gogh dans une lettre à sa sœur Willemina (*W* 1) déclarait que pour lui *Bel-Ami* était le chef-d'œuvre de Maupassant : les descriptions d'Asnières dans ce roman ont certainement eu une influence sur lui. Dans une scène de *Bel-Ami*, Duroy et sa femme se rendant à Asnières, s'extasient en traversant la Seine : «Le soleil, un puissant soleil de mai, répandait sa lumière sur les embarcations et sur le fleuve calme qui semblait immobile.»

Van Gogh devait éprouver les mêmes émotions et les traduire en peinture. Mais pour lui, Asnières était également associé à un autre auteur comme Bernard allait le rappeler : «Voici Asnières. Bien Zolaïque, bien Maupassant à son œil.»[4]

NOTES

1. Pour des exemples représentatifs chez Monet, voir *W* 459, 460, 461 et pour Sisley, voir *D* 512, 521, 528 qui faisaient tous partie de la collection Faure que van Gogh a eu l'occasion de voir (*LT* 574).
2. Il était tout aussi enthousiasmé par le bleu éclatant et la coloration blonde de F. Ziem, un admirateur de Delacroix, que Bernard se souvenait d'avoir vu en conversation avec van Gogh (*Vollard*, p. 51).
3. *Coquiot*, p. 140.
4. *L'Arte*, p. 1, 2.

48 | *La Barrière avec l'omnibus à chevaux: Porte de Clichy*

Eté 1887
Aquarelle, plume et crayon sur papier aquarellé
H. 24; L. 31,5
Amsterdam, Rijksmuseum Vincent van Gogh
(Fondation Vincent van Gogh; Inv. d 420V/1962)
F 1401: *Entre les Fortifications*

La mention «Porte de Clichy» se justifie grâce à deux considérations. D'une part, le petit bureau de l'octroi, auprès duquel on voit un omnibus à chevaux, se retrouve de manière identique dans une autre aquarelle qui fait pendant à celle-ci (fig. a): le site est le même, mais perçu sous un angle différent[1]; d'autre part celle-ci est répertoriée dans l'édition de 1970 du catalogue De la Faille, sous le titre «La Barrière», mais il serait plus exact de l'intituler «La Barrière: la Porte de Clichy vue de l'ouest»: le grand bâtiment surmonté de cheminées, à l'arrière-plan, est le bastion 43, qui était situé sur le boulevard Bessières, à l'est de la Porte de Clichy (cat. nº 49 fig. a).

L'aquarelle présentée ici est une vue sur Paris depuis la Porte de Clichy; l'artiste s'est installé sur le côté est de la chaussée, face au sud. Les immeubles qui apparaissent dans les deux aquarelles ne sont pas identiques: ils sont de construction similaire et situés non loin l'un de l'autre. Ces deux aquarelles proches par le sujet, le sont aussi par l'esprit. Dans une atmosphère estivale, de nombreux passants animent cette route aux confins de Paris. Dans les deux œuvres, la technique de l'artiste est particulièrement libre, inventive et témoigne d'une application très personnelle de la manière impressionniste. Le coloris est rayonnant, avec un contraste majeur de bleu et d'orangé-jaune et un contraste mineur entre les parcelles de rouge et de vert.

Van Gogh possédait une gravure portant le titre anglais «Escaping Paris by Night» (Evasion nocturne de Paris, fig. b), montrant toute une bande de personnages sinistres franchissant les remparts à l'aide de cordes, par une nuit de pleine lune[2]. S'il donne un air de fête à ces fortifications, c'est plutôt sous l'inspiration d'œuvres littéraires. Parmi ses auteurs favoris, Maupassant dans *Bel-Ami* et les frères Goncourt dans *Germinie Lacerteux* font des fortifications de Clichy une zone pleine d'attraits pour leurs personnages: Germinie, notamment,

NOTES

1. Les dimensions de ce dessin, sont toutefois différentes de celles de F 1400, F 1402, F 1403.
2. Elle est conservée au Rijksmuseum Vincent van Gogh à Amsterdam. De fait, dans les années 1880, les fortifications furent associées dans l'imagination populaire aux activités des criminels, et les écrivains s'en inspirèrent; cf. par exemple J.-K. Huysmans dans *Croquis parisiens* (prem. éd. en 1880), ouvrage dans lequel furent reproduits *Les Remparts du Nord de Paris* et *La Bièvre*, œuvres de Jean-François Raffaëlli que Vincent possédait (actuellement au Rijksmuseum Vincent van Gogh) (cat. nº 50 fig. a).

Cat. nº 48 fig. a Vincent van Gogh,
Vue de banlieue (F 1400).
Amsterdam, Rijksmuseum Vincent van Gogh
(Fondation Vincent van Gogh).

Cat. nº 48 fig. b Gravure: *Evasion nocturne de Paris*.
Amsterdam, Rijksmuseum Vincent van Gogh
(Fondation Vincent van Gogh).

voit sa tristesse s'évanouir dès qu'elle y arrive ; avec son fiancé Jupillon, elle aime passer ses dimanches à observer depuis les remparts la vie multiple et foisonnante de la banlieue. Non seulement le site représenté était un des plus pittoresques et des plus fréquentés des fortifications de Paris, mais c'était un endroit que Vincent eut très souvent l'occasion de traverser, durant le printemps et l'été 1887, quand il se rendait à pied à Asnières. A l'évidence, il s'est plu à combiner ici un réalisme aux couleurs audacieuses et une structure graphique propre aux estampes japonaises.

49

Les Remparts de Paris près de la Porte de Clichy
Eté 1887
Aquarelle
H. 39,5 ; L. 53,5
Manchester, Whitworth Art Gallery, University of Manchester (Inv. D4. 1927)
F 1403 : *Les Fortifications*

La structure du bâtiment qu'on voit en haut à droite correspond au bastion de la Porte de Clichy vu de l'arrière, ce qui justifie le titre donné. Dans le système des fortifications parisiennes, il s'agissait du bastion 43, situé à l'est de la Porte de Clichy, avec ses deux ailes en «U» donnant au sud sur le boulevard Bessières (fig. a et PLAN). Ce grand bâtiment de cinq étages était visible au-dessus des remparts, même de près, et il ressortait encore davantage vu de plus loin : par exemple, depuis ce lieu, à l'ouest de la Porte de Clichy, d'où est réalisée une autre aquarelle faisant partie elle aussi de cette série de quatre scènes de fortifications (cat. 48 fig. a). Cette aquarelle, comme deux autres de cette série, fut précédée d'une esquisse au crayon (F 1719 verso) : l'angle de vue diffère un peu de l'esquisse à l'aquarelle[1]. Le but de van Gogh n'était évidemment pas de valoriser tel ou tel bâtiment particulier, non plus que sa signification militaire. En plus des possibilités offertes par ce genre de site pour une composition épurée (fig. b), van Gogh aimait y voir aussi ces espaces au grand air dont profitaient les habitants du voisinage pour s'échapper des zones industrielles de Clichy, après le travail ou durant les fins de semaine. Dans cet exemple, seul un couple et la femme à l'ombrelle, sous un ciel d'un bleu très vif, suggèrent ces délassements ; on y retrouve moins une atmosphère de fête que dans les deux autres versions plus lumineuses qui comptent davantage de personnages et évoquent probablement un jour de congé. A toutes les phases de sa carrière, on trouve des promeneurs dans les paysages de van Gogh ; dans plusieurs des premiers paysages réalisés à Paris il les représentait dans des parcs ou des jardins, on les retrouve dans cette aquarelle et celles qui lui font pendant, situés dans un autre cadre. Ces endroits étaient familiers aux Parisiens qui vivaient à l'époque aux confins de la ville. Van Gogh nous donne, avec ces aquarelles baignées de soleil, un des souvenirs les plus vivants qu'on puisse imaginer, de ces sites colorés et des gens qui les fréquentaient.

NOTES

1. Il est fort probable que la version dépourvue de bâtiments notables (F 1402) corresponde à une vue prise un peu plus à l'est le long des fortifications, le bastion 43 n'y était donc plus visible. Les trois esquisses au crayon destinées à cette série ont été portées sur la même feuille de papier (F 1719 recto-verso), on peut présumer qu'elles furent toutes trois réalisées au même moment et au même endroit.

Cat. n° 49 fig. a   Photographie : vue du Bastion 43, boulevard Bessières.
Paris, B.N. : Cabinet des estampes.

Cat. nº 49 fig. a   Photographie : un aspect
des fortifications de Paris vers 1900.
(H. Roger Viollet).

50 | *Aux confins de Paris près de Montmartre*

Eté 1887
Pastel, mine de plomb, encre, gouache sur papier vergé
H. 39,5; L. 53,5
Amsterdam, Stedelijk Museum (don de la Société d'Art Contemporain; Inv. A 2236)
F 1410: *Vue d'une ville industrielle*

Des aquarelles et gouaches de grande dimension réalisées au cours de l'été 1887 (cat. n° 48 et n° 49), celle-ci est à la fois la plus panoramique et la plus abondamment détaillée. Le panorama est en effet encore plus vaste que celui des *Jardins potagers sur la Butte Montmartre* (cat. n° 52). Le point de vue, ici, est étonnamment semblable, mais l'œuvre offre une vue prise de plus bas sur la pente, près des carrières représentées au premier plan. La chaussée, avec ses palissades, ne peut être que la rue Caulaincourt, là où elle s'infléchit vers la pente nord de la Butte, bordée par la rue Lamarck qu'on remarque à mi-distance en haut, à gauche. On aperçoit également ici les banlieues industrielles de Saint-Ouen et de Saint-Denis au loin[1]. La vue ainsi offerte est d'une exactitude presque photographique, bien qu'on en retrouve le motif dans plusieurs œuvres néo-impressionnistes (cat. n° 86 et n° 99), dont on a dit qu'elles avaient pu inspirer van Gogh[2]. Que cette étude ait été précédée ou non par telle ou telle esquisse aujourd'hui perdue, la maîtrise du dessin, la distribution des couleurs et les rythmes de la composition, n'en sont pas moins d'une telle puissance expressive, qu'on y a vu, à juste titre, une œuvre qui annonce et égale en beauté les grandes vues panoramiques de la plaine et des vallonnements de Montmajour, à côté d'Arles[3].

Comme dans ses dessins de fortifications, le but essentiel de van Gogh est ici de concilier des styles qui auraient pu sembler contradictoires à tout autre qu'à lui: Réalisme, Impressionnisme et Japonisme. A supposer qu'il ait eu en tête un modèle particulier, cela aurait pu être l'eau-forte de Raffaëlli *La Bièvre* (fig. a), qui se trouvait dans la collection des frères van Gogh et que Vincent connaissait

NOTES

1. Pour une vue inversement orientée, voir cat. n° 110 fig. a; une vue très lointaine des mêmes banlieues industrielles est offerte en quelque sorte synoptiquement dans une autre aquarelle de l'été 1887, avec les jardins potagers situés sur cette même pente (F 1411).
2. D, Cooper, *Drawings and Watercolours by Vincent van Gogh*, New York, 1955, p. 54-55.
3. *Ibid.*, p. 66-68, pour ce qui concerne le lavis F 1484.
4. Vincent prit d'abord connaissance de cette eau-forte à partir de sa reproduction en 1885 dans le catalogue d'une exposition de Raffaëlli que Theo lui avait envoyé (*LT* 416). Il a pu la retrouver en illustration dans les *Croquis parisiens* de J.K. Huysmans (éditions de 1880 et 1886), un de ses auteurs favoris.
5. *W-O*, ill. XXIVa-b.

Cat. n° 50 fig. a Raffaëlli, *La Bièvre*, 1880, 3ᵉ état.
Amsterdam, Rijksmuseum Vincent van Gogh
(Fondation Vincent van Gogh).

depuis 1885⁴. Cette gravure faisait non seulement intervenir un cadre situé dans la partie industrielle de Paris, mais elle était traitée dans un style réaliste-impressionniste qui intégrait en même temps les principes d'une composition asymétrique, à la japonaise. Angrand, lui aussi, avait été marqué par ces influences, dans des œuvres bien connues de van Gogh (cat. nᵒ 70), et dont les vues représentées se situaient dans le même secteur de la ville. De fait, dans cette gouache de Vincent, le contraste des couleurs complémentaires bleu et orangé domine l'ensemble de la composition. Son caractère japonisant transparaît dans l'analogie qui existe entre la rue Caulaincourt telle qu'on la voit ici, surélevée, et un pont de l'une des estampes d'Hiroshige⁵. Mais aucune influence ne l'emporte sur les autres et cette œuvre extraordinaire témoigne, avant tout, de cette synthèse des styles à laquelle van Gogh était parvenu durant l'été 1887.

51 | *Vue de Montmartre, derrière le Moulin de la Galette*

Vers juillet 1887
Huile sur toile
H. 81 ; L. 100
Amsterdam, Rijksmuseum Vincent van Gogh
(Fondation Vincent van Gogh ; Inv. s 18V/1962)

F 316 : *Aux environs de Paris*
CdA 405 : *Vue de Paris*

Cette toile est d'un format inhabituel dans l'œuvre de van Gogh ; il pourrait bien s'agir de «la grande», de ce groupe de quatre auxquelles travaillait van Gogh en juillet 1887, comme l'indique une lettre à son frère (*LT* 462). Quoi qu'il en soit, il la considérait comme extrêmement importante et représentative de sa production parisienne, puisqu'il la choisit, avec *Jardins sur la Butte Montmartre* (cat. n° 52), de taille encore supérieure, pour son envoi au *Salon des Indépendants* du printemps 1888 (*LT* 466). Il décrit par ailleurs un champ de blé d'Arles comme étant «à la manière» de ces deux paysages exposés à ce Salon (*LT* 497)[1]. Même s'il ajoute à propos du tableau d'Arles «je crois que c'est plus solide et que cela a un peu plus de style», il ne fait pas de doute que dans son esprit les paysages d'Arles représentaient un développement du style auquel il était parvenu pendant l'été 1887.

Vue de Montmartre est sans doute un titre générique excellent ; mais si l'on considère que la toile ne donne aucune indication topographique, il est permis de se demander si elle eût été titrée de la sorte par la critique sans que les lettres de van Gogh aient permis de l'identifier. Une photographie de l'été 1887 (fig. a) prouve non seulement que le titre actuel est justifié, mais aussi que la représentation du site par van Gogh est relativement réaliste. La photographie est titrée «Vue du Moulin Debray côté Nord» ; il en existe une autre prise en contrebas (cat. n° 52 fig. b), qui mentionne aussi Debray, propriétaire du Blute-Fin et de deux autres moulins, les derniers existants encore sur la Butte. Le point de vue du tableau semble partiellement recouper celui de la photographie, puisque dans les deux cas on trouve à l'extrême droite une fenêtre d'accès au grenier, ménagée dans le mur pignon d'une vaste grange. Le peintre devait se tenir sur le chemin représenté dans le tableau, à proximité de la grange ; mais les hangars observables en bas à droite de la photographie, et omis par van Gogh, devaient lui masquer une partie du paysage. Il semble aussi avoir adopté un point de vue légèrement oblique vers la gauche, comparé à celui de la photographie, puisque les crêtes des collines lointaines, à gauche sur la photographie, figurent à droite dans le tableau. Seule la comparaison permet de se rendre compte de l'endroit, à mi-pente, où s'était installé van Gogh ; elle explique l'aspect relativement plat du terrain au premier plan, et rend compte de l'effet d'éloignement des bâtiments industriels à l'arrière-plan, sans doute les usines de Clichy et de Saint-Ouen. Van Gogh a voulu composer une vue qui juxtapose «le vieux Montmartre» avec ses champs et ses chemins ruraux, et les faubourgs industriels modernes de Paris. Il y est parvenu grâce à un vaste panorama qui n'exclut pas l'intimité du paysage au premier plan.

NOTES

1. Les champs de blé auxquels van Gogh fait ici allusion datent de juin 1888. Ils ont été regroupés commodément et illustrés en couleur par R. Pickvance (*1984, New York*, p. 96-101).
2. *La Revue Indépendante*, n° 18, avril 1888, p. 163. La *Vue de Montmartre* était le numéro 660 du catalogue des Indépendants, et portait alors le titre de *Derrière le Moulin de la Galette*. Son pendant, *Les jardins potagers*, portait le numéro 659 et s'intitulait *La Butte Montmartre*. Ces titres semblent avoir été choisis par Theo, contrairement à *Romans parisiens* (cat. n° 74), titre que Vincent avait souhaité (*LT* 468).

Cat. n° 51 fig. a Photographie du Moulin Debray, vu du côté nord, prise en 1887.
Paris, B.N. : Cabinet des estampes.

Le style est d'un impressionnisme classique, apparenté à celui des grands coloristes du groupe comme Monet, Renoir et Sisley. Telle semble avoir été l'opinion du critique Gustave Kahn, qui décrit en ces termes *Vue de Montmartre* et son pendant, exposés au *Salon des Indépendants* en 1888: «M. van Gogh brosse vigoureusement, sans assez grand souci de la valeur et de l'exactitude de ses tons, de grands paysages.»[2] La réaction de van Gogh à cette critique est révélatrice (*LT* 474). Il reconnaît se soucier assez peu des valeurs, et ajoute: «C'est pas possible de faire les valeurs et les couleurs.» Il y a peut-être là une indication du fait que, dès le printemps 1888, il se détournait déjà de la tonalité impressionniste, et du concept d'une peinture basée sur la couleur pure. L'article de G. Kahn et la réaction de van Gogh s'accordent à souligner la présence d'un élément anti-impressionniste dans les deux grands paysages de 1887. Considérée dans cette optique, la *Vue de Montmartre* révèle une approche double: la moitié supérieure du tableau, avec le ciel et les faubourgs, conserve une technique tonaliste qui met l'accent sur un effet d'ensemble atmosphérique bleu; les potagers au bas du tableau sont traités au contraire par une série de touches de couleurs plus intenses. On trouvera çà et là des exemples, chers à van Gogh, de juxtapositions de teintes complémentaires: rouge et vert, bleu et orangé ou jaune, surtout pour les chemins au premier plan et les collines au loin. Avec ce tableau, l'artiste ne se contente plus d'avancer en direction d'un style de conception nouvelle. Il en est au seuil même.

52 | *Jardins potagers à Montmartre: la Butte Montmartre*

Vers juillet 1887
Huile sur toile
H. 96 ; L. 120
Amsterdam, Stedelijk Museum (don de la Société d'Art Contemporain ; Inv. A 2234)
F 350 : *Montmartre*
CdA 406 : *Jardins sur la Butte Montmartre*

Jardins potagers à Montmartre est le plus grand tableau de tout l'œuvre de Vincent van Gogh ; il figura avec son pendant, *Vue de Montmartre* (cat. nº 51), de dimensions légèrement inférieures, à l'*Exposition des Artistes Indépendants* au printemps 1888[1]. Dans une lettre à son frère, en juillet 1887, Vincent mentionne qu'il travaille «sur une grande toile» et, admettant que les grandes toiles sont difficiles à vendre, il ajoute que «plus tard, on verra qu'il y a du plein air et de la bonne humeur» (*LT* 462). Il est évident qu'il faisait alors allusion à cette toile et à son pendant. La luxuriance de la végétation exprime le plein été et, bien que l'endroit représenté ne soit pas très étendu et constitué de terrains plutôt pauvres, van Gogh veut nous donner l'illusion de contempler une riche région agricole. L'étude de la même zone du versant nord de la Butte, peinte l'année précédente, était beaucoup plus réaliste (fig. a). Pour obtenir l'effet panoramique de la version de 1887, Vincent s'est éloigné de la pente, vers la rue Caulaincourt, comme le montre une photographie de ce lieu précis datant de juin 1887 (fig. b). Ainsi, sur le tableau de 1886, les vestiges (qu'on pensait alors de l'époque romaine et visibles à gauche de la route sur la photographie), indiquent approximativement l'endroit où Vincent s'était placé. L'été suivant, il s'installera encore un peu plus loin, au-delà du point d'où la photographie a été prise : la situation respective de l'abri au toit rond et des ruines, dans les deux exemples, le montre clairement. Il en résulte que la chaussée occupe le quart de la surface de la toile et attire notre attention vers le centre et la droite, puis vers le haut jusqu'au Moulin Debray (ou «Blute-fin») au milieu de la crête. Sur la photographie, les bâtiments allongés de la ferme attiraient le regard ; ici, Vincent abaisse la silhouette des bâtiments tout en donnant aux ailes du moulin une plus grande importance qu'au moulin lui-même, masquant le fait qu'il ne servait plus à moudre le grain mais qu'il était devenu essentiel comme point de vue sur Paris vers le sud. Avec le souci apparent de redonner au versant nord un aspect de santé vigoureuse, le peintre s'est peut-être inconsciemment tourné vers les conventions du Romantisme et du XVIIᵉ siècle hollandais comme en témoignent les silhouettes de moulins sur les hori-

NOTES

1. Au catalogue, le tableau apparaît sous le nº 659 avec un titre, «La Butte Montmartre», manifestement fourni par Theo.
2. Plus tard à Arles, Vincent considérait ces deux vues des jardins de Montmartre comme assez importantes pour proposer à Theo de les donner au Musée Moderne de La Haye (*LT* 473).

Cat. nº 52 fig. a Vincent van Gogh,
La Butte Montmartre (F 266).
Otterlo, Rijksmuseum Kröller-Müller.

Cat. nº 52 fig. b Photographie du Moulin Debray, vu de la rue Caulaincourt, prise le 19 juin 1887.

zons lointains, symboles de la vie économique locale et régionale. Quoi qu'il en soit, il voyait ces tableaux comme une décoration possible de salle à manger ou de maison de campagne (*LT* 462)[2].

Il semble nécessaire de faire remarquer que, malgré leurs dimensions, aucun de ces deux tableaux *Jardins potagers à Montmartre* et *Vue de Montmartre* ne semble avoir nécessité de dessin préliminaire (contrairement à celui de 1886, F 1398) : ils ont donc certainement été peints en plein air, sur le motif. Que van Gogh ait pu produire *alla prima* des tableaux de composition aussi magistrale et d'une telle richesse d'orchestration des couleurs, témoigne du chemin parcouru en peu de temps pour parvenir au tout premier rang de l'avant-garde de la peinture en France.

Champ de blé à l'alouette

Eté 1887
Huile sur toile
H. 54 ; L. 64,5
Amsterdam, Rijksmuseum Vincent van Gogh
(Fondation Vincent van Gogh ; Inv. s 197V/1962)
F 310 : *Champ de blé*
CdA 408 : *Id.*

Le thème simple et naturel du champ de blé aux environs de Paris exclut toute recherche d'un emplacement spécifique. Nous avons ici l'image universelle d'un champ à demi moissonné, avec le chaume au premier plan et les épis qui se balancent dans la brise à l'arrière-plan. Van Gogh devait écrire par la suite, de Saint-Rémy : «Il se pourrait qu'à Paris tu aies parfois une vraie pensée des champs» (*LT* 603). Bien qu'il s'agisse d'une œuvre intensément impressionniste quant à la touche et la coloration, elle témoigne de la rigueur de van Gogh. Le contraste de bleu et d'orangé oppose le ciel et le premier plan, le contraste du vert et du rouge apparaît entre les coquelicots et les tiges des blés. Malgré sa dette à l'égard de l'Impressionnisme, la source la plus immédiate et la plus forte de van Gogh pourrait bien avoir été *La luzerne, Saint-Denis* de Seurat ; exposé au *Salon des Indépendants* à l'automne 1886, ce tableau avait certainement été remarqué par van Gogh (cat. nº 108). On peut aussi citer parmi les influences possibles, surtout pour le traitement «hirsute» de la touche, les envois de Charles Angrand à la même exposition (cat nº 69 et cat. nº 70). Il est enfin possible de voir dans ce tableau comme une anticipation du célèbre *Les champs de blé aux corbeaux* de la période d'Auvers, encore que le symbolisme vaguement menaçant du vol des corbeaux s'oppose trait pour trait à l'envolée lyrique de l'alouette. Les champs de blé chez van Gogh évoquent la fécondité de la terre, et cet exemple de l'époque parisienne annonce nombre de toiles similaires peintes à Arles (fig. a et b).

Cat. nº 53 fig. a   Vincent van Gogh,
Le Champ de blé (F 411).
Amsterdam, Rijksmuseum Vincent van Gogh
(Fondation Vincent van Gogh).

54   *Usines à Clichy*
Eté 1887
Huile sur toile
H. 54 ; L. 72
Saint Louis, The Saint Louis Art Museum
(don Mrs. Mark Steinberg ; Inv. 579-1958)
F 317 : *Les Usines*
CdA 400 : *Les usines (à Asnières).*

Toutes les tentatives faites jusqu'à présent pour identifier le lieu et les usines ici représentées restent sans succès[1]. Le titre choisi, comme J. Rewald l'a fait remarquer, renvoie à un manuscrit de Bernard qui fait état de la présence de cette toile à l'exposition organisée au «Restaurant du Chalet», à la fin de 1887. Bernard était, à l'époque, très proche de van Gogh et habitait en outre à Asnières ; il connaissait donc bien les usines sur les deux rives de la Seine[2]. Pourtant, si l'on considère le grand nombre de cheminées d'usines et de bâtiments répartis sur un vaste terrain, il est probable que van Gogh n'a pas cherché à rendre un paysage industriel réél, comme ce fut le cas par exemple pour un autre tableau *L'usine à Asnières* (Barnes Foundation, F 318). Ces *Usines à Clichy* cherchent simplement à évoquer un lieu plutôt qu'à le représenter en détail, et le texte manuscrit de Bernard en fait l'éloge en ces termes : «Comme il sent fort le gaz et le charbon.»

Ce commentaire de Bernard résume fort bien l'aspect réaliste du tableau, si évident dans la rangée d'usines et de cheminées qui se découpent sur le ciel. Mais en ajoutant le champ du premier plan, rendu dans un style vigoureusement impressionniste, van Gogh a transformé le caractère de la scène : le soleil de l'été dissipe la mélancolie que susciterait normalement une telle scène. Ce motif renvoie à tous les tableaux impressionnistes ou néo-impressionnistes de l'époque, consacrés aux nouvelles implantations industrielles sur les rives de la Seine, comme on le voit chez Pissarro (cat. n° 94) ou chez Guillaumin (cat. n° 82). Van Gogh s'est peut-être plus particulièrement inspiré des *Terrains vagues* peints en 1886 par Charles Angrand (cat. n° 70). Exposée au *Salon des Indépendants* à l'automne 1886, cette toile-ci traite le même sujet que les *Usines à Clichy*, mais le thème est vu de plus loin et la pente plus accentuée. Van Gogh a emprunté à Angrand non seulement le sujet, mais aussi la technique et la coloration d'ensemble.

Les *Usines à Clichy* illustrent le thème du paysage industriel, déjà abordé pendant la période de La Haye (F 926, F 1040), puis repris à Paris et exploité de nouveau après l'arrivée de van Gogh à Arles. Les deux œuvres d'Arles (F 465 et F 545), où se juxtaposent les cheminées d'usine et la silhouette de la ville à l'horizon avec un champ de blé au premier plan, évoquent fortement ces étranges *Usines à Clichy*[3].

NOTES

1. L'affirmation de Leprohon (*Leprohon*, p. 353) selon laquelle «*Les usines*» (F 317) et «*L'usine*» (F 318) ont été prises du quai de Clichy et représentent l'ancienne usine à gaz, est contredite par de nombreuses photographies d'époque : on n'y trouve ni les terrains vagues entre la Seine et l'usine, ni les énormes gazomètres caractéristiques, représentés par exemple dans la toile célèbre de Signac (illustrée dans *Imp.*, p. 528). *DLF* a malheureusement repris comme titre «*Les Usines*». On trouve sur le châssis de la toile une inscription manuscrite à l'encre : *Die Hüth Werke*. J. Leymarie a aussi donné au tableau le titre de *Les Usines Hüth à Clichy*, dans son *Van Gogh*, Genève, 1977, p. 71.
2. Voir sur ce point les indications de John Rewald, *Post-Imp.*, p. 64, qui cite aussi le texte manuscrit de Bernard.
3. Ce tableau a appartenu au Père Tanguy et a été vendu à E. Blot pour la somme de 100 francs à Drouot, le 2 juin 1894, lot n° 61.

55 | *Nature morte: trois livres*

Début du printemps 1887
Huile sur panneau ovale
(peint sur le couvercle d'une boîte à thé)
H. 31; L. 48,5
Daté en haut à droite: *87*
Amsterdam, Rijksmuseum Vincent van Gogh
(Fondation Vincent van Gogh; Inv. s 181V/1961)
F 335: *Nature Morte, livres*
CdA 350: *Nature Morte: livres (trois)*

Il existe un deuxième tableau, peint comme celui-ci, sur le couvercle d'une boîte à thé, apparenté à *Nature morte: trois livres* et figurant un panier de bulbes en train de germer (F 336); on peut en déduire que ces deux compositions datent du printemps. C'est d'ailleurs vers cette époque que van Gogh rencontre Signac, ce qui explique la touche inspirée du pointillisme. Le choix même du sujet est aussi inspiré de Signac; celui-ci avait déjà composé plusieurs tableaux de natures mortes avec des livres, dont l'un montre un livre jaune sur une surface jaune (fig. a) — la couleur dominante utilisée ici par van Gogh.

Ce n'est pas la première fois que van Gogh représente un roman parisien dans un tableau. Ainsi, dès la période de Nuenen, dans *Nature morte avec une bible ouverte* (fig. b), il oppose la bible symbolisant son père, pasteur, à son intérêt déjà affirmé pour des écrivains français tels que Zola et son roman *La Joie de vivre*. Comme en témoigne ici la référence à un texte d'Isaïe et la bougie éteinte, van Gogh connaissait le thème de la *Vanitas* classique, fréquente dans la tradition hollandaise où le livre symbolise le savoir, comme valeur et nécessité morale que van Gogh associait alors à Zola et à d'autres écrivains français[1]. Les issues fatales ou heureuses des intrigues de la littérature naturaliste lui étaient familières (*W* 3, *LT* 555); le choix des titres montre ici, à l'évidence, un programme soigneusement élaboré. Ainsi, le roman des Goncourt *La Fille Elisa* raconte la vie d'une prostituée et sa mort en prison; celui de Jean Richepin *Braves gens*, l'amitié tragique entre un compositeur de musique et son ami, un mime; quant à *Au Bonheur des Dames* de Zola, la récompense de l'héroïne vertueuse qui épouse son employeur, le directeur d'un grand magasin. Tous ces récits se déroulent à Paris et décrivent, dans le détail, les usages de la vie parisienne, ce que résume bien le sous-titre, à peine lisible, «Romans parisiens» sur la couverture de *Braves Gens*. Par ce genre de romans van Gogh trouvait à satisfaire un besoin de naturalisme; de plus, comme il l'écrivait à sa sœur: «L'œuvre des naturalistes français, Zola, Flaubert, Guy de Maupassant, Goncourt, Richepin, Huysmans est magnifique, et il est difficile de dire que l'on appartient vraiment à son époque si l'on n'en a pas connaissance» (*W* 1). Somme toute, ce petit tableau ne marque pas seulement une étape entre *La Bible ouverte* (fig. b) et les autres œuvres avec romans parisiens de la fin de l'année 1887, mais il contient l'affirmation que son art doit être jugé de la même façon que la littérature française qui lui est contemporaine.

NOTES

1. Pour des études sur les relations de van Gogh avec les traditions artistiques hollandaises et la littérature française voir C. Nordenfalk, «Van Gogh and literature», in *Journal of the Warburg and Courtauld Institutes*, X, 1947, p. 132-147; J. Seznec, «Literary Inspiration in Van Gogh», in *Magazine of Art*, 1950, p. 282-307; J. Bialostocki, «Books of Wisdom and Books of Vanity», in *In Memoriam J.C. van Gelder, 1903-1980*, Utrecht, 1982, p. 37-67.

Cat. n° 55 fig. a Signac, *Nature morte. Livre jaune.* Paris, collection particulière.

Cat. n° 55 fig. b   Vincent van Gogh,
Nature morte: Bible ouverte (F 117).
Amsterdam, Rijksmuseum Vincent van Gogh
(Fondation Vincent van Gogh).

56 | *Romans parisiens*

Automne 1887
Huile sur toile
H. 73; L. 93
Suisse, collection particulière
F 359: *Les livres jaunes (Romans parisiens)*
CdA 447: *Id.*

Romans parisiens fut exposée sous ce titre à la *IVᵉ Exposition de la Société des Artistes Indépendants,* au printemps de 1888. Dans une lettre à Theo (*LT* 468), il apparaît clairement que c'est celui-ci qui avait proposé de la présenter aux Indépendants, en même temps que les deux paysages (cat. nº 51 et nº 52) choisis par Vincent, mais que c'est le peintre qui lui attribua son titre. Il s'agit, en fait, du sous-titre du roman de Jean Richepin *Braves gens,* paru en 1886 et déjà représenté par van Gogh dans son tableau *Nature morte avec trois livres* (cat. nº 55). Bien que dans *Romans parisiens,* les titres ne soient lisibles sur aucun des livres représentés, van Gogh a certainement fait porter son choix sur des auteurs naturalistes français; il cite d'ailleurs six de ces auteurs dans la première des lettres à sa sœur Willemina qui nous sont parvenues et lui en recommande la lecture, donnant son opinion: «L'œuvre des naturalistes français... est magnifique, et il est bien difficile de dire que l'on appartient vraiment à son époque si l'on n'en a pas connaissance» (*W* 1). Plus tard, dans une autre lettre à Willemina (*W* 3), il écrit à propos de Zola et de Maupassant: «L'art d'aujourd'hui veut absolument quelque chose de très riche, quelque chose de très joyeux» et que «la même tendance commence à devenir la règle en peinture»[1]. Il ne fait donc aucun doute que, dans son hommage aux romans parisiens de la littérature naturaliste française, van Gogh tenta de parvenir à quelque chose de «très riche et de très joyeux» comparable à ce qu'il admirait dans ses lectures préférées. Il peint, en guise de signature, un verre avec des roses: cette fleur qui figure dans l'emblème de la famille van Gogh rend son hommage encore plus émouvant[2].

Par son sujet, *Romans parisiens* n'appartient à aucune des grandes tendances de la peinture en France, réaliste ou impressionniste. Cependant, le portrait de 1879, aux couleurs brillantes, que fit Degas de son ami le romancier réaliste et critique d'art *Edmond Duranty* (Glasgow, Art Gallery and Museum, fig. a), a certainement suscité un intérêt particulier chez Vincent, surtout s'il connaissait l'interprétation de J.-K. Huysmans qui y voyait une preuve de l'admiration de Degas pour Delacroix[3]. Par le style, *Romans parisiens* est encore plus unique, même dans l'œuvre de van Gogh. Le critique Gustave Kahn fit, à son habitude,

NOTES

1. La traduction du passage d'une lettre de Vincent à sa sœur (écrite en hollandais; *W* 3) «Sept Romans Parisiens», malheureusement erronée, a donné à penser que l'artiste mentionnait le nombre de romans représentés dans sa nature morte. En fait, la traduction correcte est: «ma peinture romans parisiens». Van Gogh a utilisé une abréviation pour peinture (schᵞ, c'est-à-dire «Schilderij») fréquente dans ses lettres en hollandais au peintre Anthon van Rappard (R 30, 31, 35, 46, 48); je remercie Jan Hulsker pour ses informations qui viennent confirmer cette thèse.
2. *Complete Letters,* p. XV.
3. K. Roberts, *Degas,* Oxford, 1982, 2ᵉ éd., nº 33 (pour une reproduction en couleur), fig. 29 (pour un dessin de la bibliothèque et un bureau avec des livres, mais pas de personnage, conservé au Metropolitan Museum de New York). Le tableau *Edmond Duranty* resta dans la collection de Degas jusqu'à sa mort. (*Lemoisne,* vol. 2, cat. nº 517.)
4. G. Kahn, *La Revue Indépendante,* 1888, p. 163. La toile figurait sous le nº 658 au catalogue des Indépendants de 1888.
5. A.S. Hartrick (*Hartrick,* p. 46) le premier, a remarqué que, dans cette peinture, van Gogh tente d'imiter la texture des crépons japonais.
6. Ces commentaires (*LT* 555) renforcent l'opinion qui a parfois été avancée, selon laquelle l'autre version de la nature morte *Romans parisiens* (F 358) pourrait, en fait, être une copie exécutée de mémoire par Vincent à Arles, dans le style pratiqué alors.

Cat. nº 56 fig. a Degas,
Edmond Duranty (1879).
Glasgow, Art Gallery and Museum.

Cat. n° 56 fig. b Crépon japonais.
Amsterdam, Rijksmuseum Vincent van Gogh
(Fondation van Gogh).

preuve de perspicacité quand il décrivit le tableau en ces termes : «Vers une tapisserie s'oriente une multitude polychrome de livres» il ajouta cependant cette remarque négative : «Ce motif, bon pour une étude, ne peut être un prétexte à tableaux.»[4] L'effet de tapisserie que note G. Kahn trouvait sa source principale dans l'art japonais, en particulier dans les estampes en couleur, sur crépon, que van Gogh collectionnait (fig. b) et dont il intégra la surface chiffonnée dans son propre langage pictural[5]. En ce qui concerne la facture, on note encore la présence d'un grand nombre de hachures, typiques des tableaux des derniers mois de l'année 1887, et l'utilisation de couleurs riches, souvent groupées, selon l'habitude du peintre, par contrastes de «complémentaires». Notons qu'il fit la connaissance de Guillaumin, conduit à l'appartement des van Gogh par Portier, alors qu'il travaillait à cette toile. Quand, plus tard à Arles, van Gogh travaillera à la première version de *La chambre de Vincent à Arles* (F 482, Amsterdam, Rijksmuseum Vincent van Gogh), il en prônera la facture «plus mâle et plus simple» que celle de *Romans parisiens* car elle ne comportait «pas de pointillé, pas de hachures», tout en reconnaissant : «Cette chambre à coucher est quelque chose comme cette nature morte des Romans parisiens.»[6] Ceci montre bien que, par la suite, van Gogh ne devait pas considérer la période parisienne comme inutile pour son travail du moment. Il devait y voir plutôt la base nécessaire, à partir de laquelle son style personnel pouvait évoluer toujours plus avant.

57 | *Nature morte avec statuette en plâtre et livres*
Fin 1887
Huile sur toile
H. 55; L. 46,5
Otterlo, Rijksmuseum Kröller-Müller (Inv. 265-12)
F 360: *Nature morte avec statuette en plâtre*
CdA 445: *Nature morte avec statuette en plâtre*
(avec rose et deux livres)

Comme le dernier autoportrait parisien de van Gogh (cat. n° 68), cette nature morte est une sorte d'adieu à la capitale. Elle a en commun, avec le tableau de plus grand format figurant également une statuette en plâtre (F 216), la touche large et striée caractéristique de la fin de 1887 et le contraste fondamental des couleurs jaune et bleu qui annoncent clairement les périodes d'Arles, de Saint-Rémy et d'Auvers-sur-Oise. Ce tableau contient un deuxième contraste: celui du rouge et du vert dans les roses, en bas à gauche, qui est peut-être une allusion aux armes de la famille van Gogh[1]. Et si le peintre n'abandonne pas vraiment la lecture passionnée des «romans parisiens» après son départ pour Arles, il ne reprendra plus le motif de la statuette, devenu inutile après qu'il a renouvelé sa conception du modèle humain, grâce au contact, de nouveau établi avec le monde paysan. Mais il ne faut en aucun cas examiner ce tableau uniquement à la lumière du style d'Arles qu'il anticipe. L'influence de la *Nature morte: oranges, pomme et livre « Au soleil»* de Signac (cat. n° 111) sur van Gogh est manifeste puisqu'il a choisi le même roman de Maupassant, à couverture bleue, que Signac[2].

Ce tableau contient aussi des éléments tout à fait explicites de japonisme, — tel le rappel de la texture des crépons japonais (cat. n° 56 et n° 66) — mais aussi de «cloisonnisme», avec l'utilisation, par endroits bien délimités, de couleurs saturées. Cette nature morte reste un des tableaux les plus chargés de symboles de l'œuvre de van Gogh; le rapport de la statuette «sans vie» avec les héros de *Bel-Ami*, de Maupassant et de *Germinie Lacerteux*, des frères Goncourt, peut s'interpréter comme une recherche de vie, en opposition au caractère éphémère des personnages décrits dans les romans. Par son attitude, la statuette en plâtre, symbole de survie, renvoie ainsi aux récits de ces romans modernes et la présence des roses, à la famille van Gogh elle-même.

NOTES

1. Voir *1981, Toronto*, p. 116, 117 pour une analyse plus approfondie de ce sujet et une bibliographie.
2. Mis en avant pour la première fois par A.M. Hammacher, *1962, Londres*.

58 | *Quatre fleurs de tournesol*
Vers la fin de l'été 1887
Huile sur toile
H. 60 ; L. 100
Otterlo, Rijksmuseum Kröller-Müller (Inv. 279-08)
F 452 : *Fleurs de tournesol*
CdA 444 : *Fleurs de tournesol (quatre)*

Dans une lettre d'Arles à Theo, Vincent déclarait : «Tu sais que Jeannin a la pivoine, que Quost a la rose trémière, mais moi j'ai un peu le tournesol» (*LT* 573), revendication bien modeste quand on sait à quel point les fleurs de tournesol sont universellement associées à la célébrité de Vincent. Bien entendu, le sujet n'était pas de son invention et parmi les impressionnistes il y avait des précédents d'importance, chez Monet par exemple[1]. Van Gogh a pu les voir, mais ils ont plutôt influencé les tableaux peints à Arles : des natures mortes avec des fleurs de tournesol en bouquet dans un vase. Au contraire, les quatre tableaux dont il s'agit, de la fin de la période parisienne, ne montrent que deux ou quatre fleurs coupées et posées sur une table. De plus, si Vincent à Arles a utilisé, comme Monet, des fleurs plus petites, de jardin d'agrément (F 1457), les fleurs de Paris, plus grandes, sont celles du *Jardin aux tournesols* (F 388 verso), certainement un jardin potager sur le versant de la Butte Montmartre comme on en voit beaucoup dans les tableaux de Vincent (cat. n° 52). Il avait, en effet, représenté des paysages avec des fleurs de tournesol bien avant d'en faire des natures mortes à la fin de 1887 (cat. n° 6 et F 264a, F 1411, F 1720). Du point de vue formel et iconographique, les véritables antécédents de ce tableau, ainsi que des œuvres en rapport (F 375, F 376, F 377), sont les nids d'oiseaux peints à Nuenen (F 109 recto à F 112). Il les décrivait alors comme des études naturalistes (*LT* 425, *LT* 428), mais l'œuf dans le nid est également symbole de fécondité et de vie.

Par sa grande dimension et la parfaite maîtrise de la couleur et de la composition, *Quatre fleurs de tournesol* peut être considéré comme un des chefs-d'œuvre de la période parisienne. Il a été constaté[2] que les deux fleurs de droite reprennent la composition des *Fleurs de tournesol* du Metropolitan Museum of Art de New York (F 375) qui serait donc une étude ; à gauche de la grande composition, Vincent a disposé deux fleurs semblables à celles de la version du Kunstmuseum de Berne (F 376) mais la position est légèrement différente et les couleurs modifiées. Vincent utilise, suivant son habitude, les contrastes de couleurs com-

NOTES

1. Cf. W 628, 629.
2. *1984, New York*, p. 36, 37.
3. Cette hypothèse a été avancée par Tellegen (voir ci-dessus, INTRODUCTION, note 41). Les tableaux en question (F 375 et F 376) furent acquis ensuite par le marchand A. Vollard qui vendit *Tournesols* (F 376) à Degas. Au sujet des dates de floraison des tournesols, voir cat. n° 6 note 2.

plémentaires, insistant ici sur l'opposition du bleu et de l'orangé qui contribue à la force expressive du tableau, et qui est aussi symbole de l'été. Déjà à Nuenen, il associait les trois contrastes de couleurs complémentaires — ainsi que l'opposition du noir et du blanc — à des allégories des quatre saisons, affirmant : «... l'été est tout entier dans l'opposition des bleus et l'élément orangé ou bronze doré des blés...» (*LT* 372). Cette expression serait tout à fait appropriée pour caractériser les fleurs de tournesol qui, par essence, font allusion aux forces rayonnantes de la vie. Ainsi, deux des tableaux de tournesols parisiens, exposés à la fin de 1887 au Restaurant du Chalet et échangés contre des peintures de Gauguin[5], annoncent les célèbres œuvres d'Arles. On peut donc se demander si Vincent avait terminé cette version à temps pour la présenter à l'exposition, ou bien s'il l'exécuta plus tard pour que Theo et lui-même en conservent une interprétation en remplacement des deux peintures données à Gauguin. Dans les deux cas, ce tableau transcende manifestement le style impressionniste et contient déjà «en germe» les éléments d'une approche symboliste de sa peinture.

59 | *Nature morte, panier rempli de pommes*
Vers le début de l'automne 1887
Huile sur toile
H. 50 ; L. 61
Inscrit et signé en bas à gauche *A l'ami Lucien Pissaro Vincent*
Otterlo, Rijksmuseum Kröller-Müller (Inv. 261-12)
F 378 ; CdA 453

La dédidace de ce tableau (malgré la faute d'orthographe au nom du destinataire), témoigne de l'amitié qui liait les frères van Gogh à Camille Pissarro et à son fils Lucien : à l'automne 1887, Vincent donnait à ce jeune artiste débutant une toile importante en échange de quelques gravures sur bois[1].

Ce n'était pas seulement une marque d'amitié, mais aussi le début d'une relation d'affaires. En effet, malgré les difficultés que rencontrait Camille Pissarro pour vendre ses toiles, Theo lui en avait, pour la première fois, acheté une en août, ce qui redonna de l'espoir au peintre découragé (cat. n° 97). Vincent offrit une autre version de ce même tableau à Alexander Reid alors que celui-ci était encore à Paris, mais sans dédicace (*LT* 473). Sur le point d'exécuter une troisième étude sur ce même sujet, il se souviendra de l'échange avec Pissarro (*LT* 467).

Le style et les couleurs brillantes, par les contrastes de teintes complémentaires librement disposées, rapprochent ce tableau de deux autres natures mortes datant de la fin de 1887 (cat. n° 60 et n° 61). Cette toile donne l'impression, par l'effet de halo autour du panier, que celui-ci est en apesanteur : ce procédé, que van Gogh réservait habituellement au portrait, se révèle avoir ici tout autant d'efficacité stylistique. Ce tableau, mieux qu'aucune autre nature morte de l'époque parisienne, annonce de façon manifeste, par sa perfection même, celui qu'il peindra à Arles (F 502). C'est aussi la seule toile de cette période dédicacée à un artiste contemporain.

NOTES

1. Lucien Pissarro rapporta cet échange dans une lettre du 26 janvier 1928 au Dr. Paul Gachet (*Lettres Impressionnistes au Dr. Gachet et à Murer*, Paris, 1957, p. 54, 55).
Les gravures, conservées au Rijksmuseum Vincent van Gogh d'Amsterdam, datent de 1884 à 1886. Je suis reconnaissante à Christopher Lloyd, conservateur à l'Ashmolean Museum, Oxford, de m'avoir aidée à les identifier in Alan Fern, *The Wood Engravings of Lucien Pissarro with a Catalogue Raisonné*, University of Chicago, 1960.

à l'ami Lucien Pissaro
Vincent

60 | *Nature morte : raisins*

Vers le début de l'automne 1887
Huile sur toile
H. 34 ; L. 47,5
Amsterdam, Rijksmuseum Vincent van Gogh
(Fondation Vincent van Gogh ; Inv. s 194V/1962)

F 603 : *Raisins*
CdA 449 : *Nature morte : raisins*

Parmi les sujets de nature morte traités par van Gogh durant les six derniers mois de son séjour à Paris, les thèmes de fruits et de légumes occupent une place prépondérante. Dans la mesure où, pendant tout l'été 1887, van Gogh s'attache essentiellement à peindre des paysages, ces tableaux de nature morte — tous traités comme des œuvres d'art à part entière — ont été pour la plupart réalisés au plus tôt à la fin de l'été et dans le courant de l'automne, quand les fruits représentés sont encore de saison. Van Gogh accordait une importance toute particulière à cette série de natures mortes ; il en donna deux à ses amis, Alexander Reid (F 379) et Lucien Pissarro (cat. n° 59), et il en agrémenta une troisième *Pommes, raisins et poires* (fig. a) d'un cadre peint en jaune ; il a représenté celle-ci, en haut à gauche, dans l'un de ses portraits du Père Tanguy (F 364) elle y est entourée d'estampes japonaises. Avant de partir pour Arles, il l'a dédicacée à Theo et lui en a fait cadeau[1]. Par le thème, la conception picturale et la vigueur de la touche, cette peinture, ainsi que son pendant de l'Art Institute de Chicago (F 382) et même les *Raisins*, présentent une grande ressemblance avec le tableau de Monet *Poires et raisins* (cat. n° 90). On perçoit à quel point Vincent était redevable à l'égard de cette toile de Monet ou d'une autre nature morte du même type. On retrouve cette touche en « zébrure » qui caractérise *Romans parisiens* (cat. n° 56) dans l'ensemble des natures mortes réalisées par van Gogh à la fin de 1887 ; elle y produit un effet de surface analogue à celui des crépons japonais.

Autre trait dominant qu'on retrouve dans plusieurs de ses natures mortes : la tendance à la monochromie dont la manifestation la plus spectaculaire est le jaune dominant toute la surface de *Pommes, raisins et poires*. Elle intervient aussi comme un élément essentiel du fond dans d'autres tableaux, parmi lesquels *Raisins*. Ici, le choix du fond jaune est tout à fait délibéré : l'examen de plusieurs craquelures fait apparaître, en effet, que le fond était à l'origine bleu, ce qui laisse à penser que le choix final du jaune a été fait en fonction de l'utilisation, en soi quelque peu arbitraire, de cette même couleur pour les raisins « blancs ». Hormis le contraste entre le jaune et sa couleur complémentaire le rouge-violet pour les raisins plus sombres, la tendance à introduire de larges portions monochromes

NOTES

1. Le caractère saisonnier des fruits représentés est en contradiction avec l'idée selon laquelle la dédidace « A mon frère Theo » aurait été faite pour l'anniversaire de celui-ci, en mai. Quant au cadre peint, l'idée en revenait essentiellement à Seurat ; van Gogh a certainement vu exposées des œuvres de Seurat avec de tels cadres ; il a pu aussi en voir lors de la visite qu'il lui rendit dans son atelier, à la fin de son séjour à Paris (*LT* 553a) ; dans une lettre datée d'Arles il y voit une formule à retenir (*LT* 555).
2. Ch. Blanc, *Grammaire des Arts du Dessin*, Paris, 1880, p. 570.

Cat. n° 60 fig. a   Vincent van Gogh,
Nature morte : pommes, raisins et poires (F 383).
Amsterdam, Rijksmuseum Vincent van Gogh
(Fondation Vincent van Gogh).

peut être interprétée comme une combinaison des approches théoriques occidentales et japonaises. Van Gogh avait lu les textes de Charles Blanc, le vulgarisateur le plus important des théories de la couleur de E. Chevreul. Il connaissait aussi les conceptions attribuées à Delacroix que celui-ci partageait avec d'autres artistes orientalisants, faisaient intervenir dans la mise en jeu d'une seule couleur un principe de vibration destiné à éviter un effet de monotonie. Comme Ch. Blanc l'écrivait, «... il faisait tressaillir sa surface par le ton sur ton...»[2]. En dépit de l'introduction d'autres contrastes mineurs, ici celui de l'assiette bleue avec la couleur orangée de quelques raisins, van Gogh s'applique alors principalement à travailler une ou deux couleurs dominantes, avec ce que Chevreul et Blanc appelaient des «gradations» de couleurs et de tons. Cette recherche devait finalement le conduire à ces effets de vibrations monochromes qu'on trouve dans les peintures de la période d'Arles et par la suite dans ses paysages. Ainsi les natures mortes réalisées à la fin de son séjour parisien doivent être considérées comme un prélude particulièrement brillant à son œuvre ultérieure.

61   *Nature morte: choux rouges et oignons*

Automne 1887
Huile sur toile
H. 50; L. 65
Amsterdam, Rijksmuseum Vincent van Gogh
(Fondation Vincent van Gogh; Inv. s 82V/1962)
F 374; CdA 448

Cette vibrante nature morte illustre à la fois la touche hautement personnalisée de van Gogh à la fin de 1887 et son effort constant pour se libérer des tons rompus (mêlés) et n'utiliser que des couleurs pures, groupées par complémentaires. La disposition des choux rouges sur les feuilles vertes constitue le principal contraste de couleurs primaires avec en mineur, le contraste du violet et du jaune. Aucun autre tableau ne rend mieux compte de la liberté avec laquelle van Gogh appliquait les théories sur la couleur (*Lettre* 459a) à la fin de son séjour à Paris. Son pendant, la nature morte *Nature morte: raisins* (cat. 60), utilise d'ailleurs le même contraste fondamental de violet et de jaune. Ici, à la différence de Cézanne qui construisait soigneusement ses compositions de fruits, Vincent semble avoir posé ces légumes comme au hasard; pourtant, le résultat est aussi satisfaisant — et peut-être aussi étudié — que dans le cas de Cézanne dont il pouvait voir des toiles chez le Père Tanguy. Par ses qualités japonisantes ce tableau est comparable à plusieurs œuvres de cette même période (cat. n° 57 et n° 59).

Van Gogh innove peu dans le choix du thème; ses premiers tableaux, en effet, représentaient aussi de simples choux et des oignons (F 1, F 104, F 928), comme Renoir (cat. n° 103). Mais la touche passionnée que Bernard qualifiait de «zébrure», et les couleurs pures «sorties du tube» caractérisent ici la manière du peintre dont les Fauves s'inspirèrent plus tard[1]. Ce tableau témoigne ainsi à la fois de la fidélité de van Gogh à un Réalisme fondamental aux origines hollandaises et françaises et d'un style personnel qui ne doit rien à ses contemporains parisiens. A Arles, il continuera d'évoluer dans ce sens, ainsi qu'en témoigne la *Nature morte: planche à dessin avec des oignons* (F 604, Otterlo Rijksmuseum Kröller-Müller).

NOTES

1. Bernard décrivit cette phase du style de van Gogh: «de grandes barres complémentaires se suivent selon un parallélisme approprié à la forme» et il précise qu'il devait continuer dans cette voie avec les tableaux d'Arles (*Souvenirs,* p. 400).

62 *Japonaiserie, pont sous la pluie, d'après Hiroshige*

Fin 1887
Huile sur toile
H. 73 ; L. 54
Amsterdam, Rijksmuseum Vincent van Gogh
(Fondation Vincent van Gogh ; Inv. s 114V/1962)
F 372 ; CdA 403

Des trois tableaux que van Gogh exécuta d'après des estampes japonaises, celui-ci est le deuxième par la taille ; avec son cadre peint, il mesure environ le double de l'estampe de Hiroshige (fig. a). Bien que l'un d'entre eux n'ait pas été retrouvé, on pense généralement que pour les «transpositions» van Gogh a fait un dessin préparatoire — avec mise au carreau — pour ce tableau, comme pour les deux autres de cette série (F 371, *Japonaiserie, l'arbre [prunier en fleurs]* d'après Hiroshige, et F 373, *Japonaiserie [figure]* d'après Keisai), conservés au Rijksmuseum Vincent van Gogh. On est ici frappé par la façon dont Vincent a repris littéralement la composition d'un autre artiste. Mis à part trois dessins, bien antérieurs, d'après Holbein (F 833, F 847, F 848), ces «japonaiseries» sont les premiers exemples de ce type de «copie» et annoncent celles qu'il peindra à Saint-Rémy d'après Rembrandt, Delacroix, Millet et Daumier.

De façon générale, dans les «copies», van Gogh change les couleurs ou les intensifie ; celles exécutées d'après les estampes japonaises sont caractéristiques du style de la fin de la période parisienne — portraits ou natures mortes. Ainsi dans le tableau *Pont sous la pluie*, van Gogh substitue au vert pâle de l'eau et aux ombres grisées du ciel, des verts et des bleus plus intenses ; le brun-orangé du pont est remplacé par un jaune-orangé plus lumineux qui semble un défi au mauvais temps. Et c'est seulement dans les deux cartels verticaux que l'estampe emploie un rouge comparable, par sa pureté, à celui de van Gogh ; celui-ci cependant enrichit le registre des couleurs par l'utilisation presque exclusive du contraste du rouge et du vert et l'anime par quelques colophons et de multiples caractères japonais, reprenant parfois ceux du modèle. D'ailleurs, l'estampe *L'Ohashi sous la pluie* est incontestablement un des chefs-d'œuvre de la dernière suite de Hiroshige, «Cent vues de Yedo», et il n'est pas étonnant que cette image ait séduit van Gogh qui en a d'ailleurs tiré brillamment parti.

Cat. n° 62 fig. a   Hiroshige, *L'Ohashi sous la pluie*
Amsterdam, Rijksmuseum Vincent van Gogh
(Fondation Vincent van Gogh).

NOTES

1. Cette étude fut également publiée en 1885 dans Th. Duret, *Critique d'Avant-garde*, Paris, 1885, p. 3, 4. Th. Duret cite les passages importants du texte français et la traduction anglaise. Il offrit un exemplaire de son ouvrage à Theo van Gogh à une date inconnue, vraisemblablement peu de temps après sa publication en 1885.
2. Van Gogh fait peut-être référence à la rivière avec barque et rameur de cette estampe, dans un tableau de style impressionniste *Bords de la Seine* (fig. b).

On sait que l'idée que van Gogh se faisait de l'art japonais a été influencée par le texte de Théodore Duret «L'art japonais» de 1884[1]. Non seulement l'auteur insistait sur le rôle que cette civilisation avait déjà joué pour les impressionnistes, mais il ajoutait que se promener au «bord de la Seine, à Asnières par exemple» était un moyen de découvrir le Japon tout autant que regarder un album d'estampes; van Gogh avait certainement été sensible à cette analogie quand il partait peindre à Asnières[2]. Le motif du pont, celui d'Asnières ou d'une estampe japonaise, lui permettait ainsi de faire se rejoindre ses intérêts pour l'Impressionnisme et pour l'art japonais. Plus tard à Arles, il reprit cette idée : «L'art japonais en décadence dans sa patrie, reprend racine dans les artistes français impressionnistes» (*LT* 510). Cette toile est considérée, à juste titre, comme la plus japonisante de Vincent; elle est aussi un témoignage éclatant de la synthèse qu'il sut opérer entre l'art oriental et l'art occidental à la fin de 1887.

63 *Portrait de l'artiste par lui-même, à l'estampe japonaise*

Fin 1887
Huile sur toile
H. 44; L. 35
Bâle, Kunstmuseum (Fondation Dr. h.c. Emile Dreyfus; Inv. G 1970-7)
F 319; CdA 461

Le titre de ce tableau pourrait être inexact car il n'est pas certain que la silhouette féminine, en haut à droite, soit vêtue à l'orientale plutôt qu'à l'occidentale. Pourtant, c'est, par l'esprit, un des portraits les plus japonisants de van Gogh. La petite silhouette est utilisée ici de la même façon que dans un portrait du Père Tanguy de l'automne 1887 (cat. nº 65 fig. a) et dans le tableau *La femme au tambourin* (cat. nº 24). De plus, van Gogh utilise pour cet autoportrait des rectangles hachurés qui jouent le même rôle décoratif que les estampes japonaises tapissant le fond des deux portraits du Père Tanguy de la fin de 1887 (cat. nº 64 et nº 65) ou les rectangles à peine esquissés du tableau *La femme au tambourin*. En utilisant sur tout le fond du tableau de larges hachures de couleurs, qualifiées de «zébrures» par E. Bernard (cat. nº 61), Vincent faisait référence à la texture rugueuse du papier crépon utilisé pour les estampes japonaises bon marché qu'il possédait d'ailleurs en grand nombre (cat. nº 56 fig. b)[1]. On retrouve cette même touche, bien qu'avec des formulations différentes, dans la plupart des tableaux peints à la fin de 1887, quel qu'en soit le sujet; il s'agit donc bien d'un trait caractéristique de cette période japonisante. Il consiste, pour l'essentiel, en une simplification de la touche pointilliste, commune à beaucoup de paysages d'Asnières de l'été précédent, et annonce également la technique d'Arles et des périodes ultérieures.

De par cette affinité stylistique, le regard de Vincent perd ici l'intensité psychologique qu'on trouve dans tant de ses autoportraits: il se détourne même du spectateur. Mis à part le bleu de la veste et l'orangé de la barbe qui restent fidèles au ton local des motifs représentés, van Gogh utilise librement les couleurs pures, directement sorties du tube, annonçant ainsi sa production ultérieure et le Fauvisme. Malgré des différences évidentes de style, *Portrait de l'artiste par lui-même* a beaucoup de points communs avec son autoportrait *Portrait de l'artiste par lui-même au chevalet* (cat. nº 68) de janvier 1888.

NOTES

1. A.S. Hartrick se souvient avoir vu de tels crépons japonais lors d'une visite chez les van Gogh, rue Lepic; les explications de Vincent l'avaient convaincu de leur importance, dans son développement artistique (*Hartrick*, p. 46.)

64 | *Le Père Tanguy*
Fin 1887
Mine de plomb
Dessiné au dos d'un menu du «Grand Bouillon — Restaurant du Chalet»
H. 21,5; L. 13,5
Amsterdam, Rijksmuseum Vincent van Gogh
(Fondation Vincent van Gogh; Inv. d 174V/1962)
F 1412; CdA 460 A

Ce dessin figure au dos d'un menu du «Restaurant du Chalet» (fig. a), où Vincent van Gogh organisa, à la fin de l'année 1887, une exposition de ses œuvres et de celles de ses amis, les peintres du «Petit Boulevard». Logiquement, il aurait pu avoir été exécuté au restaurant même, pendant l'exposition où figurait, d'ailleurs, le portrait peint du Père Tanguy (cat. n° 65)[1]. Mais van Gogh n'a sans doute pas utilisé ces menus sur place, car parmi les autres dessins réalisés au dos de tels menus, il a représenté un nu à sa toilette (F 1376) et un couple se promenant dans un champ de tournesols (F 1720). Dans le cas du *Père Tanguy*, aucun document n'indique que van Gogh ait montré des estampes japonaises, du type de celles qu'on voit derrière le modèle, au «Restaurant du Chalet», avant ou pendant son exposition. Il paraît plus logique de penser que van Gogh a eu l'idée du portrait, dans son propre appartement où, on le sait, il accrochait parfois des estampes japonaises[2]. Celle qui se trouve derrière la tête du modèle n'est pas seulement une vue du Fuji-Yama comme dans le tableau du Musée Rodin (cat. n° 65) mais la partie supérieure d'une autre estampe, *Le Fuji-Yama vu de la rivière Ségame*, de la série de trente-six vues du Fuji-Yama de Hiroshige, qui était dans la collection des frères van Gogh, ou que Vincent avait eu en dépôt de chez S. Bing[3]. Mis à part la formation d'hirondelles (voir les études F 1244 recto et verso), van Gogh conserve, pour l'essentiel, la composition d'Hiroshige avec le sommet du Fuji-Yama couvert de neige, une autre montagne, moins haute, en bleu à droite, la nappe d'eau et les plantes aquatiques, certaines assez hautes pour dissimuler en partie la montagne.

Bien que, par la conception d'ensemble, cette étude reste réaliste, l'utilisation de hachures témoigne d'une technique plus avancée, comparable à celle du portrait du *Père Tanguy* du musée Rodin et d'un autre dessin au crayon, au dos d'un menu du Restaurant du Chalet (F 1714) sur lequel on voit deux musiciens appartenant peut-être à l'orchestre de la grande salle de bal à l'arrière du restaurant[4].

NOTES

1. Bernard rapporte que ce tableau figurait à l'exposition du Restaurant du Chalet. (*1979, Londres*, p. 64.)
2. Bernard ne mentionne pas la présence d'estampes japonaises dans la boutique du Père Tanguy dont il était un habitué (E. Bernard, «Julien Tanguy» in *Mercure de France*, LXXXIV, décembre 1908, p. 600-616).
3. *1978, Amsterdam*, cat. n° 47c.
4. Archives de Paris, cadastre, 43, avenue de Clichy.

Cat. n° 64 fig. a   Menu du Restaurant du Chalet, 43, avenue de Clichy. Amsterdam, Rijksmuseum Vincent van Gogh (Fondation Vincent van Gogh).

65 | *Portrait du Père Tanguy*
Automne 1887
Huile sur toile
H. 92; L. 75
Paris, Musée Rodin (Inv. PO. 73.2)
F 363; CdA 459

NOTES

1. F. Orton pense également que le portrait de la collection Niarchos précède celui du musée Rodin (F. Orthon, «Vincent's interest in japonese Prints: Vincent van Gogh in Paris, 1886-1887» in *Vincent: Bulletin of the Rijksmuseum Vincent van Gogh*, I, 3, 1971, p. 2-12).
2. *1981, Toronto*, p. 108, 109.
3. Ce paysage peut être identifié à *The Noritomo shrine at the Yoshitsune cherry tree* (*1978, Amsterdam*, cat. n° 462).
4. Elle semble une libre interprétation de celle de Hiroshige II: *Morning Glory and Goldfinch* (*1978 Amsterdam*, cat. n° 57 a).
5. La représentation du mont Fuji dans la version Niarchos est une interprétation (la position des arbres est inversée) d'une autre estampe que possédait van Gogh (*1978, Amsterdam*, cat. n° 47 c).
6. Ch. Blanc, *Grammaire des arts du dessin. architecture, sculpture, peinture*, Paris, 1881 (IVᵉ ed.) p. 567-569.
7. Pour une interprétation récente, voir: T. Kodera, «Japan as primitivistic Utopia: van Gogh's Japonist portraits», in *Simolius*, vol. 14, 1984, p. 184-208; E. Bernard, «Julien Tanguy» in *Mercure de France*, LXXXIV, 16 décembre 1908, p. 615.
8. E. Bernard, *Ibid.*, p. 606, dit aussi que Vincent partageait les vues socialistes de Tanguy, bien qu'il ne se soit jamais engagé dans ce mouvement. C'est ce qui ressort d'une lettre de 1888 de Vincent à Bernard (*B* 14). Mais, dès 1883 (*R* 35, *R* 36), Vincent adhérait aux idées de la Révolution française de 1789 («La Révolution française est l'événement le plus important des temps modernes») et de la Constitution («la Constitution de 1789 est l'évangile moderne non moins sublime que celui de l'an I de notre ère»). Pour une étude socio-politique de van Gogh, voir A.M. Hammacher «Van Gogh - Michelet - Zola» in *Vincent*, 1975, n° 3, p. 2-21.

Il est difficile de déterminer lequel des deux portraits du Père Tanguy aux estampes japonaises, celui du musée Rodin ou celui de la collection Niarchos (fig. a), a été peint le premier. De même, les relations entre leur iconographie respective posent un problème. Si quatre des six estampes ont été identifiées pour la version Niarchos ainsi que la représentation d'un tableau de van Gogh, en revanche, le tableau du musée Rodin reste encore en partie à élucider[1]. L'auteur, en accord avec l'avis récemment émis, estime que la version de la collection Niarchos précède celle du musée Rodin car elle est plus réaliste dans la description de la rude figure du modèle, assis devant le mur d'estampes. Cette dernière, au contraire, par son imitation de la matière même des «crépons» japonais, la mise à plat relative du personnage et l'utilisation plus large de couleurs pures sorties «directement du tube», relève d'un japonisme plus élaboré qu'on peut aussi qualifier de style «cloisonniste»[2].

Mise à part la représentation du modeste marchand de couleurs, le seul élément commun aux deux versions est le portrait d'une courtisane par Kunisada. Pour le reste, van Gogh apporte des différences notables; ainsi dans la version du musée Rodin, il remplace par un paysage de neige sa nature morte de fruits (cat. n° 60 fig. a) et substitue, en haut à droite, un paysage à la geisha de la version Niarchos[3]; il fait de même avec son propre tableau représentant une courtisane d'après Kesai Yeisen (F 373) qui remplace les images figurées à droite et en bas; à gauche, il introduit une gravure de fleurs différente[4]. De plus, si l'on se réfère au dessin (cat. n° 64), il montre une vue différente du Fuji-Yama[5]. L'identification précise des sources est ici d'un grand intérêt pour la compréhension des conceptions théoriques de van Gogh.

Ainsi les rectangles, dans le bas du tableau à gauche et à droite, sont formés de rayures associant des contrastes de couleurs complémentaires: le bleu et l'orangé, le rouge et le vert, qui furent pour lui les préoccupations esthétiques essentielles de sa maturité. Ces teintes complémentaires sont réparties sur toute la composition sans tenir compte des couleurs de l'estampe originale, et sans se

Cat. n° 65 fig. a   Vincent van Gogh,
Le Père Tanguy (F 364).
Collection Niarchos.

conformer de façon stricte au «mélange optique» des théories de Chevreul et de Blanc[6]. Van Gogh les dispose suivant les usages qu'il pensait déterminants dans l'art japonais. En cela, il trahissait en quelque sorte les théoriciens français qu'il avait lus assidûment, mais aussi les traditions de l'estampe japonaise tant admirées. Il poursuivait sa propre évolution de coloriste, d'où la qualité exception-nelle de cette toile.

On a vu dans cette image du Père Tanguy par van Gogh une icône d'infinie sagesse[7]. En fait, ces interprétations ont leur origine dans les écrits de Bernard qui établit un parallèle entre cette figure paternelle d'origine bretonne — au passé de communard et devenue légendaire pour sa défense farouche des peintres d'avant-garde pendant les années 1870 et 1880 — et celle d'un Socrate moderne, un bouddha oriental, un saint[8]. Ces qualificatifs attribués, peut-être un peu légèrement, au marchand de couleurs devenu mythique, ne diminuent en rien la richesse iconographique de ce portrait.

66 *L'Italienne: La Segatori?*

Fin 1887
Huile sur toile
H. 81 ; L. 60
Paris, Musée d'Orsay (Inv. R.F. 1965-14)
F 381 : *L'Italienne* (*La Segatori?*)
CdA 462 : *L'Italienne* (*Agostina Segatori*)

Ce tableau est supposé représenter Agostina Segatori, propriétaire du café-restaurant «Le Tambourin». Van Gogh avait déjà fait son portrait (cat. n° 24) et avait eu avec elle des relations commerciales, et peut-être même sentimentales, pendant les six premiers mois de l'année 1887[1]. *L'Italienne* ne comporte aucun élément de lieu ou de costume qui permettrait une identification définitive. Seule une certaine ressemblance dans les traits du visage (les grands yeux, le nez épaté, le menton arrondi et la même frange sur le front) donnerait à penser qu'il s'agit bien de la même personne ; peut-être à tort, car ils avaient rompu pendant l'été précédent (*LT* 462). Il s'agit plutôt d'une bohémienne, ou d'une italienne, type de femme familier à van Gogh, car la plupart des modèles professionnels étaient à l'époque d'origine italienne. D'ailleurs, le peintre n'a peut-être pas réalisé ce portrait d'après modèle, mais il a plutôt associé le souvenir de la Segatori à un archétype populaire[2]. La couleur et le dessin rappellent les estampes japonaises et les images d'Epinal que van Gogh admirait. De plus, le jeu de contraste des couleurs complémentaires se retrouve dans le motif des rayures rouges et vertes formant une sorte de cadre en haut et à droite.

La pose et le sujet de ce tableau rappellent un pastel de Guillaumin, *L'Italienne* (cat. n° 84) mais son style le place en rapport étroit avec les portraits peints par van Gogh à la fin de 1887, comme *Le Père Tanguy* (cat. n° 65). *L'Italienne* annonce aussi les célèbres images de *La Berceuse* (cat. n° 85 fig. a et F 504 à F 508).

NOTES

1. *1981, Toronto*, p. 118 ; et cat. n° 24.
2. Van Gogh savait que la Segatori avait été un modèle célèbre. Corot l'a utilisée à plusieurs reprises, vêtue d'un costume italien, ainsi dans *L'Italienne, Agostina* en 1866 (Washington, National Gallery). Elle a également posé pour Manet : *L'Italienne*, 1860 (Philadelphie, collection particulière), tableau qui était à Portier à l'époque où Vincent habitait à Paris. De plus, les frères van Gogh avaient, dans leur collection, un tableau de Monticelli intitulé *L'Italienne* (Amsterdam, Rijskmuseum Vincent van Gogh).

67 | *Le Crâne*
Fin 1887
Huile sur toile
H. 41,5; L. 31,5
Amsterdam, Rijksmuseum Vincent van Gogh
(Fondation Vincent van Gogh; Inv. s 128V/1963)
F 297 a; CdA 362

Ce tableau, ainsi qu'un autre très proche (F 297, Rijksmuseum Vincent van Gogh), ont sans doute été exécutés vers la même époque. Par le coloris et la touche, ils évoquent les tableaux de natures mortes de 1887 (cat. n° 59 et cat. n° 60 fig. a), bien que d'aspect moins fini; à cet égard, le tableau présenté ici est manifestement inachevé. Van Gogh n'avait certainement pas l'intention de les exposer ou de les vendre. Il faut plutôt y voir une tentative pour mettre au goût du jour, par son style, un des exercices classiques d'atelier qu'il avait pratiqués à l'Académie d'Anvers et à l'atelier Cormon. Il utilise cette fois un crâne qui lui appartient ou qu'il a emprunté. Il emploie le contraste des couleurs complémentaires rouge et vert, d'autant plus mis en valeur dans l'orbite de l'œil qu'il se détache sur un fond jaune. Les «crânes» de Paris sont à rapprocher de son travail à l'Académie d'Anvers où il peignit l'unique autre motif de squelette de son œuvre, et qu'on peut décrire comme un portrait de squelette vu en buste, fumant une cigarette, comme un être vivant. De telles plaisanteries étaient fréquentes dans les ateliers au XIXe siècle et cette toile ne traduit pas seulement le mécontentement de van Gogh à l'encontre des normes de l'enseignement académique, mais elle témoigne aussi de l'aisance avec laquelle il joue avec les thèmes et les symboles de la vie et de la mort[1]. Si l'on observe avec attention le crâne peint à Paris, on remarque qu'il donne une impression de vie car il esquisse comme l'amorce d'un sourire. Il est ainsi évocateur de l'idée de survie par-delà la mort à laquelle van Gogh fait allusion dans un certain nombre de lettres, mentionnant parfois sa propre mort. De Saint-Rémy, il commente ainsi le thème du champ de blé ou du champ avec un moissonneur (*LT* 604): «J'y vis alors l'image de la mort, dans ce sens que l'humanité serait le blé qu'on fauche» et, un peu plus loin, il écrit: «mais cette mort n'a rien de triste» ajoutant qu'il avait essayé de rendre l'aspect «presque... souriant» de la mort. Si les crânes peints à Paris ne semblent pas avoir une telle signification, il n'en demeure pas moins que, décrivant son dernier autoportrait avant le départ pour Arles, il évoquait le thème de la mort (cat. n° 68). Van Gogh connaissait, c'est certain, la signification du crâne dans la peinture hollandaise comme symbole de *vanitas* et du caractère mortel de l'homme. Ne peut-on penser que, s'il associait un autoportrait à la mort, l'image du crâne pouvait évoquer la vie? Si l'on répond par l'affirmative, le choix délibéré de la couleur jaune pour le fond est non seulement approprié, mais essentiel au thème iconographique.

NOTES

1. Ce sujet a été analysé de façon plus approfondie par l'auteur in «Vincent van Gogh, Paul Gauguin and Albert Aurier: The Perception of Life and Death», in *Symbols in Life and Art*, Kingston (Ontario), 1987.

68 | *Portrait de l'artiste par lui-même, au chevalet*
Janvier-février 1888
Huile sur toile
H. 65 ; L. 50,5
Signé et daté en bas à droite *Vincent 88*
Amsterdam, Rijksmuseum Vincent van Gogh
(Fondation Vincent van Gogh ; Inv. S 22V/1962)
F 522 : *Portrait de lui-même*
CdA 464 : *Portrait de l'artiste par lui-même*
(de face vers la droite, au chevalet)

Seul tableau de l'époque parisienne daté de 1888, il s'agit très certainement du dernier autoportrait peint par van Gogh avant son départ pour Arles ; il y attachait d'ailleurs une importance toute particulière. Par son format, cette toile a des antécédents célèbres, par exemple le *Portrait de l'artiste au chevalet* de Rembrandt (fig. a) conservé au musée du Louvre , qui attira tout particulièrement l'attention de van Gogh en février 1888 (CHRONOLOGIE), ainsi que l'autoportrait de Cézanne *Cézanne à la palette* (fig. b)[1]. Rembrandt, avec son autoportrait, avait contribué à créer un genre ; de plus, son réalisme et son coloris typiquement hollandais ont peut-être servi de modèle à l'un des premiers tableaux parisiens de van Gogh, le *Portrait de l'artiste par lui-même, devant son chevalet* (F 181, Amsterdam, Rijksmuseum Vincent van Gogh), dont il a dû se souvenir quand il décida de marquer son départ par un autre tableau sur le même thème. Le tableau de Cézanne a exercé une influence certaine sur van Gogh si l'on en juge par la similitude frappante de la pose, de la main tenant la palette et du chevalet. Vincent avait rencontré Cézanne dans la boutique du Père Tanguy ; il admirait son œuvre et savait que la Provence où il avait l'intention de se rendre était sa terre natale[2].

L'autoportrait, ici présenté, illustre aussi les changements intervenus dans l'utilisation de la couleur depuis un an et plus. Sur la palette, on trouve toute la variété des couleurs du prisme, ce qui justifie la présence des nombreux pinceaux qu'il tient dans la main. Apparemment, les teintes n'ont été mélangées ni sur la palette, ni sur la toile. On peut le constater sur la tunique bleue à laquelle il a superposé un rythme de taches orangées. Le contraste des couleurs complémentaires orangé et bleu domine tout le tableau, celui du rouge et du vert étant limité aux yeux et à une partie de la chevelure.

Quant au style, cet autoportrait est *sui generis* ; à la fin de juin 1888, il écrivit d'ailleurs à sa sœur Willemina : « Je pose d'abord en fait que, selon moi, un portrait de soi peut fournir matière à plusieurs portraits de conceptions très différentes. » Puis il poursuivait, toujours à propos du tableau, par une analyse détaillée de l'emploi exclusif des couleurs pures ; son commentaire le plus révélateur était

NOTES

1. Pour l'autoportrait de Rembrandt peint en 1660, voir J. Foucart, *Les peintures de Rembrandt au Louvre*, Paris, 1982, et pour l'autoportrait de Cézanne, J. Leymarie, *Qui était van Gogh*, 1968, p. 82, qui, le premier, établit cette comparaison.
2. Emile Bernard mentionne une seule rencontre entre van Gogh et Cézanne (E. Bernard, « Julien Tanguy », in *Mercure de France*, LXXXIV, décembre 1908, p. 607) ; il rapporte aussi le jugement sévère que Cézanne portait sur ce qu'il appelait « une peinture de fou », ce qui n'altéra pas l'admiration de van Gogh pour la peinture de Cézanne.
3. Ce livre, *De Kleine Johannes* parut en feuilleton à partir de février 1885 et en livre en 1887.

Cat. n° 68 fig. a Rembrandt,
Portrait de l'artiste au chevalet.
Paris, Musée du Louvre.

Cat. n° 68 fig. b Cézanne,
Cézanne à la palette (1885-87).
Zurich, collection Bührle.

que le visage «ressemble un peu à la tête de la Mort dans le livre de van Eeden»[5] et
plus loin: «On cherche une ressemblance plus profonde que celle du photographe» (*W* 4). D'un point de vue biographique, cet autoportrait reflète l'état
d'épuisement physique et mental de l'artiste; c'est ce qu'implique la référence à
la mort dans la lettre à Willemina ainsi que dans une autre, écrite à Saint-Rémy
(*LT* 604), où il déclare, à propos des autoportraits qu'il peignait à cette époque par
rapport à ceux de la période parisienne: «A présent j'ai l'air plus sain qu'alors et
même beaucoup», et ce malgré les accès répétés de son mal. En dépit de la
tristesse liée à ce souvenir de Paris où, dit-il, «cette maladie couvait», le dernier
autoportrait qu'il y a peint donne une impression de stoïcisme. Il préfigure la
sobriété extrême de l'autoportrait «en bonze» (F 476) où il va encore plus loin
dans sa tentative de rendre les valeurs éternelles à travers le portrait. Il réaffirme
cependant son attachement aux couleurs de l'Impressionnisme et annonce l'art
du portrait des symbolistes par la mise en valeur de l'attitude spirituelle de
l'artiste.

Amis et contemporains de van Gogh

Charles Angrand

(1854-1926)

Né à Criquetot-sur-Ouville (Seine-Maritime), au cœur de la Normandie, Angrand fait ses études à Rouen pour devenir professeur. Il commence sa carrière dans l'enseignement au lycée Corneille, tout en suivant des cours à l'école des Beaux-Arts de la ville. Un poste de répétiteur de mathématiques au collège Chaptal, boulevard des Batignolles, lui permet, en 1882, de consacrer ses heures de loisir à peindre des toiles inspirées du Réalisme et de l'Impressionnisme. Deux ans après son installation à Paris, il devient l'un des membres fondateurs de la *Société des Artistes Indépendants* avec Paul Signac et d'autres artistes, et participe à toutes les expositions néo-impressionnistes du *Salon des Artistes Indépendants*. A la fin de 1886, date de sa rencontre avec van Gogh, Angrand fréquente la boutique du Père Tanguy auquel il donne ses toiles en dépôt. Il se lie d'amitié avec Signac et, plus tard, avec Maximilien Luce auquel il restera fidèle jusqu'à sa mort.

En 1885-1886, il travaille en compagnie de Seurat sur l'île de la Grande-Jatte. Outre son camarade de classe, le critique Jean Le Fustec, il fréquente alors Charles Cros , Theo van Rysselberghe et Antoine de La Rochefoucauld, ainsi que des écrivains symbolistes comme Félix Fénéon et Gustave Kahn. Si, en 1887, il est considéré comme un représentant important du Néo-impressionnisme, son œuvre, en revanche, ne jouit guère de la faveur du public. Au début de 1890, tout en continuant à exposer aux Indépendants, il mène une vie paisible dans le village de Saint-Laurens, en Normandie, où il peint. Retiré, il lit, écrit et travaille avec acharnement. Il meurt le 1er avril 1926, laissant outre une importante collection de ses œuvres, une correspondance avec ses amis artistes qui rencontrèrent en lui un important théoricien du Néo-impressionnisme.

69 | *La Ligne de l'Ouest à sa sortie de Paris (vue prise des fortifications)*
Eté 1886
Huile sur toile
H. 73 ; L. 92
Signé et daté en bas à droite *Paris-86 Ch. Angrand*
Collection Josefowitz

Angrand
Charles

Avec deux ou trois autres peintures qu'on avait pu voir à l'exposition des Indépendants de l'automne 1886, *La Ligne de l'Ouest* fut présentée ultérieurement par l'artiste comme une toile encore influencée par Monet et qui correspondait à une étape «intermédiaire» quant au style néo-impressionniste orthodoxe qu'il allait adopter[1]. Pourtant, quand van Gogh proposa à Angrand un échange de tableaux peu après sa visite de l'exposition des Indépendants, à la fin d'octobre, ce fut un tableau qui était en dépôt chez le Père Tanguy, *Les Poules: dans la basse-cour* (fig. a), qu'il chercha à obtenir: il s'agissait là d'une peinture de 1884, dans un style où se mêlent réalisme et impressionnisme[2]. Ce choix correspond bien à la facture réaliste des paysages de Vincent de cet automne 1886 et le paysage au moulin qu'il offrait en échange laisse à penser qu'il croyait qu'Angrand s'intéressait encore à ce style (ANNEXE *Lettres*).

L'été suivant, Vincent eut connaissance des œuvres de facture pointilliste présentées par Angrand au *Salon des Indépendants* du printemps 1887, ainsi que d'œuvres réalistes antérieures. Aussi, à cette date-là, avait-il une vision complète de l'évolution de l'artiste[3]. Ce qui frappe dans l'œuvre d'Angrand, quelle que soit la manière adoptée, c'est l'épaisseur de la touche sur l'ensemble de la composition, trait caractéristique que Vincent ne fut sans doute pas long à remarquer et à prendre en considération dans l'évolution de sa propre technique.

La ligne de l'Ouest a dû l'intriguer à la fois par son sujet et par son style. Ainsi que l'indique le titre longuement explicité pour les Indépendants de 1886, le lieu évoqué est parfaitement localisé. Comme Vincent devait le savoir, le tableau représente une vue prise depuis les fortifications de Paris, s'étendant jusqu'à cet endroit que les cartes de l'époque dénomment «Station et Entrepôt du Chemin de fer de l'Ouest», où se trouvaient les dépôts des lignes desservant plus particulièrement la gare Saint-Lazare toute proche. Non loin de là, la Ligne de l'Ouest enjambait la Seine à Asnières (PLAN) ainsi qu'on le voit dans le tableau de Vincent de la Fondation Bührle (cat. n° 42 fig. a). La toile d'Angrand présentée ici se caractérise par une composition en larges tranches — avec une ligne d'horizon en position haute —, une touche large et régulière et ces juxtapositions de couleurs qu'on retrouve dans nombre de peintures néo-impressionnistes, bien que la

NOTES

1. *1969, New York, p. 29.*
2. Le récit d'Angrand, tel qu'il est cité dans *Coquiot*, p. 149, fait apparaître que Vincent avait vu la peinture alors qu'elle était en dépôt chez le Père Tanguy («Une femme suivie de poules»), et qu'il avait été attiré par sa «lourdeur de pâte»; selon cette même source, leur unique discussion dans un café, concernant un échange de tableaux, n'aboutit pas. D'après P. Angrand, *Les Néo-Impressionnistes*, Paris, 1970, p. 70, il s'agit du Café du Théâtre (boulevard des Batignolles).
3. Pour un examen plus approfondi du rapport Angrand-van Gogh, voir *Angrand. Un accident*, le seul tableau pointilliste exposé aux «Indépendants» 1887 et identifié jusqu'à présent comme tel, est reproduit en couleurs dans: F. Lespinasse, *Charles Angrand, 1854-1926*, Rouen, 1982, p. 118.

Cat. n° 69 fig. a Angrand,
Les Poules dans la basse-cour (1884).
Copenhague, Ny Carlsberg Glyptothek.

technique du pointillé n'y apparaisse pas encore vraiment. Pour nos deux
peintres, ce changement n'intervint vraiment que durant les six premiers mois de
1887. Mais tandis qu'Angrand allait dorénavant s'y tenir définitivement, cette
technique ne devait être pour van Gogh qu'une expérience transitoire à partir de
laquelle il allait élaborer quantité d'autres formes stylistiques, comme on peut le
voir dans ses *Wagons de chemin de fer* (F 446) de la période d'Arles, où passe
probablement un souvenir de *La Ligne de l'Ouest*. Angrand n'eut avec Vincent que
des contacts personnels tout à fait limités, mais la contribution de sa peinture à
l'art du Hollandais fut plus importante que lui-même ne l'imagina probablement
jamais.

Terrains vagues
Eté 1886
Huile sur toile
H. 73 ; L. 92
Collection particulière

Angrand
Charles

Par ses dimensions, son style et sa composition, *Terrains vagues* s'apparente étroitement à son «pendant», *La Ligne de l'Ouest*, les deux ayant été présentés ensemble aux Indépendants de l'automne 1886[1]. Le critique Félix Fénéon nota à l'époque combien «ces tableaux de style vigoureux et volontaire» étaient à mettre en relation l'un avec l'autre[2] et la description qu'il faisait de cette peinture-ci le soulignait encore davantage : «Une femme, panier au bras, descend la pente sursautante et hirsute de ces *Terrains Vagues à Clichy* développés en vue panoramique, comme dans *La Ligne de l'Ouest*». La localisation exacte du site représenté reste indéterminée, voire peut-être indéterminable, mais l'endroit ne devait pas être très éloigné de celui indiqué dans *La Ligne de l'Ouest*, avec ses quartiers d'usines qu'on voit au loin, à Clichy[3]. Ces zones industrialisées de la banlieue parisienne devinrent un motif fréquemment repris par de nombreux artistes comme Seurat, Signac (cat. n° 106 et n° 116), Bernard ou Lucien Pissarro (cat. n° 77 et n° 99). Ce tableau fait partie de ceux désignés ultérieurement par Angrand comme des œuvres «intermédiaires» entre sa période réaliste et sa période néo-impressionniste (cat. n° 69 et n° 69 fig. a) ; mais il rappelle nettement Monet, auquel le peintre faisait également allusion[4]. Comme toujours, on y retrouve la discipline à laquelle est soumis le travail du pinceau, qui n'empêche d'ailleurs nullement Angrand de bien saisir l'aspect ondoyant et les surfaces disparates de ces prés «hirsutes». La couleur est disposée en touches similaires de nuances dominantes, sans que soient pour autant affaiblies les sensations liées à la saison, évoquée par les contrastes entre l'épanouissement du vert et le jaune-orangé de la végétation desséchée.

Comme *La Ligne de l'Ouest*, cette peinture a dû intéresser Vincent van Gogh par son thème, aussi bien que par sa composition et son style. Les deux tableaux de Vincent, *Usines à Clichy* (cat. n° 54) et *Banlieue de Paris, vue d'une hauteur* (cat. n° 50), peuvent être situés dans le prolongement direct de cette peinture d'Angrand, de même que les deux œuvres majeures de l'été 1887 où il peint le versant nord de la Butte Montmartre (cat. n° 51 et n° 52), œuvres qu'il devait retenir par la suite pour sa première participation au *Salon des Indépendants*, en 1888.

NOTES

1. *Terrains vagues* a été publié comme une œuvre de van Gogh par M. Tralbaut, «Comment identifier van Gogh?», in : *Bulletin des Archives Internationales de van Gogh*, 1967, et *Van Gogh, le mal aimé*, Lausanne, 1969, mais l'auteur l'a réattribué à Charles Angrand (voir *Angrand*).
2. *Fénéon*, p. 57, où le critique voit également dans une œuvre antérieure d'Angrand (1885) «comme un ressouvenir de Josef Israël».
3. La pente à droite est ainsi, selon toute probabilité, celle qui descend en bas des fortifications, quelque part entre la route d'Asnières et la route de Clichy, avec au loin le quartier d'usines qu'on vient d'indiquer. Toutefois, il est de fait que dans le registre qu'il tenait de ses toiles «données ou vendues», Angrand indique «Terrains vagues (Saint-Ouen)», ce qui témoigne du caractère général qu'avait à ses yeux l'endroit représenté (information aimablement fournie par Pierre Angrand dans une lettre à l'auteur du 15 janvier 1986).
4. Pour les toiles de Monet auxquelles Angrand pouvait penser, voir W 757, 803, 851, 996.
5. Pour une analyse détaillée, voir *Angrand*.

L'examen comparatif de ces tableaux nous montre également l'artiste hollandais travaillant à augmenter la visibilité, la dimension et la vigueur de chacun des coups de pinceau qu'il applique sur la toile, à un moment où Angrand est au contraire en train d'opter pour la retenue et la minutie du pointillisme. Van Gogh n'a pas dû être pleinement conscient de cet effort de concentration auquel Angrand se soumettait, du fait de ses relations étroites, cet été-là, avec Seurat ; mais de toute façon, étant donné l'idée qu'il se faisait du mouvement néo-impressionniste, il n'y aurait pas reconnu un trait particulier de style personnel. Pour Vincent, le Néo-impressionnisme n'était nullement un mouvement monolithique ; il devait même plus tard mettre en garde ses amis contre le danger de son dogmatisme : aussi y a-t-il lieu de croire qu'il était tout disposé à en accepter les théories fondamentales, sur les effets d'accentuation produits par les combinaisons et les interactions de couleurs. A cet égard, on ne peut guère douter que Vincent ait dû voir dans les nombreux contrastes de rouge et de vert qu'on trouve dans *Terrains vagues* une conception analogue à ses propres théories sur la couleur, même avant qu'il ne se soit aperçu des sympathies néo-impressionnistes d'Angrand[5].

Louis Anquetin
(1861-1932)

Anquetin fait ses débuts de peintre dans sa ville natale, à Etrépagny (Eure) où son père possédait une boucherie prospère. Il se passionne très tôt pour les chevaux, la nature et l'art. Au lycée Corneille de Rouen, il rencontre le futur critique et fondateur de la *Revue wagnérienne*, Edouard Dujardin; ils se lient d'amitié et travaillent ensemble à Paris de 1884 à 1891. C'est après l'exposition des Indépendants à Paris et celle des *XX* à Bruxelles où Anquetin présentait des toiles, que Dujardin, dans un article de mars 1888, publié dans la *Revue Indépendante*, inventa le terme de Cloisonnisme pour définir les nouvelles recherches d'Anquetin vers une simplification des lignes.

En 1882 Anquetin étudie à l'atelier de Léon Bonnat où il rencontre Toulouse-Lautrec dont il sera l'ami intime au cours des années 1882-1890; cette amitié est renforcée par leur passion commune pour les chevaux et la vie nocturne des cabarets montmartrois. Après la fermeture de l'atelier Bonnat, il fréquente avec Lautrec celui de Fernand Cormon où il se fait vite remarquer comme l'élève le plus doué et le probable successeur du maître. A la fin de 1884, il se lie avec Emile Bernard qui vient d'arriver à l'atelier Cormon et il l'accompagne lors de ses visites au Louvre, chez le Père Tanguy et chez Durand-Ruel. Il effectue un bref voyage pour voir Monet, étudie la technique impressionniste et la théorie des couleurs; puis à l'automne de 1886, Bernard le présente à van Gogh. Les deux artistes sont tentés un certain temps par le divisionnisme et vont voir Signac dans son atelier. A l'instigation de van Gogh, Anquetin et Bernard, séduits par l'art des estampes japonaises, réalisent des œuvres stylisées, aux couleurs pures et posées par aplats qui sont exposées à la fin 1887 au Restaurant du Chalet. A la fin de 1889, Anquetin se retire du groupe du «Petit Boulevard» et se met à peindre des portraits à la mode, tout en fréquentant le Moulin Rouge avec Lautrec.

L'année suivante, il s'éloigne du Cloisonnisme et étudie l'art classique, puis l'art de Rubens, du Titien et de Poussin. Il multiplie ses activités: décorations pour le Théâtre-Libre d'Antoine (1897), peintures murales (1900-1901) et, en 1912-1913, il écrit sur la technique des anciens maîtres. Il meurt en 1932, des suites d'une longue maladie et il est enterré à Etrépagny.

71 | *Portrait de Henri de Toulouse-Lautrec*
Vers 1886
Huile sur toile
H. 40,3 ; L. 32,5
Signé en bas à gauche *Anquetin*
Paris, collection particulière

Anquetin
Louis

Anquetin et Toulouse-Lautrec avaient déjà fréquenté l'atelier libre de Léon Bonnat, à partir de 1882 ; à l'atelier Cormon, ils étaient devenus particulièrement proches[1]. Toulouse-Lautrec est représenté ici portant chapeau melon et barbe tel qu'on le voit sur une photographie (vers 1885) de l'atelier Cormon (fig. a) et dans un dessin d'Anquetin[2].

Ce portrait est exécuté dans un style impressionniste assez libre, que souligne un fond entièrement blanc. La sensibilité — bien connue — du peintre à la personnalité de ses modèles se manifeste ici dans le dessin fidèlement réaliste du nez charnu et des lèvres épaisses de Toulouse-Lautrec, tandis que l'expression d'ensemble met en valeur la dignité et l'intelligence du personnage. On retrouve, parmi les peintres du «Petit Boulevard», cette même vision directe dans les portraits de Bernard et de van Gogh par Toulouse-Lautrec (cat. n° 121 et n° 122) et dans l'autoportrait impressionniste de Vincent, *Portrait de l'artiste par lui-même, en chapeau de paille* (cat. n° 39). Ces peintures rappellent l'époque de travail commun à l'atelier Cormon, celle des discussions et des échanges d'idées tout au long des années 1886-1887.

Cat. n° 71 fig. a   Photographie : l'atelier Cormon vers 1885.
Albi, Musée Toulouse-Lautrec.

NOTES

1. W. Rothenstein, *Men and Memories*, I, New York, 1935, p. 63-65.
2. *1981, Toronto*, p. 234, fig. 84. Vers 1883, Henri Rachou avait peint un *Portrait de Toulouse-Lautrec* (Toulouse, musée des Augustins), dont le modèle porte un chapeau similaire, mais pas de barbe ; voir *Unpublished Correspondence of Henri de Toulouse-Lautrec*, ed. par L. Goldschmidt et H. Schimmel, Londres, 1969, reproduction face à la p. 72.

72 | *Le Kiosque: boulevard de Clichy*
Hiver 1886-1887
Huile sur toile
H. 44,2 ; L. 36,5
New York, Mr. and Mrs. Arthur G. Altschul

Anquetin
Louis

C'est peu après avoir terminé cette toile que Louis Anquetin en fit don au jeune Emile Bernard, étudiant, lui aussi, à l'atelier Cormon et dont il avait fait le portrait[1]. Plus tard, Bernard devait raconter comment son ami, un peu plus âgé que lui, s'était converti au style impressionniste au début de 1886, et s'était même rendu chez Monet, à la campagne, pour lui demander conseil[2]. Il présentait *Le Kiosque* comme une étude reproduisant essentiellement des «affiches dans la lumière reflétée par la chaussée». Bernard nous renseigne sur l'endroit évoqué ; la vue est prise du «premier étage d'un café du boulevard de Clichy, où les élèves de l'atelier Cormon avaient fondé un cercle». En somme, selon ce récit, nous avons affaire à une composition purement impressionniste, représentant les effets de la lumière du jour sur une scène de rue à Montmartre. Tandis que les impressionnistes reconnus privilégiaient les boulevards plus élégants du cœur de la ville, Anquetin s'est concentré ici sur une portion de rue si étroite qu'on pourrait la situer n'importe où sur les boulevards extérieurs de Montmartre[3]. Ce trait, en quelque sorte «anti-pittoresque», est accentué par l'insertion du kiosque en plein centre du tableau et par la réduction des personnages, des arbres et des autres éléments à des formes linéaires presque abstraites. Cette austérité de la composition est renforcée par le choix des couleurs où dominent le jaune paille du sol et les teintes plus vigoureuses du kiosque. Ce registre, plus qu'à une étude directe d'après nature, à la manière des impressionnistes, renvoie à l'intérêt de l'artiste pour la théorie des couleurs du Néo-impressionnisme. Immédiatement après avoir évoqué ce *Kiosque*, Bernard faisait état d'une visite qu'il avait faite avec Anquetin «chez Signac, pour avoir le dernier mot sur les recherches chromatiques des théoriciens de l'optique». Ce qu'il ne dit pas, en revanche, c'est que son ami et lui s'etaient essayés bel et bien, un court moment, au style pointilliste, avant d'en arriver à la conclusion «d'abandonner les impressionnistes pour faire dominer les idées sur la technique». Dans le *Kiosque*, le style n'est pas pointilliste, mais l'utilisation des contrastes entre couleurs complémentaires (le rouge et le vert pour les affiches, le jaune et le violet pour la rue au premier plan) et la simplification bidimensionnelle de la composition témoignent d'une plus grande affinité avec Seurat et Signac (cat. n° 109) qu'avec Monet. Il est très vraisemblable que van Gogh eut tôt ou tard connaissance de ce tableau et qu'il y vit une preuve supplémentaire que théorie scientifique de la couleur et Impressionnisme pouvaient fort bien aller de pair[4].

NOTES

1. Il s'agit probablement du portrait identifié dans *1981, Toronto*, p. 229, fig. 80, comme étant l'œuvre d'Anquetin, plutôt que de Bernard, ainsi qu'on le croyait précédemment.
2. Bernard a évoqué ses anciens rapports avec Anquetin dans «Louis Anquetin, artiste peintre», in *Mercure de France*, I, XI, 1932, p. 593, 594, qui constitue la source de toutes les citations reprises ici.
3. Par exemple, Monet avait peint en 1873 *Le Boulevard des Capucines* (W 292-93) et Renoir, en 1874, les *Grands Boulevards* (voir reproductions et analyse in *1982, Washington*, p. 33-35).
4. Signac (cat. n° 115) et van Gogh (cat. n° 26) ont représenté tous les deux des endroits situés tout près sur le boulevard de Clichy, et, comme Anquetin, ils habitaient dans le voisinage. Tandis que le tableau de Signac semble représenter une réelle chute de neige, celui d'Anquetin évoque bien lui aussi une saison hivernale, mais l'ambiguïté y est telle qu'on ne peut savoir si le sol est couvert de neige, ou s'il est simplement blanchi par le rayonnement de la lumière solaire. Pissarro mentionne la visite d'Anquetin et de Bernard au début de mars 1887, dont le but était de voir le travail récent de Signac (*B-H*, p. 140).

73

Avenue de Clichy: soir, cinq heures

Fin de l'automne 1887
Huile sur toile
H. 69,2; L. 53,5
Signé et daté en bas à gauche *L. Anquetin 1887*
Hartford, The Wadsworth Atheneum (Collection Ella Gallup Sumner et Mary Catlin Sumner, don de la famille Beckenstein; Inv. 1966.7)

Anquetin
Louis

Les deux indications que comporte le titre de ce tableau s'expliquent ainsi: la première vient du récit de Bernard, selon lequel l'œuvre représentait l'avenue de Clichy, tandis que la seconde reprend le titre donné par l'artiste lui-même, «soir, cinq heures», quand il présenta son œuvre à l'*Exposition des XX* en février 1888 à Bruxelles[1]. Ainsi que le remarque Bernard, l'endroit était «à deux pas» de la maison de l'artiste, au 86, avenue de Clichy. Sur le tableau, elle est située plus loin dans la rue, après que celle-ci tourne sur la gauche pour rejoindre l'avenue de Saint-Ouen au carrefour de La Fourche — comme Anquetin l'a représenté en arrière-fond de son tableau et qu'on peut le voir dans une photographie de la fin du siècle (fig. a). Ce document est doublement intéressant: il nous donne d'abord une image de cette rue très passante, grouillante d'une activité également bien rendue dans la peinture d'Anquetin; ensuite, il nous rappelle le lien existant entre le site de La Fourche et le Restaurant du Chalet qui fut remplacé après sa faillite de 1888 par le magasin des Nouvelles Galeries (visible sur la photographie, avec sa tour à coupole). Cette peinture est probablement l'une des «abstractions japonaises d'Anquetin» dont Bernard mentionne la présence à l'exposition du Restaurant du Chalet à la fin de 1887; elle constitue notre meilleur guide pour connaître l'environnement du lieu où les «Impressionnistes du Petit Boulevard» eurent leur première et dernière exposition, ainsi que l'endroit où Anquetin vécut et travailla. L'aspect autobiographique du tableau se manifeste aussi dans le choix de cette boutique de boucher comme point focal de la composition: le commerce de la boucherie était en effet à la base de la fortune familiale des Anquetin à Etrépagny, en Normandie; à la mort de sa mère, en 1889, l'héritage que l'artiste recueillit fut suffisant pour lui permettre de quitter ce quartier ouvrier pour celui, plus élégant, de la rue de Rome. *Avenue de Clichy* est à juste titre considéré comme l'un des deux ou trois tableaux essentiels d'Anquetin en 1887 et qui conduisirent Edouard Dujardin à faire de lui le chef de file d'un nouveau courant artistique en France, le Cloisonnisme[2]. En employant ce mot, Dujardin se référait d'abord aux vitraux et aux émaux cloisonnés médiévaux, mais il pensait également aux estampes japonaises. L'analogie avec l'art du vitrail est indirectement confirmée par Bernard lorsqu'il raconte que les compositions monochromatiques d'Anquetin lui furent inspirées par l'habitude qu'avait celui-ci de regarder les paysages à travers des vitres de verre coloré: l'*Avenue de Clichy* est l'un des exemples majeurs de cette pratique. Pourtant, comme le *Kiosque* (cat. n° 72), cette toile où prédomine le bleu comporte suffisamment d'éléments néo-impressionnistes pour qu'on mette

NOTES

1. Les informations apportées ici par Bernard au sujet d'Anquetin sont tirées de «Louis Anquetin: artiste peintre», in *Mercure de France*, 1er novembre, 1932, p. 590-607; pour une analyse plus complète de la question et des peintures qui en sont proches, voir *1981, Toronto*, cat. n°s 19, 22, 74, 76.
2. Voir E. Dujardin, «Le cloisonnisme», in: *La Revue Indépendante*, 1er mars 1888, et *1981, Toronto*, p. 19-41.

Cat. n° 73 fig. a   Photographie: Paris, avenue de Clichy.
Paris, B.N.: Cabinet des estampes.

en doute son rattachement exclusif au Cloisonnisme. On y trouve en effet, dans les parties lumineuses, des gradations impliquant des mélanges de couleurs — de bleu et de jaune en vert, ou de rouge et de jaune en orangé —, qui, s'ils ne se conforment pas nécessairement aux théories de Seurat et de Signac, relèvent au moins d'une recherche similaire. Autre signe d'un emprunt — ou d'un hommage — éventuel : la façon dont sont représentées au moins deux des figures féminines, en tournure, dans un style qui rappelle celles de Seurat dans *La Grande Jatte*. On ignore si Anquetin fut d'accord avec Bernard pour exclure Signac de l'exposition du «Chalet», alors que van Gogh plaida pour sa participation (*B* 1, ANNEXE *lettres*), mais l'*Avenue de Clichy* ne laisse guère à penser que tel fut le cas.

Le rappel de cette toile d'Anquetin dans un chef-d'œuvre ultérieur de van Gogh, *Le café, le soir, place du Forum, à Arles* (cat. n° 11 fig. a), est bien connu. Quelles que soient les similitudes stylistiques qui peuvent unir ces deux peintures — manière japonisante, cloisonniste ou autre —, toutes les deux témoignent chez leurs auteurs de la même volonté de représenter les gens de manière réaliste et d'exprimer leurs attitudes sociales dans un contexte géographique précis. Quand il peignit ce *Café* d'Arles, Vincent ne manqua pas de se souvenir de l'intérêt d'Anquetin pour la théorie de la couleur. A cette époque, l'un et l'autre n'entretenaient plus de contacts personnels, mais cela ne doit pas nous empêcher d'apprécier à leur juste valeur les rencontres que Vincent avaient pu faire à Paris, et d'estimer combien les souvenirs qu'il en avait gardés se sont révélés fructueux.

Emile Bernard
(1868-1941)

Emile Bernard naît à Lille où son père avait été négociant en drap avant de devenir, après la guerre de 1870, représentant d'une fabrique de draps à Roubaix. Dès sa plus tendre enfance, dans sa ville natale, Bernard montre des dispositions pour la peinture, le dessin et les arts décoratifs. En 1882 il entre au collège Sainte-Barbe à Paris et témoigne déjà de ses goûts littéraires en fondant une petite revue d'étudiants. Plus tard il écrira un recueil de poèmes, des études critiques sur l'art et fondera, en 1905, une revue d'art: *La Rénovation esthétique*. En octobre 1884, il entre à l'atelier libre de Fernand Cormon où il se lie avec Anquetin et Toulouse-Lautrec. Sa curiosité naturelle l'amène à se détourner de l'enseignement traditionnel de Cormon pour entreprendre au printemps de 1886 le premier de ses voyages en Bretagne et en Normandie, où, catholique fervent, il s'éprend du passé à la fois mystique et médiéval de ces régions.

De retour à Paris à l'automne 1886, il fait connaissance chez Cormon avec l'œuvre de van Gogh; celui-ci lui est par la suite présenté dans la boutique du Père Tanguy. A dater de cette époque, il établit avec l'artiste hollandais des relations personnelles et artistiques qui continueront après le départ de van Gogh pour Arles, comme en témoigne la correspondance entre les deux artistes. Bernard pratique un moment le pointillisme avec Anquetin et, séduit par les estampes japonaises collectionnées et exposées par van Gogh, il évolue en 1887 vers le Cloisonnisme. En 1888 et 1889, il travaille à Pont-Aven et à Paris avec Paul Gauguin, et joue un rôle important dans la naissance du mouvement symboliste en peinture. En 1891, une querelle de priorité sur l'invention du cloisonnisme synthétique et de l'«Ecole de Pont-Aven» met fin à ses relations avec Paul Gauguin.

Emile Bernard avait de nombreux amis, artistes et écrivains, parmi lesquels Albert Aurier, Odilon Redon, Elémir Bourges, Léon Bloy et J.-K. Huysmans. En 1892 il organise la première rétrospective van Gogh à la galerie Le Barc de Boutteville, suivie en 1893-1895 de la première publication dans le *Mercure de France* d'extraits de lettres que van Gogh lui avaient adressées. En 1911 une édition complète de vingt et une lettres à Bernard, avec plusieurs introductions par celui-ci, est publiée par Ambroise Vollard. En 1904, après avoir voyagé en Italie, à Samos, à Constantinople et en Egypte où il séjourne onze ans, Bernard rentre en France où il opte pour une peinture de style XVIᵉ-XVIIᵉ siècle. Peintre, écrivain et graveur, Bernard entreprend des recherches dans ces domaines et publie ses écrits à Paris. Il meurt dans son atelier le 15 avril 1941.

74   *Etude académique d'une femme nue et d'un homme nu (Etude de nus)*
1885
Fusain sur papier
H. 58; L. 44
Daté au dos: *1885*
Paris, M. et Mme Altarriba

Bernard
Emile

Bernard raconte comment il fut présenté à Fernand Cormon par un artiste russe, Michel de Wylie. Il commença à travailler à l'atelier en octobre 1884 et le quitta définitivement en février 1886, après s'être querellé avec son professeur sur la question de l'emploi de la couleur[1]. Durant son passage chez Cormon, il se lia d'amitié avec des étudiants un peu plus âgés et expérimentés que lui, d'abord Anquetin, puis Toulouse-Lautrec qui l'utilisa, à l'occasion, comme modèle (cat. nº 121). Tous les trois allaient souvent au Louvre, mais ils se mirent également à fréquenter la galerie Durand-Ruel et la boutique du Père Tanguy où ils pouvaient voir des toiles impressionnistes. A la fin de 1885, Bernard s'était déjà essayé à la technique impressionniste dans ses paysages; mais ce n'était apparemment pas encore le cas pour les personnages.

Par bonheur a survécu cette étude académique, réalisée chez Cormon: elle nous donne l'occasion de comparer les techniques de Bernard et de Toulouse-Lautrec vers 1885 puisqu'il semble bien que ce soient les mêmes modèles qu'on retrouve représentés de face dans un dessin de Lautrec (cat. nº 119), alors que Bernard les aborde ici, de côté. On y voit ce dernier privilégier le tracé général de la silhouette aux dépens du détail naturaliste; il est cependant difficile de savoir, étant donné les conditions de réalisation à l'atelier, si cela annonce déjà les simplifications stylistiques auxquelles Bernard allait se livrer plus tard. En tout cas, avec ceux de Toulouse-Lautrec et de van Gogh (cat. nº 15), ce dessin de Bernard nous donne un aperçu des activités de l'atelier Cormon au milieu des années 1880 et des premières expériences que pouvaient y faire les futurs peintres du «Petit Boulevard».

NOTES

1. Le récit de Bernard le plus complet se trouve dans «Des relations d'Emile Bernard avec Toulouse-Lautrec», in *Art-Documents*, nº 18, mars 1952, p. 13, 14.

75 | *Verger à Pont-Aven*
Août 1886
Huile sur panneau
H. 52 ; L. 53
Signé et daté en bas à droite *Emile Bernard 86   1886*
Inscription en bas à gauche *AOÛT* (en rouge)
Paris, collection particulière
Luthi 27

Bernard
Emile

Etant donné les contradictions entre les divers récits qui en ont été faits, on ne connaît pas avec certitude la date exacte à laquelle Anquetin et Bernard adoptèrent le Néo-impressionnisme, pas plus qu'on ne sait ce qui leur inspira cette décision. Hartrick y voit la raison pour laquelle ils quittèrent à grand bruit l'atelier Cormon, ce qui, dans le cas de Bernard, laisse supposer qu'il s'agit du début de 1886[1]. Inversement, cela impliquerait que Bernard ait eu des contacts, jusqu'alors non établis, avec un ou plusieurs peintres néo-impressionnistes, dès les premiers mois de 1886 : il était en effet déjà parti en Bretagne en avril, soit plus d'un mois avant l'ouverture de la *VIIIe Exposition Impressionniste* qui comprenait des œuvres pointillistes de Seurat, de Signac et de Pissarro. Une autre possibilité serait que Bernard ait adopté le pointillisme durant l'été de 1886 auprès d'Emile Schuffenecker qui s'y était récemment converti : il dit l'avoir rencontré à Concarneau et avoir par son intermédiaire fait connaissance avec Gauguin qui travaillait à Pont-Aven[2]. Comme il n'y a aucune raison de mettre en doute la date d'août 1886 attribuée à ce *Verger*, — peinture sur panneau susceptible d'avoir été réalisée à la Pension Gloanec où Bernard et Gauguin résidaient tous les deux — on peut seulement considérer que cette œuvre nous fournit un *terminus post quem*, qui laisse sans réponse la question de l'impulsion initiale.

Il est important de noter que dans ce tableau, comme dans d'autres œuvres néo-impressionnistes de Bernard datées de 1886, la technique du pointillé ne relève nullement d'un système. De même, l'emploi des contrastes de couleurs est conçu de manière approximative, polarisé entre un orangé pour un rouge et un bleu pour une gamme de verts. L'effet d'ensemble est finalement aussi impressionniste que pointilliste et ne laisse apparaître aucune tentative de créer une impression de formes arrondies, comme dans *La Grande Jatte* de Seurat. L'impression dominante, en revanche, est liée à la simplification de la composition et à la mise à plat des surfaces, qui l'année suivante se révéleront progressivement comme la contribution personnelle de Bernard au style cloisonniste[3].

NOTES

1. *Hartrick*, p. 42, 43 ; ce récit, parfois de seconde main, a été écrit de nombreuses années après les événements en question, et l'auteur s'embrouille souvent dans les dates et l'enchaînement des faits.
2. *1979, Londres*, cat. n°s 12, 184. Bernard a indiqué à la fois août et septembre pour sa date d'arrivée à Pont-Aven ; cette légère contradiction est résolue par l'inscription portée sur ce *Verger à Pont-Aven*.
3. Pour un récapitulatif récent avec de bonnes reproductions de l'évolution stylistique de Bernard, voir C.-G. et J. Le Paul, *L'Impressionnisme dans l'Ecole de Pont-Aven*, Lausanne-Paris, 1983, p. 100-113 (des problèmes subsistent avec cette date du «24 juin 1886» rattachée à *Fontaine d'Asnières*, reprod. p. 104) ; voir également *1981, Toronto*, p. 260-293.

76

Les Chiffonniers: Ponts de fer à Asnières
A la fin de l'automne 1887
Huile sur toile
H. 45,9; L. 54,2
Signé et daté en bas à droite *E Bernard 1887*
New York, The Museum of Modern Art
(Fondation Grace Raincy Rogers, 1962; Inv. 113.62)
Luthi 43

Bernard
Emile

Le fait que cette peinture soit postérieure à celles de Vincent représentant les mêmes ponts à Asnières (cat. n° 42 fig. a et cat. n° 42) n'enlève rien à son importance historique. Le site évoqué se trouvait à proximité de la maison familiale de Bernard, 5, rue de Beaulieu à Asnières[1]. La vue représentée dans chacune des deux peintures se retrouve — mais perçue de plus loin — dans une photographie (fig. a) montrant Bernard et van Gogh assis de dos au bord de la Seine, en 1887, ainsi qu'en témoigne l'inscription de Bernard portée sur le document. Les arbres dépouillés suffisent à nous indiquer que la photographie a été prise à la fin de l'automne, ce qui nous permet d'envisager la possibilité que Vincent ait vu Bernard peindre ses *Chiffonniers*[2]. De toute façon, il eut l'occasion d'en prendre connaissance lors de l'exposition du Restaurant du Chalet, parmi les autres «synthèses géométriques» de Bernard[5]. Il devait également l'avoir présente à l'esprit, en même temps que son propre tableau des *Ponts à Asnières*, quand il peignit une vue similaire avec son *Pont de Trinquetaille* (F 426), près d'Arles.

Cette œuvre constitue un exemple de plus où nous pouvons voir en quoi la peinture cloisonniste de Bernard, de structure plane, radicalise vers l'abstraction celle de la peinture néo-impressionniste, en l'occurrence la *Baignade à Asnières*, de Seurat que Bernard aurait vue à l'exposition de 1884. Cette toile (*Les Chiffonniers*) représente d'ailleurs à l'évidence le même endroit, mais perçu à une distance encore plus grande que dans la photographie mentionnée ci-dessus. Vincent avait lui aussi intégré une sorte de géométrisation «planaire» dans certains de ses paysages de rivière de l'été 1887 (F 302, F 311), ainsi que Signac le fit sans doute remarquer à Bernard à cette époque (cat. n° 116)[4]. Bernard abandonne ici la touche impressionniste ou pointilliste à laquelle il était encore attaché, au profit d'un travail par étalement de portions planes de couleurs relativement pures, d'une manière qui anticipe sur les mouvements abstraits qui suivront dans l'histoire de la peinture. Le thème des chiffonniers renvoie aux

NOTES

1. Bernard peignait des paysages d'Asnières et des environs depuis 1885, date à laquelle sa famille s'y était installée (*1981, Toronto*, p. 262 et fig. 104 qui représente la vue d'un site comparable, réalisée antérieurement aux *Chiffonniers*).
2. Bien que l'inscription portée sur la photographie indique la date de 1886, celle-ci fut vraisemblablement prise à la fin de 1887. Bernard annota probablement la photo à une date ultérieure. Pour l'identification du titre donné antérieurement à ce tableau et une documentation supplémentaire, voir *1981, Toronto*, p. 286, 287.
3. Sa présence à l'exposition du Restaurant du Chalet est mentionnée dans *L'Arte*, XIII, 9 fév. 1901, p. 1, 2.
4. C'est à une exposition de peintres locaux qu'il rencontra pour la première fois Signac au début de 1887 (CHRONOLOGIE); voir également E. Bernard «Des relations d'Emile Bernard avec Toulouse-Lautrec», in *Art-document*, n° 18, mars 1952, p. 14.
5. Auriant, «Souvenirs sur Emile Bernard», in *Maintenant*, 7, 1947, p. 127, 128. En 1886, dans son *Aux confins de Paris* (F 264), Vincent avait fait intervenir un motif à la manière de Raffaëlli — un chiffonnier cheminant dans la campagne, au nord de la Butte dont on peut voir au loin l'un des moulins à vent. On peut facilement identifier ce personnage populaire typique à partir du bâton dont il accompagne sa marche, et des bandoulières croisées du sac qu'il porte (voir T.J. Clark, *The Painting of Modern Life*, Londres, 1986, p. 25-33).

Cat. n° 76 fig. a   Photographie montrant Emile Bernard et Vincent van Gogh assis au bord de la Seine à Asnières en 1886. Collection particulière.

sujets réalistes qu'on trouve chez Manet, tandis que les ponts constituaient déjà dans l'Impressionnisme, notamment chez Monet, un sujet typique de la vie contemporaine. On dit qu'Anquetin aurait posé pour l'un des personnages[5]. En traitant ce sujet moderne, de manière aussi peu pittoresque, Bernard nous oblige à considérer la structure de la création picturale plutôt que l'imitation de la nature.

77

Quai de Clichy sur la Seine
Hiver 1887
Huile sur toile
H. 39 ; L. 59
Signé et daté en bas à gauche *Emile Bernard 1887*
France, collection particulière
Luthi

Bernard
Emile

Les grues de l'usine à gaz qui servent de thème à ce tableau marquaient fortement le paysage industriel du port de Clichy, entre le pont d'Asnières et le pont de Clichy. Une photographie d'époque (fig. a) montre aussi les bois de l'île Robinson et une arche du pont de Clichy au loin. En supprimant ce pont plus «pittoresque» et en ne conservant que les structures industrielles dépouillées, Bernard a pu créer une de ses «synthèses géométriques» les plus frappantes. C'est ainsi qu'il désignait les toiles simplifiées auxquelles il travaillait pour l'exposition du Restaurant du Chalet à la fin de 1887[1]. Le paysage y est dépouillé et le sol couvert de neige. Son intérêt pour les paysages d'industrie le conduisit d'ailleurs à exécuter une toile comparable, *Vue du Pont d'Asnières*, 1887, aujourd'hui au musée de Brest. Deux toiles sur ce thème furent exposées au Restaurant du Chalet , et décrites ainsi par le peintre lui-même : «L'aspect était vraiment nouveau, c'était ce qui se faisait alors de plus neuf à Paris»[2].

Cat. nº 77 fig. a   Photographie : Clichy. Le Port.
Les Grues de l'Usine à gaz.
Paris, B.N. : Cabinet des estampes.

Cat. nº 77 fig. b   Signac, *Asnières. Ponton et Grues* (1885).
Collection particulière.

NOTES

1. Pour davantage de détails sur ce tableau et un autre sur le même sujet, se reporter à *1981, Toronto*, p. 276, 277, qui les date des premiers mois de 1887.
2. Citation tirée de *Notes sur l'Ecole*, p. 678.

Van Gogh, Bernard et Anquetin partageaient à l'époque un certain nombre de thèmes et de procédés. C'est ainsi que *Le Kiosque* (cat. nº 72) et *L'Avenue de Clichy* (cat. nº 73) par Anquetin, ou *Aux confins de Paris* (cat. nº 50) par van Gogh, ont en commun avec cette toile de Bernard un procédé de vision perspective aiguë, issu de l'étude des principes japonais de décoration et de composition. Pourtant, avec *Quai de Clichy* Bernard représente un paysage industriel bien réel, et déjà illustré par Signac (cat. nº 116 et fig. b). Malgré la palette et la texture de la surface de cette toile, encore impressionnistes, Bernard a utilisé un contraste subtil de couleurs complémentaires rouge et vert turquoise pour le mur de la plate-forme de chargement à droite et pour le costume rayé d'un personnage au premier plan. Une telle pratique jette quelques doutes sur la prétention de Bernard à avoir rompu brutalement avec le Néo-impressionnisme par la suite ; mais elle est révélatrice des multiples facettes de la révolution picturale de 1887, dans laquelle il a joué un rôle majeur.

78 | *Pot de grès et pommes*

A la fin de 1887
Huile sur toile
H. 46; L. 55
Signé et daté en bas à droite *Emile Bernard 87*
Paris, Musée d'Orsay (Inv. R.F. 1977-40)
Luthi 89

Bernard
Emile

L'importance que Bernard accordait à cette peinture est bien résumée dans l'inscription au dos de la toile: «Premier essai de Synthétisme et de Simplification, 1887.» Cette œuvre et celle qui lui fait pendant, *Nature morte à la cafetière bleue* (Kunsthalle, Brême), furent réalisées à Asnières vers l'automne de 1887. Bien que l'une d'entre elles fût encore inachevée au moment où Vincent van Gogh quitta Paris, celui-ci ne s'en souvenait pas moins comme d'une peinture «magnifique» (*LT* 478). Ce sont également ces deux toiles dont Vincent célébra le souvenir dans sa *Nature morte: tasse et cafetière* (fig. a), en mai 1888: en attestent les lettres qu'il écrit à son frère (*LT* 489) et à Bernard (*B* 5), dans lesquelles il leur décrit en détail l'œuvre qu'il est en train de terminer et leur en fournit même des esquisses. Autre signe de l'hommage rendu par Vincent dans sa propre peinture: le choix d'une cafetière émaillée et d'une cruche de céramique décorée avec quelques fruits. L'admiration qu'il éprouvait pour ces deux natures mortes de Bernard demeura inchangée. Il les cite de nouveau en août, comme modèle, de préférence à l'art italien de la fin du Moyen Age qui avait jusqu'alors la faveur de Bernard (*B* 14).

Vincent ignorait que Bernard voyait dans *Pot de grès et pommes* sa «première recherche d'une teinte plate», mais il avait dû en comprendre parfaitement le sens, car dans *Tasse et cafetière* le contraste établi entre le bleu du dessus de table et le fond jaune reprend celui que l'on trouve ici[1]. La grande estime dans laquelle il tenait les natures mortes de Bernard de la fin de 1887 masque toutefois deux aspects de leurs créations respectives dont Vincent a sûrement dû être conscient. D'abord, leur modèle le plus direct était Cézanne, dont Bernard a toujours reconnu l'influence sur la création du style de Pont-Aven[2]. Ensuite, cette influence et sa propre sensibilité le conduisirent à adopter un style de plus en plus éloigné de celui de van Gogh. Vincent utilise dans ses natures mortes, à partir de la fin de 1887, une touche plus vigoureuse et une palette plus lumineuse (cat. n° 61). Mais leur participation commune à l'exposition du Restaurant du Chalet, dans laquelle des natures mortes de Bernard furent vraisemblablement accrochées aux côtés de celles de Vincent, montre bien que cela ne créait pas entre eux de différends.

NOTES

1. Cette note descriptive «Nature morte (pot flamand, pommes)... Asnières (1887)» se trouve dans l'inventaire personnel que Bernard a fait de ses peintures (inédit, archives privées).
2. Voir *1981, Toronto*, p. 290, 291, pour une documentation supplémentaire sur ces natures mortes, ainsi que sur une autre de Bernard, également influencée par Cézanne, et qui était entrée dans la collection des frères van Gogh (p. 291, fig. 127).

Cat. n° 78 fig. a   Vincent van Gogh,
Nature morte: tasse et cafetière (F 410).
Collection particulière.

79 | *Portrait du Père Tanguy*
Fin 1887
Huile sur toile
H. 36; L. 31
Signé et daté en haut à gauche *Emile Bernard 1887*
Dédicacé en haut à droite: *à mon ami Tanguy*
Bâle, Oeffentliche Kunstsammlung, Kunstmuseum   (Inv. 2237)
Luthi 72

Bernard
Emile

Ce tableau est sans doute le *Portrait du Père Tanguy* que l'artiste se rappelait avoir entrepris en même temps que celui commencé par van Gogh, dans l'atelier de bois que sa grand-mère avait fait construire dans le jardin de la maison familiale à Asnières. Après s'être querellé avec le père de Bernard, Vincent s'en alla avec son portrait de Tanguy, inachevé (cat. n° 65 ou F 364), tout en laissant derrière lui celui de son jeune collègue (tableau aujourd'hui disparu). Il est dommage que Bernard ne dise pas clairement si Tanguy posa effectivement à Asnières, pour ces portraits, ou s'ils furent exécutés de mémoire ou d'après une esquisse[1].

Ce qui est certain, c'est que son *Père Tanguy* semble bien donner une représentation exacte des traits de son modèle qu'il décrivait en détail dans son article de 1908 sur le marchand de couleurs: «Le nez, comme celui de Socrate, était très épaté. Les yeux, petits et sans malice, étaient pleins d'émotion. Le crâne avait une tendance vers en haut; le bas du visage était court et rond.[2]» Dans son récit, Bernard insistait sur l'humble gentillesse de Tanguy, sa charité et sa probité, au point d'en faire une sorte de saint laïque. C'est bien ce personnage qui transparaît déjà dans le portrait de 1887.

Bien que l'artiste ait utilisé une pose traditionnelle de trois quarts pour la tête, le regard fixe du modèle, la vue extrêmement rapprochée et le fond à motifs floraux se combinent pour conférer au visage l'aspect d'une icône, en lui donnant une impression d'intemporalité qui s'apparente à l'imagerie religieuse. Du point de vue des affinités stylistiques, il est possible de voir dans la simplification de l'image l'influence des estampes japonaises, mais elle doit avant tout à l'art de Cézanne et tout particulièrement à ses autoportraits[3]. Même si l'on ne s'en tenait qu'à la seule vérification externe, cette comparaison se soutiendrait car dans la physionomie et la chevelure, les deux hommes n'étaient pas sans se ressembler quelque peu. En outre, c'est essentiellement chez Tanguy, au 14, rue Clauzel, qu'on avait à cette époque l'occasion de voir et d'acquérir des peintures de Cézanne. A la différence de Vincent qui admirait l'œuvre de Cézanne sans être précisément influencé par lui, Bernard reconnut l'empreinte profonde que Cézanne avait eue sur l'émergence de l'esthétique cloisonniste vers 1887-1888 (cat. n° 78) et sur les peintres de Pont-Aven. Ce *Père Tanguy* et un portrait de sa grand-mère (Amsterdam, Rijksmuseum Vincent van Gogh), de conception similaire, confirment tout à fait la pertinence de cette affirmation, au moins dans le cás de Bernard[4].

NOTES
_____

1. *Vollard*, p. 12. Contre l'hypothèse de la présence de Tanguy à Asnières, posant pour les deux artistes, notons les différences d'habillement et de fond d'un tableau à l'autre, sans compter le fait qu'il était peut-être difficile de réunir les deux peintres et leur modèle dans un espace qu'on peut présumer étroit.
2. E. Bernard, «Julien Tanguy», in *Mercure de France*, LXXXIV, décembre 1908, p. 615.
3. Voir par exemple les autoportraits de Cézanne de 1879 (Londres, Tate Gallery and Winterthur, Collection Oscar Reinhart).
4. *Notes sur l'Ecole*, p. 676, 678.

Frank-Myers Boggs

(1855-1926)

Né à Springfield (Ohio), Boggs fut comme d'autres peintres expatriés de renom, tels Whistler, Sargent et Cassatt, un artiste bien connu des critiques et des collectionneurs de l'époque à Paris, Londres et New York. Elève à Paris de l'Ecole des Beaux-Arts en 1876, puis de J.-L. Gérôme, il exposa sa première œuvre au Salon de 1888. Deux ans plus tard, l'achat par le gouvernement français d'une de ses fameuses scènes de rues de Paris consacre sa gloire en France. En 1883, il peint à Londres des vues de bateaux sur la Tamise et expose ses marines à l'huile ou à l'aquarelle, à la galerie Goupil et aux Etats-Unis. Avant tout peintre de paysages maritimes et urbains, Boggs reste fidèle à un style à la fois réaliste et impressionniste, visant à capter l'impression fugitive de la lumière en plein air et de la couleur dans des villes comme Le Havre, Dieppe, Honfleur ou Dordrecht aux Pays-Bas. Bien qu'étant de nature indépendante, il se rapproche des artistes de Barbizon, tel Daubigny, par l'emploi d'une touche vigoureuse et de tons ocres, et aussi de Jongkind et de Boudin par ses harmonies grises et ses thèmes marins. En 1884, il passe quelque temps à Honfleur et présente au Salon des vues de la Tamise et des canaux de Dordrecht, exposant également à New York, Bordeaux et Versailles.

En 1886, Boggs quitte son atelier de la rue de Vaugirard et s'installe dans l'immeuble de l'atelier libre de Fernand Cormon, 104, boulevard de Clichy. Des contacts entre Vincent van Gogh et Boggs ont probablement lieu au cours de cette période, sans doute par l'intermédiaire de Theo qui, à la fin de 1886, avait vendu à l'artiste une marine de Manet. Ces relations sont toutefois de courte durée, puisque Boggs s'absente de Paris de mai à novembre 1887. En 1889, il obtient une médaille d'argent à l'*Exposition universelle*. De 1890 à 1892 de nombreux voyages le conduisent en Amérique, en Italie et au Proche-Orient. Il passe le reste de son existence à travailler et à exposer ses marines et ses vues de Paris. Il meurt à soixante et onze ans à Meudon.

80 | *Bateaux sur la Tamise*
Vers 1883
Huile sur toile
H. 38; L. 55
Dédicacé et signé en bas à gauche *A son ami Vincent Boggs*
Amsterdam, Rijksmuseum Vincent van Gogh (Fondation Vincent van Gogh; Inv. s 212V/ 1962)

Boggs
Frank

Frank Boggs est un peintre d'origine américaine, qui avait fait sa formation artistique à l'atelier Gérôme dans les années 1870; à l'époque où il rencontra van Gogh, en 1886, il avait déjà une solide réputation de paysagiste qui lui avait valu un prix d'exposition et la vente d'un tableau à l'Etat français[1]. Son *Bateaux sur la Tamise* a dû être réalisé lors d'un voyage à Londres en 1883, où il avait exposé à la Goupil Gallery. Vers le début de 1886, il établit son atelier au 104, boulevard de Clichy (dans l'immeuble de l'atelier Cormon); il prit également un logement dans le voisinage, où il revint après avoir peint, probablement durant l'été, à Barbizon. La date exacte à laquelle il fit la connaissance des frères van Gogh reste mal connue, mais dès octobre ils se voyaient souvent: c'est à ce moment que Vincent annonce à Angrand un échange de tableaux avec Boggs et que Theo achète une toile de Manet qu'il revend probablement à cette même période à cet artiste américain parfaitement francisé (ANNEXE *Lettres* et *Theo*)[2].

Cette toile, *Bateaux sur la Tamise*, ne compte pas parmi les scènes très détaillées, représentant des monuments anglais et plus particulièrement français (églises, scènes de rues et de ports, ponts et quais), réalisées dans la tradition des *vedute* et qui avaient fait la réputation de Boggs; il s'agit plutôt d'une étude spontanée, une marine à la facture relativement fruste mais vigoureuse, où l'on trouve assez peu de ce romantisme qui caractérise les œuvres habituellement plus apprêtées de l'artiste. *Le Bac* de Daubigny, vers 1860, en offre un précédent frappant quant au sujet; il est d'autre part possible que le tableau de Manet, *Combat du «Kearsage» et de l'«Alabama»* de 1864 (Philadelphie, The John G. Johnson Collection), ou une étude en rapport (pour autant que Boggs en ait eu connaissance), ait influencé l'artiste quant au style et au thème (par exemple, le contraste entre bateaux à vapeur et voiliers)[3]. C'est sans doute pour ces qualités que Vincent acquit cette toile réaliste en 1886. Le *Portrait d'Alexander Reid* (cat. n° 38) est là pour nous rappeler que ce tableau et peut-être une autre peinture de Boggs furent bientôt accrochés au mur dans l'appartement des frères van Gogh, avec le portrait de paysanne brabançonne par Vincent lui-même. A cet égard, il paraît vraisemblable que Reid avait été présenté à Boggs à l'époque où ce portrait fut peint, celui-ci anticipant sur les futures relations artistico-commerciales entre les trois hommes ainsi qu'avec Theo[4].

NOTES

1. Pour d'autres informations biographiques sur Boggs, voir A. Alexandre, *Frank Boggs* (Paris, 1929), en particulier: p. 21-48. La date à laquelle Theo vendit la toile de Manet à Boggs reste inconnue (ANNEXE *Theo*), mais dans la mesure où Boggs fut absent de Paris pendant la plus grande partie de 1887, cette vente intervint vraisemblablement à la fin de 1886 ou au début de 1887.
2. Etant donné ses rapports antérieurs avec la Goupil Gallery de Londres, il est possible que Boggs ait eu des contacts avec Theo avant même l'arrivée de Vincent à Paris; ou encore, peut-être faisait-il partie de ces «peintres bien connus» dont parle Theo dans une lettre de la fin de juin 1886 (*WTRT*, p. 8) où il fait état du cercle des amis et connaissances de Vincent. *Goupil*, livres de comptes de la maison Goupil.
3. Reprod. dans *Imp.*, p. 103-107. Boggs a pu voir le tableau de Manet en dépôt chez Durand-Ruel de 1884 à 1887 (cf. exp. *Manet*, Paris 1983, cat. n° 83).
4. Toutefois, il n'existe aucune preuve documentée du maintien éventuel de relations étroites entre eux; d'autres facteurs, d'ailleurs, le contredisent: la brouille qui intervint ultérieurement entre Reid et les frères van Gogh, et le fait que Boggs fut absent de Paris entre mai et novembre 1887 (CHRONOLOGIE); sans compter que celui-ci s'appuyait sur les expositions du Salon pour maintenir sa réputation.

Edgar Degas
(1834-1917)

Edgar De Gas (plus tard contracté en Degas), né à Paris, est issu d'une famille de la haute bourgeoisie. Son père, d'une grande culture musicale et théâtrale, encourage les goûts artistiques précoces de son jeune fils. Après des études au lycée Louis-le-Grand à Paris, Degas s'inscrit en 1853 à la faculté de Droit qu'il abandonne peu après pour étudier la peinture ; il consacre alors son temps à copier les maîtres anciens du Louvre. En 1854 il entre à l'atelier du Lyonnais Louis Lamothe, élève d'Hippolyte Flandrin, lui-même élève d'Ingres. L'année suivante, il s'inscrit à l'Ecole des Beaux-Arts. Pendant les cinq années suivantes, il fait des séjours en Italie où il étudie les maîtres de la Renaissance et l'art ancien. Merveilleux dessinateur et doué d'une vive intelligence, il s'intéresse dès 1861 à la représentation de la vie moderne, peignant des scènes de la vie parisienne contemporaine : courses de chevaux, orchestres, ballets, scènes de théâtre et de café. Lors d'un voyage à la Nouvelle-Orléans en 1872-1873 pour rendre visite à sa famille maternelle, il exécute plusieurs portraits, dont *Un comptoir de coton à la Nouvelle-Orléans*, qui témoignent de son besoin profond d'analyse de l'être humain. Il participe à la première exposition du groupe impressionniste en 1874 et, si l'on excepte la *VIIᵉ* où il n'apparaît pas, il sera avec C. Pissarro et Berthe Morisot le plus fidèle exposant du groupe, malgré son attitude quelque peu ambivalente envers le style impressionniste. Il a pour amis Edouard Manet et le romancier et écrivain Edmond Duranty, qui jouèrent un rôle important dans l'évolution du Réalisme et du Naturalisme. Degas est l'un des habitués célèbres du Café Guerbois et de La Nouvelle Athènes, futur lieu de ralliement des artistes et écrivains du mouvement naturaliste, dont les théories, notamment celles de Zola, imprègnent certaines œuvres de l'artiste. En 1886 il expose une série de figures au pastel, surtout des femmes à leur toilette, que Vincent van Gogh devait étudier avec la plus grande attention. Il semblerait en fait que cette même année, Theo ait vendu certaines de ses œuvres, mais le premier achat consigné dans les livres de compte de Boussod, Valadon et Cⁱᵉ, date de fin de 1887 (ANNEXES *Theo* et *Lettres*).

Jusqu'à sa mort en 1917, malgré une vue de plus en plus déficiente il continue à travailler de façon extrêmement inventive grâce à divers média , créant surtout des pastels et des sculptures.

81

Femme prenant un tub
Vers 1883-1885
Pastel
H. 72 ; L. 56
Signé en bas à droite *Degas*
New York, collection particulière

Degas
Edgar

A son arrivée à Paris, van Gogh ne connaissait pas le travail de Degas. Il eut l'occasion de se familiariser avec cette œuvre, au printemps de 1886, lors de la *VIIIe Exposition Impressionniste* où ne figuraient pas moins de quatorze Degas, dont plus d'une demi-douzaine de pastels de la série des «femmes au tub». Ce pastel devait figurer par la suite dans la collection d'Emile Boivin, par ailleurs client de Theo van Gogh depuis l'été 1887 : c'est alors qu'il devait lui acheter la célèbre *Femme accoudée près d'un pot de fleurs* (ANNEXE *Theo*)[1]. L'impression faite par cette «Suite de nus» sur Vincent van Gogh dut être profonde et durable. Dans une de ses rares lettres de la période parisienne (ANNEXE *Lettres*), il proclame son admiration pour certains impressionnistes : «*Degas*, un nu; *Claude Monet*, un paysage» (*Lettre* 459a); souvent, écrivant d'Arles, il fait référence à Degas sur un ton qui laisse supposer qu'il l'avait connu à Paris[2]. Et dans une allusion plus tardive à une gravure de nu masculin d'après Rembrandt, il fait le parallèle avec les nus de Degas, «le corps vrai et senti dans son animalité» (*B* 12).

Toujours dans la même lettre à Bernard, van Gogh déclare que ses préférences vont à «une statue grecque, un paysan de Millet, un portrait hollandais, une femme nue de Courbet ou de Degas». Le rapprochement entre la statuaire grecque et les nus naturalistes de Courbet et de Degas peut paraître étrange de prime abord. Il s'explique mieux lorsque l'on compare la *Femme prenant un tub* et les autres pastels de la même série avec les études à l'huile de moulages d'antiques réalisées par van Gogh (cat. n° 17). Peintes plusieurs mois après l'Exposition Impressionniste, ces études révèlent une tentative de la part de van Gogh pour faire une synthèse du contour idéal classique et du mouvement vécu du corps. Il est possible que van Gogh ait été influencé par la manière subtile avec laquelle Degas ombre ou éclaire ses corps, par l'utilisation systématique de fines hachures striées et parallèles. De la même façon, l'emploi par van Gogh d'une couleur dominante douce pour les corps et l'accent mis sur un fond bleu renvoient à la technique du pastel utilisée par Degas. Et surtout, van Gogh semble avoir trouvé avec les nus de Degas une magnifique synthèse entre la calme perfection de la forme classique et le besoin moderne de rendre avec réalisme ce qu'il imaginait être, à tort ou à raison, l'animalité physique de la femme[3]. L'admiration portée par van Gogh à ces nus était bien connue de son entourage : en 1890 encore, Theo écrit à Vincent qu'il a conduit leur sœur Willemina voir des Degas et qu'elle a «très bien compris ces nus» (*T* 28)[4].

NOTES

1. Il est peu vraisemblable que ce pastel ait figuré parmi les six à dix nus exposés par Degas à la *VIIIe Exposition Impressionniste*. Pour une liste d'œuvres possibles on se reportera à *1986, San Francisco*, p. 443, 444. Mais le sujet, le style et le coloris sont presque identiques, et la qualité de ce pastel est exemplaire. Durand-Ruel avait acheté deux nus de Degas dans les années 1880, dont celui-ci, le 30 mai 1885. Peut-être était-il encore dans la galerie Durand-Ruel à l'époque du séjour de van Gogh à Paris. On peut aussi supposer que Vincent avait pu le voir dans la collection de Boivin. Voir sur ce point *Lemoisne*, n° 883. Je dois au Dr Jean S. Boggs ce renseignement sur l'achat des Degas par Durand-Ruel; elle m'a aussi généreusement conseillé de même que Gary Tinterow de modifier la datation.
2. Les lettres d'Arles mettent l'accent sur les liens personnels entre van Gogh et Degas. C'est ainsi qu'il demande à Theo de dire à Degas qu'il a vu en compagnie de Gauguin le portrait de Bruyas par Delacroix au musée de Montpellier (*LT* 564). Se reporter aussi à *LT* 570 et 605.
3. Dans une lettre à Bernard (*B* 14), van Gogh décrit la manière de Degas comme «virile et impersonnelle», qualités qu'ils considérait de toute évidence comme compatibles. Sur la misogynie supposée de Degas, et sur l'accent mis sur l'animalité féminine dans sa suite de nus, on se reportera à M. Ward, «The Rhetoric of independance and innovation» dans *1986, San Francisco*, p. 430-434 et cat. n°s 140 et 141.
4. A cette époque Theo van Gogh était en relation d'affaires avec Degas, voir *Goupil*.

Armand Guillaumin
(1841-1927)

Né à Paris en 1841, Armand Guillaumin est peut-être le moins connu des peintres du groupe des impressionnistes. Il fut pourtant fidèle aux expositions du groupe, sauf en 1876 à la suite de Cézanne, puis en 1879. À l'âge de vingt-deux ans, il étudie à l'Académie Suisse où il fait la connaissance de Cézanne et rencontre Camille Pissarro par l'intermédiaire de l'artiste Francisco Oller y Cestro. La même année, en 1863, il expose sa première toile au *Salon des Refusés*. En 1869, il est employé aux Ponts et Chaussées et passe ses loisirs à peindre au bord de la Seine et aux environs de Paris. C'est à cette époque qu'il commence à se spécialiser dans la représentation des quais de la Seine, un thème qu'il devait reprendre tout au long de sa carrière artistique.

Dans les années 1870, il est très proche de Pissarro et de Cézanne et travaille l'eau-forte sous la direction du célèbre Dr Gachet, à Auvers. Le Père Martin devient alors son marchand de tableaux attitré et, peu après, Antonin Personnaz commence une splendide collection d'œuvres de l'artiste. Guillaumin s'installe dans l'ancien atelier de Daubigny, quai d'Anjou, où, comme on le sait, van Gogh passera, à la fin de 1887, des soirées animées, en compagnie de Theo et d'autres artistes. Lorsqu'il exécute son *Autoportrait* en 1878 (Amsterdam, Rijksmuseum Vincent van Gogh), il s'est éloigné du Dr Gachet et de Cézanne qui habite alors Aix-en-Provence.

Dans les années 1880, Guillaumin rencontre de nombreux artistes, dont Paul Gauguin, et réalise des paysages et des figures, dans un style violemment coloré remarqué en 1881 par le critique J.-K. Huysmans. Il participe, malgré les objections de Monet et de Renoir, à la *VIIᵉ Exposition des Impressionnistes* de 1882. En 1884, il expose avec le groupe des Artistes Indépendants dont Redon, Seurat, Signac ; il restera d'ailleurs un ami fidèle de ce dernier. C'est Guillaumin qui, cette même année, présente Pissarro à Signac et Seurat. Pendant le séjour de Vincent à Paris, Guillaumin peint des paysages à Damiette (dans la vallée de Chevreuse). En 1887 il confie ses toiles en dépôt au courtier Alphonse Portier. À la fin de la même année, Theo van Gogh montre des œuvres de Guillaumin à la galerie Boussod, Valadon et Cⁱᵉ, et se lie avec lui. Après la mort de Vincent et de Theo, Guillaumin restera en relation avec la famille van Gogh.

En 1891, Guillaumin gagna à la loterie une importante somme d'argent qui lui permit de quitter son emploi et de continuer à peindre et à voyager avec sa famille jusqu'à la fin de sa vie.

82 | *Soleil couchant à Ivry*
Vers 1869-1871
Huile sur toile
H. 65; L. 81
Signé en bas à gauche *A. Guillaumin*
Paris, Musée d'Orsay (don Paul Gachet, 1951; Inv. R.F. 1951-34)
Serret et Fabiani 20

Guillaumin
Armand

Ce tableau appartenait déjà au Dr Gachet, lors de son envoi à la première exposition des impressionnistes en 1874. Il est peu probable que Vincent van Gogh l'ait jamais vu avant d'entrer en contact avec Gachet à Auvers-sur-Oise en 1890. Mais Guillaumin avait exécuté toute une série de paysages industriels représentant les usines et les quais d'Ivry. C'était sans doute le peintre impressionniste le plus attaché à ce motif[1]. Le critique d'art symboliste Albert Aurier décrivait ainsi en avril 1889 certaines des toiles exposées chez le Père Tanguy: «Voici des coins de Seine, des ciels de banlieue salis par les tourbillonnantes fumées des cheminées d'usine, des paysages baignés de lumière rose, et tout cela signé Guillaumin[2].» Van Gogh était sans aucun doute familier des productions de Guillaumin, dont il s'est par exemple inspiré pour ses *Usines à Clichy* (cat. n° 54), et pour plusieurs tableaux réalisés à Arles (F 437-38, 449, 465)[3]. Cette toile de Guillaumin appartient aux premières années de l'Impressionnisme, au même titre que celle de son ami Camille Pissarro traitant un thème similaire (cat. n° 94). C. Cray a fait remarquer que le rougeoiement du ciel au crépuscule, qui contraste avec les tons violets et bleus des parties ombrées, renvoie à la période romantique de Guillaumin s'intéressant à l'Ecole de Barbizon. On pourrait y voir aussi l'influence des théoriciens de la couleur qui mettaient l'accent sur la valeur des contrastes simultanés des couleurs primaires[4].

NOTES

1. Dans son livre *Armand Guillaumin*, Chester (Connecticut), 1972, p. 7, C. Gray avance que *Soleil couchant* date de 1869, époque à laquelle le peintre a réalisé une esquisse préparatoire (id., p. 14, pl. 55). Mais il est souvent arrivé à Guillaumin de réaliser des toiles à partir d'esquisses très antérieures (id., fig. 1, p. 3 et p. 152). Les paysages industriels étaient un thème favori des peintres à l'époque. C'est évident chez Pissarro (cat. n° 94), et on en trouve quelques exemples chez Cézanne, autre intime de Guillaumin. Ils peignaient ensemble et avaient même un atelier commun au début des années 1870. Voir sur ce point J. Rewald, «Cézanne et Guillaumin» in *Studies in Impressionism*, I, New York, 1985, p. 102-119.
2. Albert Aurier, sous le pseudonyme de «Luc Le Flâneur», «En quête de choses d'art», in *Le Moderniste*, n° 2, 13 avril 1889, p. 14. Theo fait allusion à cet article sur la boutique de Tanguy dans une lettre à Vincent *(T* 21).
3. Guillaumin vendait non seulement à Tanguy, mais aussi à Portier, auquel il a dédicacé plusieurs toiles.
4. C. Gray, *Guillaumin*, p. 7. Voir aussi les planches 66, 96 et 170, pour le type de toiles de Guillaumin dont van Gogh avait peut-être gardé le souvenir pendant sa période d'Arles.

83 | *Nature morte aux chrysanthèmes*
Vers 1885
Huile sur toile
Signé en bas à gauche *Guillaumin*
H. 73; L. 60
Genève, Musée du Petit Palais (Inv. 9257)
Serret et Fabiani 127

Guillaumin
Armand

Guillaumin a surtout été un peintre de paysage; ce n'est qu'occasionnellement qu'il peignit des figures et encore plus rarement des natures mortes. Van Gogh ne fait jamais allusion à celles-ci; on ne peut donc avoir la certitude qu'il ait connu cet aspect mineur de la production de Guillaumin, mais cette éventualité ne peut être écartée. La *Nature morte aux chrysanthèmes* a été incluse dans la présente exposition car il s'agit, d'une part, d'une peinture de fleurs exécutée dans un style impressionniste plein de vigueur qui n'est pas sans rappeler des précédents, comme la toile de Monet sur le même sujet en 1878 (fig. a). D'autre part, elle semble témoigner par son coloris de l'influence de Delacroix, dont on pense que Guillaumin eut l'occasion de voir et d'admirer la rétrospective qui eut lieu en mars-avril 1885[1]. Enfin, les touches vigoureuses dont les pétales travaillés donnent à chaque fleur son modelé propre — selon la technique de Monticelli dans ses pièces florales (cat. nº 93) — se retrouveront dans celles de van Gogh, ainsi que l'a remarqué un éminent spécialiste de Guillaumin[2]. Si on compare, par exemple, les *Chrysanthèmes* de Guillaumin aux *Fritillaires* de van Gogh (cat. nº 40), on y trouve une audace similaire dans l'utilisation des contrastes entre couleurs dominantes, le rouge et le vert pour le premier, l'orangé et le bleu pour le second[3]. Tout en participant de la tradition «réaliste-impressionniste», les deux peintures, par la vivacité de leur coloris et de leur composition, annoncent déjà les «Fauves» et ceux qui se réclameront par la suite de l'Expressionnisme.

NOTES

1. C. Gray, *Armand Guillaumin*, Chester (Connecticut), 1972, p. 72.
2. *Ibid.*, p. 29.
3. Voir *Ibid.*, pl. 95, pour une autre peinture de fleurs de Guillaumin, réalisée vers 1885, et dont les contours ondoyants méritent d'être comparés aux *Fritillaires* de van Gogh.

Cat. nº 83 fig. a   Monet, *Bouquet de chrysanthèmes* (1878). Paris, Musée d'Orsay.

84 | *L'Italienne*
1885
Pastel
H. 60,5 ; L. 40,5
Signé et daté en bas à droite *Guillaumin 85*
Paris, Collection particulière

Guillaumin
Armand

Ce pastel et un autre similaire, daté lui aussi de 1885, ont servi d'esquisses à la toile de 1886-1887 (fig. a) qui montre l'arrière-plan avec plus de détail, mais conserve la vigueur et la liberté de touche de Guillaumin dans l'utilisation du pastel[1]. Guillaumin fut parmi les premiers impressionnistes — et sans doute des meilleurs — à faire usage du pastel, exposant de nombreux portraits réalisés dans cette technique à la fin des années 1870 et au début des années 1880[2]. Il utilisait des teintes aussi vives que dans ses peintures à l'huile, dans un style impressionniste basé sur l'emploi des couleurs de l'arc-en-ciel. A la fin de 1889, Theo van Gogh ayant exprimé des réserves quant au style de Guillaumin, Vincent prit sa défense : en restant fidèle à sa manière, Guillaumin donnait plus de cohérence à son œuvre (*T* 19). Les frères van Gogh, en fait, étaient des défenseurs de Guillaumin : Theo lui avait acheté une œuvre pour la première fois en décembre 1887 (ANNEXE *Theo*) et avait organisé la même année chez Boussod, Valadon et Cⁱᵉ une exposition de quelques-unes de ses œuvres, ainsi que des toiles de Gauguin et de Pissarro. En juillet 1890, Guillaumin fit partie du groupe privilégié de trois personnes, — lui-même, Toulouse-Lautrec et le critique Albert Aurier — invité chez Theo un dimanche en l'honneur de Vincent qui résidait alors à Auvers et s'était rendu à Paris[3]. Cédant à l'insistance de Vincent, Theo acheta même un pastel de Guillaumin pour sa collection personnelle, *La ferme* (*LT* 477). *L'Italienne* n'est pas mentionnée dans la correspondance entre les frères, mais nous avons toutes les raisons de croire que Vincent connaissait une ou plusieurs versions de cette œuvre, soit par l'entremise de Portier, soit à la suite d'une visite (*LT* 504, 514). Les contacts assez fréquents entre Guillaumin et van Gogh, à la fin du séjour de ce dernier à Paris, sont connus par des lettres (*B* 1, *LT* 504, *Lettre* 544 a)[4]. On eût aimé que le personnage représenté ait été *La Segatori*, célèbre modèle et propriétaire du café Le Tambourin, ce qui eût établi un lien biographique encore plus fort entre Guillaumin et van Gogh. C'est peu probable, si l'on

NOTES

1. Le second pastel est reproduit dans le livre de G. Lecomte, *Guillaumin*, Paris, 1926, non paginé.
2. C. Gray, *Armand Guillaumin*, Chester (Connecticut), 1972, p. 222.
3. Dans *LT* 649, Vincent regrette de n'avoir pu attendre l'arrivée de Guillaumin. En fait, après la mort des frères van Gogh, Guillaumin et sa femme restèrent en contact avec la famille van Gogh, comme en attestent leurs lettres à Johanna Bonger (Amsterdam, Rijksmuseum Vincent van Gogh).
4. *Coquiot*, p. 316, 317, fait certes état d'un incident au cours duquel van Gogh aurait voulu corriger un dessin de Guillaumin représentant des ouvriers au travail en prenant lui-même la pose ; mais il s'agit d'un souvenir personnel de Guillaumin, dans lequel ne perce aucune acrimonie.

Cat. n° 84 fig. a   Guillaumin, *L'Italienne*.
Collection particulière.

tient compte de la jeunesse du modèle et de l'absence de toute référence à la Segatori dans la littérature consacrée à Guillaumin, y compris dans la correspondance entre les frères van Gogh. Ce qui n'empêche nullement van Gogh d'avoir subi l'influence de Guillaumin dans son *Italienne* (cat. n° 66) puisque à la fin de 1887, date de l'exécution du tableau, il avait rompu avec *La Segatori*. Il faut plutôt voir une influence de Guillaumin sur le choix du sujet et sa manière, influence particulièrement sensible dans l'étendue de la palette et dans l'emploi des touches striées. Van Gogh semble ne l'avoir jamais oublié et rendait hommage à son collègue dont il écrivait : « Et Guillaumin, que tu cites, a en lui tant de style et de dessin personnel » (*LT* 613).

85 | *Portrait de jeune fille*
Vers 1887-1888
Huile sur toile
H. 65 ; L. 54
Signé en bas à droite *Guillaumin*
Amsterdam, Rijksmuseum Vincent van Gogh
(Fondation Vincent van Gogh ; Inv. s 227V/1962)
Serret et Fabiani 191

Guillaumin
Armand

Parmi les trois œuvres de Guillaumin entrées dans la collection des frères van Gogh, un *Portrait de l'artiste par lui-même* de 1878 et ce *Portrait de jeune fille* avaient semble-t-il déjà été acquis au moment où Vincent quitta Paris[1]. De Saint-Rémy, en septembre 1889, celui-ci évoquait encore le talent de portraitiste de Guillaumin dans les termes les plus favorables. Il indiquait ainsi à son frère : «Mais continuons toujours à rechercher des portraits surtout d'artistes tels le Guillaumin et le portrait de jeune fille de Guillaumin» (*LT* 604). Peu après, on le voit demander à sa sœur Willemina si elle avait vu l'autoportrait de Guillaumin et son portrait d'une jeune fille, lors de sa visite à Theo, à Paris : il y voyait, quant à lui, l'illustration de ce que recherchaient les peintres contemporains, et trouvait que ces toiles n'étaient pas inférieures aux œuvres des anciens maîtres hollandais, comme Hals et Rembrandt (*W* 14). En dépit de son coloris vibrant, ce *Portrait d'une jeune fille* n'en résonne pas moins d'une note à la Franz Hals, que soulignent sa dimension naturaliste et la mise en valeur de la robe montante de la jeune femme.

Il est aisé de comprendre pourquoi Vincent devait se sentir en affinité particulière avec cette toile. Comme dans son *Père Tanguy* (cat. n° 65) et son *Italienne* (cat. n° 66), le modèle a une pose frontale, les deux mains fermement jointes ; il est peint sur un fond décoratif sans profondeur. Par sa conception et son style, ce portrait rappelle également la manière dont Guillaumin a traité lui aussi le thème de l'«Italienne», notamment dans sa version peinte (cat. n° 84 fig. a) où l'on voit apparaître le même fond en draperie : cela indique que les deux portraits furent probablement peints dans l'atelier de Guillaumin et sensiblement à la même période.

NOTES

1. Le *Portrait de l'artiste par lui-même* est reproduit dans *Imp.*, p. 363.
2. Reproduit dans C. Gray, *Armand Guillaumin*, Chester (Connecticut), 1972, p. 172, pl. 114 (bien que la reproduction photographique soit malheureusement imparfaite). Je suis redevable à Jacqueline Derbanne, qui prépare le catalogue raisonné de l'œuvre de cet artiste, de pouvoir me référer à cet exemple. En décembre 1887, Guillaumin exposa une *Liseuse* à la galerie Boussod, Valadon et Cie dirigée par Theo, et au début de 1888, il envoya aux *XX* une *Jeune femme lisant* — sujet et composition dont Vincent ne manqua peut-être pas de se souvenir quand il réalisa sa propre *Liseuse de romans* (F 497).
3. C'est Portier qui emmena Guillaumin chez les frères van Gogh et le présenta à Vincent, alors en train de peindre *Romans Parisiens* (cat. n° 56). Cf. *Coquiot*, p. 136.

Cat. n° 85 fig. a   Vincent van Gogh,
La Berceuse (F 504).
Otterlo, Rijksmuseum Kröller-Müller.

L'identité du modèle ne nous est pas connue, mais il est possible que la jeune fille soit assise sur la même chaise que celle que l'on trouve dans un pastel de 1889, *Portrait de Madame Guillaumin lisant*[2]. On peut se demander si les portraits féminins de Guillaumin n'ont pas influé sur l'évolution de Vincent, comme dans *Femme assise près d'un berceau* (cat. n° 25), car il aurait fort bien pu prendre connaissance de cet œuvre chez Portier avant même que celui-ci ne lui présente l'artiste durant l'automne de 1887[3]. L'éventualité de cette influence, qui se serait donc exercée à Paris, reste impossible à prouver ; il est en revanche plus difficile de nier que Vincent s'est souvenu de ce *Portrait d'une jeune fille* quand, à Arles, il réalisa *La Mousmé* (F 431) et *La Berceuse* (fig. a).

Maximilien Luce

(1858-1941)

Peintre, graveur sur bois, lithographe et illustrateur, Luce mena une existence riche et variée. Né à Paris, il entre en apprentissage à quatorze ans chez le graveur sur bois Hildebrand. En 1876, il travaille dans l'atelier d'Eugène Froment et pendant près de dix ans fournit des illustrations pour des revues dont le *Magasin pittoresque*, l'*Illustration* et *The Graphic* dans les bureaux duquel il rencontre Léo Gausson. A la même période, il suit les cours de l'école de dessin des Gobelins, étudie la peinture à l'Académie Suisse, dans l'atelier de Carolus-Duran.

Après quatre ans de service militaire en Bretagne, de retour à Paris, il reprend son emploi chez Froment tout en travaillant chez le graveur et peintre animalier Auguste Lançon. Il quitte l'atelier de Carolus-Duran en 1885 et découvre avec Gausson et Cavallo-Peduzzi les nouvelles recherches de Seurat. Deux ans plus tard, Luce peint ses premières œuvres néo-impressionnistes décrivant la vie des travailleurs à Montmartre ; il les montre au *Salon des Indépendants* de 1887 où il expose pour la première fois. Il est présenté par Pissarro aux artistes qui constituent, autour de Seurat et de Signac, le groupe néo-impressionniste. Guillaumin, Dubois-Pillet, Louis Hayet et surtout Charles Angrand comptent parmi ses amis, ainsi que les critiques Félix Fénéon et Jules Christophe.

Enfant, il a été témoin des atrocités de la Commune à Paris et ce souvenir laissera en lui une impression profonde. Il partage les opinions anarchistes de la plupart des néo-impressionnistes et se lie d'amitié en 1887 avec le journaliste anarchiste Jean Grave, dont la revue hebdomadaire *La Révolte* devient sa lecture favorite. Il collabore à d'autres publications anarchistes parmi lesquelles l'hebdomadaire d'Emile Pouget, *Le Père Peinard*, et peint des vues de Paris et de la banlieue. A la mort de Seurat, Luce est chargé avec Fénéon et Signac de l'inventaire de l'atelier du peintre. Arrêté en 1894 lors d'une manifestation anarchiste, puis libéré, il continue à travailler, sans pour autant renoncer à ses activités politiques. En 1934, sept ans avant sa mort, il accepte la présidence de la Société des Artistes Indépendants après la démission de Signac.

86

Terrain à Montmartre: rue Championnet

1887
Huile sur toile
H. 45,5; L. 81
Signé et daté en bas à droite *Luce 87*
Otterlo, Rijksmuseum Kröller-Müller (Inv. 1216-03 K.M.S.)
Bazetoux 167

Luce
Maximilien

Cette peinture était présente, avec *Paysage vu de Montmartre* (cat. n° 87), à l'exposition des Indépendants qui s'ouvrit en mars 1888. Toutefois, Luce avait achevé son tableau l'année précédente, quand il exposa pour la première fois des œuvres de style pointilliste alors qu'il avait à l'époque des relations amicales avec Signac et peut-être aussi avec Camille Pissarro: ce dernier devint le premier propriétaire de l'œuvre[1]. Fénéon fut le premier critique à admirer Luce pour ses représentations de la banlieue et à noter que ses «paysages étaient d'un barbare mais robuste et hardi peintre»[2]. Il n'est donc pas impossible que van Gogh ait rencontré Luce pendant son séjour à Paris, ou qu'il ait connu son travail par l'intermédiaire de Signac, ou encore de manière totalement indépendante — mais rien de tout cela n'est connu avec certitude. Quand il mentionne brièvement son nom dans sa correspondance (*LT* 562) c'est pour approuver Theo d'avoir eu l'idée d'acheter une toile de Luce; mais la formule qu'il emploie «Je trouve excellent que tu prennes un Luce» ne nous indique guère s'il connaissait le peintre ou son œuvre.

Il est tentant d'établir un rapprochement entre la composition de cette peinture et l'aquarelle de Vincent *Aux confins de Paris près de Montmartre* (cat. n° 50), puisque toutes les deux présentent en premier plan la chaussée d'une rue surélevée, bordée de petites palissades derrière lesquelles on voit un quartier industriel. Bien que l'environnement soit proche, le point de vue retenu par Luce n'est pas, comme chez Vincent, l'un des versants de la Butte Montmartre vers Clichy, mais le croisement de la rue Danrémont, au premier plan, avec la rue Championnet qui apparaît derrière, bordée d'immeubles (PLAN). Tout près de ce croisement, à droite du site représenté, se trouve la rue Vincent-Compoint où habitait l'artiste, au n° 9, jusqu'à son installation en 1887 au 6, rue Cortot, sur la Butte[3]. Ce quartier était également très proche des fortifications qui flanquaient la Porte de Clignancourt, donc directement en face de Saint-Denis. Plus que van Gogh, Luce a réduit le pittoresque au minimum: sa composition est d'une sécheresse toute géométrique et le coloris de dominante bleu-violet ajoute à la

NOTES

1. Signac acheta pour 50 francs *La Toilette*, que Luce avait exposée aux Indépendants de 1887 (reprod. en couleurs dans J. Bouin-Luce et D. Bazetoux, *Maximilien Luce*, Catalogue de l'œuvre peint, Paris, 1986, vol. I, p. 61.
2. F. Fénéon, «Le Néo-Impressionnisme», in *l'Art moderne de Bruxelles*, 1er mai 1887.
3. On indique habituellement l'installation de Luce rue Cortot en 1887 (ou vers 1887). L'adresse jusqu'ici passée sous silence, du 9, rue Vincent-Compoint (voir plus loin l'examen de cette question), provient du catalogue des Indépendants de 1887. Tous ces problèmes de changement ou de confusion d'adresses sont à mettre en rapport,
semble-t-il, avec la pauvreté de l'artiste.
4. Ces études préliminaires, dont l'une est réaliste tandis que l'autre s'essaie au pointillisme, sont reproduites dans *Bazetoux*, vol. II, n°s 168-169.

sensation oppressante qui se dégage de ce triste quartier ouvrier. Cette représentation des réalités de la vie contemporaine est conforme aux sympathies politiques bien connues du peintre, résolument anarchiste et socialiste ; ceci était sûrement apprécié d'un autre artiste aux mêmes opinions, Camille Pissarro, premier propriétaire du tableau. L'importance de cette toile aux yeux de Luce est attestée par l'existence de deux études préliminaires à l'huile, toutes les deux signées et datées[1].

87 | *Paysage vu de Montmartre*

Eté 1887
Huile sur toile
H. 54 ; L. 63
Signé et daté en bas à gauche *Luce 87*
Genève, Musée du Petit Palais (Inv. 16)
Bazetoux 161

Luce
Maximilien

Ce paysage industriel de la banlieue de Paris est vu depuis la Butte Montmartre où l'artiste s'était installé un peu avant l'été de 1887 — et c'est bien cette saison qu'évoque ce tableau verdoyant. L'œuvre nous informe donc non seulement d'un changement de résidence de l'artiste, mais aussi d'un changement d'esprit si nous le comparons à *Terrains à Montmartre* (cat. n° 86). On a ici une vue panoramique de tout un secteur composé de quartiers d'usines et d'habitations, niché dans une vallée bordée, au nord par les vallonnements de Saint-Denis, et au sud par les jolies charmilles de Montmartre. Quand ce tableau fut exposé dans les locaux de *La Revue Indépendante* à l'automne 1888, Fénéon le décrivit ainsi : «... l'horizon de Montmartre, la plaine Saint-Denis avec des séries de maisons moutonnantes comme une mer de flots colorés ; une spéciale habileté à encadrer ce coucher de soleil sur les pétrifications colorées en un premier plan de verdure aux lignes harmonieuses[1].» L'installation de Luce sur la Butte coïncida avec la consolidation des liens qui l'unissaient aux chefs de file du Néo-impressionnisme, comme Seurat, Signac, Angrand, les Pissarro, Gausson... ainsi peuvent s'expliquer, non seulement cette palette plus lumineuse et la fidélité de l'artiste à la technique pointilliste, mais également une vision plus optimiste de la vie. La situation exacte de l'endroit évoqué est difficilement déterminable : car ce secteur a été détruit puis reconstruit mais dans au moins une et peut-être deux autres peintures de la même période, on retrouve cette utilisation d'un «point de vue» général[2]. Dans les années 1890, après avoir légèrement déplacé son lieu de résidence, au 16, rue Cortot, Luce peignit de nouveau cette même vue plongeante, en y introduisant cette fois un pan de l'immeuble dans lequel Suzanne Valadon habitait alors. Vincent et Theo étaient morts, à cette époque, et Luce a dû se rendre compte des affinités de lieu et de style qui avaient relié son travail, de 1887, à la *Vue de Paris prise de la chambre de Vincent, rue Lepic* (cat. n°s 29 et 30).

NOTES

1. F. Fénéon, «Exposition des tableaux de M. Maximilien Luce», in *La Revue Indépendante*, août 1888.
2. *Bazetoux*, vol. II, n°s 163, 170.

Claude Monet

(1840-1926)

Bien que né à Paris, Claude Monet passe son enfance au Havre où sa famille s'était établie en 1845. Vers 1856, jeune homme, il y rencontre le paysagiste Eugène Boudin qui l'encourage à peindre en plein air des scènes de bord de mer. Installé à Paris trois ans plus tard, il s'inscrit à l'Académie Suisse et se lie avec Camille Pissarro. Il fait son service militaire en Algérie où la lumière étincelante et la couleur lui rappellent l'œuvre de Delacroix admirée pendant l'hiver de 1860. A son retour en France, il entre à l'atelier Gleyre ; là, il rencontre Renoir, Sisley, Bazille et en 1863 peint avec eux à Chailly. Pendant plusieurs années, il connaît une situation financière critique et peint sans relâche. En 1870, il rencontre à Londres Paul Durand-Ruel, qui sera son marchand jusqu'en 1886. Pendant l'été de 1874, il travaille à Argenteuil aux côtés de ses meilleurs amis Manet et Renoir, et participe ce printemps-là, à la première manifestation du groupe impressionniste. Il prend part régulièrement aux expositions de ce dernier jusqu'en 1880 ; après une querelle avec Degas, il refuse avec Renoir et Sisley d'y participer. La même année, une exposition particulière de ses œuvres, dans les locaux de la revue *La Vie Moderne*, lui suscite des appuis de plus en plus nombreux ; ceci contribue à améliorer ses finances pendant quelques années et impressionne les jeunes artistes, en particulier Paul Signac, qui a dix-neuf ans. Monet expose de nouveau en 1882, avec ses anciens compagnons, à la *VIIᵉ Exposition Impressionniste* chez Durand-Ruel qui, l'année suivante, organise dans sa galerie une exposition particulière de ses œuvres.

Lorsque Vincent van Gogh arrive à Paris, en 1886, Monet était reconnu comme le chef de file du groupe impressionniste. A partir du printemps de la même année, il participe aux dîners mensuels des impressionnistes au café Riche où se retrouvent outre les peintres du groupe, Mallarmé, Duret et G. Geffroy. Ni Monet, ni Renoir, ni Sisley n'exposent à la *VIIIᵉ Exposition Impressionniste*, mais ils décident, en revanche, de participer à la *Vᵉ Exposition Internationale*, galerie Georges Petit. Au printemps de 1887, Monet accepte l'invitation de G. Petit d'exposer à nouveau en mai à la *VIᵉ Exposition Internationale* avec Pissarro, Renoir et Sisley. Ce même mois, Theo van Gogh, qui en 1885 a déjà fait l'acquisition pour Boussod, Valadon et Cⁱᵉ d'une toile de Monet, lui en prend huit autres, puis encore sept à la fin de l'année. Après le départ de Vincent pour Arles, Theo organise en juillet 1888 une exposition des paysages d'Antibes de Monet et, l'année suivante, présente ses dernières œuvres ; jusqu'en 1891, Theo, ayant vendu soixante-douze toiles de l'artiste fut, avec Durand-Ruel, un marchand très efficace pour Monet. Celui-ci, après son mariage en 1892 avec Alice Hoschedé, voyage moins, peint et reçoit de nombreux amis et visiteurs à Giverny jusqu'à sa mort, en 1926.

88 | *Le Pont d'Argenteuil*

Eté 1874
Huile sur toile
H. 60 ; L. 80
Signé et daté en bas à droite *Claude Monet 74*
Paris, Musée d'Orsay (legs Antonin Personnaz, 1937 ; Inv. R.F. 1937-41)

Monet
Claude

Ce chef-d'œuvre des débuts de l'Impressionnisme est l'une des sept toiles réalisées par Monet, en 1874, où l'on voit le pont d'Argenteuil ; dans quatre autres, on retrouve le pont du chemin de fer qui enjambe la Seine en amont du village. La vue présentée ici est prise en aval, depuis ce pont, du côté du Petit-Gennevilliers, avec la maison de l'ancien passeur (devenue en 1874 un restaurant) et la tour du péage que l'on voit sur le pont du côté d'Argenteuil. Comme P. Tucker l'a fait observer, Monet n'a pas voulu montrer ici l'Argenteuil moderne, avec ses usines et son port commercial ; il a préféré peindre son plan d'eau pour le yachting, comme si le plaisir de faire du bateau était la seule activité de l'endroit. P. Tucker perçoit dans ce tableau un «calme» caractéristique de l'art de Monet, et qui contraste avec les autres œuvres dans lesquelles ce pont est représenté (fig. a) ; celles-ci évoquent plus franchement l'intrusion de la population urbaine et de la vie industrielle dans les campagnes environnant Paris[1].

Etant donné le nombre de toiles dans lesquelles Monet a peint les deux ponts d'Argenteuil, il est tout à fait improbable que van Gogh n'en ait pas vu quelques-unes durant son séjour à Paris : d'autant plus que dans le cas présent, la toile appartenait au baryton Jean-Baptiste Faure, dont Vincent a dit que la collection de tableaux avait été à la base de sa connaissance de l'Impressionnisme (*LT* 574). Parmi ses propres représentations de ponts, on peut considérer que le *Pont à Asnières* (cat. n° 42), et au moins deux autres du même genre (F 303 et 304), reprennent dans une certaine mesure le thème de la partie de barque cher à Monet et que Vincent rend ainsi hommage à ce *Pont d'Argenteuil*.

On peut dire avec autant de certitude que Bernard et Signac aussi avaient en tête les différentes versions du *Pont du Chemin de Fer, Argenteuil* — avec le train qui passe — quand ils traitèrent d'un sujet comparable, dans le cadre d'Asnières (cat. n° 42 fig. a, cat. n°s 76 et 116) ; mais il serait invraisemblable qu'aucun d'eux n'ait perçu, en ce milieu des années 1880, la touche japonisante qui se manifeste dans le dessin de ces «Ponts» des impressionnistes, en particulier chez Monet.

Cat. n° 88 fig. a   Monet, *Le Pont du chemin de fer à Argenteuil* (1873).
Collection particulière.

NOTES

1. P.H. Tucker, *Monet et Argenteuil*, New Haven et Londres 1982, Ch. III, particulièrement p. 76-79. Voir également *1980, Paris*, cat. n° 38.

89 | *Le Printemps à travers les branches: l'Ile de la Grande Jatte*
Printemps 1878
Huile sur toile
H. 52; L. 63
Daté et signé en bas à droite *1878 Claude Monet*
Paris, Musée Marmottan (Inv. 4018)
W 455

Monet
Claude

Cette toile fait partie d'un groupe de cinq, réalisées au printemps 1878 sur l'île de la Grande-Jatte en regardant du côté de Courbevoie, à travers le rideau naturel formé au premier plan par le feuillage lumineux de plusieurs branches d'arbres. Deux de ces toiles (W 455-56) se présentent comme les variantes de la même composition; on y trouve une maison également présente dans ce tableau-ci et dans un autre de la même série (W 458); dans la cinquième, la vue est orientée en amont, vers un pont, identifié comme celui de Neuilly dans le catalogue raisonné de Monet, mais qui serait plutôt le pont de Courbevoie[1]. On ne peut être certain que van Gogh ait connu telle ou telle des œuvres de cette série, mais l'une d'entre elles (W 457) appartenait à Théodore Duret que Theo connaissait depuis au moins 1886-1887[2]. Outre l'intérêt que présentent ces toiles, dans la mesure où elles préfigurent les séries que Monet réalisera plus tard, il faut remarquer que cette formule de l'écran de verdure en premier plan était déjà utilisée, non seulement dans les estampes japonaises, mais aussi — chacun à sa manière — par Pissarro, Cézanne ou d'autres impressionnistes[3].

Chez van Gogh, les deux plus importants tableaux sur ce thème sont peints depuis une île de la Seine à Asnières, avec l'arche du pont de Clichy à l'arrière-plan (cat. n° 30 et n° 31): mais aucun ne dérive directement de l'un des cinq tableaux de la Grande-Jatte de Monet. L'influence exercée par celui-ci sur les paysages de van Gogh de l'été 1887 est indiscutable; d'ailleurs Vincent avait à cette époque l'occasion de voir un grand nombre de ses peintures[4]. Monet apparaît, à plus d'un titre, comme un modèle à prendre en considération, et nous comprendrons mieux pourquoi, dans une lettre à Livens datant probablement de la fin de l'été 1887, van Gogh faisait de lui le peintre de paysage impressionniste par excellence (ANNEXE *Lettres*).

NOTES

1. Le pont de Neuilly (identifié par W 454) est à une distance considérable de l'endroit d'où les vues ont été prises à la Grande-Jatte (W 459-61), alors que les contours (manifestement bas sur l'eau) des travées du pont que l'on peut voir dans la peinture de Monet ressemblent de très près à ceux que l'on retrouve dans une toile de van Gogh représentant le pont de Courbevoie (F 304), lequel est situé au milieu de l'île de la Grande-Jatte.
2. Duret avait dédicacé «à Mr Van Gogh en hommage de l'auteur» un exemplaire du livre qu'il venait de publier en 1885, *Critique d'Avant-Garde* (Amsterdam, Rijksmuseum Vincent van Gogh).
3. Dans *Monet: Nature into Art*, New Haven et Londres, 1986, p. 193-197, J. House fournit une analyse «The Genesis of Monet's Serial Production, 1864-1889». Pour une reproduction en couleurs et l'examen d'un exemple de ce type d'«écran» chez Pissarro, voir *1979, Ann Arbor*, cat. n° 37.
4. Monet exposa douze tableaux à la *Ve Exposition Internationale*, organisée en juin-juillet 1886 à la galerie Georges Petit, et dix-sept en mai 1887, à la *VIe Exposition Internationale* (au même endroit). Voir *W*, II, p. 48, note 502 et III, p. 2, note 621.

90 | *Poires et raisin*
1880
Huile sur toile
H. 65 ; L. 81
Signé et daté en haut à gauche *Claude Monet 1880*
Hambourg, Hamburger Kunsthalle (Inv. 1568)
W 631

Monet
Claude

J. House a récemment fait remarquer que, durant les années 1878-1882, Monet se consacra essentiellement à la peinture de natures mortes et que ce choix s'explique davantage par des considérations matérielles et financières que par de réelles motivations personnelles[1]. La qualité artistique de ces œuvres n'en a pourtant aucunement souffert et on trouve dans ces *Poires et raisin* de Hambourg une gamme de couleurs tout à la fois subtiles et riches, comme les tonalités bleues et roses de la nappe. La touche déliée, striée, qui est utilisée pour le linge et le vert des feuilles permet d'obtenir ainsi, derrière les formes arrondies des fruits, un fond particulièrement travaillé qui conduit le spectateur à privilégier, non pas tant le sujet du tableau — en tant qu'imitation d'une réalité matérielle — que la peinture elle-même et l'entité décorative qu'elle constitue.

Si van Gogh a eu l'occasion de voir ce tableau, ou tout autre d'un style voisin — ce qui n'est pas prouvé —, il a pu percevoir combien la dimension anti-naturaliste inscrite dans l'approche de Monet était en accord avec ses propres recherches en 1887[2]. Disons au moins qu'on retrouve une grande similitude de conception entre ces *Poires et raisin* et certains tableaux de Vincent avec des fruits, parmi lesquels *Pommes, raisins et poires* (cat. n° 60 fig. a) est l'exemple le plus remarquable. Signac avait dû voir cette œuvre de Monet avec d'autres natures mortes à l'exposition Monet organisée à la galerie Durand-Ruel, en 1883 ; c'est lui, dans une certaine mesure, qui fournit une transition entre Monet et van Gogh (cat. n° 111). A l'évidence, Vincent doit beaucoup au style de Monet et s'il n'a pas eu l'occasion de voir ces natures mortes de fruits, il est fort possible qu'il ait connu ses natures mortes de fleurs ou de gibier.

NOTES

1. J. House, *Monet, Nature into Art*, New Haven et Londres, 1986, p. 40-42.
2. S'agissant des diverses natures mortes de fruits (vers 1880) répertoriées dans le catalogue Wildenstein, van Gogh n'aurait pu en voir que deux (W 545-46) qui sont alors dans le commerce d'art : mais aucun document ne nous le confirme. Toutefois, il n'est pas impensable que Theo et Vincent aient pu en voir dans une collection privée, et il est de fait qu'en 1889 Theo acheta pour Boussod et Valadon *Nature morte au melon d'Espagne* (W 544).

AMIS ET CONTEMPORAINS DE VAN GOGH

91 | *Pommier en fleurs au bord de l'eau*
Eté 1880
Huile sur toile
H. 73 ; L. 60
Signé et daté en bas à droite *Claude Monet 80*
Paris, collection particulière
W 585

Monet
Claude

En 1878-1880, à Vétheuil, Monet peignit souvent des arbres fruitiers en fleurs masquant, en partie ou totalement, le paysage situé au-delà (W 488-91, 521-24) : la toile exposée ici est peut-être l'expression la plus pure de cette présence dominante de l'arbre au premier plan. De fait, le «bord de l'eau» attribué au titre est à peine visible derrière l'épais feuillage de l'arbre principal : il faut supposer que l'artiste s'intéressait moins à la représentation d'un arbre particulier, dans son environnement naturel, qu'à l'effet de chatoiement général de la lumière reflétée par un mur de feuilles[1]. A supposer que van Gogh ait eu connaissance de cette toile, ou de telle autre proche par son style ou son thème, on peut penser qu'il y a trouvé un encouragement direct pour ses toiles de sous-bois de l'été 1887 (cat. nº 34), date à laquelle Theo avait déjà vendu, en juin, neuf toiles de Monet (ANNEXE *Theo*)[2]. Monet comme van Gogh utilise de façon systématique la gamme du vert dans toutes ses variations tonales et chromatiques. Autre leçon que Vincent a pu retenir de Monet : l'application, en dernier lieu, des reflets de la lumière sur les feuilles ; ce qui n'empêche d'ailleurs pas Vincent de traiter ces rehauts de lumière avec une touche qui lui est propre, comme on le voit dans son *Marronnier en fleurs* (fig. a) du printemps 1887. Il est révélateur que ce *Pommier en fleurs*, dont Signac fit par la suite l'acquisition, ait fait partie de l'Exposition Monet, à la galerie *La Vie moderne* au printemps de 1880, exposition que Signac a visitée[3]. Il est probable que celui-ci a dû s'en souvenir comme d'une période de transition, pendant laquelle l'Impressionnisme et la technique pointilliste étaient loin d'être toujours conçus en termes d'exclusion réciproque.

Cat. nº 91 fig. a   Vincent van Gogh,
Le Marronnier en fleurs (F 270 bis).
Amsterdam, Rijksmuseum Vincent van Gogh
(Fondation Vincent van Gogh).

NOTES

1. On a repris ici le titre donné par W 585.
2. Monet travailla en 1878 sur des motifs similaires : voir W 519, 521, 522, 523, chacune de ces toiles incluant toutefois des étendues entières de ciel et de champs. La toile dont nous parlons ici était destinée à être offerte au collectionneur et amateur de tableaux Eugène Murer, en remboursement d'une dette d'argent (*W* 1, Lettre 189, p. 400) ; elle fut achetée vers 1882 par Durand-Ruel, et il est possible qu'il l'ait eue en dépôt dans sa galerie durant le séjour de van Gogh à Paris.
3. *Cachin*, p. 6. Signac fit l'acquisition de la toile après 1926.

Champs de tulipes et moulin près de Rijnsburg

Commencé entre le 1ᵉʳ et le 6 mai 1886
Huile sur toile
H. 65,5 ; L. 81,5
Signé et daté en bas à gauche *Claude Monet 86*
Paris, Musée d'Orsay (legs de la princesse Edmond de Polignac
née Singer, 1944 ; Inv. R.F. 1944-19)
W 1067

Monet
Claude

NOTES

1. Pour une excellente présentation de ce tableau et de ceux qui lui sont apparentés, voir *1980, Paris*, cat. nº 89, reproduction en couleurs. Les titres Wildenstein de ces peintures (W 1067-71) comportent des références à Leyde et à Haarlem (par exemple, pour deux peintures où l'on retrouve la même ferme), mais il est presque certain que Monet réalisa l'ensemble des cinq tableaux à Sassenheim et à Rijnsburg, deux villages proches de Leyde ; il pouvait s'y rendre facilement chaque jour depuis La Haye, où il résidait alors. Pour des précisions sur la localisation de ces cinq toiles, voir : *1986, Amsterdam*, cat. nº 41 et p. 65, 166-175.

2. Les livres de comptes de Goupil ne portent pas trace de cette acquisition par Theo (ANNEXE *Theo*). On sait que la maison Boussod et Valadon était propriétaire de *Champs de fleurs* (W 1068) au moment où la toile fut prêtée à Petit pour la *VIᵉ Exposition Internationale*, ainsi qu'il apparaît dans *W*, III, p. 2, note 621. Le fait que cette toile ait été l'un des trois prêts consentis par Theo pour cette exposition témoigne des entrées dont celui-ci jouissait, au plus tard à cette date, dans les milieux commerciaux s'intéressant aux œuvres impressionnistes. Plus tard, en décembre, Theo acheta à Portier une autre peinture de moulin à vent (ANNEXE *Theo*), réalisée par Monet dans une période antérieure (W 170).

3. Voir, par exemple, pour la période de Saint-Rémy, *Le Champ aux coquelicots* (F 581 ; reproduit en couleurs in *DLF*).

4. Les comptes rendus en question et autres opinions enregistrées à l'époque ont été rassemblés dans *1980, Paris*, cat. nº89 ; Huysmans fut «emballé», Fénéon approuva, et en mai 1887, Camille Pissarro exprima sa réprobation. Bien que formulée brutalement, la description que celui-ci faisait de *Champs de Fleurs*, parlant de son «exécution grossière... où les empâtements sont tellement en relief qu'une lumière factice vient s'ajouter à celle de la toile», n'en est pas moins exacte, et elle souligne précisément ce qui dut plaire à van Gogh.

Cette œuvre est l'une des cinq toiles de champs de tulipes en Hollande réalisées par Monet en 1886 ; trois d'entre elles comportent un ou plusieurs moulins, tandis qu'on retrouve le même corps de ferme dans les deux autres. Cette ferme, aujourd'hui disparue, a été identifiée : elle était située aux confins de Sassenheim, un village situé à onze kilomètres au nord de Leyde, célèbre centre d'horticulture ; on peut raisonnablement penser que la série entière fut réalisée dans cette même contrée[1]. Monet s'était rendu en Hollande en réponse à une invitation qui lui avait été adressée par un admirateur ; il y séjourna dix jours (27 avril-6 mai), au plus fort de la saison des tulipes. Même s'il lui est arrivé de se plaindre de ne pouvoir rendre «des champs énormes en pleines fleurs... avec nos pauvres couleurs», ce *Champs de Tulipes* a fait partie des deux études (l'autre étant W 1070) qu'il a présentées à la *Vᵉ Exposition Internationale de Peinture* qui se tint en juin-juillet 1886 à la galerie Georges Petit : elles furent immédiatement vendues à un prix élevé. Au printemps suivant, Theo fit l'acquisition, probablement auprès de Monet lui-même, d'une toile comparable, *Champs de fleurs et Moulins près de Leyde* (ANNEXE *Theo*), qu'il prêta à Georges Petit pour la *VIᵉ Exposition Internationale*[2].

Ainsi, à peine arrivé à Paris, Vincent van Gogh savait fort bien que le chef de file du paysage impressionniste venait juste de réaliser, sur le sol hollandais, des peintures ayant pour thèmes deux sujets auxquels la Hollande était étroitement associée dans l'imagination populaire : les moulins à vent et les champs de tulipes.

En dehors de toute considération sentimentale, on ne peut imaginer peintures plus susceptibles d'avoir sensibilisé van Gogh à la cause de l'Impressionnisme, même si, par une ironie de l'histoire, lui-même n'avait réalisé, durant ses différentes périodes hollandaises, qu'un seul tableau représentant des parterres de fleurs (F 186) et un très petit nombre de dessins comportant des moulins à vent (F 843, 844, 850, 901, 1319 verso, 1321 recto). Peut-être le fait de voir Monet reprendre à son compte la thématique des moulins à vent, comme ici dans ces *Champs de tulipes* si richement colorés, a-t-il été pour van Gogh une incitation supplémentaire à peindre ceux qui couronnaient la Butte Montmartre (cat. nᵒˢ 23 et 52). La représentation des différentes parties du sol par des surfaces planes dans le tableau de Monet engagea sans doute Vincent à se lancer dans des expériences similaires qui atteignirent leur point culminant durant ses périodes post-parisiennes[3]. D'ailleurs, l'épaisseur de l'empâtement et la puissance dramatique qui caractérisent ces paysages de Monet en Hollande suscitèrent immédiatement des commentaires ; la plupart furent favorables, mais il y en eut aussi de négatifs[4]. Il est impensable que van Gogh n'ait pas noté, durant les deux années de 1886 et de 1887, les qualités extraordinaires de la touche et de la pigmentation de ces peintures exposées par Monet ; d'ailleurs, Theo fit l'acquisition de l'une d'entre elles : il faut imaginer Vincent méditant longuement, assidûment, leur leçon.

Adolphe Monticelli
(1824-1886)

L'art de Monticelli échappe à toute classification et pourtant sa peinture lumineuse et pleine d'imagination annonce par bien des aspects l'art moderne ; il influença notamment Cézanne et van Gogh. Mi-réaliste, mi-impressionniste il reste cependant fidèle au romantisme. Né à Marseille, il fait un premier séjour à Paris à l'âge de vingt-deux ans et suit à l'Ecole des Beaux-Arts les cours de Paul Delaroche, à l'époque où la mode est au rococo. Le style de Delaroche devait par la suite influencer le choix de ses sujets. Monticelli admire alors Rembrandt, Rubens, Véronèse, qu'il copie au Louvre. Il travaille en 1856 avec le paysagiste Narcisse Diaz de la Peña — grand admirateur de Delacroix, de Couture et de Corot — qui devient son ami et protecteur. Dans les années 1860, il étudie l'œuvre de Delacroix et de Diaz, et pastiche les *Fêtes galantes* de Watteau avec des couleurs riches et éclatantes. En 1863, il est à Paris et vit à Montmartre, entouré d'amis provençaux, en particulier Félix Ziem. C'est probablement à cette époque que Joseph Delarebeyrette devient son marchand et que débute son amitié avec Cézanne sans doute par l'intermédiaire du Dr Paul Gachet, grand admirateur de Cézanne. Il peint d'étincelants paysages en forêt de Fontainebleau et des portraits évocateurs de la peinture vénitienne et flamande. Fixé à Marseille en 1871, son style va évoluer, se faisant plus exacerbé ; il utilise une technique plus spontanée, une touche empâtée et des combinaisons étincelantes de couleurs qui brillent sur les surfaces lourdement incrustées de ses panneaux.

Son accoutrement excentrique et son penchant pour l'absinthe contribuent à bâtir l'image romantique de l'artiste descendant chaque matin vers la Canebière une peinture sous le bras et une canne à la main. Pendant les quinze dernières années de sa vie, il peint des paysages, des natures mortes, des portraits et des scènes de genre fantaisistes, souvent en compagnie de son ami Ziem. Ses natures mortes les plus connues furent réalisées entre 1879 et 1882, au moment de son amitié avec Cézanne. En 1883, Delarebeyrette renoue des liens commerciaux avec l'artiste et c'est dans le magasin du marchand que Vincent, durant son séjour à Paris, vient étudier et acheter des œuvres de Monticelli. Les lettres d'Arles témoignent de la vénération de l'artiste hollandais pour Monticelli, évoque comme un modèle à suivre. Theo avait d'ailleurs acheté des œuvres de l'artiste pour Boussod, Valadon et Cie avant l'arrivée de son frère à Paris. Après une seconde attaque d'hémiplégie en 1884, Monticelli reste handicapé mais continue à travailler et s'éteint en 1886 à l'âge de soixante-deux ans à Marseille.

93 | *Vase de fleurs*
Vers 1878-1880
Huile sur panneau
H. 58 ; L. 38
Signé en bas à droite *Monticelli*
Lyon, Musée des Beaux-Arts (Inv. 1951-52)

Monticelli
Adolphe

C'est seulement dans sa première lettre datée d'Arles que van Gogh commence à parler de Monticelli ; c'est donc à Paris qu'il avait dû connaître son œuvre, sans doute par Theo qui avait déjà vendu, en 1885, trois tableaux du maître de Marseille[1]. A considérer ses propres peintures florales de l'été 1886 et celles qui suivent, il est évident que l'admiration de Vincent pour cet aspect de l'œuvre de Monticelli fut immédiate et qu'elle influença profondément son art. Dans ses lettres ultérieures, on comprend que son admiration allait tout à la fois aux tableaux de Monticelli eux-mêmes et à la théorie de la couleur que Vincent leur associait. En effet, il ne cesse d'attribuer à Delacroix et à Monticelli une théorie de la couleur qui leur aurait été commune (*Lettre* 477a, *LT* 539, 542) ; par la suite (*Lettre* 626a) cependant, il avancera l'idée que Monticelli avait connu les théories de Delacroix, par Diaz et Ziem. Dans sa lettre au peintre John Russell (*Lettre* 477a), il associe très explicitement le sud de la France, Delacroix et Monticelli au «contraste simultané de couleurs, de leurs dérivés, de leurs harmonies, et non par des formes ou par des lignes ayant leur valeur en soi...» Il apparaît ainsi clairement que van Gogh voyait dans Monticelli un peintre aussi engagé que lui-même dans la recherche des contrastes des couleurs complémentaires ; dans ses propres natures mortes de fleurs parisiennes, il s'était appliqué à travailler «à la Monticelli». L'influence stylistique de Monticelli est manifeste dans certains tableaux de van Gogh. Par exemple, ce *Vase de fleurs* de Lyon, ainsi que trois autres toiles très proches[2], semblent avoir fourni un précédent à van Gogh pour cinq de ses propres tableaux (fig. a et cat. n° 6) : on y retrouve une richesse comparable dans la variété des espèces de fleurs ; celles-ci sont groupées de façon similaire et placées dans le même genre de vases que ceux utilisés par Monticelli. Dans la texture de l'empâtement sur toute la surface de la toile, la richesse du coloris et l'utilisation de ce que Sheon a appelé des «pétales de fleurs sculptés», l'approche est si semblable que, sans la signature de Monticelli, l'attribution des

Cat. n° 93 fig. a   Vincent van Gogh,
Bouquet de zinnias (F 252).
Collection particulière.

NOTES

1. A.M. Alauzen, et P. Ripert, *Monticelli sa vie et son œuvre*, Paris, 1969, p. 442.
2. Les trois tableaux de Monticelli sont reproduits dans A.M. Alauzen, et P. Ripert, *op. cit.*, p. 296, fig. 494 à 496 ; les tableaux de Vincent dont il s'agit sont F 217, 249, 250, 251.
3. *1978, Pittsburgh*, ch. VII : «Monticelli and van Gogh».
4. A.M. Alauzen et P. Ripert, *op. cit.*, p. 442.

toiles de celui-ci à van Gogh pourrait à première vue sembler plausible[3]. Bien après son départ de Paris, Vincent continuait à dire qu'il travaillait dans la tradition de Monticelli, «comme si j'étais son fils ou son frère» (*W* 8, août 1888), et on le voit se reprocher de ne pas encore avoir peint de fleurs alors qu'il est maintenant établi dans le pays de Monticelli (*LT* 519, également d'août 1888). Notons enfin que l'intérêt de Theo pour Monticelli ne diminua pas lui non plus avec les années : non seulement la collection des frères van Gogh comporte six peintures de ce maître, mais durant les années 1887-1890, Theo n'en vendit pas moins de dix-neuf dans la succursale de Boussod et Valadon, boulevard Montmartre, qu'il dirigeait[4].

Camille Pissarro

(1830-1903)

A la fois peintre, dessinateur, artisan, imprimeur et sympathisant anarchiste, la position originale de Camille Pissarro dans l'art du XIXᵉ siècle lui a valu d'être considéré comme le plus complexe des impressionnistes. Né à Saint-Thomas, dans les Petites Antilles en 1830, il traverse l'Atlantique à l'âge de douze ans pour faire ses études en France à la pension Savary de Passy où son professeur de dessin M. Savary encourage les dispositions artistiques du jeune garçon. En 1861, il a déjà rencontré le paysagiste Corot et, la même année, il a fait la connaissance à l'Académie Suisse de Guillaumin et de Cézanne. Les années suivantes il peint, exécute ses premières gravures et en 1866 rencontre Edouard Manet aux «réunions du jeudi» d'Emile Zola auxquelles il assiste avec Cézanne. A la même époque, il fréquente l'atelier de Bazille où il fait la connaissance de Monet, de Renoir et de Sisley. Charles Daubigny, peintre de Barbizon, lui présente le marchand de tableaux Durand-Ruel qui, dans les années 1870, expose les premières œuvres de Pissarro. Toutefois son marchand favori, chez qui il placera ses toiles à partir de 1870, reste le Père Martin, ce qui ne l'empêchera pas de placer en 1872 quelques œuvres dans la boutique du Père Tanguy, son marchand de couleurs. Il travaille à Pontoise avec Guillaumin et Cézanne qu'il recommande au Père Tanguy. L'année suivante, Pissarro envisage avec Monet la création d'une coopérative de peintres, tout en étudiant la gravure à Auvers avec Cézanne chez le Dr Gachet. En 1874, le rôle de catalyseur de Pissarro dans le groupe est manifeste lors de l'inauguration de la première exposition des impressionnistes où sont présentées des œuvres de Monet, Renoir, Degas, Guillaumin, Sisley et Cézanne, ce dernier étant invité par Pissarro. Pendant le restant de la décennie, Camille Pissarro participe à toutes les expositions impressionnistes et encourage l'ancien agent de change devenu artiste, Gauguin, à peindre.

Les difficultés de trésorerie auxquelles Durand-Ruel est en proie en 1884 contraignent Pissarro à placer ses œuvres chez d'autres marchands dont Alphonse Portier. A l'automne, il rencontre Paul Signac dans l'atelier de Guillaumin et, peu après, Seurat à la galerie Durand-Ruel. A partir de cette période, l'enthousiasme de Pissarro pour les néo-impressionnistes est manifeste : il dîne souvent en leur compagnie, produit ses premières œuvres pointillistes qui sont montrées en 1886 à la *VIIIᵉ Exposition Impressionniste* aux côtés de celles de Seurat et de Signac, que Pissarro a réussi à faire participer à cette dernière manifestation du groupe. A cette époque, il adhère aux idées anarchistes et lit *La Révolte*, le journal de Jean Grave. Il fait la connaissance de Theo en 1887 lorsque celui-ci vend en juillet une de ses toiles. Par la suite, Theo lui en achètera dix-neuf autres pour Boussod, Valadon et Cⁱᵉ. Les relations avec les frères van Gogh vont bien au-delà des affaires, car c'est Pissarro qui présenta van Gogh au Dr Gachet à Auvers. En 1891, Pissarro, qui continue d'observer la division des couleurs, a modifié sa technique néo-impressionniste. Jusqu'à sa mort en 1903, il partage sa vie entre Eragny, où il réside et peint, et Paris où il expose ses œuvres.

94 | *Usine près de Pontoise*
Eté 1873
Huile sur toile
H. 39; L. 47
Signé et daté en bas à gauche *C. Pissarro 1873*
Springfield, Museum of Fine Arts (The James Philip Gray collection)

Pissarro
Camille

Ce n'est pas la première fois que Pissarro ou quelque autre impressionniste traitait un thème d'usine mais c'est sans doute l'un des plus pittoresques de la première période de ce mouvement. Cette usine, dont Pissarro fit le sujet d'une série de quatre tableaux, était située à Saint-Ouen-l'Aumône en face de Pontoise, sur la rive sud de l'Oise. Appartenant à la Société Chalon et Cie, elle produisait de l'alcool et de l'amidon à partir de betteraves cultivées dans la région. Construite au début des années 1860, elle avait été agrandie en 1872-1873. Alors qu'une autre version (fig. a) se situe plutôt dans la tradition des *Vedute* chères aux peintres de Barbizon, le site est ici représenté depuis l'autre côté de la rivière; la composition privilégie l'élévation des bâtiments et la rive au premier plan[1]. La critique a récemment fait remarquer que ce tableau prend de grandes libertés avec la topographie générale du lieu et avec la disposition des bâtiments les uns par rapport aux autres, un peu à la manière des compositions recomposées des «grands maîtres»[2]. Il s'ensuit que cette toile, de «plein air» — beaucoup plus naturaliste en apparence que celles de van Gogh (cat. n° 54), Guillaumin (cat. n° 82) ou Angrand (cat. n° 70) sur le même sujet — comporte une bonne part d'artifice et de recréation. Il est frappant de voir à quel point Pissarro, comme van Gogh, rend autant hommage à la fécondité de la nature qu'aux réalités industrielles de la vie moderne.

Le sujet de ce tableau pose le problème de son contenu socio-politique. Quel qu'ait été par ailleurs le socialisme de Pissarro, il est difficile de voir dans la représentation de cette usine un quelconque appel à l'insurrection. Les betteraves de la région de Pontoise donnaient, en effet, du travail aux ouvriers comme aux paysans. Après la défaite de 1870 et le paiement de lourdes indemnités aux Prussiens, la France cherchait surtout à s'assurer une base industrielle. Il me semble donc, que *L'Oise aux environs de Pontoise* présente l'image d'une harmonie entre agriculture et industrie, comme si un paysage français typique au bord de l'eau était le meilleur emplacement possible pour une usine. Pissarro a

Cat. n° 94 fig. a   Camille Pissarro,
L'Oise aux environs de Pontoise.
Williamstown (Massachusetts), Sterling and Francine Clark art institute.

NOTES

1. Cette série est examinée en détail in *1981, Paris*, cat. n°s 28 à 30.
2. *Ibid.* p. 21, 22 et 27, analysé par R. Bretell.
3. 1981, Paris, n° 29.

sans doute compris, plus tard, le prix à payer pour l'industrialisation du pays : vers 1887-1888, alors que le *boom* des années 1870 s'essoufflait, il acheta la *Rue Championnet* de Luce (cat. n° 86), sombre représentation d'un quartier ouvrier. Mais dans *L'Oise*, la scène est traitée à la manière d'une idylle pastorale, la cheminée principale dégageant une fumée plus lumineuse que les nuages. Puisque ce tableau était chez Durand-Ruel, de 1883 à 1894, il est tout à fait possible que Vincent l'ait vu[5].

95 | *Portrait de l'artiste*
1873
Huile sur toile
H. 56; L. 46,7
Signé et daté en bas à gauche *C. Pissarro. 1873*
Paris, Musée d'Orsay (donation Paul-Emile Pissarro, 1930; entré en 1947; Inv. R.F. 2837)
PV 200

Pissarro
Camille

Cet autoportrait a été peint l'année précédant la réalisation du portrait plus connu de *Paul Cézanne* (fig. a). Comme Th. Reff l'a montré de manière convaincante, ce dernier témoigne tout à la fois, dans la figure centrale et dans les trois images du fond, de l'anti-traditionnalisme du modèle et du radicalisme politique de Pissarro[1]. Tandis que le paysage qu'on y voit à droite a été identifié comme étant de la main de Pissarro, il n'en va pas de même de ceux que l'on aperçoit dans *Portrait de l'artiste*, encore que leurs tonalités doucement lumineuses fassent penser au style des paysages qu'il peint à la même époque, à Pontoise. Juste au-dessous de ces tableaux accrochés en arrière-plan, on trouve deux bandes verticales de motifs floraux qui renvoient sans conteste au même papier peint que celui que l'on voit dans une nature morte de 1872[2]. Dans cet excellent exemple d'auto-portrait impressionniste, les formes floues du fond et du torse contrastent avec le visage qui est rendu de manière relativement plus précise. R. Bretell a soutenu l'idée que Pissarro s'était ainsi représenté en personnage «biblique»; il cite à l'appui plusieurs témoignages contemporains faisant de lui un Moïse, un Abraham ou le désignant comme «l'apôtre», voire le «Bon Dieu» lui-même (Cézanne)[3]. A l'époque de l'autoportrait, Pissarro n'avait encore que quarante-trois ans; pourtant la longue barbe qu'il s'était plu à porter dès son jeune âge, son attitude «paternelle» envers tant de jeunes artistes, y compris probablement Vincent van Gogh, le faisaient déjà ressembler à un patriarche. Avec leurs fonds décorés de tableaux et leur figure centrale représentant deux artistes farouchement individualistes, ces deux portraits réalisés par Pissarro au début des années 1870 constituent les références fondamentales de ceux que van Gogh réalisera plus tard, comme les deux portraits du Père Tanguy à la fin de son séjour à Paris. Il n'est guère probable que Vincent soit allé voir Pissarro chez lui à Eragny où l'on

NOTES

1. T. Reff, «Pissarro's Portrait of Cézanne», in *Burlington Magazine*, CIX: 774-77, novembre 1967, p. 627-633. La figure caricaturée en haut à droite est Courbet, que Pissarro et Cézanne admiraient l'un et l'autre, chacun à sa manière. Pour une analyse plus complète des portraits de *Cézanne* et de *Tanguy*, voir *1981, Toronto*, p. 108, 109.
2. *1981, Paris*, cat. n° 21, reprod. en coul. p. 24.
3. *1981, Paris*, cat. n° 24 et *ibid*, p. 38-58: F. Cachin, «Pissarro regardé».

Cat. n° 95 fig. a Pissarro C., *Portrait de Paul Cézanne*. Collection particulière.

pense que se trouvaient les portraits dont il est question ici: il n'a donc pu les connaître que par ouï-dire, peut-être par ce que lui en disait Tanguy lui-même. Etant donné les rapports que celui-ci entretenait de longue date (depuis le début des années 1870) à la fois avec Pissarro et Cézanne, il est impossible que van Gogh n'ait pas été parfaitement au courant, à la fin de 1887, des relations étroites qui unissaient les trois hommes. Il a dû lui suffire d'en entendre parler pour qu'il soit conduit à concevoir son portrait du marchand de couleurs comme un digne pendant des deux portraits réalisés par Pissarro.

96 | *Le Chemin de fer, Pontoise*
Vers 1882-1883
Gouache et aquarelle sur soie
H. 29,5 ; L. 57
Signé en bas à gauche *C. Pissarro*
Etats-Unis, collection particulière
PV 1619

Pissarro
Camille

La majorité des nombreux éventails de Pissarro représentent des sites campagnards ou fluviaux : celui-ci est le seul montrant un pont de chemin de fer. Autre allusion à la société moderne industrielle : les péniches amarrées qui constituent à l'époque un spectacle encore assez nouveau dans l'activité commerciale de la vallée de l'Oise[1]. Dans l'Impressionnisme, le grand prototype de ces scènes de pont était bien sûr les «ponts» d'Argenteuil de Monet dont *Le Pont du chemin de fer* offre un exemple représentatif (cat. n° 88 fig. a). L'aquarelle de Pissarro est une œuvre d'art pleine d'originalité, qui adapte ingénieusement un sujet d'abord exécuté à la pointe sèche, aux exigences du format de l'éventail, et qui combine des motifs industriels avec un charmant paysage de rivière sans qu'intervienne le moindre heurt entre le style et la thématique[2]. Sans parler des autres précédents que van Gogh pouvait avoir en tête quand il peignit *Ponts à Asnières* (cat. n° 42), cet éventail de Pissarro présente encore d'autres points communs avec sa toile et il y a tout lieu de penser qu'il le connaissait[3]. Pour s'en tenir aux seuls éléments de base du sujet traité, l'angle sous lequel le pont est perçu, la position du train, la forme et l'emplacement des piles du pont sont autant de coïncidences qu'il est difficile d'expliquer par le seul fait que les endroits représentés sont analogues. Les bateaux au premier plan peuvent bien être dissemblables par la taille et par leur fonction dans chacune des deux œuvres, mais pour la touche, les variations de couleurs et les jeux contrastés entre lignes droites et lignes courbes, van Gogh doit beaucoup à l'Impressionnisme en général, et peut-être à cette aquarelle en particulier[4].

NOTES

1. *1981, Paris*, p. 22.
2. Ces changements sont analysés par H. Gerstein, *Impressionnist and Post-Impressionnist Fans* (Harvard, 1978, p. 186). Il existe un dessin au crayon, du même endroit, mais vu de l'amont plutôt que de l'aval (Sotheby's, Londres, 7 décembre 1977, n° 104). Pour la pointe sèche, voir L. Delteil, *Le Peintre-graveur illustré Camille Pissarro*, Paris, 1923, vol. 27, n° 37.
3. Quand on lit la correspondance de Pissarro (*B-H*) on se rend compte que Portier, le courtier en tableaux, était devenu vers 1878 un agent commercial important pour Pissarro (I, p. 36) ; en décembre 1886, Portier avance de l'argent à Pissarro pour ses éventails (II, p. 93) ; en avril 1887 (II, p. 152), il a en dépôt des œuvres de Pissarro, et le 4 juin 1887, Lucien parle de ses gouaches à son père en lui indiquant que Portier «doit les montrer à M. Vangoque (*sic*) qui en prendra peut-être» (lettre inédite, The Ashmolean Museum). En outre, au plus tard au début de juillet, Pissarro espère en des ventes éventuelles par l'intermédiaire de Boussod et Valadon (II, p. 191), dont la première interviendra le 8 août 1887 (ANNEXE *Theo*). En décembre 1887, trois éventails (PV 1638-1640) seront exposés à la galerie de Theo, (*Goupil*, p. 61, n.27). Pour PV. 1640, voir ANNEXE *Theo*.
4. Il est possible d'envisager une autre influence : celle de *Bateaux : Nuit et Jour*, de Signac, une gouache sur un éventail, où la scène de pont à gauche peut faire penser que Signac connaissait l'éventail de Pissarro (*1981, Toronto*, fig. 88, vers 1886-1888) ; les deux hommes étaient en relation depuis l'automne 1886 (*B-H*, I, p. 39) et Gerstein fait précisément remonter la réalisation de la gouache à 1885-1886 (M. Gernstein, *Impressionnist and Post-Impressionnist Fans*, Harvard, 1978, p. 244).

97

Femme dans un clos. Soleil de printemps dans le pré à Eragny

Fin de l'été 1887
Huile sur toile
H. 54,5 ; L. 65
Signé et daté en bas à droite *C. Pissarro. 1887*
Paris, Musée d'Orsay (legs Antonin Personnaz, 1937 ; Inv. R.F. 1937-47)
PV 709

Pissarro
Camille

Vers le deuxième semestre de 1885, Pissarro rencontra Signac et Seurat par l'intermédiaire de Guillaumin ; peu après, en 1886, alors qu'il réalisait lui-même ses premières peintures néo-impressionnistes, il réussit à faire accepter ces jeunes artistes à la *VIIIᵉ Exposition Impressionniste*. Au début de l'été 1887, le courtier, Alphonse Portier, lui présenta Theo van Gogh et, en décembre de la même année, celui-ci acceptait de prendre des œuvres de Pissarro, Gauguin et Guillaumin pour une exposition chez Boussod et Valadon. Fénéon y remarqua trois éventails de Pissarro, un paysage de 1885 et d'autres «de 1887, peints par taches irrégulières et différant en cela de ses paysages de 1886 où elles s'épandaient en un semis uniforme»[1]. A partir de cette date et jusqu'à sa mort, Theo devait ainsi prendre la place de Durand-Ruel et devenir le principal agent commercial de Pissarro, s'occupant de ses expositions et de la vente de ses œuvres — la moindre des causes de ce changement n'étant pas l'aversion éprouvée par Durand-Ruel à l'égard de la technique pointilliste[2]. Vincent se souvenait suffisamment bien des conversations avec Pissarro, à Paris, pour commenter depuis Arles : «Ce que dit Pissarro est vrai, il faudrait hardiment exagérer les effets que produisent par leurs accords ou leurs désaccords les couleurs.» (*LT* 500). Vincent le rattachera plus tard à des coloristes comme Delacroix et Monticelli, du point de vue de sa pratique et de sa théorie de l'art (*LT* 596) ; quant au souvenir cité précédemment, il suggère que Vincent était au courant du fait que Pissarro avait adopté le Néo-impressionnisme au moment où il l'avait connu, en 1887-1888.

Ce tableau de Pissarro représente un «clos», sans doute situé dans le village normand d'Eragny-sur-Epte où habitait l'artiste et où il réalisa en 1886 sa *Vue de ma fenêtre par temps gris* (fig. a, toile retouchée en 1888)[3]. Non seulement les deux peintures sont remarquablement proches par le style, mais le mur horizontal qu'on voit à droite dans *Vue de ma fenêtre* doit très probablement être le même qu'ici : mais cette fois, il est perçu d'en bas et, si l'identification est exacte, à partir du champ parsemé d'arbres fruitiers qu'on trouve également dans l'autre tableau.

NOTES

1. *Fénéon*, p. 90 ; pour une fois, l'auteur semble ici inverser le sens de la progression.
2. Ainsi que l'ont signalé R.E. Shikes et P. Harper in *Pissarro, His Life and Work*, New York, 1980, p. 243-245. Contrairement à Durand-Ruel, Theo aimait les toiles divisionnistes de Pissarro et il accepta de se charger de leur vente.
3. *1981, Paris*, p. 128 ; pour un examen plus approfondi et une reproduction en couleurs de *Vue de ma fenêtre*, voir *1986, San Francisco*, cat. n° 148.
4. Theo venait juste de vendre *Maisons de Paysans* (PV 710) au début de mars (ANNEXE *Theo*) et il l'avait remplacé plusieurs jours après par la toile du musée d'Orsay, que Camille Pissarro désigne dans une lettre à Lucien selon les termes suivants : «Pré avec un mur blanc, plein soleil» (*B-H*, II, p. 220-221). On doit la première identification des deux œuvres à Rewald (*Goupil*, p. 62, n°42).
5. A la mi-juin 1886, Portier s'était déjà occupé des nouvelles œuvres pointillistes de Pissarro (*B-H*, II, p. 54).

Cat. n° 97 fig. a   Pissarro C., *Vue de ma fenêtre par temps gris.* Oxford, Ashmolean Museum.

Cette toile a été acquise par Theo pour son accrochage de Pissarro (trois peintures) chez Boussod et Valadon en mars 1888 ; elle fut vendue en novembre à deux fois son prix d'achat (ANNEXE *Theo*)[4]. Peut-être ce tableau était-il l'un des « paysages de 1887 » déjà exposés par Theo en décembre 1887-janvier 1888. Il est également très probable que Vincent en ait eu connaissance avant son départ[5]. Dans ce cas, il aurait pu facilement y voir une sorte de récapitulé pointilliste de certaines de ses propres toiles peintes autrefois, aux alentours du presbytère de Nuenen ; de surcroît, par son style où se mêlent l'impressionnisme et le pointillisme, la toile de Pissarro présente quelques analogies avec *Les Amoureux* (cat. n° 33) de van Gogh. La parenté stylistique avec l'œuvre de Signac dont témoigne ce dernier tableau apporte un complément de preuve au fait que dans le cercle qui gravitait autour de Signac et de Pissarro, Vincent van Gogh se livrait, lui aussi, à des expériences impressionnistes et néo-impressionnistes du même ordre.

Lucien Pissarro
(1863-1944)

Né à Paris, Lucien Pissarro est l'aîné des sept enfants de Camille et Julie Pissarro. Peintre, graveur et lithographe, il est surtout formé par son père. Si l'on excepte l'année 1883-1884, où il étudie à Londres, il partage sa vie entre Eragny, près de Gisors, où il travaille dans la maison paternelle, et Paris.

En 1884, de retour en France après un séjour d'un an à Londres, il est employé par le marchand de tableaux Manzi, puis il étudie la gravure sur bois avec Auguste Lepère. Il peint en compagnie de son grand ami l'artiste Louis Hayet ; il rencontre Signac, Seurat et le critique Félix Fénéon et s'initie aux nouvelles théories pointillistes qui sont alors au centre des discussions de ce groupe. 1886, l'année où Vincent van Gogh arrive à Paris, sera particulièrement féconde pour l'artiste. Il expose cinq œuvres à la *VIIIe Exposition Impressionniste*, et l'été de la même année, plusieurs de ses gravures sur bois sont publiées dans *Le Chat Noir* et la *Revue Illustrée* ; parallèlement, il collabore avec son père au projet *Les Travaux des champs* inspiré de la célèbre *Mangwa* (« Dessins foisonnants ») de Hokusai. En juin et juillet, il peint au Petit-Andely-sur-Seine aux côtés de Signac dont il est un ami proche. A partir de l'automne de cette même année, il expose régulièrement au *Salon des Indépendants*. Il correspond avec Signac, Dubois-Pillet et Hayet, mais il fréquente aussi M. Luce, L. Gausson et Ch. Angrand. En 1887 il travaille chez Manzi, qui dirige une des publications de Boussod, Valadon et Cie (l'ancienne galerie Goupil) et aussi à Eragny ; il publie d'autres gravures dans *La Vie Moderne* et, au printemps, expose aux Indépendants aux côtés de Seurat, Signac, Luce et Angrand. Au cours de ces deux années, Lucien Pissarro sert d'intermédiaire à son père : il noue des contacts avec le Père Tanguy, Portier et d'autres marchands, pour tenter de vendre ses œuvres. Pendant l'été, il cherche à rencontrer Theo van Gogh pour le compte de son père ; à l'automne il fait la connaissance des deux frères et échange un tableau avec Vincent.

Après le départ de l'artiste hollandais pour Arles, il continue à travailler à Paris ; il est membre du jury d'admission du *Salon des Indépendants* avec Seurat et Signac, et publie de nombreuses gravures dans *La Vie franco-russe* et *La Vie Moderne*. En février 1889, Lucien Pissarro vend à la firme de Theo une série de gravures sur bois utilisées pour les planches de l'album *Les Travaux des champs* et continue à publier des illustrations dans *la Revue Illustrée* et *Le Courrier français*. En juillet 1890, il se rend à Auvers pour assister à l'enterrement de van Gogh avant de se fixer en novembre à Londres, où il mènera une vie artistique féconde, partageant son temps entre des expositions, des échanges de correspondance avec ses premiers associés tels que Paul Signac, et la production d'un grand nombre de gravures sur bois et de peintures, jusqu'à sa mort en 1944 à Hewood.

98

La Maison de la sourde

Eté 1886
Huile sur toile
H. 58; L. 72
Signé et daté en bas à gauche *Lucien Pissarro 1886*
Oxford, The Ashmolean Museum (The Visitors of the Ashmolean Museum)
Thorold 9

Pissarro
Lucien

Avec le tableau aujourd'hui disparu, *Le Hangar (Effet de 5 heures)* cette *Maison de la Sourde* est la première œuvre néo-impressionniste exposée par Lucien Pissarro. La maison représentée à gauche jouxtait celle occupée à Eragny par la famille Pissarro, car on la retrouve dans une peinture de Camille, au début du printemps 1886, intitulée *Vue de ma fenêtre, La maison de la sourde* (fig. a)[1]. Il paraîtrait naturel de supposer que le père et le fils aient travaillé ensemble sur ce thème qui leur est commun : tel n'est pourtant pas le cas comme en témoignent les différences de saisons et de points de vue. En outre, Lucien avait travaillé avec Signac en juin-juillet 1886, au Petit-Andely-sur-Seine, et la patine des touches très petites et très courtes qu'on trouve dans la *Maison de la Sourde* s'apparente tout autant au système employé par Signac dans *Les Andelys-La Cote d'aval* de 1886 (fig. b) qu'à celui utilisé par son père[2]. A la différence du tableau qui lui faisait pendant, *Le Hangar*, que Fénéon décrivait comme fondé sur un contraste entre les couleurs chaudes associées à la lumière du jour et l'arrivée des ombres bleues du soir, la *Maison de la Sourde* se caractérise par la dominante de toute une gamme de tons et de nuances de vert et d'orangé[3]. Ce trait concorde avec le thème de la «matinée» mentionné par Fénéon, et les quelques zones d'ombre qu'on y trouve suggèrent elles aussi un moment du début de la journée.

Contrairement à ce que l'on admet habituellement, les premiers contacts entre les Pissarro, père et fils et les frères van Gogh ne datent pas de 1886 : comme on a pu l'établir, la rencontre n'eut lieu que vers l'été 1887, par l'intermédiaire de Portier, le courtier en tableaux[4]. Entre autres conséquences, les premières œuvres de Camille dont Vincent ait pu prendre connaissance à l'occasion d'une exposition doivent avoir été ses toiles pointillistes de la *VIIIe Exposition Impressionniste*; on peut penser aussi que van Gogh a dû voir les deux tableaux de Lucien dont il est question ici, à l'exposition des Indépendants d'août-septembre 1886, c'est-à-dire un certain nombre de mois avant qu'il ne se soit lui-même essayé à

NOTES

1. Voir PV 696. Le point de vue adopté par Lucien dans sa peinture n'a rien de commun avec l'autre version signée par son père.
2. Selon A. Thorold (*Thorold*, p. 4), en 1886 Lucien partagea son temps entre Paris et Eragny et passa juin et juillet avec Signac au Petit-Andely-sur-Seine.
3. A la *VIIIe Exposition Impressionniste* (printemps 1886), Lucien avait présenté de grandes aquarelles et des gravures sur bois, dont certaines furent reprises aux «Indépendants» d'août-septembre; ses deux premières œuvres enregistrées au catalogue de cette exposition étaient «311. La Maison de la Sourde» et «312. Hangar (effet de 5 heures)». Dans ses comptes rendus des Indépendants, Fénéon évoque une fois *La Maison* comme «un paysage de matinée» (p. 43), mais à une autre occasion il cite seulement *Le Hangar* (p. 55).
4. Pour la documentation des premiers contacts entre les frères van Gogh et les Pissarro, voir cat. n° 96, note 3.

Cat. n° 98 fig. a   Pissarro C., *Vue de ma fenêtre, la maison de la sourde.*
Localisation inconnue.

Cat. n° 98 fig. b   Signac, *Les Andelys - La Côte d'aval* [opus 139] (1886).
Collection particulière.

une technique similaire. Il est possible que Vincent ait accordé durant cette exposition de l'automne plus d'attention aux œuvres majeures de Seurat, de Signac et de Angrand qui y étaient également présentées (cat. nᵒˢ 69, 70, 108, 112) : mais dès 1887 au plus tard, avec l'exposition au printemps des Indépendants, et aussi en fonction de ses récents contacts avec Signac, il a dû se rendre compte que Camille et Lucien Pissarro étaient complètement engagés dans le mouvement néo-impressionniste. A cet égard, il est intéressant de comparer des œuvres de van Gogh, comme *Les Amoureux* (cat. nᵒ 33) et *Femme assise dans un jardin* (cat. nᵒ 35), avec cette *Maison de la Sourde* de Lucien et *Femme dans un clos* de Camille Pissarro (cat. nᵒ 97).

99 | *Sur les fortifications*
1886
Crayon et craie noire
H. 19,6 ; L. 29,2
Oxford, The Ashmolean Museum (The Visitors of the Ashmolean Museum)

Pissarro
Lucien

Le titre donné ici à ce dessin inédit se justifie par la forme triangulaire qui domine dans la partie inférieure gauche de la composition et qui montre une partie du mur de fortification, faisant face aux communes de Saint-Ouen et de Saint-Denis. Ce dessin fut intégré par Lucien dans un collage qui est conservé à l'Ashmolean Museum (fig. a) et, qui porte l'inscription «Sur les Fortifs»[1]. Tout en n'étant pas réalisé selon la technique du pointillé, l'œuvre présente une vue de cette banlieue industrielle de Paris, à laquelle commençaient de s'intéresser en 1886 plusieurs artistes néo-impressionnistes (cat. n°s 86, 87, 116) ; la structure du dessin témoigne bien de ce type de composition bidimensionnelle qu'on retrouve chez la plupart des peintres néo-impressionnistes autour des années 1886-1888. Au début de 1886, Camille Pissarro s'était ouvertement converti au style pointilliste : il y voyait le prolongement logique de l'Impressionnisme ; la décision prise par son fils Lucien d'aller peindre cet été-là aux côtés de Signac, au Petit-Andely-sur-Seine, corrobore parfaitement ce choix. Aucun document, toutefois, ne nous permet de dire que Signac et Lucien Pissarro aient peint ensemble la même année à Paris, ce dernier restant y travailler ensuite durant un certain temps. Symptôme révélateur de leurs intérêts communs : c'est justement à l'exposition des Indépendants de l'automne 1886, où Lucien faisait ses débuts, qu'Angrand présenta *La Ligne de l'Ouest*, tableau qui comporte lui aussi une vue en bordure des fortifications (cat. n° 69).

La conception d'ensemble reste ici inscrite dans la tradition pittoresque des «Fortifs», où les Parisiens se plaisaient à se retrouver pour se détendre dans les restaurants proches et se promener sur les fortifications. A cet égard, on peut rapprocher ce dessin des œuvres de Luce (cat. n° 86) et de celles de van Gogh (cat. n° 49 et 50).

NOTES

1. Information confirmée par l'auteur dans une conversation avec Christopher Lloyd, lequel a, de plus, établi que le collage fut utilisé en illustration par Lucien Pissarro pour *Le Courrier français*, 4 août 1889, p. 6, 7 ; voir aussi R. Thomson, «Van Gogh in Paris : The Fortifications drawings» in *Jong Holland*, vol. 3, n° 3, septembre 1987, p. 2-24.

Cat. n° 99 fig. a   Pissarro L., *Sur les Fortifs* (collage).
Oxford, Ashmolean Museum.

100 | *Vincent en conversation*
Automne 1887
Craie noire sur papier
H. 19,6 ; L. 29,2
Oxford, The Ashmolean Museum (The Visitors of the Ashmolean Museum)

Pissarro
Lucien

Ce dessin de Lucien Pissarro a été publié pour la première fois en 1959 : on y voyait alors une scène représentant Vincent van Gogh en conversation avec le critique d'art Félix Fénéon, identification qui fut acceptée quand il fut reproduit dans la seconde édition des *Lettres complètes*[1]. On ne peut certes aucunement douter que Lucien en soit l'auteur, ni que Vincent soit bien là, à gauche, avec son habituel chapeau de feutre ; mais on peut écarter aujourd'hui l'idée qu'il s'agisse de Fénéon, comme on l'a longtemps cru. Tel qu'il est dessiné, l'homme en question ne semble ni grand ni mince, ainsi qu'il devait l'être d'après ce que nous indiquent tous les témoignages qui nous sont parvenus sur l'aspect physique de Fénéon ; et celui-ci n'est sûrement pas la seule personne à Paris à porter un chapeau haut-de-forme, symbole habituel de statut social comme on le voit sur cette photographie du boulevard Montmartre au XIXe siècle (INTRODUCTION, fig. 4) ou dans un tableau contemporain comme *La Grande Jatte* de Seurat. Il est également significatif que Vincent ne fasse jamais allusion à Fénéon dans sa correspondance ultérieure, et que lui-même n'ait été cité, de son vivant, qu'une seule fois dans les écrits de Fénéon, ce en 1889[2]. Enfin, et pour régler définitivement la question, il se trouve qu'à la mort de Vincent, Fénéon envoya ses condoléances à Theo, dans un billet inédit daté du 31 juillet 1890 : «Bien que je n'eusse pas l'honneur de connaître personnellement Vincent, cette nouvelle triste m'a fait beaucoup de peine à cause de vous et à cause du très haut et neuf talent de votre frère. Veuillez cher Monsieur van Gogh agréer mes hommages les plus sympathiques. Féliorph Fénéon[3].»

Nous sommes actuellement incapable d'identifier le second personnage du dessin. Ceci mis à part, l'œuvre de Lucien témoigne de ses talents de dessinateur. Comme Toulouse-Lautrec (cat. n° 122) et Russell (cat. n° 105), il met en valeur l'intensité bien connue de la personnalité de Vincent, mais aussi sa concentration intellectuelle. Quel qu'il puisse être, son interlocuteur semble l'écouter avec autant d'attention que de respect ; attention et respect qu'on accordait également à sa peinture dans les cercles de l'avant-garde artistique peu avant son départ de Paris.

NOTES

1. *Complete Letters*, II, p. 511 (vol. 3, p. 5 de l'édition française) et K.T. Parker, «Van Gogh and Fénéon : A Conversation Piece», in *Festschrift Friedrich Winkler*, Berlin, 1959, p. 351-356.
2. Ce petit compte rendu, peu connu, des peintures de van Gogh présentées à la Ve *Exposition des Artistes Indépendants*, parut dans *La Vogue* de septembre 1889 (*Fénéon*, p. 168).
3. Ce billet implique bien, comme on pouvait s'y attendre, l'existence de contacts personnels entre Fénéon et Theo avant la mort de Vincent (Amsterdam, Rijksmuseum Vincent van Gogh).

Ernest Quost

(1844-1931)

Artiste méconnu du XIXᵉ siècle, Quost poursuivit une carrière remarquable par sa durée et sa fécondité et qui se prolongea jusque dans les premières décennies du XXᵉ siècle. Né en 1844 à Avallon (Yonne), il débute au *Salon des Refusés* en 1866. Membre de la Société des Artistes Français depuis 1887, il obtient des médailles en 1880, 1882, 1889, 1890 et 1900. Peintre de fleurs avant tout, il commence sa carrière en décorant des porcelaines à la Manufacture de Porcelaine de Sèvres et en étudiant les plantes chez un jardinier à Saint-Ouen; il s'inscrit pendant quelque temps à l'Académie Jullian. De 1873 à 1876, il participe régulièrement aux réunions des graveurs qui collaborent à l'illustration de la revue *Paris à l'Eau-Forte*, organisées par Régamey. Epris d'indépendance, Quost, qui refuse toujours de se laisser classer dans une école particulière, est considéré à son époque comme révolutionnaire. Ses goûts essentiellement réalistes le portent à admirer Corot tandis qu'il professe une philosophie naturaliste qui se reflète dans le choix de ses lectures, Taine et Zola. Après la Commune, il séjourne un certain temps en Belgique où il dessine, avant de retourner à Paris s'installer dans un atelier de la rue Rochechouart à Montmartre. Il y anime chaque vendredi des discussions sur des sujets variés qui vont de la littérature classique à l'art sous la IIIᵉ République.

Dans les années 1870-1880 il aime avant tout peindre dans les jardins campagnards de Montmartre et de ses environs dont il regrette l'atmosphère d'antan disparue au fil des ans. Il se rend très souvent à Avallon, sa ville natale, pour y peindre des paysages. Le gouvernement français lui achète des œuvres, et jusqu'à sa mort en 1931, des collectionneurs privés dont le Dr Gachet qui possédait l'une des ses natures mortes.

101 | *Roses Trémières*
Vers 1885-1890
Huile sur panneau
H. 55 ; L. 45,5
Signé en bas à gauche *E. Quost*
Paris, M. et Mme J. Quost

Quost
Ernest

Malgré les neuf lettres dans lesquelles Ernest Quost est cité par Vincent ou par Theo, ses rapports personnels et artistiques avec van Gogh sont restés mal connus. Quost — que Vincent appelait familièrement le «père Quost», bien qu'ayant seulement neuf ans de moins que lui — avait commencé à travailler comme peintre-décorateur sur céramique ; il exposa pour la première fois ses toiles au *Salon des Refusés* de 1866, et au début des années 1880, il avait déjà obtenu une médaille à deux salons officiels. Van Gogh voyait essentiellement en lui un peintre de roses trémières (*LT* 573, 625, *Lettre* 626a) et pourtant la fréquence de ce motif n'apparaît pas dans le catalogue de l'exposition rétrospective de son œuvre, en 1925, où une seule de ses nombreuses pièces florales porte ce titre[1]. L'idée que s'en faisait Vincent a pu lui venir en partie d'une peinture de Quost, représentant effectivement des roses, exposée au *Salon* de 1886 (cat. n° 7 fig. a), et peut-être aussi d'autres tableaux consacrés au même motif, tel que celui qui est ici présenté. Ils eurent sans doute peu de contacts personnels mais il paraît certain que van Gogh le rencontra durant son séjour à Paris : il alla probablement le voir à la fin de 1886[2]. Fin juin 1890, Theo raconte qu'il a vu Quost et qu'il a arrangé une rencontre avec lui pour son frère (*T* 38) ; Vincent accepte l'idée de rendre visite à Quost (en même temps qu'à d'autres peintres) à l'occasion d'un voyage d'Auvers à Paris (*LT* 644) ; Theo se propose de l'accompagner, afin d'organiser une présentation, dans la devanture de la galerie Boussod et Valadon, de la toile *Fleurs de Pâques* — que Quost avait présentée au *Salon* qui venait juste de se terminer — et d'un tableau de Vincent également de fleurs (*T* 39)[3].

En fait, cela ne se fit pas ; mais l'existence de ces projets et d'autres lettres où Quost est cité, permettent de déceler chez Vincent, à la fin de sa carrière, un regain d'intérêt pour le mouvement réaliste. Dans trois des lettres qui mentionnent le nom de Quost (*LT* 590, 625 et *Lettre* 626a), Vincent évoque celui-ci, ainsi que d'autres peintres de l'école réaliste, pour souligner qu'on ne devrait pas, selon lui, accorder de l'importance aux seuls impressionnistes et que les artistes de la

NOTES

1. Catalogue d'exposition : *E. Quost*, Paris (Palais de Tokyo), 1925, avant-propos par L. Vauxcelles.
2. Un dessin contenu dans un carnet d'esquisses et représentant le moulage d'un torse de femme (F 1817 recto), mentionne l'adresse de Quost («74 Rochechouart», ce qui renvoie à la rue Rochechouart, plutôt qu'au boulevard du même nom) et sur une feuille volante de ce même carnet d'esquisses, van Gogh a noté «Quot» (sic) avec d'autres artistes qu'il avait remarqués au Salon de 1886 (*De Schetsboeken*, p. 143 et ill. p. 182). La collection des frères van Gogh comporte également un dessin de Quost, *La Saison nouvelle*, dont le titre correspond à une peinture exposée au *Salon* de 1882.
3. Malheureusement, les éditions anglaise et française ne sont ni l'une ni l'autre fidèles à *T* 38 ; la version originale de la lettre, en français, est la seule à attester du fait que Theo et Vincent ne parlent aucunement de Quost comme s'ils se proposaient de le rencontrer pour la première fois, elle mentionne en outre le fait que le tableau présenté par Quost au Salon de 1890 était *Fleurs de Pâques* ; voir l'édition hollandaise : *Verzamelde Brieven van Vincent van Gogh*, Amsterdam et Anvers, 1955, vol. II, p. 293, 294).

Cat. n° 101 fig. a Quost, *Fleurs du matin*.
Bernay, Musée municipal.

peinture tonale méritent eux aussi d'être considérés comme des coloristes. La toile présentée ici est, par le style, proche de *Fleurs du matin* (fig. a) qui fut exposée au *Salon* de 1885, toutes deux sont révélatrices de l'art de Quost à cette époque. Certes sa palette n'a pas l'exubérance de coloris que l'on rencontre chez les grands impressionnistes et les néo-impressionnistes quand ils peignent des jardins ou des natures mortes florales; mais on y trouve suffisamment de luminosité dans l'épanouissement des fleurs, suffisamment de richesse dans les tonalités du fond et de vigueur dans la touche, pour que nous soyons en mesure de comprendre le souvenir vivace que Vincent gardait des peintures du «Père Quost». Il assimilait même cette prédominance du motif de la rose trémière chez Quost à celle des tournesols dans ses tableaux de la période d'Arles (*LT* 573).

Pierre-Auguste Renoir

(1841-1919)

Nul n'a mieux résumé l'art de Renoir que son frère Edmond qui écrivait en 1879 que «son œuvre, en dehors de sa valeur artistique, a tout le charme *sui generis* d'un tableau fidèle de la vie moderne. Ce qu'il a peint, nous le voyons tous les jours, c'est notre existence propre qu'il a enregistrée...». Le sixième d'une famille de sept enfants, Renoir, né à Limoges en 1841, est apprenti décorateur sur porcelaine à l'âge de 13 ans, puis peintre décorateur chez un fabricant de stores. En 1861, il fréquente l'atelier de Gleyre et, peu après, il est reçu à l'Ecole impériale et spéciale des beaux-arts. Chez Gleyre, il se lie d'amitié avec Monet, Sisley et Bazille, et il peint dans la forêt de Fontainebleau où il rencontre le paysagiste Diaz. Au cours de cette période il exécute des paysages, des portraits, des natures mortes influencés par Corot et par Courbet. En 1869, il peint en compagnie de Monet, près de Bougival, des vues de *La Grenouillère*, il partage un atelier avec Bazille et participe aux rencontres du café Guerbois, lieu de ralliement autour d'Edouard Manet. Au Salon de 1870, il expose *Femme d'Alger*, où se manifeste sa vive admiration pour Delacroix. Deux ans plus tard, en 1872, Durand-Ruel lui achète deux tableaux et en expose un pour la première fois à Londres. Après ses visites à Monet à Argenteuil en 1873, sa palette se fait plus éclatante. Il participe en 1874 à la première exposition des impressionnistes avec Monet, Sisley, Pissarro, Degas et Guillaumin, puis à celles de 1876 et 1877 et, enfin, à la VIIe de 1882. Cet été-là, il peint des scènes de canotiers à Argenteuil en compagnie de Monet et de Manet. Dans les années 1870, il fréquente le critique Théodore Duret, des écrivains tels Zola, Richepin et Alphonse Daudet, ainsi que des collectionneurs; en outre il reçoit l'appui de Victor Choquet et de Georges Charpentier. C'est l'époque où il peint des paysages, des vues de Paris, des nus, des scènes de théâtre et de café, d'un Impressionnisme pur, d'un style très fluide, propre à créer des effets de lumière. Les œuvres majeures de cette période sont le *Bal du Moulin de la Galette* (1876) et *Portrait de Madame Charpentier et de ses enfants* (1878). En 1881, il voyage en Algérie sur les traces de Delacroix et en Italie où il étudie les chefs-d'œuvre du passé, en particulier les fresques de Raphaël à Rome; il s'intéresse à la représentation de baigneuses nues, dans les années 1880, le thème principal de sa peinture, dans un style simplifié reflétant son admiration pour Raphaël et Ingres. De 1882 à 1886, il donne des dessins à *La Vie moderne*, revue fondée par Georges Charpentier et éditée par son frère Edmond, à laquelle collaborent également en 1887-1888, par des dessins, Seurat, Signac, Luce et Lucien Pissarro. En 1885, Renoir s'installe rue de Laval, à quelques numéros de Theo van Gogh qui en avril lui achète une toile pour Boussod et Valadon, puis trois autres tableaux les années suivantes. Renoir refuse de prendre part en 1886 à la *VIIIe Exposition Impressionniste*, mais en revanche présente des œuvres aux côtés de Monet et de Sisley à la *Ve Exposition Internationale*; l'été suivant, il envoie à nouveau des toiles à la *VIe Exposition Internationale* dont le célèbre tableau *Les Baigneuses*. Il adopte désormais un nouveau style plus linéaire. Jusqu'à la fin de sa vie, il continue ses activités de peintre, de sculpteur et de graveur et voyage souvent. Il meurt à Cagnes-sur-Mer en 1919.

102 *La Seine près d'une voie ferrée; La yole*
Vers l'été 1879
Huile sur toile
H. 71 ; L. 92
Signé en bas à gauche *Renoir*
Londres, The Trustees of the National Gallery (Inv. 6478)

Renoir
Auguste

On a avancé l'idée que cette peinture représentait peut-être Chatou plutôt qu'Asnières, comme on le pensait traditionnellement[1]. L'élimination de l'hypothèse «Asnières» peut être considérée comme définitive, car le type de pont et d'environnement qu'on trouve dans le tableau n'a rien à voir avec le pont d'Asnières et les abords du chemin de fer (cat. nos 42 fig. a, 76 et 112 fig. a) où Renoir n'est d'ailleurs guère censé avoir peint. Dans ces conditions, il semblerait logique de penser qu'il s'agit du pont du chemin de fer à Chatou ; les peintures de Renoir, dont on dit qu'elles montrent ce pont, le représentent avec des piliers et des arches arrondies, qui s'opposent à la travée rigoureusement rectiligne que l'on voit en haut et à droite dans le tableau de Londres[2]. Le mieux est de laisser la question en suspens, jusqu'à ce que la preuve indispensable soit trouvée, qui permettra d'établir la nature et la situation exactes des ponts représentés dans les peintures concernées.

On peut dire que par le style et le sujet *La Yole* se rattache étroitement à un autre tableau dont le titre se réfère expressément à Chatou : les *Canotiers à Chatou*, de 1879, actuellement dans la collection de la National Gallery of Art de Washington[3]. Les deux tableaux mettent en contraste une yole placée au premier plan avec une vue de la rive opposée comprenant un plan d'eau d'un bleu vibrant. L'intérêt bien connu de Renoir pour Delacroix se perçoit ici avec évidence dans le contraste majeur de l'orangé et du bleu utilisé pour l'opposition des bateaux et de l'eau, laquelle ne cesse de se modifier sous l'effet des multiples jeux de lumière, traduits par la variation des couleurs en chaque point de la surface. Pris ensemble, ces deux paysages de rivière présentent un crescendo dans l'opulence de la couleur, d'une élégance sans précédent, même dans l'œuvre de Renoir.

Aucun document ne nous permet de dire que ce tableau ait pu être connu de van Gogh : jusqu'en 1899, il fit d'ailleurs partie de la collection du premier protecteur de Renoir, Victor Chocquet. Par son sujet comme par son style, il apporte la confirmation que les scènes de parties de bateau à Asnières, que l'on retrouve souvent chez des artistes comme Signac (cat. no 116) et van Gogh durant l'été 1887 (cat. nos 42 et 42 fig. a), se situaient dans le prolongement de ces œuvres de référence impressionnistes.

NOTES

1. *1985, Paris*, cat. 47.
2. Par exemple, *Alphonsine Fournaise*, 1879, et *Le Pont de Chemin de Fer à Chatou*, 1881 (tous deux au musée d'Orsay).
3. *1984, Los Angeles*, no 49, repr. coul.

103 | *Nature morte: oignons*
Fin 1881
Huile sur toile
H. 39,1 ; L. 60,6
Signé et daté en bas à gauche *Renoir. Naples. 81*
Williamstown (Massachusetts), The Sterling and Francine Clark Institute (Inv. 588).

Renoir
Auguste

Selon toute vraisemblance, cette toile était en dépôt à la galerie Durand-Ruel durant le séjour de van Gogh à Paris ; il est possible qu'il l'y ait vue, qu'elle ait été exposée ou non[1]. Renoir l'avait peinte pendant son voyage en Italie de l'hiver 1881-1882, en compagnie de sa future épouse, Aline Charigot. Cette peinture est traitée avec une grande liberté formelle si on la compare aux natures mortes antérieures, plus élaborées et destinées au marché mondain[2]. Comme dans beaucoup de natures mortes impressionnistes, les éléments placés au premier plan sont conçus dans un style plus naturaliste, se détachant sur un fond lui-même simplifié. Ici, par exemple, les stries parallèles des oignons et des gousses d'ail recréent la texture qu'ils présentent dans la réalité, tandis que la disposition de la nappe, et plus particulièrement tout le bleu en arrière-plan, semblent viser un effet décoratif, plutôt qu'une représentation d'un décor réel. Renoir traite de façon harmonieuse ces différentes parties de la composition, avec une parfaite aisance et une fluidité de la touche qui donnent au tableau sa brillance et son éclat.

Si tant est que van Gogh l'ait connue, il est possible que cette toile l'ait incité à peindre, dans un style et une composition comparables, sa nature morte *Choux rouges et oignons* (cat. n° 61) à la fin de 1887. On y retrouve la même dispersion asymétrique des légumes, quoique en sens inverse ; le flou du décor est du même ordre, mais, dans la toile de van Gogh, le plan sur lequel sont posés les objets est délibérément incliné et rendu radicalement abstrait. Quant à sa touche audacieusement striée, la comparaison avec cette œuvre de Renoir datant des années 1880 montre combien cette technique a son origine dans l'Impressionnisme. Cependant la touche vigoureuse de van Gogh et les libertés qu'il prend par rapport à la description de l'objet peint forment un contraste remarquable avec les nuances plus subtiles de Renoir.

NOTES
---

1. Dans *1985, Paris*, n° 62, J. House donne l'historique de ce tableau : vers 1883-1884, il fut en dépôt à la galerie Durand-Ruel, mais il n'y était plus en 1892. Dans *l'Arte*, 1901, Bernard raconte que c'est dans la « Boutique de Durand-Ruel » que van Gogh découvrit l'Impressionnisme (littéralement : où il « a vu le soleil ».)
2. *Ibid*, n° 62.

104

L'Eté: jeune femme dans un champ fleuri

Eté 1884
Huile sur toile
H. 81,2 ; L. 65,7
Signé et daté en bas à gauche *Renoir 84*
Collection particulière

Renoir
Auguste

Le thème de la femme, seule ou en groupe, habillée ou nue, dans un jardin ou dans tout autre cadre de plein air, est récurrent dans l'œuvre de Renoir. Pendant la première moitié des années 1880, un des modèles favoris de Renoir était Aline Charigot, qu'il devait épouser par la suite. On la voit avec un chien à gauche dans la grande toile intitulée *Le Déjeuner des canotiers* (Washington, Phillips Collection) ; elle est la danseuse dans *La Danse à Bougival* (Boston, Museum of Fine Arts) et *La Danse à la campagne* (Paris, Musée d'Orsay). Elle est plus passive, mais non moins charmante dans *L'été*, assise au milieu d'un champ fleuri, sans doute près de Chatou. Bien que la pose du modèle et les éléments du paysage aient été soigneusement choisis et composés, Renoir parvient à nous faire croire que de telles rêveries champêtres étaient monnaie courante dans la campagne française.

On ne sait pas avec certitude si van Gogh avait vu ce tableau à Paris, mais ses lettres d'Arles prouvent qu'il considérait Renoir comme un spécialiste des femmes vêtues ou dévêtues, ainsi que des jardins (*LT* 481-2, *LT* 488)[1]. Sa toile intitulée *Femme assise dans l'herbe* (cat. n° 35 fig. a) ressemble à ce point à *l'Eté* qu'on peut en inférer une influence de Monet, de Renoir, ou des deux à la fois[2]. Renoir utilisait aussi, au début des années 1880, de larges touches parallèles de couleur comme van Gogh, encore que ce dernier ne soit pas parvenu à la même variété complexe et à la même virtuosité. L'humble toile de van Gogh n'en conserve pas moins tout son attrait, grâce à son honnête simplicité. Elle représente en outre un personnage rendu de manière plus réaliste dans un cadre moins idéalisé que celui de Renoir que van Gogh classait parmi les «Impressionnistes du Grand Boulevard» (*LT* 468).

NOTES

1. Les archives révèlent que ce tableau a été exposé pour la première fois à la galerie Durand-Ruel en 1892 ; peut-être figurait-il dans le stock disponible de Renoir antérieurement.
2. Pour des motifs comparables de «femme au jardin», voir W 385, 386, 414, 415 et DR 74, 145-146, 355.

John Peter Russell

(1858-1931)

Le peintre australien John Peter Russell, tout comme l'Américain Frank Boggs, choisit de s'expatrier et de travailler en France pendant plus de quarante ans. Né en 1858 dans une banlieue de Sydney, il était l'aîné d'une famille de quatre enfants dont le grand-père maternel était sculpteur. En 1876, Russell est envoyé en Angleterre pour suivre la voie de son père et de son oncle : devenir ingénieur. A la mort de son père, il se retrouve à la tête d'un revenu suffisant pour choisir une carrière artistique. En 1880, il s'inscrit à la Slade School of Art de Londres où il étudie avec Alphonse Legros, dont la vive admiration pour l'art espagnol incite Russell à entreprendre en 1883 un voyage en Espagne. Puis il s'intéresse à la peinture de plein air et probablement a-t-il l'occasion de voir les derniers tableaux de paysage et de marine de Whistler, lors d'une exposition organisée en 1884 à Londres. A la fin de 1884 ou au début de 1885, il fréquente l'atelier libre de Fernand Cormon jusqu'au début de 1888. Il participe alors à toutes les activités de l'atelier, travaille avec A.S. Hartrick, Emile Bernard, Louis Anquetin et rencontre van Gogh à la fin de 1886. Il devient également l'ami d'Auguste Rodin. On sait, par la correspondance que les deux artistes échangèrent de 1888 au début du XXᵉ siècle, que Russell, qui jouit désormais d'une situation aisée, achète des œuvres à Bernard, Guillaumin et Rodin mais refuse, malgré les interventions de van Gogh, d'acquérir des Gauguin.

Comme van Gogh, il admire l'art de Millet et de Puvis de Chavannes. Au cours de cette période, il habite boulevard de Clichy et a son atelier dans l'impasse Hélène, où Vincent van Gogh va le voir. Il exécute des dessins ayant pour thème l'*Enfer* de Dante et au début de 1887, il étudie les estampes japonaises, probablement sous la houlette de Vincent. Pendant l'hiver et le début du printemps 1886-1887, il passe six mois en Italie, notamment en Sicile où il espère trouver des paysages propres à l'inspirer pour ses études d'après l'*Enfer* de Dante. Ces paysages séduisent van Gogh qui depuis Arles, en juin-juillet 1888, écrit à Russell son enthousiasme. Russell, qui a reçu au début d'août douze dessins de van Gogh, l'invite en septembre à Belle-Ile, où il s'est installé après son mariage au début de 1888. C'est d'ailleurs là qu'en septembre il rencontre Claude Monet. Invité par Bernard à venir peindre avec lui à Saint-Briac, il refuse. A la fin d'avril 1890, van Gogh se souvient de Russell et presse Theo de le faire connaître à Paris. Pendant vingt ans, jusqu'en 1908, Russell réside et peint à Belle-Ile. Il retourne ensuite à Sydney où il meurt en 1931.

105

Portrait de Vincent van Gogh
Automne 1886
Huile sur toile
H. 60; L. 45
Signé et daté en bas à droite *J.P. Russell Paris 1886 amitiés*
Inscription en haut à gauche (en rouge) *Vincent pictor*
Amsterdam, Rijksmuseum Vincent van Gogh
(Fondation Vincent van Gogh; Inv. S 273V/1962)

Russell
John

D'origine australienne, John Russell avait reçu une formation artistique en Grande-Bretagne; c'est lors de son passage par l'atelier Cormon qu'il connut van Gogh. Russell avait un appartement au 73, boulevard de Clichy, presque en face de chez Cormon, et son atelier se trouvait tout près, au 15 de l'impasse Hélène qui donne sur l'avenue de Clichy (PLAN). On peut supposer que Vincent et lui étudièrent quelque temps ensemble durant l'automne 1886: Russell revenait alors de Belle-Ile en Bretagne où il avait passé l'été et il allait bientôt repartir en Sicile avec son épouse italienne, Marianna, pour y peindre pendant l'hiver et le printemps suivants[1]. Ce portrait fut vraisemblablement réalisé dans l'atelier de Russell et il est possible que Vincent l'ait présenté à l'employé écossais de la maison Goupil, Alexander Reid (cat. n° 38), un an environ avant la première rencontre de Russell et de Vincent avec Gauguin[2]. Les relations entre Russell et van Gogh furent intermittentes mais durables comme en témoignent les deux lettres qui nous sont restées, adressées à Russell depuis Arles (*Lettres* 477a et 623a): relations amicales fondées sur les bénéfices commerciaux éventuels que l'un et l'autre pouvaient tirer de leur relation, mais aussi, du point de vue artistique, sur un respect mutuel.

Le *Portrait de Vincent van Gogh*, dont le modèle se souvenait encore avec affection en septembre 1889 (*LT* 604), est réaliste, comme on pouvait s'y attendre de la part d'un artiste qui ne s'était pas encore mis au diapason de l'Impressionnisme, et d'un modèle dont les premiers autoportraits (cat. n° 1) témoignaient de la même conviction stylistique[3]. Ce portrait ne rappelle guère l'intérêt des deux hommes pour l'art japonais et ne suggère pas que Russell allait se convertir sous peu à l'Impressionnisme[4]. On y retrouve néanmoins cette vision romantique de l'artiste, propre à Russell, — un génie inspiré —, qui s'accorde bien à l'image que van Gogh donnait de lui-même: celle d'un artiste entièrement voué à la profession qu'il a choisie et résolu à aller jusqu'au bout de sa tâche.

NOTES

1. Dans ses souvenirs, Hartrick rapporte que, revenant lui-même de Bretagne en novembre 1886, il vit Vincent dans l'atelier de Russell peu après que ce portrait eut été réalisé, avant le départ de Russell pour l'Italie. (*Hartrick*, p. 42, 48, 51-52.)
2. C'est Vincent qui a présenté Reid à Russell: le fait est consigné dans la *Lettre* 477a; dans la *Lettre* 623a, il précise que la première rencontre de Russell avec Gauguin a eu lieu presque au moment où lui-même fait la connaissance de ce dernier. Cette lettre de 1890 renvoie à une date qui a dû se situer à l'automne 1887, après que Gauguin fut revenu de la Martinique, à l'époque où Vincent tentait de cultiver ses relations avec des amis relativement fortunés comme Russell mais aussi Guillaumin et Bernard (*LT* 480, 482, 494a). Ainsi, les rapports que Vincent entretint avec Russell furent basés sur le respect mutuel quant au plan artistique; mais en même temps il espérait que cette amitié lui fournirait quelques occasions commerciales. Pour plus de détails sur leurs rapports voir *1978, Amsterdam*, p. 24-44.
3. C'est A.S. Hartrick, avec son mélange frustrant de chronologie inexacte et de souvenirs descriptifs précis, qui nous fournit sur ce portrait le seul récit que nous possédions (*Hartrick*, p. 42). Il décrit Vincent van Gogh comme «un petit homme malingre, les traits tirés, la barbe et le cheveu roux, et un œil d'un bleu lumineux»; il complète un peu plus loin sa description en indiquant l'habitude qu'avait Vincent «de tourner la tête par-dessus son épaule pour vous regarder, et de siffler entre ses dents».
4. *1978, Amsterdam*, p. 34-37.

Georges Seurat

(1859-1891)

Seurat apparaît comme le créateur et le chef de file incontesté du Néo-impressionnisme. Né à Paris, le troisième d'une famille aisée de quatre enfants, il suit à 15 ans, pendant trois années les cours d'une école de dessin. Il se lie alors d'une amitié qui durera jusqu'à sa mort avec Edmond Aman-Jean. Admis à l'Ecole des Beaux-Arts en 1879, il s'inscrit à l'atelier d'Henri Lehmann, ancien élève d'Ingres. L'année suivante, visitant avec Aman-Jean la *IVe Exposition Impressionniste,* il est émerveillé, notamment par les œuvres de Monet, de Pissarro et de Degas. Après une année de service militaire à Brest, il est de retour à Paris au début de 1880 et, renonce à pousser plus avant ses études à l'Ecole des Beaux-Arts. Il se consacre pendant deux ans à la lecture d'ouvrages théoriques sur l'art, voyage et travaille avec Aman-Jean dans la banlieue de Paris, à Saint-Ouen et à Aubervilliers. Il s'intéresse alors tout particulièrement à la technique de Delacroix, commente les théories sur la couleur de Chevreul, de Charles Blanc et d'Ogden Rood. Ses premières œuvres reflètent l'attention portée à Rembrandt, à Goya, ainsi qu'aux peintres de Barbizon, Corot et Millet. Sa peinture en 1883 est marquée par l'influence des impressionnistes, notamment celle de Monet et de Pissarro. Cette même année, ses nombreuses études réalisées sur l'île de la Grande-Jatte aboutissent à son chef-d'œuvre *Baignade à Asnières* qu'il expose à deux reprises, notamment en 1884 à la *Ire Exposition de la Société des Artistes Indépendants,* à laquelle il collabore désormais régulièrement. C'est à cette époque qu'il fait la connaissance de Signac, de Dubois-Pillet et de Charles Angrand, ainsi que du cercle des écrivains progressistes dont Robert Caze, Paul Adam et Jean Ajalbert. A la fin de 1885, il rencontre Pissarro qui, peu après, sera le premier peintre séduit par le pointillisme. Au printemps 1886, grâce à Pissarro, Seurat est invité avec Signac à participer à la *VIIIe Exposition Impressionniste* où il est représenté par sa monumentale *Grande Jatte.* A cette exposition il rencontre pour la première fois le critique Félix Fénéon qui loue publiquement sa superbe toile, dans laquelle il voit la naissance d'une nouvelle peinture. Après le *Salon des Indépendants* d'automne, où la *Grande Jatte* est à nouveau exposée, il se lie d'une solide amitié avec Signac et Pissarro. En 1887, invité par un groupe d'artistes belges d'avant-garde à participer à l'exposition des *XX,* il montre à nouveau la *Grande Jatte,* qui suscite de plus en plus d'adeptes de la nouvelle technique. Il fait la connaissance de van Gogh au Restaurant du Chalet où Vincent organise une exposition des peintres du «Petit Boulevard». La même année, Seurat réalise deux nouvelles compositions *La Parade* et *Les Poseuses.* Au début de mars 1888, par l'intermédiaire d'Emile Bernard, son dessin l'*Eden concert* est présenté dans une vente et adjugé à Theo van Gogh qui le prête en juillet-août à la deuxième exposition organisée à Amsterdam par le Club de la Gravure Néerlandaise. En 1889 Seurat expose au Salon des *XX,* rencontre Madeleine Knoblock — un jeune modèle avec laquelle il engage une liaison — et achève deux toiles importantes, le *Chahut* et *Jeune femme se poudrant,* qui sont exposées en 1890 au *Salon des Indépendants.* Cette année-là, un refroidissement se produit dans les relations de Signac et de Seurat, et celui-ci est obligé de protester auprès de Fénéon pour faire valoir sa prééminence dans la création du Néo-impressionnisme. Atteint de diphtérie, Seurat meurt en 1891 à l'âge de 32 ans. Signac, Luce et Fénéon sont présents lors de l'inventaire de l'atelier de l'artiste.

106

La Banlieue
Vers 1882
Huile sur toile
H. 34,2 ; L. 40,6
Troyes, Musée d'Art Moderne (donation Levy ; Inv. MNPL 304)
H 75

Seurat
Georges

Cette toile de taille modeste a souvent été reproduite car elle est très caractéristique du style de Seurat tout au début de son engagement dans l'Impressionnisme. Le sol est d'une tonalité assez lumineuse et la peinture est appliquée sur la toile en une mince couche de touches discrètes et régulièrement espacées. L'atmosphère est même si brumeuse qu'il est difficile de se représenter la distance à laquelle sont placés les immeubles représentés et leurs proportions respectives. En revanche, on est frappé par la simplicité de la composition, avec sa division en une moitié inférieure dominée par le plan du sol et une moitié supérieure consacrée à la brume bleue et rose du ciel, tandis que les contours géométriques des façades d'immeubles viennent en quelque sorte souder ces deux moitiés l'une à l'autre.

Si ce tableau est ici présenté, ce n'est pas pour l'influence qu'il aurait pu exercer sur van Gogh ; en effet, il n'a jamais été exposé du vivant de Seurat et il est peu probable qu'une toile de cette dimension, et datant de 1881, ait attiré l'attention de Vincent lors de l'unique visite qu'il rendit au chef de file du Néo-impressionnisme dans son atelier, juste avant son départ pour Arles. En revanche, dans le contexte plus général de l'évolution de van Gogh, cette œuvre a le mérite de nous permettre d'établir un parallèle intéressant avec ses premières approches du style des paysages impressionnistes. Dans des toiles comme *Boulevard de Clichy* (cat. n° 26) et dans les vues prises de la fenêtre de son appartement (cat. n° 28 et n° 29), il est manifeste qu'il applique le coloris et la touche de l'Impressionnisme, comme Seurat l'avait fait dans *La Banlieue*. Peut-être s'agit-il là d'une coïncidence historique d'importance mineure, mais elle montre combien ces deux artistes, qui allaient devenir des novateurs déterminés, débutèrent avec beaucoup de prudence. On peut également noter que si les premières expériences de van Gogh dans le paysage impressionniste privilégiaient des motifs de la Butte Montmartre, le site représenté dans *La Banlieue* se trouvait très probablement dans la plaine au bas de la butte. Les jeunes artistes du futur mouvement néo-impressionniste comme Seurat et Signac (cat. n° 116), n'étaient nullement enclins à masquer par quelques détails pittoresques l'apparence réelle de ces lieux suburbains : de façon tout à fait évidente, ils recherchaient — comme Vincent le ferait plus tard — dans ces façades d'usines caractéristiques de la vie moderne, un ordre structurel s'inscrivant dans une nature elle-même toute transitoire[1].

NOTES

1. Il est évident que l'intention de Seurat n'était pas ici de montrer un bâtiment particulier ; il est bien possible toutefois qu'il s'agisse de celui qu'on peut voir en arrière-plan du *Quai de Clichy* de Signac (cat. n° 116), où l'on trouve le même type de juxtaposition entre une grande et unique cheminée et la structure d'une tour avec son sommet se terminant en pointe. Si tel est le cas, l'angle de vue choisi par Seurat est tout à fait différent.

107 | *Bateaux près de la berge à Asnières*
Vers 1883
Huile sur panneau
H. 15 ; L. 24
Grande-Bretagne, collection particulière
H 76

Seurat
Georges

Ce petit panneau fait partie d'un groupe de douze qui furent d'abord présentés ensemble en 1886, par le marchand de tableaux Durand-Ruel, dans le cadre de son exposition aux Etats-Unis sur la peinture impressionniste, puis de nouveau au *Salon des Indépendants* au printemps 1887. Parmi les sept qui ont été identifiés, la plupart étaient des études pour *La Baignade à Asnières* ou *La Grande Jatte* et datent donc des années 1883-1885[1]. La date de 1883 généralement attribuée à ces *Bateaux près de la berge* s'appuie probablement sur le fait que le travail au pinceau, avec ses touches horizontales dans le traitement de l'eau de la rivière, se rapproche davantage des études réalisées pour la *Baignade* que le travail aux touches plus heurtées des études destinées à *La Grande Jatte*. S'il s'agissait d'une œuvre dont le sujet fut sans rapport avec tel ou tel tableau majeur de Seurat, ce serait là un critère de datation arbitraire, mais 1885 constitue à cet égard un *teminus ante quem*, puisque c'est au début de 1886 que Durand-Ruel partit pour les Etats-Unis.

Autre caractéristique intéressante : celle qui apparente cette œuvre aux paysages impressionnistes réalisés par van Gogh pendant l'été 1887 sur les bords de la Seine ou près d'Asnières. Notamment ses *Berges de la Seine* (cat. n° 32), où l'on retrouve, malgré la taille beaucoup plus grande du tableau, le même type de contraste, entre les longues touches parallèles des couleurs complémentaires pour l'eau de la rivière et les touches plus arrondies utilisées pour la végétation sur la rive. Il est même possible que le panneau de Seurat représente la même partie de la berge à Asnières, vue depuis l'île des Ravageurs, car dans les deux peintures, le motif de la palissade avec ses piquets, en haut du remblai, se présente au même endroit et dans des proportions analogues. Et surtout, comme dans d'autres «croquetons» de Seurat que van Gogh devait avoir vus dans les expositions de 1886-1887, on trouve ici une expérimentation constante, très diversifiée, qui porte sur ces entrelacements contrastés de couleurs, caractéristiques des *Berges de la Seine* de van Gogh et des paysages de 1887 qui lui sont apparentés. Il a ainsi très certainement été encouragé à penser que le style impressionniste était compatible avec la recherche des lois présidant au contraste des couleurs, voire même fondé sur elle.

NOTES

1. Les sept panneaux identifiés du groupe en question sont H 76 (celui exposé ici), 89-91, 100, 122-123.

108

La Luzerne, Saint-Denis: champ de coquelicots

Vers 1885-1886
Huile sur toile
H. 64 ; L. 81
Signé en bas à gauche *Seurat*
Edimbourg, The National Galleries of Scotland (Inv. NG 2324)
H 145

Seurat
Georges

A la *IIe Exposition des Indépendants* en août-septembre 1886, cette toile était la seule, parmi huit autres que Seurat montrait, à ne pas faire intervenir de plan d'eau[1]. Le titre donné par l'artiste était «La Luzerne (Saint-Denis)», ce qui situe le lieu de sa réalisation — la plaine de Saint-Denis; mais il est compréhensible qu'on l'appelle parfois «Champ de coquelicots», en raison de la présence abondante de ces fleurs dans la prairie verdoyante. Il est possible qu'en choisissant ainsi un champ de coquelicots, Seurat ait voulu rivaliser avec les paysages bien connus de Monet qui traitent de sujets similaires (W 274, 677, 1146 — ce dernier ayant été acheté par Theo à la fin de 1887, voir ANNEXE *Theo*). Ce choix fournissait également le contraste entre le vert et sa couleur complémentaire le rouge, de la même façon que les teintes violacées des fleurs de luzerne trouvent leur complément dans le jaune-orangé de la lumière du soleil.

Cette toile a probablement inspiré van Gogh pour son *Champ de blé à l'alouette* (cat. n° 53); mais elle a eu aussi une influence plus générale sur son œuvre. La composition, ici comme dans d'autres tableaux de Seurat, avec sa ligne d'horizon extrêmement haute, est en effet une formule qu'on retrouve dans des paysages de van Gogh datant de son séjour à Paris, et plus encore de la période d'Arles (fig. a). L'épaisseur de la touche uniforme du pinceau, en pointillé ou non, est un autre trait caractéristique de *La Luzerne* que Vincent a certainement remarqué et qu'il adopta ensuite en 1887. On ne peut savoir s'il s'est rendu compte que ce tableau représentait pour Seurat une étape de transition dans son évolution vers une forme plus systématique de pointillisme; mais c'est certainement là l'une des œuvres qu'il devait avoir présentes à l'esprit lorsqu'il disait de Seurat qu'il était non seulement «un coloriste original» (*LT* 539), mais aussi le «chef du Petit Boulevard» (*LT* 500).

NOTES

1. *La Grande-Jatte* exceptée, que le catalogue date alors de 1884, la participation de Seurat à cette exposition comprenait essentiellement des toiles se référant à son séjour de l'été 1885 à Grandcamp, de la même façon qu'au *Salon des Indépendants* du printemps 1887, ses tableaux évoquaient pour la plupart des sujets tirés de son séjour à Honfleur, l'été précédent. Etant donné que *La Luzerne* traite d'un motif de banlieue de Paris, le tableau ne se prête pas à de tels repérages chronologiques, d'où une date incertaine, 1885 ou 1886.

Cat. n° 108 fig. a   Vincent van Gogh,
Paysage près d'Arles (F 576)
Amsterdam, Rijksmuseum Vincent van Gogh.
(Fondation Vincent van Gogh).

Paul Signac

(1863-1935)

Principal compagnon de Seurat jusqu'à la mort de ce dernier, puis «promoteur» du Néo-impressionnisme, Signac fut à la fois peintre, écrivain, théoricien, organisateur et prosélyte du mouvement. Issu d'une famille parisienne aisée, Signac reçoit sa première formation au collège Rollin. Il dessine et en 1879 (à 15 ans) visite la *IVᵉ Exposition Impressionniste*. A la mort de son père, en 1880, sa mère s'installe à Asnières où Signac devait plus tard recevoir nombre de ses amis. La même année, il décide de s'orienter vers une carrière artistique; les toiles de Monet exposées dans les bureaux de la revue *La Vie Moderne* lui font une forte impression et il commence à peindre en plein air sur les quais de la Seine. Epris d'indépendance et doté d'une forte personnalité, il se détourne de tout enseignement académique, excepté en 1883 où il entre, pour peu de temps, à l'atelier libre d'Emile Bin; il y rencontre le Père Tanguy qui approvisionne chaque semaine les élèves, en couleurs. Une exposition particulière des œuvres de Monet chez Durand-Ruel incite le jeune artiste à adopter un style impressionniste et à chercher deux ans plus tard à obtenir un rendez-vous avec l'artiste. Tandis qu'il peint sur les rives de la Seine à Asnières, il se lie d'amitié avec le peintre Gustave Caillebotte qui lui communique sa passion de la voile, sport auquel il s'adonnera toute sa vie. Ses toiles exécutées en 1882-1883 représentent des coins de Montmartre et de la banlieue parisienne peints dans des couleurs pures et avec une luminosité où transparaît son admiration pour Manet, Monet et Sisley. Le grand tournant de sa carrière se situe pendant l'été 1884, lorsqu'il rencontre Seurat lors d'une réunion qui aboutit, quelques mois plus tard, à la fondation de la Société des artistes indépendants. Les goûts littéraires de Signac s'étaient déjà affirmés par sa collaboration à la revue *Le Chat Noir* et sa participation aux soirées de café-concert du même nom où il récitait ses poèmes. Il se lie à des écrivains d'avant-garde tels que Paul Adam, J.-K. Huysmans, Jean Ajalbert, ainsi qu'à Félix Fénéon et Gustave Kahn qu'il présentera peu après à Seurat. Vers la fin de 1884 ou le début de 1885, il rencontre également Guillaumin et les deux artistes travaillent ensemble sur les quais de la Seine. L'influence qu'exercent sur Signac l'œuvre de Seurat et ses discussions avec cet artiste apparaît dans les paysages de Saint-Briac exécutés durant l'été 1885. A son retour à Paris, il est présenté à Pissarro dans l'atelier de Guillaumin et les deux artistes décident d'appliquer les nouvelles théories de Seurat. A la *VIIIᵉ Exposition Impressionniste*, en 1886, Signac expose ses premières œuvres pointillistes dont *Les Gazomètres à Clichy* et *Les Modistes*, à côté de la *Grande Jatte* de Seurat et *Vue de ma fenêtre par temps gris* de Pissarro. Le Néo-impressionnisme de Signac s'affirme au printemps 1887, époque à laquelle il se rapproche d'Angrand et de Luce et fait la connaissance de Louis Anquetin et d'Emile Bernard. Il se lie avec Vincent van Gogh, travaille avec lui à Asnières et aux environs, et plus tard, lui rendra visite à Arles. Il continue d'exposer avec Seurat de 1888 à 1891 et collabore avec le savant Charles Henry. En 1898 et 1899 il publie ses recherches sur les fondements et les développements de la théorie de la couleur au XIXᵉ siècle: *D'Eugène Delacroix au Néo-impressionnisme*, livre essentiel à la formation des jeunes artistes de la génération suivante, en particulier Henri Matisse. De 1908 à 1934 — un an avant sa mort —, il assume les fonctions de président au *Salon des Indépendants* et joue un rôle capital dans la vie artistique de cette période tout en reproduisant d'étincelantes vues de ports.

109

La Route de Gennevilliers: faubourg de Paris
[Opus 55]
Vers la fin du printemps 1883
Huile sur toile
H. 72,9 ; L. 91,6
Inscrit, signé et daté en bas à droite ... *chy P. Signac 83*
Paris, Musée d'Orsay (Inv. R.F. 1968-3)

Signac
Paul

Cette peinture tire son titre de l'inventaire de Signac ; on peut y voir l'inscription en partie effacée « ... chy », en dédicace à un certain « Marichy » (ou « Marechy »), premier propriétaire, ainsi désigné, de cette *Route de Gennevilliers*[1]. Il s'agissait là d'une voie départementale qui était la principale route reliant le pont de Clichy (du côté Asnières) au village de Gennevilliers situé sur le territoire de la commune du même nom (PLAN), laquelle était encore à l'époque presque exclusivement agricole. Ainsi, les immeubles et les cheminées que l'on voit derrière le long mur au loin, étaient probablement situés à l'extrémité nord-est d'Asnières, au bord de la Seine, dans une zone que longeait également l'actuelle avenue des Grésillons et que d'anciennes photographies nous montrent parsemée d'usines. La vue retenue ici se trouvait à une distance de marche raisonnable de la résidence familiale de Signac, rue de Paris (nom qui était à l'époque celui de la rue menant de la gare d'Asnières au marché) au 42 bis (PLAN). En plus de son intérêt biographique et topographique, cette identification du site permet de préciser l'iconographie de cette peinture qui présente un vif contraste entre les champs de Gennevilliers, au premier plan, et les emplacements des sites industriels en bord de Seine que l'on voit à l'horizon. Signac a alors tout juste vingt ans : cette toile témoigne déjà de son intérêt pour un thème qui restera chez lui d'une importance majeure durant quelques années. En ce qui concerne le style, on a vu à juste titre dans cette peinture l'une de ses tentatives les plus précoces — et les plus réussies — de travailler en s'inspirant de la manière impressionniste qu'il admirait depuis 1879[2]. Ainsi, on n'y retrouve guère l'influence stylistique de J.-F. Raffaëlli, peintre et graveur réaliste-impressionniste qui habitait Asnières à cette époque et dont les peintures de la vie ouvrière dans la banlieue parisienne en faisaient le meilleur interprète du genre[3]. En revanche, on y trouve un mélange harmonieux d'influences renvoyant à Manet, à Monet, à Sisley, et à Cézanne dont Signac convainquit sa mère d'acheter l'un des paysages de sa période d'Auvers, l'année même où il réalisa sa *Route de Gennevilliers*[4]. Dans le cadre de cette exposition, il peut être intéressant de comparer cette toile-ci à *L'Oise aux environs de Pontoise* (cat. n° 94) de Pissarro : sa palette également lumineuse, la manière tranquille dont il traite un paysage inondé de soleil, avec sa campagne et ses usines, contrastent nettement avec la touche et les couleurs plus dramatiques du *Soleil Couchant à Ivry* de Guillaumin (cat. n° 82). Il est très possible que van Gogh ait pensé, entre autres, à cette toile de Signac, à son thème et à sa composition, quand il réalisa ses *Usines à Clichy* (cat. n° 54).

S'agissant toujours de cette œuvre de Signac, on peut également se demander si l'adoption d'un style franchement impressionniste ne s'accompagne pas d'une recherche proche d'une théorie scientifique de la couleur. On y trouve un contraste frappant entre les couleurs complémentaires l'orangé et le bleu, non seulement dans les toits de tuiles de l'immeuble du fond se détachant contre le bleu lumineux du ciel, mais également dans les ombres de l'arbre au premier plan, d'un bleu presque franc, juxtaposé à l'orangé des larges trottoirs (pour un exemple comparable, un peu plus tardif, voir *Le Kiosque* d'Anquetin, cat. n° 72).

NOTES

1. Selon l'indication donnée in *1963, Paris*, n° 6.
2. Pour un récapitulatif des rapports de Signac avec l'Impressionnisme, particulièrement en ce qui concerne cette toile, voir *Cachin*, p.5-13.
3. Les sites représentés par J.-F. Raffaëlli, Asnières et ses alentours, ont été mis en rapport avec ces vues de Signac (*1963, Paris*, n° 6). De fait, lors de son exposition de mars-avril 1884 à Paris, un an après la réalisation de *La Route de Gennevilliers*, Raffaëlli exposa deux œuvres représentant elles aussi le même site : *Bord de l'eau à Gennevilliers* (n° 126) et *La Plaine de Gennevilliers au printemps* (n° 128), in *Catalogue Illustré des Œuvres de Jean-François Raffaëlli*, Paris, 15 mars-15 avril 1884.
4. *Ibid.*, p. 11. Dans une peinture réalisée l'année précédente, *Asnières, La Baignade du Passeur* (Collection particulière), en 1882, Signac avait déjà introduit les usines de Clichy au loin, reproduit dans le catalogue de vente, Sotheby's Parke Bernet, New York, du 26 mai 1976, n° 38. Le tableau de Cézanne, acquis par Signac est *Dans la vallée de l'Oise* (V 311, daté : vers 1879-1882).

110

Rue Caulaincourt. Moulins à Montmartre
[Opus 63]
1884
Huile sur toile
H. 35 ; L. 27
Dédicacé, signé et daté en bas à gauche *A l'ami Cuvellier, P. Signac, Montmartre 84*
Paris, Musée Carnavalet (Inv. P. 1938)

Signac
Paul

On ne peut savoir avec certitude si cette peinture faisait ou non partie de la *Première Exposition des Indépendants* de décembre 1884[1]. On peut être sûr, en revanche, que son association à «La Rue Caulaincourt» dans l'inventaire de Signac (opus 63) se justifiait pleinement : la palissade, l'arbre et le réverbère placés au premier plan, se retrouvent dans la représentation que van Gogh donna trois ans plus tard de la rue Caulaincourt dans l'aquarelle *Banlieue de Paris, vue d'une hauteur,* peinte depuis le haut du versant nord de la Butte Montmartre (cat. n° 50). C'est également la comparaison avec les tableaux de van Gogh (cat. n° 23 et cat. n° 23 fig. a) qui permet d'identifier le moulin le plus proche dans la toile de Signac : il s'agit du Blute-fin (également connu sous les noms de «Moulin Debray» et de «Moulin de la Galette»), avec son belvédère dominant Paris, vers la droite ; l'autre moulin qu'on voit plus loin, derrière sur la gauche, est le Moulin à Poivre qui était plus petit (cat. n° 22). Autre coïncidence historique, à propos de ces moulins de Paris peints par van Gogh et par Signac : le premier atelier de celui-ci, à Paris, était situé dans la petite rue d'Orchampt qui coupe la rue Lepic à l'endroit où s'élevait le troisième moulin de Montmartre, Le Radet, avec sa guinguette (cat. n° 9 et n° 10). Il faut rappeler que van Gogh peignit certainement ses premières vues de moulins parisiens avant sa rencontre avec Signac, mais il est possible qu'ils se soient liés d'amitié d'autant plus facilement, en 1887, qu'ils se connaissaient cet intérêt commun.

Dans sa conception, le tableau de Signac présente un mélange d'éléments réalistes et impressionnistes, ainsi que cela devait être le cas deux ans plus tard dans les moulins de van Gogh, tel son *Moulin le Blute-fin* (cat. n° 23). Les couleurs sont assourdies, mais on y reconnaît encore distinctement du jaune, du violet, de l'orangé, du vert, du bleu et du blanc. Comme pour son tableau de l'année précédente, *La Route de Gennevilliers* (cat. n° 109), on ne peut que se demander si ces tentatives de juxtaposition de couleurs fondamentales se situent avant ou après sa rencontre avec Seurat en 1884. Autre pressentiment possible de l'évolution à venir : l'utilisation de composantes linéaires — horizontales, verticales et diagonales — rigoureusement contrôlées, la ligne d'horizon en hauteur, et la compression délibérée de ce qui était en réalité une vue assez éloignée en un déploiement de configurations et de formes ramassées dans le plan de la toile. Il en résulte une étude modeste mais exécutée avec vigueur qui est à mettre essentiellement au compte de la sensibilité de l'artiste à ce stade de sa carrière, plutôt qu'à celui de telle ou telle influence dont on pourrait faire le recensement.

NOTES

1. Ce problème est abordé dans *1963, Paris,* cat. n° 8. Le tableau est reproduit en couleurs sur la couverture du *Bulletin du Musée Carnavalet,* 1978, n° 1 : «Paris vu par les peintres de Corot à Foujita».

111 | *Nature morte: oranges, pomme et livre «Au soleil»*
[Opus 92]
1885
Huile sur toile
H. 32,5; L. 46,5
Signé et daté en bas à droite *Signac 83*
Berlin, Staatliche Museen, Preussischer Kulturbesitz, Nationalgalerie (Inv. NG 19/57)

Signac
Paul

Malgré la date inscrite (très postérieurement, par erreur, par Signac), cette peinture date de 1885[1]. D'ailleurs le livre représente «Au Soleil» de Maupassant, récit d'un voyage en Méditerranée, paru en 1884. A.M. Hammacher, entre autres, a analysé ce que cette peinture devait à Monet et ce dont van Gogh à son tour lui était redevable sur le plan de la composition et du motif, notamment pour les natures mortes aux livres qu'il réalisa à Paris (cat. n° 57)[2]. Plus que toute autre, cette œuvre nous permet d'apprécier combien l'intérêt de Signac pour les contrastes entre couleurs complémentaires fut stimulé par ses contacts avec Seurat, et de voir que ces recherches sur la couleur ont précédé chez lui l'adoption d'une technique pointilliste. Non seulement les oranges projettent des ombres bleues, les pommes rouges des ombres vertes, mais les fleurs, dans leur petit verre à pied, nous donnent l'occasion de trouver des contrastes similaires. Les deux expositions consacrées à Monet, l'une par la galerie de *La Vie Moderne* en 1880, l'autre chez Durand-Ruel trois ans plus tard, exercèrent une influence profonde sur l'évolution de Signac dans ses natures mortes de 1882-1883: la toile présentée ici en constitue la preuve majeure et ultime[3].

A côté de ces exemples que Monet et les autres peintres impressionnistes ont pu fournir à van Gogh pour ses natures mortes de la fin de 1887 comportant des livres et des fruits, cette toile de Signac — en elle-même un petit chef-d'œuvre — présente une analogie intéressante dans son imagerie même. Les contrastes entre couleurs complémentaires et la touche striée sont ici les plus manifestes de ces traits stylistiques que l'on retrouve dans les natures mortes de van Gogh deux ans plus tard. Sans compter que ce choix d'un livre écrit par l'un des auteurs favoris de Vincent, et dont le titre lui-même se référait à la couleur et au soleil méditerranéen, n'a probablement pas manqué d'éveiller chez van Gogh une résonance toute particulière. Donc, si cette toile a marqué un tournant dans l'œuvre de son auteur, son importance pour l'évolution artistique de van Gogh en 1887, peut être considérée comme tout aussi déterminante.

NOTES

1. Cette œuvre est enregistrée à l'année 1885 dans le cahier de Signac, au titre d'opus 92.
2. Voir *1962, Londres*, p. 90-117, et *Cachin*, p. 12, 37-40.
3. Cf. *Nature morte. Galette. Confiture* de Signac 1883 (reprod. in *Cachin*, p. 8) et *Nature morte. Livre rose. Pompon* 1883 (reprod. in *1962, Londres*, p. 101). *Nature morte. Livre jaune*. 1887 de l'artiste (cat. n° 55 fig. a). Doit également être considérée comme apparentée à la toile de Berlin.

112

La Seine à Asnières: la berge
[Opus 122]
Novembre 1885
Huile sur toile
H. 73; L. 100
Signé et daté en bas à droite *P. Signac 85*
Paris, collection particulière

Signac
Paul

Le titre sous lequel cette peinture fut présentée à la *VIIIᵉ Exposition Impression-niste* était «La Berge, Asnières», qui renvoyait précisément à ce que représente la toile; pourtant, quand elle fut de nouveau exposée au *Salon des Indépendants* de 1886, elle y fut simplement enregistrée comme une marine. Dans son compte rendu de la *VIIIᵉ Exposition Impressionniste*, Fénéon datait sa réalisation de l'automne 1885: «Il sait aussi traduire la mélancolie des temps gris, emprisonner ses eaux dans les quais... sa Berge à Asnières (novembre 1885)»[1]. J.-K. Huysmans, fut à l'évidence frappé lui aussi par cette peinture, car il en parlait l'année suivante comme d'«une vue de Seine couchée sous un extraordinaire ciel. C'était largement peint, à la Monet»[2]. C'est d'ailleurs vers cette période que Signac rendit visite à Monet, à Giverny: mais lui-même s'étant déjà profondément engagé dans une recherche visant à appliquer à la peinture la science de la couleur, il trouva que les conseils qui lui furent donnés par Monet étaient d'une nature si générale qu'ils lui étaient inutiles[3].

Par son sujet et son style, *La Berge* rappelle certaines des études antérieures de Signac consacrées à des motifs de Seine, en 1883-1884, ainsi que beaucoup de toiles impressionnistes, notamment de Monet sous le charme duquel lui-même était resté plusieurs années. Guillaumin, dont il fit la connaissance vers la fin de 1884 ou au début de 1885, a réalisé également des paysages comparables, le long des quais de la Rapée et de Bercy, qui exercèrent sûrement eux aussi une influence sur ce tableau[4]. C'est sur ces mêmes berges de la Seine à Asnières, encombrées de bateaux de toutes sortes, y compris de voiliers comme on le voit ici, que Signac rencontra pour la première fois, en 1883, le peintre Caillebotte qui le poussa à acquérir son premier bateau à voiles[5].

S'agissant du site représenté, on manque de points de repère et on en est réduit aux conjectures. Néanmoins, la vue est prise depuis le côté «Asnières» du fleuve; une île boisée est visible en plein centre au niveau de la ligne d'horizon et c'est peut-être l'île des Ravageurs ou celle de Robinson, au pont de Clichy, ou encore l'extrémité en aval de l'île la Grande-Jatte. Etant donné qu'une ou plusieurs arches du pont de Clichy auraient dû être visibles, même à distance, c'est le choix

NOTES

1. *Fénéon*, p. 37. La date lui a été à l'évidence fournie par Signac. Dans le catalogue de la *VIIIᵉ Exposition Impressionniste*, la toile était répertoriée au nº 185.
2. J.-K. Huysmans, «Chronique de l'art, les Indépendants», in *La Revue Indépendante*, nº 6, avril 1887, p. 55.
3. Pour les contacts que Signac prend à cette époque avec Monet et le directeur des Gobelins sur la question de la théorie de la couleur, voir *Cachin*, p. 14-16. Effectivement, Signac présenta à la *VIIIᵉ Exposition Impressionniste*, les œuvres pointillistes qu'il venait de réaliser, aussi bien que ses toiles plus anciennes, d'inspiration impressionniste comme *La Berge*.
4. *Ibid.*, p. 15-17, pour une démonstration de l'influence exercée par Guillaumin. Les toiles de Sisley D 120, 177, 296, 314, présentent également une ressemblance frappante avec le tableau de Signac.
5. *Cachin*, p. 11.

Cat. nº 112 fig. a   Photographie:
Pont du chemin de fer à Asnières.
Paris, collection Viollet (H. Roger Viollet).

de l'île de la Grande-Jatte qui semble le plus plausible. Autre élément qui conduit à la même conclusion : cette terrasse incurvée qu'on voit au premier plan avec son muret. A en juger d'après les photographies de la fin du XIXe siècle, c'était là un trait tout à fait inhabituel du quai d'Asnières. Le seul endroit d'Asnières qui puisse y correspondre se situe au point où le pont de chemin de fer aboutit au quai, comme cela apparaît nettement dans le tableau de van Gogh, *Ponts à Asnières*, une vue du site prise depuis la rive opposée (fig. a et cat. n° 42 fig. a). Il n'est peut-être pas sans intérêt de noter que Signac et van Gogh peignirent l'un et l'autre de petites embarcations amarrées le long du quai, dans ce qui serait alors tout simplement le même site, si notre identification est correcte. Il est probable que van Gogh dut se souvenir de cette peinture de Signac, à la suite des deux expositions de 1886 où elle avait été présentée. Dans les deux tableaux, le traitement du ciel, de l'eau et de l'herbe se caractérise par la facture impressionniste déliée de la touche : il y a là une similitude remarquable entre les deux œuvres, en dépit d'une différence évidente des conditions atmosphériques.

113 | *Quai de Clichy avec les grues de l'usine à gaz*
Début ou fin 1886
Dessin au crayon noir
H. 23 ; L. 31
Inscrit et daté au crayon en bas à gauche *Clichy 1886*
Paris, collection particulière

Signac
Paul

Le titre attribué à ce dessin provient d'une part de l'inscription ajoutée par l'artiste et d'autre part du fait qu'on retrouve également ces grues de l'usine à gaz (cat. nº 77 fig. a) dans d'autres œuvres de Signac (fig. a et cat. nº 116 fig. a) et de Bernard (cat. nº 77). L'absence de feuillage aux jeunes arbres, sur la gauche, nous indique que le dessin fut réalisé soit dans les premiers mois de 1886, c'est-à-dire peu avant les premières œuvres pointillistes de cette année-là (cat. nº 114 et nº 115), soit vers la fin de cette même année, avant le *Quai de Clichy* du printemps 1887 (cat. nº 116). Il est difficile d'attribuer au dessin une date plus précise : dans la structure de sa composition, il s'apparente à cette toile du *Quai de Clichy*, mais il présente également de grandes analogies — dans la composition, le style, la technique et le sujet traité — avec des dessins, probablement tirés du même carnet d'esquisses et qui ont été datés de 1885[1]. Quelle que soit la date exacte de sa réalisation, son sujet, son style et sa technique doivent beaucoup aux dessins de Seurat, bien que celui de Signac soit relativement plus ordonné et plus descriptif : souvent, dans les dessins comparables de Seurat, les effets d'ombre et de lumière et les multiples hachures dissimulent presque les éléments du sujet et leurs configurations spatiales[2]. Ce dessin de Signac a été mis en rapport avec son tableau de 1887, du quai de Clichy par temps gris[3]. Toutefois la présence en haut à gauche des rayons du soleil couchant est en contradiction avec cette identification ; de ce fait, la vue des grues est prise en sens inverse.

Ces questions d'origine mises à part, l'œuvre présente un splendide équilibre entre une composition asymétrique d'inspiration japonaise et les nuances des effets de lumière et d'ombre à la manière de Seurat. Le traitement des berges de la Seine dans une composition à la japonaise allait bientôt devenir un cliché chez les artistes français : Signac doit être cependant considéré ici comme l'un des pionniers du genre, particulièrement dans ses œuvres réalisées autour des années 1885-1887[4].

NOTES

1. *1962, Londres,* cat. nᵒˢ 82-84 et nᵒˢ 85-89.
2. Voir, par exemple R. Herbert, *Seurat's Drawings,* New York, 1962, cat. nᵒˢ 76-85.
3. *1963, Paris,* nᵒˢ 19, 87. Cette œuvre fut exposée en 1888 à la fois aux «XX» (sous le nº 3) et aux Indépendants (sous le nº 623 «Opus 156, Clichy, avril-mai 1887»).
4. Quand on regarde les œuvres de la collection de Vincent van Gogh (*1978, Amsterdam,* nᵒˢ 45p, 46c), les affinités entre ce dessin et les types de composition à la japonaise sont évidentes ; mais on n'a pas de preuve suffisante de cette éventuelle influence.

Cat. nº 113 fig. a Signac, *Quai de Clichy. Temps gris* [Opus 156] (1887).

Clichy 1886

114 *Passage du Puits Bertin, Clichy*
Printemps 1886
Plume et encre noire
H. 12,4; L. 18,5
Paris, collection particulière

Signac
Paul

Ce dessin fut reproduit dans le numéro du 12 février 1887 de *La Vie Moderne* avec la mention «impressionniste», indication qui se justifie quand on compare cette œuvre à un autre dessin de Signac (New York, Metropolitan Museum of Art) dont la composition est identique mais dont la technique d'exécution fait intervenir quant à elle une myriade de points minuscules[1]. La version conservée à Paris est donc probablement la première à avoir été réalisée, en avril-mai 1886, conjointement au tableau qui présente une version à l'huile du même thème et que Fénéon désigna, lors de la *VIIIᵉ Exposition Impressionniste*, comme l'une des deux toiles de l'artiste peintes «par division du ton»[2]. L'autre tableau qui lui fait pendant, *Les Gazomètres, Clichy* (fig. a) reprend le même groupe des sept grands réservoirs de gaz qui étaient situés non loin du quai de Clichy, en aval du pont d'Asnières (PLAN); dans le *Passage du Puits Bertin*, ils sont vus derrière l'immeuble placé au centre du dessin, et donc plus près des gazomètres. La Seine se trouve ainsi à peu de distance derrière eux, tels du moins qu'ils apparaissent dans la peinture et les dessins de Signac. La localisation du site se voit confirmée par des peintures, réalisées en 1887 par Signac et van Gogh, qui représentent les ponts d'Asnières depuis la berge opposée de la Seine, avec un ou plusieurs réservoirs à gaz visibles au loin (cat. nº 42)[3].

Dans sa peinture de 1887, Signac devait réduire la présence de ces réservoirs et en faire un élément à peine visible dans un environnement essentiellement pittoresque; au contraire, dans les compositions de l'année précédente, la taille et l'emplacement qui leur sont attribués les font apparaître un peu inquiétants, comme pour ramener le regard du spectateur aux parties représentées en premier plan. Dans *Les Gazomètres*, ainsi que Fénéon le notait, le caractère déshérité de l'endroit se marque dans «ses palissades où sèchent des pantalons de

NOTES

1. Ainsi qu'il est identifié dans *1969, New York*, cat. nº 91.
2. *Ibid.*, cat. nº 90; R.L. Herbert y signale la confusion de Fénéon quant à l'identification des deux peintures; voir également *Fénéon*, p. 37.
3. En regardant de près la disposition des sept réservoirs à gaz sur le PLAN, on peut en conclure que le réservoir qui apparaît à gauche dans *Les Gazomètres* est celui qui se trouvait isolé par rapport aux deux rangées de trois, et le plus éloigné. Le tableau de Signac montrant les réservoirs à gaz vus depuis la rive opposée de la Seine est *Asnières. Clipper amarré au Pont de Chemin de Fer*, toile datée de 1887 et reproduite en couleurs dans B. Thomson, *The Post-Impressionists* Oxford, 1983, p. 19.
4. Le *Passage du Puits Bertin, Clichy* et *Les Gazomètres, Clichy* furent présentés à la *VIIIᵉ Exposition Impressionniste*, et quelques mois plus tard aux Indépendants de 1886 (à cette occasion, les deux tableaux étaient indiqués «mars-avril 1886»). Aux Indépendants du printemps 1887, le nº 458 était *Les Gazomètres de Clichy* (dessin pour *La Vie Moderne*).

Cat. nº 114 fig. a   Signac, *Les Gazomètres. Clichy* [Opus 131] (1886). Melbourne, National Gallery of Victoria.

travail et des bourgerons, la désolation de ses murs écorchés, son herbe rous-
sie… » : ce qui, par ailleurs, n'empêche nullement l'artiste d'orchestrer de brillants
jaillissements de couleurs sur toute l'étendue de sa composition. Dans le *Puits
Bertin*, la désolation de l'endroit s'exprime par le fouillis des passages, au centre
du dessin, et par la présence d'un chiffonnier, à la manière de Raffaëlli — figure
habituelle dans ces zones industrielles qu'on retrouve également chez Bernard
(cat. n° 76) à cette époque. Etant donné le nombre de fois où Signac eut l'occasion
de les exposer, il est impensable que van Gogh n'ait pas eu connaissance du
dessin publié par *La Vie Moderne* et des peintures en rapport[4]. Il en résulta entre
autres ce choix d'un lieu similaire qu'on retrouve dans une peinture de 1887
(F 318) et selon toute vraisemblance dans une autre encore, signe de l'influence
que le style de Signac, dans sa période de transition entre l'impressionnisme et le
pointillisme, exerça sur la peinture de van Gogh (cat. n° 26 et n° 29).

115 | *Paris. Boulevard de Clichy. La neige*
[Opus 128]
Janvier 1886
Huile sur toile
H. 46,5 ; L. 65,5
Signé en bas à gauche *P. Signac*
Minneapolis, The Minneapolis Institute of Arts
(legs Putnam Dana McMillan ; Inv. 61.36.16).

Signac
Paul

Comme *La Berge* (cat. n° 112), *La Neige* fut d'abord présentée à la *VIIIe Exposition Impressionniste* et une seconde fois durant le séjour de van Gogh à Paris, au *Salon des Indépendants* du printemps 1887, dont le catalogue indique comme date d'exécution «janvier 1886». Le tableau ne traitait pas d'un sujet nouveau. En 1879, Camille Pissarro avait représenté le boulevard Rochechouart sous une chute de neige, et en 1884 Signac avait lui-même peint *Paris. Rue Caulaincourt : Effet de neige* (fig. a), dans un style impressionniste[1]. Bien qu'il soit improbable qu'il ait pu constituer le modèle de l'œuvre de Signac, le tableau réaliste du peintre montmartrois Norbert Goeneutte, *Boulevard de Clichy sous la neige* (fig. b), reste digne d'intérêt : il y a suffisamment de similitudes entre la figuration des façades d'immeubles et les toits à gauche pour que nous puissions penser que l'endroit représenté est approximativement le même dans les deux cas, bien que perçu sous des angles un peu différents. Dans l'œuvre de Signac, la construction à droite doit être le «poste de vigile boulevard de Clichy» dont parle Angrand dans une lettre, inédite, à Signac[2]. Cette précision nous permet, à notre tour, de reconnaître dans la toile de Signac une vue prise depuis la place Blanche (PLAN) en suivant le boulevard du côté est, c'est-à-dire dans la direction opposée à celle retenue par van Gogh quand il représente son *Boulevard de Clichy* à partir de la même intersection (cat. n° 27). Dans les deux exemples, l'endroit était situé à une très courte distance du logement ou de l'atelier de ces artistes[3].

En raison de la précision inhabituelle avec laquelle il indique la date de ses peintures dans les catalogues du *Salon des Indépendants* de 1886 et 1887, nous pouvons considérer qu'en assignant à *La Neige* la date de janvier 1886, Signac voulait qu'on y vît sa première tentative d'importance dans le style pointilliste, par opposition à la manière encore fondamentalement impressionniste de *La Berge* de novembre 1885. Cette intention fut fort bien perçue par des critiques comme Fénéon et Auriol ; ce dernier disait de la toile «C'est large et hardi», et il en opposait la facture aux «milliards de petits points de couleur dans lesquels se consume M. Seurat», qu'il trouvait donc moins satisfaisante[4]. Quand la toile fut exposée l'année suivante, G. Kahn y trouva, quant à lui, une certaine incohérence, reprochant à l'artiste d'évoquer une scène d'hiver en faisant appel à la couleur : «... La triste rue s'allonge autour de pâles réverbères, mais une maison rouge

NOTES

1. Il fut exposé à la *VIIIe Exposition des Impressionnistes* : n° 191, *La Neige, boulevard de Clichy* et en mars 1887 au *Salon des Indépendants* : n° 456, *La Neige (Boulevard de Clichy)*. Pour le tableau de Pissarro, voir *1981, Paris*, cat. n° 50 ; il existe également un pastel de Pissarro (PV 1545), de 1880, *Boulevard de Clichy*.
2. Post-scriptum à une lettre non datée d'Angrand à Signac, dans lequel le premier conclut ainsi : «Je puis dire que vous avez trop peu d'effets de neige dans votre vie, je me souviens d'un seul seulement, de ce fort joli poste de vigile boulevard de Clichy» (Archives Signac, avec l'autorisation de F. Cachin). Signac exposa également une autre scène de neige située sur la Butte Montmartre (janvier 1887), enregistrée sous le n° 46 aux Indépendants de cette même année.
3. En 1886-1887, l'atelier de Signac était situé au 130, boulevard de Clichy. Il pourrait s'agir de la place de Clichy mais c'est peu vraisemblable car ce carrefour, avec son monument au centre, était plus important. De plus, le boulevard de Clichy opérait un virage à droite peu après la place ; on ne le voit pas ici sur le tableau de Goeneutte.
4. Dans «Huitième Exposition», in *Le Chat Noir*, n° 228, 22 mai 1886, p. 708.
5. Dans «La vie artistique à l'Exposition des Artistes Indépendants», in *La Vie Moderne*, n° 15, 15 avril 1887, p. 230.
6. La présence de la peinture de van Gogh est bien attestée (cat. n° 33), mais celle de *La Neige* s'appuie sur la documentation inédite des archives Signac. Je veux remercier ici madame F. Cachin qui m'a généreusement permis d'accéder à cette source d'où j'ai tiré les indications données dans les notes 2, 4 et 6.

Cat. n° 115 fig. a   Signac, *Rue Caulaincourt. Effet de neige* [Opus 87] (1884). Collection particulière.

Cat. nº 115 fig. b   Goeneutte,
Boulevard de Clichy sous la neige (1876).
Londres, The Tate Gallery.

redonne cette vive sensation de couleur, c'est encore d'un peintre des étés[5]. » De la part d'un critique aussi connaisseur que G. Kahn, nous pouvons être sûrs qu'il visait ainsi le contraste systématique entre le bleu et le rouge-orangé qui apparaît de manière particulièrement soutenue sur le poste du vigile à droite et, de manière plus dispersée, sur certaines des façades à gauche. Or, s'il s'agissait là, pour G. Kahn, d'un trait inacceptable dans un paysage d'hiver, la nouvelle génération ne faisait plus de la fidélité à la nature le critère déterminant de son utilisation de la couleur : elle appréciait cette juxtaposition audacieuse de couleurs franches avec le blanc opalescent de la neige, qui constitue de fait, l'un des principaux attraits de cette œuvre d'importance historique. Il est tout à fait logique que *La Neige* ait été l'une des toiles présentées durant l'hiver 1887-1888 dans une exposition organisée dans la salle de répétition du Théâtre-Libre d'André Antoine où Vincent présentait lui-même ses *Amoureux* (cat. nº 33), tableau qui n'est manifestement pas sans devoir quelque chose à l'association de son auteur avec Signac, au printemps précédent, si l'on considère le style et la conception de la couleur[6].

116

Quai de Clichy
[Opus 157]
Avril-mai 1887
Huile sur toile
H. 46; L. 65
Signé et daté en bas à gauche *P. Signac 87*
Inscrit en bas à droite: *Op. 157*
Baltimore, The Baltimore Museum of Art (don de Frederick H. Gottlieb;
Inv. BMA 1928.6.1)

Signac
Paul

Cette toile faisait partie des douze œuvres présentées par Signac à l'exposition des *XX* à Bruxelles, en février 1888. Il l'intitulait alors «opus 157» en y ajoutant sa date de réalisation. On en retrouve la marque en bas à droite de ce *Quai de Clichy*, ce qui nous permet de l'identifier au n° 4 du catalogue des *XX*, avec la date qui lui est alors attribuée: avril-mai 1887. Quand il fit lui-même l'inventaire de son œuvre, Signac développa un peu son titre en y insérant le mot «soleil», notation qu'on retrouve également sous la plume du critique R. Darzens — «cette route poussiéreuse et ensoleillée» — qui avait parlé de la toile dans son compte rendu du *Salon des Indépendants* de mars-mai 1888[1]. La vue a été prise en bordure du quai de Clichy, avec le pont de Clichy reliant le quai à l'île Robinson à gauche dans le lointain. Pour réaliser sa toile, l'artiste s'était donc placé légèrement en aval par rapport aux grues de l'usine à gaz (PLAN et cat. 113 fig. a) que, comme Bernard (cat. n° 77), Signac représentera plus d'une fois dans ses dessins (cat. n° 113) et ses peintures. L'une de celles-ci (fig. a), réalisée vers 1885, reprend l'ensemble du champ de vision offert par le lieu, avec le bateau-lavoir d'Asnières (masquant l'île des Ravageurs), l'île Robinson au centre et les grues à droite[2].

On pourrait trouver dans l'Impressionnisme, y compris chez Guillaumin, nombre de précédents à cette combinaison de motifs que l'on peut voir dans *Quai de Clichy*; mais les modèles les plus directs seraient à rechercher dans les œuvres mêmes de Signac, comme *Les Andelys. La côte d'aval* (cat. n° 98 fig. b) et plus particulièrement son *Quai de la Tournelle* (fig. b), avec son sujet similaire, sa perspective en angle aigu, et même sa simplicité et l'éclat de son coloris[3]. Par sa technique uniformément pointilliste sur toute l'étendue de la toile, la réduction de sa palette à une opposition prédominante de bleu et d'orangé, cette peinture du

NOTES

1. R. Darzens, «L'Exposition des Indépendants», in *La Revue Moderne*, I, n° 57, 10 mai 1888, p. 445-448.
2. L'œuvre qui fait pendant à ce tableau, Opus 156 (cat. n° 113 fig. a) fut également exposée en 1888 à Bruxelles et à Paris; le quai de Clichy s'y trouve représenté en sens inverse, avec les grues de l'usine à gaz en arrière-plan (cette œuvre ne m'est connue que par une reproduction photographique).
3. Guillaumin, *Les Quais de la Seine*, 1879, reproduit dans C. Gray, *Armand Guillaumin*, Chester (Connecticut), p. 110, pl. 7.

Cat. n° 116 fig. a   Signac, *Paris. Bateaux. Ponton des Bains Baillet* [Opus 96] (1885). Collection particulière.

Cat. n° 116 fig. b Signac, *Quai de la Tournelle*
[verso de l'Opus 96] (1885).

Quai de Clichy témoigne d'une fermeté et d'une harmonie dans la structure qui rivalisent avec celles du *Pont de Courbevoie* de Seurat (1886-87, Londres, Courtauld Institute Galleries). Ce tableau fut précisément réalisé à un moment où Signac et van Gogh peignaient parfois ensemble dans la région d'Asnières et l'on peut penser que ce dernier devait avoir cette œuvre de Signac présente à l'esprit quand il conçut *Banlieue de Paris* (cat. n° 46). Bien que la zone évoquée ait dû se prêter d'elle-même à une illustration des ravages causés par l'industrie moderne dans le site pittoresque des bords d'un fleuve, Signac a préféré éviter toute évocation tendancieuse, au profit (comme dans son *Faubourg* peint antérieurement, cat. n° 109) de cette image d'une pauvre route de banlieue baignée de lumière rayonnante, sous un ciel criblé de points opalescents blancs et bleus. L'atmosphère intemporelle du tableau, sa composition géométrique très travaillée aident à comprendre que Siegfried Bing en ait été autrefois propriétaire, lui qui s'occupait à l'époque de courtage d'estampes japonaises et d'art oriental sur le marché français.

Alfred Sisley
(1839-1899)

«Le plus typique des Impressionnistes» comme le définissait Camille Pissarro, tandis que l'écrivain Théodore Duret voyait en lui à juste titre l'impressionniste qui avait le plus souffert. Issu d'une famille d'origine anglaise, Sisley est né à Paris où son père dirigeait une affaire d'exportation de fleurs artificielles. Envoyé à 18 ans à Londres pour entrer dans les affaires, il y étudie Turner et Constable. De retour à Paris, il abandonne ses études commerciales et, à la fin de 1882, s'inscrit à l'atelier de Charles Gleyre, où il rencontre Renoir, Monet et Bazille en compagnie desquels il dîne et peint. Dans les années 1860, il peint avec Renoir, Monet et Pissarro à Marlotte, à La Celle-Saint-Cloud, à Chailly-en-Bière et rencontre au café Guerbois les critiques Duranty, Philippe Burty et Paul Alexis. A la mort de son père ruiné pendant la guerre, Sisley doit travailler pour subvenir aux besoins de sa famille. Les paysages de cette période, qui représentent surtout des vues de Louveciennes et de Marly-le-Roi, rappellent ceux des peintres de Barbizon dans l'équilibre de la lumière, de la couleur et des nuances. Son admiration se portera ensuite sur Delacroix, Corot, Millet et Rousseau.

En 1872, Monet et Pissarro le présentent à Paul Durand-Ruel qui devient son marchand jusqu'au début des années 1890. Sisley participe aux côtés de Monet et de Renoir aux première, deuxième et septième expositions impressionnistes. Installé à Moret-sur-Loing en 1882, il continue à peindre des vues de la Seine et de ses rives ainsi que des barques sur le Loing. Il essaie de vendre ses toiles à des collectionneurs tels le Dr de Bellio et Eugène Murer, peintre amateur et chef pâtissier. Au début de 1885, Theo van Gogh a déjà acheté une première toile de Sisley pour Boussod et Valadon, et en 1887 il en acquiert sept autres. Pourtant, à la différence des expositions des œuvres de Pissarro et de Monet organisées par Theo, celui-ci ne réussit pas à montrer les tableaux de Sisley dans la succursale Boussod et Valadon du boulevard Montmartre et ce n'est qu'après la mort de Theo que les œuvres de Sisley y seront exposées. En 1886, ayant comme Monet, Pissarro et Renoir, refusé de présenter des toiles à la *VIIIᵉ Exposition Impressionniste*, Sisley participe en revanche à la *Vᵉ Exposition Internationale* à la galerie de Georges Petit et de nouveau, au printemps suivant, à la *VIᵉ Exposition*. Ses toiles exécutées de 1880 à 1890 révèlent une technique plus complexe utilisant des tons clairs de gris, de bleu, de rouge et de jaune. En 1889, atteint d'un cancer, Sisley écrit à Monet pour lui demander de venir à Moret-sur-Loing lui faire ses adieux et supplie l'artiste de prendre soin de ses enfants et de son atelier, avant de mourir une semaine plus tard.

117 | *La Seine vue des coteaux de By*
1881
Huile sur toile
H. 37 ; L. 55
Signé en bas à droite et en bas à gauche (les deux) *Sisley*
Paris, Musée d'Orsay (Inv. MNR 210 bis)
D 443

Sisley
Alfred

On ne peut être certain que van Gogh ait vu ce tableau car on ne connaît pas son historique, bien qu'un tableau de la même année, d'un sujet et d'une composition analogues (D 441), ait été chez Durand-Ruel pendant tout le séjour de Vincent à Paris. En outre, Theo avait été en relation d'affaires avec Sisley dès 1885 et on sait que Tanguy avait eu également des toiles de l'artiste, en dépôt : van Gogh était donc bien informé et il a même pu facilement rencontrer Sisley[1]. Au printemps 1887, celui-ci exposa non moins de quinze paysages, lors de la *VIᵉ Exposition Internationale* à la galerie de Georges Petit où van Gogh eut ainsi de nouveau l'occasion d'examiner son travail. Il le mettait au rang des impressionnistes reconnus, au même titre que Monet, Renoir, Degas et C. Pissarro (*LT* 468) ; il lui arriva de le défendre contre les attaques de Tersteeg, le directeur de la succursale de Goupil et Cⁱᵉ à La Haye, en disant de lui qu'il était «le plus discret et le plus tendre des impressionnistes» (*LT* 534).

Ce tableau représente le petit village de By, situé au nord du confluent de la Seine et du Loing, près de Fontainebleau. S. Schaefer a récemment fait remarquer que si Sisley avait décidé d'habiter cette région et d'y peindre des paysages traditionnels et pittoresques de la campagne française, c'était pour tenter — sans succès d'ailleurs — de se plier aux goûts de ses clients parisiens[2]. Quoi qu'il en soit, Sisley s'emploie ici à combiner une certaine dose de pittoresque et une composition remarquablement non orthodoxe, avec un premier plan structuré de manière inhabituelle, un terrain en pente vu d'en bas, qui divise la scène en deux parties triangulaires[3]. Dans l'hypothèse où van Gogh aurait eu connaissance de cette composition ou d'une autre comparable, il est parfaitement vraisemblable qu'il s'en soit souvenu lorsqu'il conçut pour *Pont de Clichy* (fig. a) un type de composition qui en est particulièrement proche. Si tel ne fut pas le cas, *La Seine* n'en fournit pas moins un excellent exemple de ce style «discret» et «tendre» que van Gogh appréciait chez Sisley, et dont on retrouve l'écho dans le *Pont de Clichy*.

NOTES

1. En 1887, Theo acheta sept tableaux de Sisley, dont trois lui furent vendus directement par l'artiste (*Goupil*, p. 104, et ANNEXE*Theo*). De plus, en mai 1887, lors de la *VIᵉ Exposition Internationale*, Sisley exposa non moins de quinze paysages représentant des sites du Loing et de ses environs, et comportant des vues du même type d'endroit que *La Seine*.
2. *1984, Los Angeles*, cat. nº 56 (précisément *La Seine vue des coteaux de By*, de Sisley).
3. Dans les années 1879-1881, Sisley semble avoir temporairement privilégié ce genre de composition ; le point de vue retenu ne se trouve guère dans les autres paysages impressionnistes, notamment ceux de Monet ou de Renoir, à l'exception de W 603, 604 (deux œuvres de 1880).

Cat. nº 117 fig. a   Vincent van Gogh,
Le Pont de Clichy (F 302).
Collection Niarchos.

AMIS ET CONTEMPORAINS DE VAN GOGH

Henri de Toulouse-Lautrec

(1864-1901)

Descendant de l'une des plus anciennes et illustres familles de France, Lautrec est né le 24 novembre 1864 à l'Hôtel de Bosc, la maison de sa grand-mère paternelle à Albi. En 1872, il entre au lycée Fontanes (lycée Condorcet) à Paris. A la suite de deux chutes, en 1878 puis en 1879, il restera handicapé toute sa vie. Il suit pendant quatre ans les leçons de René Princeteau, le peintre de chevaux ; puis en 1882, décidé à poursuivre une carrière artistique, il s'inscrit à l'atelier Bonnat où il rencontre Louis Anquetin. Quelques mois plus tard les deux artistes entrent chez Fernand Cormon où Lautrec travaille avec René Grenier, Henri Rachou et François Gauzi, formant un groupe très solidaire. Il admire Puvis de Chavannes et Degas, et pendant l'été 1884 il s'installe chez ses amis René et Lili Grenier dans la maison où se trouve l'atelier de Degas, 19 bis, rue Fontaine. En compagnie d'Anquetin et de Bernard, il visite la galerie Durand-Ruel et le Louvre, tandis qu'avec Grenier et Anquetin il hante les music-halls de Montmartre, de l'Elysée-Montmartre, du Moulin de la Galette et surtout Le Mirliton, cabaret d'Aristide Bruant : là il rencontre le petit peuple montmartrois qu'il se plaît à peindre.

A la fin de l'été 1886, Lautrec qui étudie épisodiquement chez Cormon, fait la connaissance de van Gogh et entretient une liaison avec Suzanne Valadon. C'est cette année-là que le premier de ses dessins décrivant des scènes de rue à Montmartre est publié dans des journaux parisiens. Les réunions hebdomadaires que Lautrec organise dans son atelier à l'angle de la rue Tourlaque et de la rue Caulaincourt attirent de nombreux artistes dont Vincent van Gogh. Avec Anquetin et Bernard, il expose ses types de «filles de joie» à la première et unique manifestation des artistes du «Petit Boulevard» que van Gogh organise au Restaurant du Chalet. En 1888, il est invité avec Anquetin à exposer ses portraits au Salon des *XX* à Bruxelles. L'année suivante, son célèbre *Bal du Moulin de la Galette* témoigne de la maturité du style auquel il est parvenu. Lautrec consacre les dernières années de sa vie à exécuter d'étincelantes peintures de personnages, des œuvres graphiques et des affiches inspirées des estampes japonaises. Il dépeint les lumières des cafés de la bohème montmartroise, exécute des scènes de théâtre et de maisons closes de la rue des Moulins. Atteint d'alcoolisme aigu, Lautrec est interné dans une maison de santé à Neuilly ; en 1891, ayant à nouveau sombré dans la boisson, il retourne dans la demeure de sa famille, le château de Malromé, où il meurt à 37 ans.

118 | *Buste d'après un plâtre d'Antonio del Pollaiuolo*
Vers 1883-85
Fusain et crayon
H. 61 ; L. 47
Albi, Musée Toulouse-Lautrec (Inv. Dortu 2605-159)
Dortu D. 2605

**Toulouse-
Lautrec**
Henri de

Ce dessin est répertorié sous le même titre qu'un dessin de van Gogh (cat. n° 16) représentant ce plâtre d'Antonio del Pollaiuolo. Rien ne nous autorise à penser que les deux artistes aient réalisé leur dessin au même moment, mais il n'y a pas non plus de raison impérative d'accepter la date de 1883 qui est couramment attribuée à celui de Toulouse-Lautrec et à sa peinture du même buste vu de profil[1]. On sait que Toulouse-Lautrec resta à l'atelier Cormon pendant à peu près quatre ans, pour le quitter vers 1887 ; en attendant que nous disposions d'une meilleure connaissance de sa formation de dessinateur, force est de nous contenter de ces dates attribuées de manière si peu précise. Le seul récit qui nous soit resté d'un témoin oculaire nous apprend notamment que l'artiste s'appliquait à dessiner quotidiennement d'après nature, mais dans un style «d'une exécution très libre qui accentuait et même déformait les personnages», et qui n'avait que peu de rapports avec le dessin académique habituel[2]. Toujours selon cette même source, Cormon tolérait ces écarts dans la mesure où il admirait chez Toulouse-Lautrec son talent de caricaturiste et où il ne voyait pas en lui un artiste destiné à pratiquer plus tard «le grand art».

Pourtant, dans ce dessin d'après un buste de Pollaiuolo, on sent bien, au contraire, le respect de Lautrec pour ce mélange de naturalisme descriptif et de noblesse d'expression dont témoigne son modèle de la Renaissance. On y trouve également une tendance à simplifier le détail et le modelé interne, qui peut déjà annoncer les futures stylisations linéaires de Lautrec. Contrairement au dessin de van Gogh, par exemple, on ne peut guère distinguer la forme des figures modelées sur l'armure du jeune guerrier. Inconsciemment, Toulouse-Lautrec nous donne ici une représentation de son sujet qui s'accorde bien davantage à sa propre sensibilité artistique naissante, ce que ne fait pas van Gogh. Ces exercices académiques ne pouvaient évidemment satisfaire Lautrec : comme le remarquait Maurice Joyant, il «s'empressa d'oublier l'Ecole des Beaux Arts et un enseignement qui ne pouvait mordre sur une nature de naissance observatrice»[3].

NOTES

1. Dans le catalogue raisonné (*Dortu*, vol. II, p. 396-421) tous les dessins académiques de l'artiste sont réunis en vrac sous la datation «vers 1881-1883», comme s'il avait cessé de fréquenter la classe après cette date, ou détruit ses œuvres réalisées entre 1883 et 1887 — ce qui est parfaitement invraisemblable dans les deux cas. Pour un examen plus approfondi de la thématique du dessin voir C.F. Stuckey in cat. exp. *Toulouse-Lautrec : Paintings* (Chicago, The Art Institute of Chicago, 1979), p. 88-89, n° 18.
2. *Gauzi*, p. 16, 25.
3. M. Joyant, *Henri de Toulouse-Lautrec, 1864-1901*, Paris, 1926, vol. I, p. 75.

119 | *Couple nu, homme assis*
Vers 1885
Fusain sur papier Ingres
H. 69; L. 54
Albi, Musée Toulouse-Lautrec (Inv. Dortu 2578-D 33)
Dortu D. 2578

**Toulouse-
Lautrec
Henri de**

La pose et les traits des deux modèles dessinés ici de face semblent identiques à ceux représentés de côté par Bernard (cat. n° 74) : on peut donc supposer que les deux dessins ont été réalisés lors d'une séance à l'atelier Cormon vers 1885. Le récit de Gauzi, l'ami de Toulouse-Lautrec, nous apprend que les modèles venaient habituellement poser le matin, tandis que l'après-midi — cette fois selon le témoignage de Bernard — était réservé en option au dessin d'après moulage de plâtre à l'antique[1]. A regarder attentivement les dessins d'atelier qui nous sont parvenus, il apparaît nettement que Lautrec était bien plus intéressé par le dessin d'après le modèle vivant, en particulier les nus, que d'après les moulages de plâtre (cat. n° 118)[2]. Gauzi insiste également sur le fait que «presque toujours Lautrec se contentait de dessiner», profitant à peine des rares occasions qu'il pouvait avoir de peindre à l'huile dans l'atelier, sauf pour y développer une technique à lui, qui consistait à reporter au papier calque son dessin sur la toile et à en retracer ensuite les contours à la peinture[3]. Ce qui frappe immédiatement dans ces nus, c'est le naturalisme vigoureux qui ne cessera de se manifester ensuite dans la peinture de Toulouse-Lautrec. Comparé au dessin de Bernard, dans lequel le sujet est traité de manière simplifiée, celui de Lautrec accorde davantage

NOTES

1. *Gauzi*, p. 23-24, et *Vollard*, p. 10.
2. *Dortu*, vol. V, p. 392-423.
3. *Ibid.*, p 25.
4. On a récemment voulu faire remonter l'exécution de ce dessin à la période d'Anvers (voir F 1363a recto). Cela semble pourtant parfaitement déraisonnable. Le filigrane du papier, le dessin d'une statuette de plâtre au verso, le couple d'un homme et d'une femme nus (voir cat. n° 17 note 2), tout nous indique Paris, sans compter qu'il est tout à fait invraisemblable que van Gogh ait utilisé un côté de sa feuille de dessin pour l'Académie d'Anvers, et l'autre côté pour une étude chez Cormon.

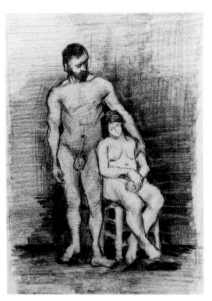

Cat. n° 119 fig. a   Vincent van Gogh,
Etude de nus: homme debout et femme assise
(F 1363a recto).
Amsterdam, Rijksmuseum Vincent van Gogh
(Fondation Vincent van Gogh).

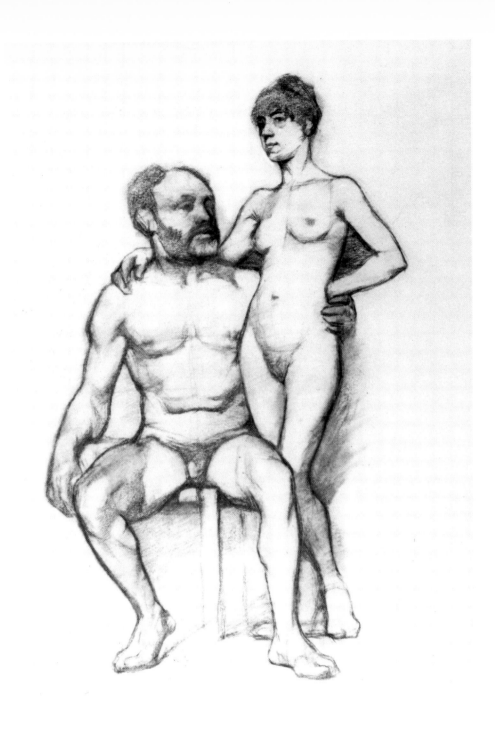

d'importance au modelé des corps et aux traits qui caractérisent l'âge, le sexe et les physionomies des personnes représentées. Mais si on le compare aux dessins d'atelier de même genre, réalisés par van Gogh (fig. a), le naturalisme de Toulouse-Lautrec nous apparaît plus restreint, voire à la limite de l'idéalisation : on y sent toujours plus ou moins l'atmosphère artificielle de l'atelier. Chez van Gogh, au contraire, le couple conserve toute la gaucherie des gens de la rue qui se font embaucher pour gagner un peu d'argent en venant poser dans des attitudes qui leur sont inhabituelles[4]. Mais la comparaison n'en rend pas moins justice aux deux artistes ; il y a notamment chez Toulouse-Lautrec cette capacité à transposer une observation particulièrement aiguë des formes anatomiques avec une expressivité toute stylisée ; et chez van Gogh, celle de faire de ses dessins pris sur le vif autant «d'icônes» de la condition humaine. Pour l'un comme pour l'autre, le temps passé à l'atelier Cormon ne fut pas du temps perdu.

120 *Torse d'après un moulage en plâtre*
Vers 1883-1886
Fusain sur papier Ingres
H. 69 ; L. 54
Albi, Musée Toulouse-Lautrec (Inv. Dortu 2611- D 33)
Dortu D 2611

Toulouse-Lautrec
Henri de

A la différence de ce qui se passe avec les dessins de Bernard et de Toulouse-Lautrec réalisés conjointement chez Cormon d'après le modèle vivant (cat. n° 74 et n° 119), les études produites par le second et par van Gogh à partir du même plâtre ne nous permettent guère de les dater : tout ce qu'elles indiquent, c'est qu'elles furent bien dessinées dans le même atelier[1]. On connaît nombre de versions de ce torse réalisées par van Gogh — peintures à l'huile (cat. n° 17) ou œuvres graphiques ; mais seule a survécu cette unique production de Toulouse-Lautrec. La comparaison n'en est pas moins révélatrice de leurs différences d'approche d'un sujet identique. Lautrec choisit la pose frontale, qui lui permet de privilégier le contour classique, tandis que dans son dessin (fig. a), et dans d'autres versions encore, van Gogh insiste non seulement sur le tracé linéaire, mais tout autant sur le modelé interne du torse. Pourtant, en dépit de ces différences, les deux étudiants tendent à donner de la vie à la statuette, témoignant ainsi de la même volonté d'ignorer tout ce qui peut séparer la froideur du marbre de l'œuvre originale, de la chair d'un modèle vivant. Leurs techniques de dessin respectives peuvent bien diverger, le but poursuivi est du même ordre : il s'agit pour l'un comme pour l'autre d'utiliser la formation académique reçue chez Cormon pour continuer à dessiner et à peindre d'après nature. Vincent l'annonçait clairement quand, depuis Anvers il confiait à Theo son besoin d'une formation plus approfondie : « Je suis tellement certain qu'aller chez Cormon me sera utile (...). Et qu'il faille avoir dessiné un peu d'antique, comme tous ceux qui sont de son atelier, et qu'on doive se baser là-dessus si libéral que soit cet atelier, c'est une chose à laquelle il faut s'attendre » (*LT* 456).

NOTES

1. Voir cat. n° 16 fig. a ; Une photographie de l'atelier Cormon nous montre cette statuette placée en haut à droite, entre E. Bernard et la statue d'une figure masculine à l'antique. Comme à l'accoutumée, ce genre de statuette s'inspirait des multiples fragments de représentations d'Aphrodite léguées par l'Antiquité ; voir Reinach, *Répertoire de la statuaire grecque et romaine*, Paris, Tome I, p. 346-347 ; II, p. 346-349, 356-357, 370-371 ; IV, p. 214-215 ; V. p. 165-168 ; cette grande variété témoigne d'ailleurs simplement du fait que la pose qu'on retrouve identique dans toutes ces statuettes était celle communément attribuée à l'Aphrodite antique. Les diverses versions qu'en produisit van Gogh sont F 1707 à I 718 ; voir également cat. n° 17. Il convient également de noter que Toulouse-Lautrec (*Dortu*, V, cat. n° D 2603) et van Gogh (F 1363g) dessinèrent une autre statuette similaire, en en tirant les mêmes effets d'après nature.

Cat. n° 120 fig. a   Vincent van Gogh,
Torse de femme en plâtre sur piédouche
(F 1371 verso).
Amsterdam, Rijksmuseum Vincent van Gogh
(Fondation Vincent van Gogh).

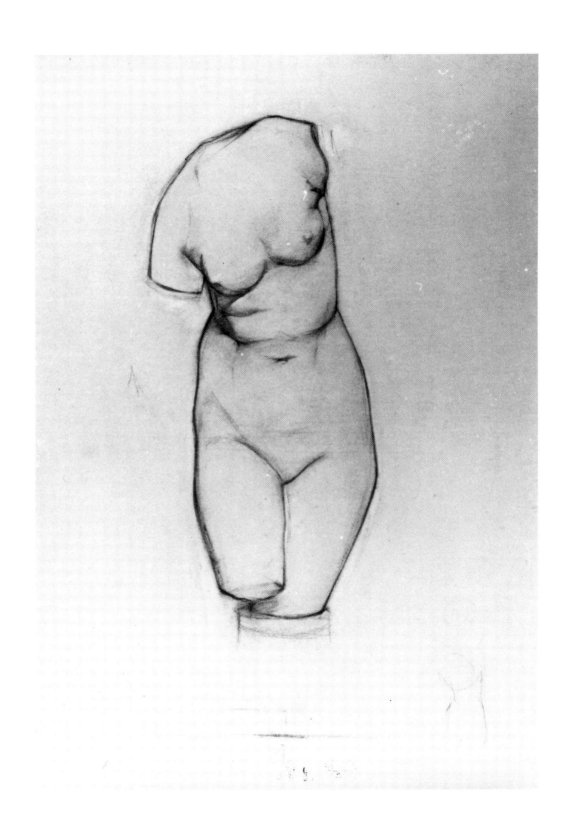

121

Portrait d'Emile Bernard
Vers l'hiver 1885-1886
Huile sur toile
H. 54,5 ; L. 43,5
Londres, the Trustees of the Tate Gallery (Inv. T00465)
Dortu P. 258

Toulouse-Lautrec
Henri de

Quand Lautrec fit ce portrait de son ami Bernard, celui-ci avait environ vingt ou vingt-et-un ans. Selon Bernard, il fut peint en 1886, ce qui impliquerait (si son souvenir est exact) qu'il ait été réalisé, soit alors que Bernard était encore étudiant à l'atelier Cormon, soit à son retour après le long séjour qu'il fit en Bretagne durant l'été 1886 — ce qui est moins vraisemblable[1]. Bernard se rappelait également avoir posé «vingt séances», chiffre important qu'il explique par le fait que le peintre «n'arrivait pas à accorder le fond avec le visage»[2]. On comprend mieux alors pourquoi Lautrec entreprit de peindre son jeune ami : la patience et les encouragements sympathiques de son modèle lui donnaient l'occasion de développer ses talents de portraitiste, art auquel Toulouse-Lautrec s'intéressait particulièrement.

En 1885-1886, il dut notamment être tout heureux d'avoir un modèle qui n'avait pas d'objection à ce qu'on le représente dans cet «absurde» style impressionniste : Bernard était lui aussi en train de s'y essayer[3]. Ici, c'est dans le bleu lumineux du coloris et dans la liberté du travail au pinceau, sur les fonds, que cette influence se fait le plus sentir : mais on la retrouve également dans les chaudes tonalités du visage et de la chevelure, et dans le flou des contours de l'habit. La patience de l'artiste et de son modèle fut effectivement récompensée : ce portrait est non seulement une œuvre d'une sensibilité et d'un charme merveilleux, mais il représente également un tournant dans la carrière de Toulouse-Lautrec et dans sa recherche d'un style personnel[4].

NOTES

1. Lorsque Anquetin le peint à son tour, probablement un peu après son retour de Bretagne (*1981, Toronto*, p. 229, fig. 80), Bernard apparaît légèrement plus âgé, avec une barbe et des moustaches plus abondantes.
2. E. Bernard, «Des relations d'Emile Bernard avec Toulouse-Lautrec», in *Art-Documents*, mars 1952, n° 18, p. 13.
3. Toulouse-Lautrec était à ce moment en train de s'éloigner du réalisme des années 1884-1885. Ses paysages de 1881-1882 révèlent déjà un essai d'impressionnisme, qu'on devait retrouver de 1888 à 1890 dans ses personnages placés dans des paysages ou des intérieurs de restaurants.
4. Dans «Souvenirs sur Emile Bernard», in *Maintenant*, n° 7, 1947, p. 127, Auriant nous donne cette description pleine de sensibilité du portrait : «C'est le visage d'un jeune homme sérieux, aux yeux graves, bien fendus, encadré d'une épaisse chevelure et d'un léger collier de barbe, la lèvre ornée d'une soyeuse petite moustache : la tête émerge, pleine d'expression, d'un col blanc échancré sur le devant, autour duquel s'enroule une cravate noire, nouée en lavallière ; le torse paraît étriqué dans le veston aux larges revers de velours noir.»

122

Portrait de Vincent van Gogh

Début 1887
Pastel sur carton
H. 57; L. 46,5
Amsterdam, Rijksmuseum Vincent van Gogh
(Fondation Vincent van Gogh; Inv. d 693 V/1962)
Dortu P. 278

Toulouse-Lautrec
Henri de

Si Lautrec eut l'occasion d'apprécier la sérénité dont Bernard avait fait preuve en acceptant de poser à de multiples reprises pour son portrait, on imagine difficilement qu'il en ait été de même avec Vincent van Gogh. Comme c'est souvent le cas, Bernard est notre principal témoin quant aux circonstances entourant ce portrait, dont il situe la scène au café du Tambourin, vers le début de 1887; d'après son témoignage, non seulement van Gogh y «avait amené Lautrec, Anquetin et d'autres», mais «Lautrec y fit même au pastel le beau *Portrait de Vincent* que garde encore madame Theodore van Gogh»[1]. En présumant que le lieu et la date de réalisation soient exacts, il nous faut donc imaginer Lautrec dans son rôle de dessinateur de café, s'attachant à saisir sur le vif «les caractéristiques essentielles de son sujet dans une situation donnée». Remarquons également que le portrait de profil était un de ses motifs favoris. Vincent est ainsi représenté au cours d'une discussion intense dont on ne peut douter qu'elle porte sur l'utilisation de la couleur ou de la ligne dans l'art — moment que seul Lautrec devait pouvoir capter d'une manière aussi authentique.

On dit parfois que les hachures rapides et les couleurs si vives sont un signe de la dette stylistique de Toulouse-Lautrec envers van Gogh. S'il en est ainsi, il faudrait alors s'interroger sur l'exactitude du récit de Bernard, dont on vient de rappeler qu'il met ce portrait en rapport avec l'atmosphère typique du «Tambourin»[2]. En effet, au printemps 1887, les couleurs de van Gogh et son travail au pinceau n'avaient pas encore atteint l'intensité ni la richesse de la touche du pastel de Lautrec. Il est probable que le choix du pastel, comme moyen d'expression, n'est pas sans incidence sur la stridence de la couleur; quant au traitement des formes linéaires, Toulouse-Lautrec avait déjà réalisé des œuvres similaires dès 1885-1886[3]. Dans sa conception d'ensemble, ce portrait est très proche de *La Buveuse ou Gueule de bois* (fig. a), pour laquelle posa Suzanne Valadon: ceci laisse à penser que ce tableau et les deux études au pastel pourraient bien ne pas avoir été réalisés à une date aussi tardive que 1889 — année au cours de laquelle un dessin sur le thème de la «gueule de bois» (*Dortu*, V, D. 3.092) fut publié dans *Le Courrier Français* — mais plutôt à l'époque de ce pastel[4].

NOTES

1. *Souvenirs*, p. 394.
2. A ce propos, on pourrait notamment faire valoir les liens plus étroits qui unissent Lautrec et van Gogh à la fin de 1887 et qui trouvent leur aboutissement dans l'exposition du «Chalet»; auquel cas il faudrait également penser à une interaction possible avec l'activité de Guillaumin (cat. n° 84).
3. L'évolution de Lautrec durant cette période reste entourée d'un grand mystère. Ce que l'on peut dire, du moins, c'est que parmi les peintures recensées, certaines (par exemple: *Dortu*, II, p. 240, 241, et p. 249, 250, ces deux dernières représentant S. Valadon une ou deux années après la date de 1885 qui leur est attribuée dans cet ouvrage — et p. 261) font preuve de la même richesse graphique que celle qu'on peut trouver dans la facture plus touffue du *Portrait de Vincent van Gogh*.
4. Sur le fait que cette peinture fut commencée au cours de l'hiver 1887-1888 et terminée peu de temps après, voir cat. n° 123 ainsi que les autres références citées.

Cat. n° 122 fig. a   Toulouse-Lautrec,
La Buveuse ou Gueule de bois (1889).
Cambridge (Massachusett), Fogg Art Museum.

123 | *Poudre de riz*
Vers novembre-décembre 1887
Huile sur carton
H. 65 ; L. 58
Signé en bas à gauche *H.T. Lautrec*
Amsterdam, Rijksmuseum Vincent van Gogh
(Fondation Vincent van Gogh ; Inv. s 274V/1962)
Dortu P. 348

Toulouse-Lautrec
Henri de

Poudre de riz est l'un des onze tableaux que l'artiste présenta à l'exposition des *XX* à Bruxelles, en février 1888, sa première grande exposition publique. Il fut inscrit au catalogue sous la notation « n° 9 Poudre de riz à m. van Gogh ». Theo en avait donc fait l'acquisition dès avant l'exposition[1]. Dans ces conditions, il est improbable que ce soit à ce tableau précis que Vincent pensait quand dans une lettre datée d'avril à Arles (*LT* 476), il demandait : « Est-ce que de Lautrec a fini son tableau d'une femme accoudée sur une petite table de café ? » Il est vraisemblable qu'il pensait plutôt à *La Buveuse ou Gueule de bois* (cat. n° 122 fig. a), scène de café comportant un personnage qui, de fait, lorsqu'on le compare à *Poudre de riz*, correspond bien à l'image d'une femme accoudée à une petite table[2].

En revanche, c'est bien à *Poudre de riz* que Vincent fait allusion, au mois d'août suivant (*LT* 520) : il suggère alors à Theo que la toile qu'il vient d'achever, *Portrait de Patience Escalier* (F 443 et F 444) — un vieux jardinier arlésien aux traits rugueux, tanné par le soleil — soit accrochée, pour le plus grand bien des deux tableaux, près du « Lautrec que tu as », dont il précise plus loin qu'il montre « de la poudre de riz et de la toilette chic ». Cette précision nous indique que Vincent avait eu connaissance du tableau dans un état d'achèvement suffisant avant son départ de Paris, mais elle laisse pendante la question de la date exacte de sa réalisation. Etant donné le titre donné par Toulouse-Lautrec et ce que van Gogh en retenait particulièrement, il ne peut faire de doute que le thème du tableau se manifeste symboliquement dans le petit récipient rouge et la forme bombée de la boîte contenant cette poudre de riz bon marché. Il ne s'agirait pas d'une scène de café, comme dans *Gueule de bois*, mais d'une scène de genre sur la préparation d'une Parisienne, avant une virée nocturne dans les bals et les cafés. A l'évidence, le tableau a été réalisé dans l'atelier de Toulouse-Lautrec, et il est vraisemblable que le modèle fut Suzanne Valadon, qui posa également pour *Gueule de bois* : tout cela ajoute au tableau une touche biographique intéressante, d'autant que l'on sait que van Gogh rendit visite à Toulouse-Lautrec dans son appartement alors que Suzanne Valadon s'y trouvait elle-même[3]. Comme le peintre utilise ici un style quasi pointilliste, il est parfaitement possible que le tableau date de la première moitié de 1887, moment où Vincent, Anquetin et Bernard s'essayaient tous à cette technique. Le regard vide, désabusé de cette demi-mondaine de Montmartre, fait de ce portrait un véritable pendant de l'œuvre de van Gogh, *Agostina Segatori au Café du Tambourin* (cat. n° 24)[4].

NOTES

1. C'est le 12 janvier 1888 que Toulouse-Lautrec signe un reçu pour les 150 F que Theo lui a versés pour l'achat de son tableau (*1981, Toronto*, p. 333).
2. Pour une autre raison de douter de la date de 1889 traditionnellement attribuée à *Gueule de Bois*, voir cat. n° 122.
3. Témoignage de S. Valadon elle-même, enregistré par F. Fels, *Vincent van Gogh* Paris, 1928, p. 136. Voir également *1981, Toronto*, p. 333, 340, pour d'autres preuves du témoignage de Valadon.
4. Pour une analyse supplémentaire voir *1979, Chicago*, p. 120, 121.

124

La Rousse au caraco blanc:
Carmen Gaudin dans l'atelier de l'artiste
1887
Huile sur toile
H. 55,9; L. 45,7
Signé en bas à droite *H.T. Lautrec*
Boston, Museum of Fine Arts (don de John T. Spaulding; Inv. 48.605)
Dortu P. 317

Toulouse-Lautrec
Henri de

Carmen Gaudin était une jeune ouvrière de Montmartre à la chevelure d'un roux flamboyant — bien qu'artificiel — et l'un des modèles favoris de Toulouse-Lautrec, dans les années 1885 à 1889[1]. L'artiste l'a représentée dans des poses et des rôles variés, comme celui de *La Blanchisseuse* dont on retrouve ici la blouse blanche caractéristique de la profession[2]. La scène est située dans l'atelier du peintre, rue Tourlaque, où Carmen est assise dans ce fauteuil d'osier qu'on retrouve souvent dans d'autres peintures (cat. n° 123). La toile placée juste derrière elle, en bas à droite, a été récemment identifiée: il s'agit d'une étude académique antérieure, représentant un homme nu, et peut-être placée à proximité de la jeune femme en substitut symbolique des sentiments amoureux que Toulouse-Lautrec éprouvait pour son modèle[3]. La peinture accrochée juste au-dessus de la tête de celle-ci pourrait être un portrait plus ancien de la mère de l'artiste, *Mme la Comtesse A. de Toulouse-Lautrec*, assise sur une banquette de jardin, tandis que le buste, en haut et à gauche, reprend une étude de Carmen que l'on reconnaît à ce type de coiffure qui semble toujours lui faire retomber les cheveux sur le front[4]. Si ces identifications sont correctes, le modèle apparaît placé dans l'atmosphère intime de l'artiste, où se retrouvent les signes de sa vie personnelle et artistique: son étude académique, réalisée chez Léon Bonnat ou Fernand Cormon, les liens puissants qui, comme on sait, l'unissaient à sa mère et enfin son intérêt pour le petit peuple de Montmartre qui lui fournissait la plupart de ses modèles.

Les études représentant un modèle dans l'atelier d'un artiste n'ont rien d'exceptionnel, mais Toulouse-Lautrec semble donner à ce sujet conventionnel une monumentalité et une signification nouvelles: suivant une tradition qui va de la Renaissance au XIXᵉ siècle, il place de manière presque frontale son ouvrière, dans une pose auparavant réservée à des modèles fortunés ou prestigieux. De même, la présence de tableaux à l'intérieur de la scène représentée correspond, là encore,

NOTES

1. L'identification fondamentale de ce modèle est faite par Gauzi (*Gauzi*, p. 129, 130 et 159); la question est longuement étudiée dans *1979, Chicago*, cat. nᵒˢ 15, 18, 39.
2. *Ibid.*, cat. n° 28.
3. *Ibid.*, cat. n° 15.
4. Pour *La Comtesse*, voir *Dortu*, p. 190; le portrait de Carmen ne peut être identifié à partir de Dortu, et il est possible qu'il s'agisse d'une étude sans modèle précis, et maintenant perdue, ou peut être s'agit-il de Suzanne Valadon.
5. Voir l'analyse novatrice de T. Reff dans *Degas: The Artist's Mind*, New York, 1976, p. 90-146.

Cat. n° 124 fig. a Toulouse-Lautrec,
Madame Juliette Pascal.
Localisation inconnue.

à une tradition qu'on peut faire remonter à l'époque de la Renaissance ; le motif en a été repris par les peintres réalistes et impressionnistes, comme Manet avec son *Portrait de Zola*, et Degas avec celui de *James Tissot*[5]. Les portraits par van Gogh, d'*Alexander Reid* (cat. n° 38 fig. a) ou du *Père Tanguy* (cat. n° 65), sa *Femme assise près d'un berceau* (cat. n° 25), utilisent ce genre de décoration intérieure pour signifier et mettre en valeur tant le statut social que la personnalité du modèle. Il est significatif que son envoi à l'exposition des *XX* en 1888, ait comporté aussi bien ce tableau et *Poudre de riz*, qu'un portrait de sa mère et un autre de sa parente, *Madame Juliette Pascal* (fig. a) : comme chez Vincent, le statut social importe moins, ici, que la vision de l'humanité propre à l'artiste.

La nécessité de préparer le catalogue à distance, tout en maintenant une indispensable coordination a imposé une tâche particulièrement ardue aux responsables, tant au musée d'Orsay qu'à l'Université de Toronto, et je leur en suis à tous redevable. Au musée d'Orsay, j'aimerais exprimer la reconnaissance toute particulière que je dois à Françoise Cachin, à l'origine de ce projet et dont le soutien ne s'est jamais démenti. Je remercie également très sincèrement Monique Nonne, qui a consacré avec talent des heures innombrables à la réalisation de l'exposition, à la mise en forme et à la traduction du catalogue. A Toronto, les membres du Department of Fine Art, University of Toronto et d'Erindale College ont mis à ma disposition toutes les ressources scientifiques, et n'ont cessé de me prodiguer leurs encouragements. Je voudrais remercier en particulier Mme Katharine Hill et Mme Clara Stewart.

Je voudrais aussi mentionner avec reconnaissance tous ceux qui m'ont aidée, offrant avec bienveillance à maintes reprises des conseils, des détails d'érudition ou des sources photographiques, et dont les noms suivent, sans que cette liste prétende être exhaustive:
William Acquavella, Clement et Elizabeth Altarriba, Marie-Amélie Anquetil, Pierre Angrand, William Beadleston, Pr Roger Beck, Jean Boggs, Richard Brettell, David Brooke, J. Carter Brown, Anthea Callen, Michael Cohen, Lili Couvée-Jampoller, Jacqueline Derbanne, Anne Distel, Walter Feichenfeldt, Michael Findlay, Judi Freeman, Anita Friend, Sylvie Gache-Patin, Marc Gerstein, Cora Gibbs, A.M. Hammacher, Lynn Hanke, John et Paul Herring, John House, Ay-Whang Hsia, Jan Hulsker, Nancy Iacomini, Samuel Josefowitz, Paul et Ellen Josefowitz, Lee Johnson, Lucienne Jouan, Claudie Judrin, Artemis Karagheusian, Ellen Lee, Neda Leipen, Pierre Leprohon, Gérard Lévy, Christopher Lloyd, Pr Hans Lücke, Pr Desmond Morton, Charles Moffett, Martha Op de Coul, Fieke Pabst, Ronald Pickvance, Emily Rauh-Pulitzer, Stéphanie Rachum, Frank Robinson, Pascal de Sarthe, George T. Shackleford, Scott Schaeffer, Michael Shapiro, Dr Sam Segal, Aaron Shoen, Susan Stein, Charles Stuckey, Martin Summers, John Tancock, Annet Tellegen, R.M. Thune, Gary Tinterow, Hélène Toulemonde-Yankova et Jean Toulemonde, Florence Trahair, Geert van Beijeren, Han van Crimpen, Susan Wise, Johannes van der Wolk, Richard Wattenmaker, Gabriel et Yvonne Weisberg, Charlotte Wiethoff, Mrs. R. Yager, Henri Zerner et le Social Sciences and Humanities Research Council of Canada.

Que Ronald de Leeuw, John Rewald et Johan van Gogh trouvent ici l'expression de ma profonde gratitude pour leur généreuse collaboration. Christopher-Edward et Slavka Ovcharov ont accepté avec une bonne grâce dont je leur suis reconnaissante l'intrusion permanente de Vincent dans leur vie.

J'ai enfin une immense dette de gratitude envers mon mari, le professeur Robert Welsh, qui m'a aidé sans relâche à achever le catalogue, et a passé bien des heures à en corriger la rédaction: c'est à lui que je dédie ce travail.

Bogomila Welsh-Ovcharov

Annexes

Les marchands de van Gogh
par Monique Nonne

Le 30 juillet 1869, Vincent van Gogh, alors âgé de seize ans, entre comme commis à la succursale de La Haye de la galerie d'art Goupil et Cie. Bien considéré de ses supérieurs, il est envoyé à Londres en mai 1873 et deux ans plus tard au siège social à Paris, 9, rue Chaptal, qu'il quitte définitivement le 1er avril 1876. Pendant ces six années, il se forme aux pratiques du négoce d'art et, même s'il se montre souvent critique à l'égard des méthodes des marchands, il ne remet pas en cause leur rôle fondamental dans la problématique recherche de débouchés pour l'œuvre de l'artiste. De plus, ces années de jeunesse dans un environnement d'art contemporain ont joué un rôle important dans sa décision de devenir peintre ; les tableaux et reproductions qu'il côtoyait quotidiennement lui fournirent le matériau sur lequel il fonda sa première manière. Et par la suite, alors que son frère Theo lui verse une pension lui permettant de vivre, la nécessité de vendre reste pour Vincent une revendication essentielle, au-delà de son besoin matériel immédiat. Dans les lettres qu'il envoie à Theo, c'est en peintre mais aussi en marchand qu'il discute des difficultés qu'il rencontre pour faire connaître son œuvre. Il est à noter que ses initiatives pour tenter de pallier les insuffisances du système académique et du marché traditionnel — expositions individuelles ou de groupe dans des cafés, souci de créer une communauté d'artistes — ne concurrencent pas vraiment sa recherche permanente d'un marchand susceptible de s'intéresser à son travail et de le mettre en rapport avec des amateurs ; au centre de son propos, il y a Theo qui dans les années 1880 dirige une des succursales parisiennes de Goupil et Cie mais aussi la maison Goupil elle-même à laquelle sa vie resta toujours liée : « Goupil et Cie a exercé une influence sur notre famille, un étrange mélange de bien et de mal » (*LT* 343).

Oncle Cent

Quand Vincent fait en 1869 ses débuts dans cette entreprise d'envergure internationale[1] — une des plus importantes pour le commerce de tableaux et d'estampes — elle est alors dirigée par trois hommes associés depuis 1861 : Adolphe Goupil (1806-1893), Léon Boussod (1826-1896) et Vincent van Gogh (1820-1888), son oncle paternel dit « oncle Cent »[2].

Né en 1820, celui-ci travaille dès l'âge de quinze ans chez un cousin marchand de couleurs à La Haye. En 1839 il s'associe avec lui et, l'année suivante, il monte sa propre affaire dans la Spuitstraat[3]. Il a pour clients de jeunes peintres qu'il soutient matériellement en se chargeant de leurs œuvres, exposant ainsi dans sa vitrine ceux-là mêmes qui feront sa fortune. Car à un sens aigü des affaires, il allie en matière d'art un goût en accord avec celui de son époque : les peintres qui se retrouvent dans sa boutique correspondent à l'aspect le plus vivant et le plus moderne de la peinture hollandaise. C'est d'ailleurs à La Haye qu'en 1847 Roelofs, Bosboom et J.H. Weissenbruch fondent le *Pulchri Studio* : une société d'artistes que rapproche un goût commun pour le réalisme, la peinture de paysages locaux et une même admiration pour le siècle d'or de la peinture hollandaise. Mesdag, Mauve, Israëls, J. Maris — les artistes de l'« Ecole de la Haye » — exposeront au Pulchri Studio.

Plus tard, après la mort du marchand, sa collection sera exposée au *Pulchri Studio* avant d'être dispersée et à cette occasion, un critique rappellera qu'au-delà du « négociant expert, du voyageur et du connaisseur de renommée internationale, c'était avant tout un ami des artistes, un découvreur de talent et un homme de cœur qui se plaisait à soutenir et à aider les inconnus auxquels il trouvait des dispositions réelles; son rôle essentiel était en quelque sorte celui d'un "impresario"; c'est ainsi qu'il placera Kaemmerer et Jacob Maris dans l'atelier du peintre Gérôme à Paris[4]. Goupil lui-même se souviendra de cet aspect du personnage, "que de bons souvenirs ne me reste-t-il de l'excellent homme, du marchand actif et intelligent qui était l'ami des artistes et des amateurs, l'homme de cœur et de goût qui n'avait de plus vif plaisir que celui de découvrir un inconnu de talent et de l'aider de ses conseils expérimentés..."»[5].

Dès 1846, soucieux de se créer un réseau de correspondants afin d'étendre ses activités, de se constituer un stock mais aussi de trouver de nouveaux débouchés, il se rend à Paris et rencontre A. Goupil et F. Petit. A Paris qui va devenir un carrefour de toutes les ambitions, de toutes les innovations, Goupil vend surtout des reproductions de tableaux qui ont eu les honneurs du Salon, en particulier les œuvres de Delaroche et de ses élèves. On assiste alors sur le marché de l'art à un renouveau de l'engouement pour l'art hollandais du passé et bientôt, également des écoles modernes[6]. Le voyage en Hollande est à la mode chez les littérateurs[7] mais les peintres, les paysagistes de Barbizon, les peintres de genre, de fleurs... regardent également vers le nord; Courbet puis Manet, Pissarro, Monet iront visiter les musées néerlandais. Les guides de Thoré-Burger sur ces musées vont devenir des ouvrages de références[8]; et tout ce qui vient de Hollande est favorablement accueilli.

C'est dans ce contexte que la maison Goupil entretient des relations privilégiées avec Vincent van Gogh, le jeune marchand de La Haye et les transactions entre les deux maisons deviennent de plus en plus fréquentes[9] pour aboutir à une association; au 1er janvier 1861, une société en nom collectif est formée entre Adolphe Goupil, éditeur de gravures pour 4/10e, Léon Boussod, éditeur de gravures pour 3/10e et Vincent van Gogh, marchand de tableaux pour 3/10e, la raison sociale reste «Goupil & Cie» mais l'objet de la société devient «le commerce de tableaux et de dessins et l'édition d'estampes»[10]; avec le nouveau venu, l'accessoire du commerce — la vente de tableaux — acquiert officiellement la première place.

Goupil et Cie

Cet établissement avait été fondé en 1827 par un éditeur allemand, Henry Rittner[11]. En 1829 il s'associe pour six ans avec Adolphe Goupil[12] qui apporte un capital de 20 000 francs. La société Rittner permet (art. 4) de «contracter tous marchés pour la vente, l'achat, la commission, la confection et l'édition de toutes gravures et lithographies et généralement pour tout ce qui concerne le dit commerce... en quelque pays qu'il soit situé, notamment en France, en Angleterre et en Allemagne...»; Rittner, de par sa famille installée à Dresde et spécialisée dans le négoce d'estampes, bénéficiait déjà d'un réseau commercial à l'échelle européenne. Avec Goupil, il diffuse des estampes surtout d'après des maîtres

fig. 1 La maison Goupil, Vibert et Cie (vers 1846-1850)
(Collection particulière)

fig. 2 Portrait d'Adolphe Goupil,
photographie (Collection particulière)

fig. 3 Portrait de Léon Boussod,
photographie (Collection particulière)

anciens, de la Renaissance italienne en particulier, mais aussi d'après les tableaux des maîtres exposés au Salon. En 1840, un éditorialiste de *L'Artiste*[14] se fait l'écho de l'ascension de la maison, qui partie avec «des ressources si faibles... c'est à ce point qu'après avoir commencé à éditer des bleuettes, pour ainsi dire, M. Goupil et lui [Rittner] en étaient arrivés à publier les gravures les plus importantes de notre époque» et de citer Paul Delaroche, Léopold Robert, Winterhalter, Ingres, Deveria mais aussi Raphaël, Véronèse, etc.; recherchant la qualité des reproductions, ils ont su s'attacher les services des graveurs les plus éminents «MM. Henriquel-Dupont, Calamatta, Forster, Mercuri, F. Girard...» et suivre, sinon devancer les nouvelles techniques dans ce domaine, mettant au point des procédés qui permettent de reproduire de grandes planches destinées à remplacer les tableaux dans les intérieurs bourgeois, mais aussi d'obtenir des dégradés et des oppositions imitant le burin, l'eau-forte et l'aquatinte à une époque où la reproduction photographique des tableaux n'existait pas[15]; Vincent plus tard, admirera la qualité de ces images qu'il collectionnera. Mais Rittner et Goupil, c'est aussi une affaire de famille et le restera: les deux associés sont beaux-frères[16], les artistes liés à la maison (avec ou sans contrat) seront suivis par leurs élèves: les Gérôme, les Jalabert, etc. qui, d'ailleurs, deviendront les défenseurs intransigeants de l'art officiel.

Après la mort d'Henry Rittner[17], Adolphe Goupil forme une nouvelle société avec Théodore Vibert, lui-même éditeur de gravures[18], la maison de Vibert, 7, rue de Lancry devenant une succursale[19]. Les affaires sont florissantes: en 1841, Goupil a ouvert une succursale à Londres, en 1845 ce sera à New York[20] et en 1852, à Berlin. Avec l'arrivée d'un nouvel associé en 1846, Antoine Mainguet[21], la raison sociale devient «Goupil, Vibert et Cie»; le commerce de tableaux qui était resté annexe, se développe et fait l'objet d'une comptabilité séparée[22]; dans la vitrine du boulevard Montmartre, ils sont exposés au public à côté des estampes (fig. 1). Le prestige de la maison est couronné en 1850 par la nomination d'Adolphe Goupil au grade de chevalier de la Légion d'Honneur pour avoir «contribué à propager en France et à l'étranger le goût des Arts»[23]. La même année, après le décès de Vibert[24], Goupil reste associé avec Mainguet mais son nom demeure seul dans l'intitulé de la raison sociale «Goupil et Cie», le siège social est établi au 19, boulevard Montmartre, là où Theo van Gogh dirigera une galerie de Goupil par la suite[25]. Le fils aîné d'Adolphe Goupil, Léon est brièvement associé[26] jusqu'à sa mort à New York qui entraîne la dissolution de la société au 1er mai 1856[27]. Adolphe Goupil s'adjoint[28] aussitôt un gestionnaire qui, par ses relations familiales, est très au fait des questions artistiques, Léon Boussod[29] (fig. 2 et 3); celui-ci jouera avec ses fils et ses gendres un rôle prépondérant dans la société. C'est lui, en particulier, qui fondera les ateliers de photographie et l'imprimerie en taille douce d'Asnières (route de Courbevoie)³⁰. La notoriété de la maison liée à la popularité de ses images mais aussi leur qualité lui assure la fortune. Les marchands comme les peintres les plus célèbres sont de grands bourgeois. Adolphe Goupil acquiert un terrain au 9/11, rue Chaptal où il fait construire un hôtel⁵¹ dans lequel il aménage des appartements et des ateliers pour certains peintres attachés à sa maison³² et pour ses collaborateurs mais aussi «un vaste établissement qui renferme l'imprimerie, les ateliers et une galerie où sont exposés les tableaux que les éditeurs acquièrent de nos meilleurs peintres modernes»³³ et qui sera inaugurée avec faste en 1860 (fig. 4); la presse y verra un effort louable pour promouvoir de jeunes talents qui n'ont pu se faire accepter au Salon: «il nous semble enfin qu'on ne saurait trop encourager les entreprises particulières qui leur [les artistes] offrent ainsi, à côté des expositions périodiques organisées par l'Etat, le moyen de faire connaître au public leurs nouvelles productions»³⁴.

Oncle Cent et Goupil

Ayant acquis un quasi monopole de la reproduction d'œuvres d'art qu'elle diffuse dans le monde entier³⁵, la maison Goupil tient à s'assurer également une place honorable dans le commerce de tableaux proprement dit et si, dès 1846, les tableaux font l'objet d'une comptabilité séparée, ce n'est qu'en 1861 avec l'entrée de Vincent van Gogh dans la société que l'objet premier du commerce devient la vente de tableaux et de dessins, les estampes passant au second plan bien que Goupil tout comme Boussod restent toujours «éditeurs d'estampes», seul van Gogh apparaît comme «marchand de tableaux» (fig. 5). Ce dernier s'installe à Paris, au 9, rue Chaptal³⁷ puis dans un hôtel particulier de Neuilly qu'il loue avant de l'acheter en 1872³⁸ (fig. 6). Il voyage en Europe où son autorité en matière artistique est respectée tout autant par les marchands, les peintres que les collectionneurs comme le rappelle Emile Bergerat dans un texte introductif à la vente après décès du collectionneur S. van Walchren «... un homme d'une grande compétence, M. Vincent van Gogh, dont le nom et l'autorité se portent encore une fois garants de tous les choix de son ami...»³⁹.

En 1872, il se retire de la direction de la maison Goupil mais reste associé comme commanditaire⁴⁰. En 1878, il quitte définitivement la société après dix-huit ans de collaboration et se retire à Princenhage près de Breda où il a acheté une propriété en 1870 et s'est fait construire une galerie privée⁴¹. Toutefois il conserve avec Goupil des liens privilégiés comme ami et client; sa collection personnelle devenant l'objet de tous ses soins, il continuera de se rendre à Paris et d'effectuer des achats⁴² ainsi que de faire des séjours l'hiver à Menton⁴³. René

fig. 4 La galerie de tableaux de la maison Goupil et Cie, 9, rue Chaptal, en 1860 (Bibliothèque nationale, Cabinet des Estampes)

fig. 5 Vincent van Gogh et son épouse Cornelia Carbentus (Amsterdam, Rijksmuseum Vincent van Gogh, Fondation Vincent van Gogh)

fig. 6   Hôtel particulier de Vincent van Gogh,
7, boulevard des Sablons à Neuilly

fig. 7   La galerie Goupil vers 1867
(Bibliothèque nationale, Cabinet des Estampes)

fig. 8   Portrait de René Valadon,
photographie (Collection particulière)

Valadon[44], gendre de Léon Boussod est substitué à van Gogh dans la Société Goupil et C[ie][45] (fig. 8). Léon Boussod et René Valadon formeront le noyau de la nouvelle société créée en 1884 «Boussod, Valadon et Cie» où les Goupil père et fils ne sont plus que commanditaires[46] et après le décès d'Albert Goupil en 1885 (fig. 9)[47], Adolphe cède peu à peu ses parts de commandite et se retire définitivement en décembre 1886[48]. Léon Boussod fait entrer dans la société tout d'abord son fils Etienne en 1886 (fig. 10), puis Jean en 1887 (fig. 11) et son gendre Léon Avril en 1888, les parts majoritaires étant réparties entre lui-même et René Valadon[49]. Mais le nom de Goupil reste attaché à la maison, dans le sigle, l'almanach de commerce et dans le langage; ainsi, Vincent van Gogh la désigne tout autant par «Goupil» que «Boussod & Valadon»[50], et utilise volontiers l'expression «les Messieurs» quand il se réfère à ses dirigeants.

Vincent chez Goupil et Cie

Le 18 janvier 1873, Vincent, alors employé de Goupil et Cie à La Haye depuis 1869 comme nous le disions en introduction, écrit à son frère cadet Theo, qui, lui aussi grâce à l'oncle Cent toujours associé de Goupil et soucieux de l'avenir de ses neveux, fait ses débuts dans le commerce d'art à la succursale de Bruxelles: «Je suis tellement content que tu sois, toi aussi, occupé dans la même partie. C'est une si belle branche! Plus on y séjourne, plus on y trouve d'intérêt» (LT 3). Il est fasciné par la personnalité de son oncle et ses passages sont autant d'événements pour le jeune homme, «l'oncle Cent va venir ici vers la fin du mois, je suis anxieux de l'entendre parler de choses et d'autres» (LT 4, 28 janvier 1873).

En juin de la même année, après quatre ans passés à la succursale de La Haye, le directeur, H.-G. Tersteeg est satisfait de son employé et celui-ci est envoyé à Londres pour apprendre l'anglais et poursuivre la formation classique de marchand qui consistait en des séjours dans les succursales d'une même maison quand les dimensions de celle-ci l'autorisait, mais aussi chez les confrères et concurrents parfois associés[51]. Les marchands comme les artistes d'ailleurs, se devaient de voyager pour apprendre leur métier et se faire connaître; c'est ainsi que le fils de Wisselingh travaillera chez Goupil[52], et que Vincent se liera d'amitié à Paris avec le jeune Harry Gladwell envoyé de Londres par son père en 1875[53]. En 1887 il fera la connaissance d'Alexander Reid lui aussi venu se confronter aux techniques commerciales de Goupil et élargir ses horizons[54].

En route pour Londres, van Gogh passe par Paris; il visite le Louvre et le Luxembourg, et note, impressionné: «La maison de Paris est superbe et beaucoup plus importante que ce que j'avais imaginé, surtout le magasin, place de l'Opéra» (*LT* 9, du 13 juin 1873)[55]. Deux ans plus tard, il revient à Paris pour travailler au siège social, 9, rue Chaptal, mais son enthousiasme semble s'émousser, il regrette Londres et ses amours perdus ce qui ne l'empêche pas d'admirer les peintres dont il voit les œuvres à la galerie Goupil et de collectionner avec passion les gravures; il en possède des centaines. L'oncle apparaît toujours comme le décideur dans la vie des frères van Gogh, patron et autorité morale: c'est à lui que Vincent s'adresse pour essayer de faire venir son frère à Paris, il cite ses goûts, commente ses idées (*LT* 34, *LT* 38), lui rend visite à Neuilly (*LT* 41). Mais après une escapade pour rejoindre sa famille à Noël, il est amené à donner sa démission à Léon Boussod après avoir refusé un autre emploi dans une nouvelle succursale de Londres (*LT* 50, lettre du 10 janvier 1876) et quitte définitivement la maison Goupil le 1er avril 1876[56]. Il doit alors chercher un emploi et fait appel à l'oncle Cent qui l'introduit auprès d'un libraire de Dordrecht, Mr Braat[57]. Mais il n'y reste pas longtemps et souhaite étudier à Amsterdam pour être pasteur. A nouveau sollicité, l'oncle Cent qui, jusqu'alors, a été son tuteur, sa providence, refuse d'intervenir; Vincent ne lui en tiendra pas rigueur et il écrira par la suite: «quelque chose me frappe en lui, quelque chose d'indescriptiblement gentil, je dirai même de bon, de spirituel» (*LT* 104)[58]; il reconnaîtra l'importance de son rôle sur sa destinée «... lorsqu'à la fin des fins le bonhomme n'y sera plus, alors pour son petit cercle, ce sera un vide et une désolation. Et même nous autres le sentirions car il y a quelque chose de navrant dans ce qu'étant plus jeune on l'a tant vu et on a même été influencé par lui» (*LT* 512).

Vincent van Gogh, peintre

Quand en 1880 il décide d'exercer le métier de peintre, l'oncle Cent n'est plus associé chez Goupil mais Goupil reste une affaire de famille. La maison a débuté, comme l'oncle Cent, en misant sur de jeunes talents encore inconnus, leur apportant aide financière et soutien moral: «Je me plais à espérer que l'oncle Cor ou l'oncle Cent interviendront pour m'aider» écrit alors Vincent (*LT* 138); c'est spontanément qu'il se tourne également vers le directeur de la succursale de Bruxelles, M. Schmidt (Theo avait eu de bons rapports avec lui) pour que celui-ci l'aide à entrer en contact avec d'autres artistes; il fait appel à Tersteeg et sa famille pour que Mauve accepte de le prendre avec lui dans son atelier de La Haye[59]. C'est chez Goupil où il a déjà beaucoup appris, qu'il pourra parfaire son éducation au contact d'œuvres en accord avec sa propre sensibilité; pour lui, le dirigeant de ce pôle artistique, Adolphe Goupil, est un être «avec une grande force d'âme» (*LT* 108) et à propos de ses principaux associés, il écrit: «J'ai toujours pensé que ces Messieurs eux-mêmes étaient animés d'un esprit supérieur et plus noble...» (*LT* 140). Aussi est-il surpris, déçu et devient même franchement amer quand il

fig. 9 Portrait d'Albert Goupil, cliché Nadar (Bibliothèque nationale, Cabinet des Estampes)

fig. 10 Portrait d'Etienne Boussod, photographie (Collection particulière)

fig. 11 Portrait de Jean Boussod, photographie (Collection particulière)

ne trouve pas l'accueil attendu, «est-ce convenable que dans une branche où deux oncles[60] se sont enrichis dans le commerce d'art et où deux autres sont dans le même métier, même si dans des sphères distinctes, que je ne puisse compter sur les 100 francs par mois qui me sont indispensables jusqu'au jour où j'aurais trouvé un emploi stable comme dessinateur, car les oncles ont si souvent aidé d'autres dessinateurs». Il recevra une aide ponctuelle (livres, boîte de couleurs) et quelques encouragements; ainsi l'oncle Cent intervient auprès de Mauve, lui conseille de travailler ferme (*LT* 153) et va jusqu'à proposer de lui acheter un dessin (*LT* 174); Tersteeg promet de visiter son atelier, note ses progrès mais Vincent réagit vivement à ses critiques et ne trouve pas son comportement «fraternel», malgré les assertions de Theo (*LT* 191). La rupture définitive avec l'oncle Cent interviendra en 1883 en raison de la liaison de Vincent avec Sien, une prostituée. Pour lui, c'est un peu la fin de son espoir d'être admis par ces «Messieurs» de la maison Goupil et peut-être de devenir un «Monsieur» comme beaucoup de «leurs» peintres qui ont acquis une certaine notoriété grâce à eux. Il continue d'admirer leurs productions et garde le désir de gagner sa vie comme illustrateur avant de pouvoir la gagner comme peintre, suivant un scénario dont il a été le témoin depuis tant d'années pour d'autres jeunes artistes. Il commente les tableaux qu'il admire dans la vitrine de Goupil à La Haye tout autant que ceux exposés dans les musées: Doré, Corot, Daubigny, Diaz, Mesdag. Tout ce qu'il a appris il le doit à Goupil, même si ses goûts ont évolué; il pense qu'il en va de même pour son frère Theo (*LT* 184) et trouverait tout à fait normal que leur jeune frère Cor suive leurs traces (*LT* 380). Mais au bout du compte, dans cet univers clos, le fait d'avoir été employé chez Goupil et d'être en quelque sorte apparenté à cette maison si puissante par son oncle, ancien associé et connaisseur éminent, et par son frère qui y poursuit sa carrière, se révèle un handicap tant pour retrouver un emploi (*LT* 332) que pour assurer des débouchés à sa peinture, ce qu'il ne manquera pas de reprocher à son frère: «A cela s'ajoute mon passé, et le fait que tu es un monsieur chez G. et Cie, tandis que j'y suis, moi, la bête noire, le mauvais coucheur» (*LT* 386a, 9 décembre 1884).

Theo

Peu à peu, à partir du moment où, au début des années 1880, la position de Theo chez Goupil est assurée, Vincent reporte sur lui tous ses espoirs de se faire connaître et de vendre toiles et dessins; puisqu'il apprécie et estime l'œuvre de Vincent, Theo devrait être capable de lui trouver des amateurs parmi les collectionneurs et marchands qu'il est amené à fréquenter quotidiennement. Theo est en effet devenu directeur [61] de la succursale 19, boulevard Montmartre, l'établissement parisien le plus ancien de la maison Goupil, située au cœur du nouveau quartier d'affaires, à proximité de l'Opéra, mais aussi dans un secteur où les commerces d'art s'étaient considérablement développés, concurrençant la rive gauche autour de la rue de Seine avec la rue Laffitte, la rue Drouot et l'Hôtel des ventes tout proche. Malgré des velléités de départ suite à des offres intéressantes en 1883 (*LT* 333), puis avec le désir de devenir peintre lui-même, surtout quand les relations avec ses employeurs sont tendues, Theo, en fait, trouve dans son métier «une joie renouvelée» (*LT* 343) et même s'il se plaint d'être accaparé par un travail trop administratif, il semble avoir trouvé sa voie dans la recherche d'amateurs pour les œuvres des impressionnistes et des autres avant-gardes dont il est devenu l'ami et un soutien important, malgré des moments de découragements: il semble en 1890 avoir traversé une période difficile quant, à la suite, de remaniements dans la direction, il y eut un changement d'attitude à son égard[62]. Le souvenir de l'oncle Cent n'a plus le même impact[63], et les neveux doivent s'imposer par eux-mêmes. L'établissement du boulevard Montmartre, bien que moins imposant que le siège social rue Chaptal et sans doute moins luxueux que le magasin de la place de l'Opéra, n'en est pas moins un local important (fig. 12); si le rez-de-chaussée avec vitrine sur rue reste consacré aux artistes de la maison qui suit le goût du public et se tourne de plus en plus vers les paysagistes de l'Ecole de Barbizon et, de par ses relations privilégiées avec les Pays-Bas, beaucoup de ceux que la critique commence à regrouper sous le terme de l'«Ecole de La Haye»[64], Theo conserve une certaine liberté pour présenter à l'entresol et parfois même en vitrine[65], les artistes auxquels vont ses préférences. René Valadon lui-même l'accompagne lorsqu'il va voir Monet à Giverny quand celui-ci com-

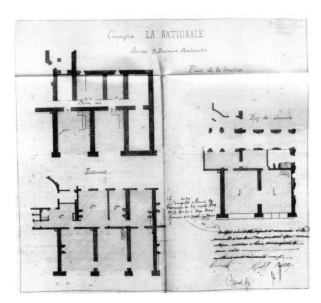

fig. 12 Plan de la galerie Goupil, 19, boulevard Montmartre
(Archives nationales, Minutier central, XVII, 1355)

mence à bien vendre à partir de 1889. Parallèlement, il achète, dans la mesure de ses moyens et débute ainsi une collection de tableaux mais aussi de dessins et gravures que ses amis peintres lui dédicacent parfois et qu'il enrichira avec Vincent[66].

C'est à partir de 1884 que Vincent tente de trouver un nouveau mode de relation avec son frère Theo, en considérant l'argent que celui-ci lui verse tous les mois comme un salaire en échange de ses envois que Theo est chargé, sinon de vendre, du moins de faire connaître (*LT* 360). S'ensuit une correspondance où Vincent reproche à Theo de toujours trouver son œuvre «presque vendable» mais de ne pas faire l'effort nécessaire pour aboutir à des ventes fermes. Vincent souligne que vis à vis de ses camarades et relations, il semble suspect qu'avec un frère si bien placé, il ne vende pas (*LT* 358) et cette suspicion est pour lui un handicap. A Theo qui se défend en mettant en avant la spécialisation relative de la maison dans les œuvres de Millet, Daumier, Vincent rétorque que cette spécialisation évolue puisqu'il n'y a pas si longtemps, Delaroche et ses élèves tenaient le premier plan (*LT* 359); il se sent rejeté à tort par les siens — c'est *sa* maison qui le renie (*LT* 352) — mais il ne perd pas espoir car Goupil a longtemps ignoré des artistes reconnus par la suite, Millet, Dupré, Corot, Daubigny et il écrit «tu es lié à G. et Cie et il est certain que G. et Cie ne feront rien pour moi avant plusieurs années» (*LT* 380). Car, s'il existe une nouvelle peinture, il y a un nouveau public à créer (*LT* 392); Theo, en tant que «monsieur chez Goupil et Cie» (*LT* 386a) de par ses relations doit pouvoir l'aider, pas seulement matériellement mais en l'aidant à nouer des contacts avec d'autres peintres, exigence sans cesse réitérée, et en montrant son travail. Theo se tourne alors vers deux des marchands les plus ouverts aux nouvelles tendances de la peinture, Durand-Ruel qui n'est pas intéressé[67] et Portier plus réceptif.

Pendant son séjour à Paris, Vincent tente lui-même de nouer des contacts avec les marchands susceptibles de comprendre son œuvre et plus tard à Arles, Saint-Rémy et Auvers, c'est en connaissance de cause qu'il suggère à son frère de montrer telle ou telle toile, non seulement à Tanguy qui lui est acquis, mais aussi à Martin, Thomas, Bague qui lui ont témoigné de la sympathie. Et même si ses expériences d'exposition en dehors de tout système établi — par la voie officielle des Salons ou dans des galeries — tout d'abord seul au café du Tambourin, puis fin 1887 associé à ses amis qu'il a regroupés en «Impressionnistes du Petit Boulevard» au Restaurant du Chalet, se soldèrent par des échecs commerciaux, ces revers n'entamèrent pas la volonté de Vincent de créer une communauté d'artistes dont Theo assurerait les débouchés (*LT* 538). Il prend très au sérieux l'initiative de Theo de rassembler quelques tableaux impressionnistes pour les

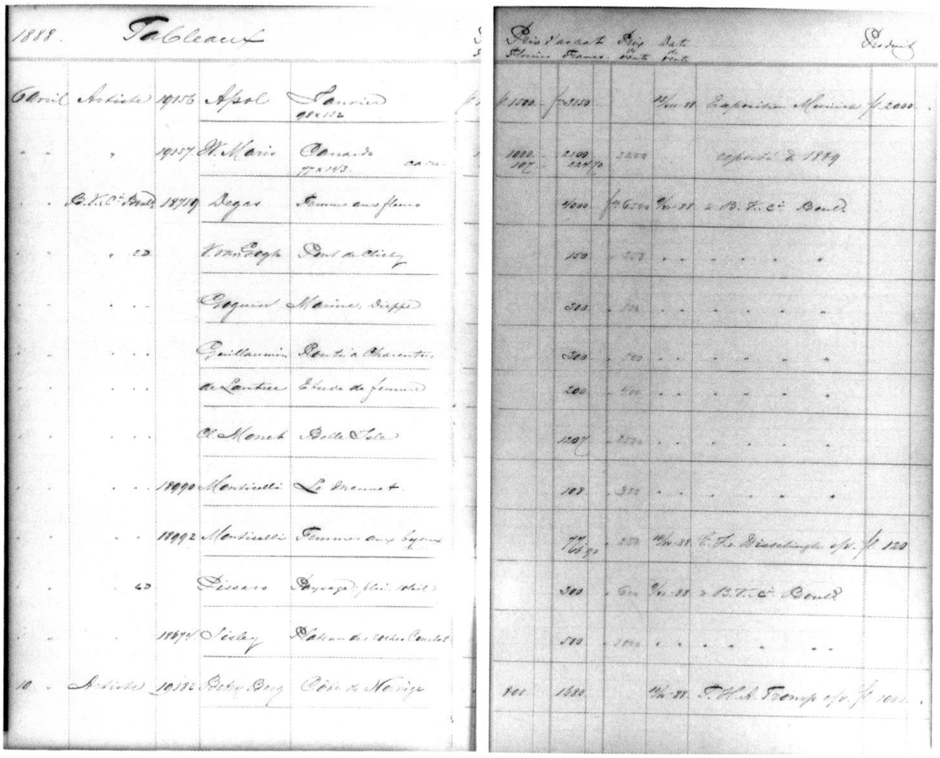

fig. 13 Tableaux envoyés par Theo à Tersteeg le 6 avril 1888.
Livre de comptes de la succursale de La Haye de la
galerie Boussod et Valadon (La Haye, Rijksbureau voor
Kunsthistorische Documentatie)

envoyer à Tersteeg, le gérant de la succursale de La Haye (fig. 13), envoi dont il
commente toutes les étapes dans ses lettres du printemps et du début de l'été
1888[68]. Malgré l'insuccès total, il reste optimiste quant aux chances de réussite de
telles entreprises animées par un marchand dont le rôle est crucial, «tant
d'artistes ont besoin du soutien des marchands» (*LT* 617). La place du marchand
dans la vie de l'artiste ne saurait être compensée par les salons et expositions de
groupes qui se multiplient, auxquels pourtant il s'associe : *Salon des Indépendants*, mais aussi expositions organisées dans les salons de la *Revue Indépendante*
en 1887, la salle de répétition du Théâtre-Libre en 1888 à Paris et par *Les XX* à
Bruxelles (où d'ailleurs il vendra un tableau en 1890)[69]. Mais il reste attaché à
Boussod et Valadon et ne perd pas espoir d'y entrer «par la grande porte et non à la
sauvette avec un tableau innocent» (*LT* 563) comme il l'écrit en décembre 1888 à
Theo qui propose d'y montrer un pêcher rose ; conscient des efforts de son frère, il
ajoute «sois sûr et certain que je te considère comme marchand de tableaux
impressionnistes, comme très indépendant des Goupil». Pourtant quelques temps
auparavant, il estimait que la position de Theo l'empêchait de le mettre en avant
comme il le faisait pourtant pour Gauguin et Pissarro, eux aussi difficiles à
vendre ; «Toi, tu es chez les Goupil, tu n'as pas le droit de faire des affaires en
dehors de la maison. Donc moi absent, je n'expose pas» (*LT* 561).

Alphonse Portier (1841-1902)

Incapable d'assurer la vente des tableaux de son frère, Theo contacte en 1885
un courtier, amateur de nouvelle peinture, Alphonse Portier (fig. 14). Il était né le
4 décembre 1841 à Bourg-en-Bresse, fils d'un drapier aux affaires florissantes[70].
Du 1er octobre 1859 à août 1861, il effectue un premier séjour à Paris pour
compléter sa formation sans doute avec pour objectif d'entrer dans les affaires de
son père. Exempté du service militaire contre le versement d'une forte somme
d'argent, à l'époque où le Pérou n'est plus l'affaire exclusive des Espagnols et
laisse entrevoir d'énormes profits — attirant banquiers et négociants, surtout

anglais — il entreprend le voyage des Andes[71]. Là-bas il met en place un réseau de correspondants pour l'importation de vigogne et d'alpaga, laines fort appréciées en Europe[72]. De retour en avril 1862[73], il s'installe à Paris comme commis-négociant. A la naissance de son fils aîné en 1873, Georges[74], il est domicilié 21, rue Cail où il vit avec Léonie Meullemiestre, ouvrière en cravate; sont présents Antonin Raguenet, 34 ans, architecte et Eugène Vidal, 28 ans, peintre qui resteront des amis de toujours. Alphonse Portier fréquente les milieux artistiques parisiens mais ce n'est qu'après la mort de son père[75] qu'il peut épouser sa compagne en 1875[76] et changer de métier; à la naissance de son deuxième fils, Ernest, trois mois plus tard, il est installé à Montmartre où il restera toute sa vie et exerce la profession de marchand de couleurs; Fabien Rey, marchand de couleurs est témoin[77]. Ce dernier, qui vend accessoirement des tableaux, se sépare de son associé Alexandre Froment en septembre de la même année pour former une nouvelle société avec Portier[78]. Portier se retire trois ans plus tard, en 1878, laissant la place à Fabien Perrod; il habite alors 54, rue Lepic où il restera jusqu'en 1901[79]. A cette date, l'affaire avait pris une certaine importance, avec un atelier 2, rue de Tourlaque[80].

A partir de ce moment Portier se consacre aux artistes qu'il fréquente depuis si longtemps. Il est déjà en rapport avec Camille Pissarro[81]; il fréquente les impressionnistes et en 1879, il est gérant de la *IVe Exposition Impressionniste*. En 1882, il s'occupe activement de la VIIe, un critique du *Gaulois* devait souligner son rôle: «L'intelligent et affable organisateur des expositions des peintres de la nouvelle école M. Portier, finit enfin, au commencement de cette année, par trouver un domicile convenable pour abriter les œuvres des artistes indépendants.»[82] Il ne figure pas à l'almanach de commerce avant 1896 où il apparaît comme expert; jouissant de revenus lui assurant une certaine aisance, c'est en amateur qu'il joue le rôle de courtier. Il se lie d'amitié avec le peintre Guy de Penne et passe ses loisirs à Bourron dans la forêt de Fontainebleau, lieu privilégié où se retrouvaient nombre d'artistes et leurs amis. Fin musicien, il fréquente Massenet et organise des concerts[83]. Homme discret, amateur éclairé, il sait gagner la confiance de collectionneurs comme Paul Gallimard qui rencontrera Pissarro chez lui, Jacques Doucet le célèbre couturier qui le décrit ainsi «... le père Portier, bon propagandiste, circulait avec des chefs-d'œuvre futurs sous son bras et m'avait pour client»[84], mais aussi les collectionneurs Henri Rouart, Camondo, Cheramy, Depeaux, etc.; c'est par Portier que le Dr Paulin rencontre Lebourg. Degas longtemps son voisin, a beaucoup d'estime pour lui; Paul Lafond, son biographe écrivit: «Parmi ses acheteurs d'alors, il faut compter le doux et humble Portier, autre marchand de cette race, aujourd'hui disparue, qui aimait avant tout la peinture. Portier lui prenait quelques-unes de ses productions pour ne les céder qu'avec regret à certains amateurs intelligents et avisés.»[85] Les peintres en mal de clientèle s'adressent à lui, ainsi A. Lebourg fait sa connaissance par E. Vidal et Léonce Bénédite alors conservateur du musée du Luxembourg décrit le courtier

fig. 14   Portrait d'Alphonse Portier, photographie
(En bas, C. Pissarro *Paysannes cousant dans la cour d'une ferme*, 1895-1902 [PV 12 72]; Sisley *La Seine à Argenteuil*, 1872 [D 26]. En haut: Corot et Chaplin (?)) (Collection particulière)

et ses peintres préférés : «C'était un petit homme que l'on voyait toujours courant ses toiles sous le bras et ces toiles étaient des Corot, surtout des Corot d'Italie qui ne se vendaient pas encore très bien, des Sisley, des Pissarro et des Guillaumin ; quelques Mancini, un peintre italien qui fit de belles figures et ne les vendait pas, des Cézanne quelquefois et aussi des van Gogh qui habitait dans sa maison... C'était une belle figure, il aimait la peinture et était d'une intégrité parfaite. Trés modeste, il s'effaçait partout...»[86] ; Portier servit par ailleurs d'intermédiaire en 1894 pour l'acquisition par le musée du Louvre de *La Grande Odalisque* d'Ingres[87].

C'est vers lui donc[88], bien avant qu'il ne deviennent voisins, que Theo se tourne pour avoir son avis sur les possibilités de faire connaître le travail de son frère ; en avril 1885, Vincent est heureux que Portier «discerne une personnalité dans ce que je fais... je m'efforcerai de faire des choses qui renforcent l'opinion qu'il a prise» (*LT* 401) et c'est avec l'idée d'être exposé par Portier qu'il travaille aux *Mangeurs de pommes de terre*, demandant son opinion tout autant que celle du peintre Serret, leurs objections comme les qualités qu'il découvrent sont impatiemment attendues ; mais Portier ne réussit pas là où son frère a déjà échoué : vendre. «Quant à ce que tu dis de Portier : il se peut qu'il soit plus enthousiaste que marchand — et tu doutes qu'il puisse placer mes œuvres : il semble que ni toi ni moi ne sommes à même de trancher cette question pour le moment. Dis-lui franchement, quant tu le verras, que je compte sur lui, que j'espère qu'il ne se lassera de montre mes œuvres...» (*LT* 410). Portier pourtant semble se lasser, au contraire Vincent qui ne perd pas espoir et écrit en décembre 1885 : «Quant à Portier, tu m'as écrit toi-même qu'il a été le premier à exposer des impressionnistes, mais que Durand-Ruel l'a éclipsé. Eh bien, on peut en conclure, tout de même, qu'il a l'esprit d'initiative, non seulement pour dire quelque chose, mais aussi pour faire quelque chose...» et il met la «défaillance» de Portier au compte de son âge[89] tout autant que sur celui des conditions du marché qui n'est plus aussi florissant que quelques années auparavant.

A Paris, Vincent emménage avec Theo en juin 1886 dans le même immeuble que Portier et ce sera l'occasion de voir des tableaux impressionnistes dont il se souviendra plus tard (Cézanne, Desboutin mais aussi Manet, etc.), des estampes japonaises que le courtier collectionnait également, et de connaître des peintres comme Guillaumin (cat. n° 56), Camille Pissarro qui entretint, ainsi que son fils, des relations avec le courtier jusqu'à la mort de celui-ci (fig. 13)[90] mais Portier s'occupe aussi de Gauguin et de tant d'autres. Aussi, plus tard à Arles, dans ses projets d'association d'artistes, il pense à Portier, «quoiqu'il en soit, il est bien à espérer que la chose se fasse et que Tersteeg et toi deviennent les membres experts de la société (avec Portier peut-être ?)» (*LT* 468, 10 mars 1888). Ainsi l'attention portée aux efforts du peintre en 1885, puis leurs relations de voisinage de 1886 à 1888, années au cours desquelles Portier expose peut-être des toiles de van Gogh aux murs de son salon ou en prend en dépôt, le met en contact avec des œuvres importantes et des peintres et amis, exercèrent une influence des plus bénéfiques pour Vincent comme autant d'encouragements.

Julien Tanguy (1825-1894)

En novembre 1888 à Arles, Vincent dresse un bilan de ses efforts «nous n'avons guère exposé n'est-ce pas, il y a eu quelques toiles chez Tanguy d'abord, chez Thomas, chez Martin ensuite...» (*LT* 561).

La littérature autour de Julien Tanguy, dit le Père Tanguy est abondante ; très tôt entré dans la légende, ceux qui l'ont approché n'ont pas manqué d'en rappeler le souvenir dans leurs écrits[91]. Il est né le 28 juin 1825 à Plédran dans les Côtes-du-Nord[92]. En 1855, il épouse Renée Briend à Saint-Brieuc[93] et l'année suivante ils ont une fille, Mathilde[94]. A Paris en 1860, il est «employé des lignes de Bretagne» puis broyeur de couleurs chez Edouard, rue Clauzel. En 1871, les listes électorales lui donnent pour domicile le 10, rue Cortot à Montmartre et comme profession marchand de couleurs[95]. Mais ses idées politiques lui auraient valu quelques déboires au moment de la Commune[96], et quand en 1873 il s'installe comme marchand et fabricant de couleurs 14, rue Clauzel, le bail est au nom de Vve Tanguy[97]. Il fournit de façon régulière[98] beaucoup de peintres impressionnistes — Cézanne en particulier qui lui laisse des toiles en dépôt, mais aussi

Pissarro (lequel s'approvisionne également chez Rey et Perrod), Renoir, Guillaumin, Monet, Gauguin, et, peu après son arrivée à Paris, van Gogh qui logeait chez son frère rue de Laval[99]. Comme beaucoup de jeunes artistes se retrouvant dans son arrière boutique pour discuter de peinture, Vincent y découvre des tableaux impressionnistes et Cézanne en particulier; mais aussi, il sait que les amateurs de la nouvelle peinture connaissent cette boutique[100], somme toute marginale dans le commerce des tableaux, ne serait-ce que par le fait que son objet principal était le commerce de couleurs, et il espère que les œuvres que Tanguy accepte de présenter dans sa vitrine attireront l'attention. Malgré quelques dissensions dûes à l'intervention de l'épouse de Tanguy (*LT* 461), celui-ci restera un ami fidèle de van Gogh et sera présent au moment de sa mort. En 1889, Theo déménage cité Pigalle et cherche un local où stocker les œuvres de son frère qui encombrent son appartement; il trouve une pièce dans l'immeuble de Tanguy qui s'occupe de ce fonds. Mais pourtant, malgré ses efforts et sa conviction quant à l'œuvre de Vincent il ne réussira pas à vendre de tableaux de l'artiste[101]. Après sa mort le 6 février 1894, sa veuve reste en contact avec Andries Bonger, beau-frère de Theo, au sujet des toiles de van Gogh toujours en dépôt au 9, rue Clauzel depuis la mort des deux frères[102].

Pierre-Firmin Martin (1817-1891)

Si Tanguy a trouvé des biographes pour perpétuer sa mémoire, les personnalités de Martin et de Thomas restent plus difficiles à cerner bien qu'ils aient occupé une place importante pour les jeunes peintres des avant-gardes, représentant un marché certes local et mineur par rapport à la vente de tableaux de maîtres anciens comme des contemporains en vogue, académiques ou non, objets d'un commerce international dont van Gogh était exclu. A son arrivée à Paris en mars 1886, l'enthousiasme de Vincent pour Portier s'est émoussé; il place beaucoup d'espoir dans le Père Tanguy mais aussi le Père Martin, qui était marchand «en chambre» 29, rue Saint-Georges. Comme pour Portier et Tanguy, Pierre-Firmin Martin ne venait pas d'un milieu artistique, rien de ses origines familiales et de son éducation ne semblait le prédisposer au commerce de l'art et c'est, comme eux, dénué de préjugés qu'il soutient les artistes les plus révolutionnaires. Il était né en 1817 d'une famille jurassienne de cultivateurs[103], sans doute relativement aisés car peu après son père s'installe comme marchand de vins, 24, Chaussée de Clignancourt à Montmartre[104]. Quand Pierre-Firmin épouse Adèle Davy, couturière, en 1837, il est sellier, habitant chez son père[105]. Si la tradition rapporte ses activités théâtrales[106], il devait déjà s'occuper de tableaux et de brocante, l'oncle de sa jeune épouse, Maximilien Cloche, était brocanteur et a pu l'aider. Vers 1848, il rencontre Cals, mais ce n'est qu'en 1852 qu'il apparaît comme brocanteur et marchand de tableaux, 20, rue de Mogador[107] et deux ans plus tard, la peinture semble être l'unique objet de son commerce[108]; il apparaît régulièrement comme expert dans les ventes de tableaux modernes organisées par Mᶜ Boussaton, commissaire-priseur (auquel succédera Mᶜ Tual en 1877) dans le tout nouvel Hôtel des ventes construit en 1848 sur les terrains vagues derrière l'Opéra et dans lequel les commissaires-priseurs se sont installés en 1852. Résolument tournés vers l'art moderne, ils mettent aux enchères les toiles de Corot, Jongkind, Diaz, Boudin, Cals, etc. L'Hôtel Drouot plus que ses boutiques successives est pour Martin, l'endroit où il tente de trouver des amateurs pour les peintres auxquels vont ses préférences. Pour les artistes il n'est pas seulement un marchand, il intervient également dans leur vie privée, s'occupe de trouver un logement à E. Boudin qui fait sa connaissance grâce à Jongkind, et sa boutique rue Mogador devient un véritable cénacle où peintres et amateurs se retrouvent pour discuter peinture. En novembre 1866, il s'installe rue Mansart[109] avant d'aller en 1868 rue Laffitte[110] «cette vallée de tentation» comme le rapporte H. Rouart un familier de la maison qui raconte «on s'écrasait avec discussion devant ces étalages, puis on entrait chez le Père Martin, où l'on trouvait toujours des amateurs de conversations artistiques. C'était avec l'un ou l'autre des artistes... des amateurs bien épris; MM. le Comte Doria, Ciroza, Hadingue, Ludrac, Brulé...»[111]. Et c'est ainsi que «Le ménage Martin a incarné la providence pour un grand nombre d'artistes devenus célèbres, qui ont trouvé là, à leurs débuts, ce qu'il y a de plus difficile et de plus précieux: le premier argent gagné»[112], il s'agissait de Troyon, Millet, Corot, Daubigny, Diaz, Jongkind, Cals mais aussi Degas, Pissarro, Monet, Sisley. Son neveu Joseph Paschal s'installe avec lui

fig. 15   A.F. Cals *Portrait de Mr Martin*, 1878, Honfleur, Musée Eugène Boudin

comme expert en tableaux à partir de 1872 jusqu'à sa mort en 1881[115]. En 1874, Martin est gérant provisoire de la «Société Anonyme Coopérative de peintres et de sculpteurs» et à ce titre s'occupe activement de la première exposition des impressionnistes[111]. Deux ans plus tard, il s'installe en appartement, 29, rue Saint-Georges où il restera jusqu'à sa mort en 1891. Sa nièce, Léonie Rose Davy[115] s'installe dans le même immeuble rue Saint-Georges sans doute après le décès de Mme Martin en 1883[116]; van Gogh fera d'ailleurs son portrait (cat. n° 25)[117]. Se souvenant du Père Martin, Théodore Duret écrivait en 1889: «Il avait du goût et était connaisseur d'instinct... Quand on écrira la vie de Manet et des impressionnistes qui l'on suivi, Claude Monet, Pissarro, Sisley, on ajoutera à l'histoire de l'art français un chapitre qui sera entièrement à sa gloire.»[118] Pourtant les ventes qu'il organise à Drouot avec Mr Tual comportent peu ou pas d'impressionnistes (quelques Pissarro, Monet...) et il est révélateur que dans la vente qui eut lieu en 1892, par suite de son décès, il n'en figure aucun car elle était en lien avec ses activités d'expert plutôt que celles de marchand[119]. Emile Zola dans ses notes pour son roman L'Œuvre, décrivait sa façon d'opérer des transactions: «Un brave homme, très fin, se connaissait en peinture... Tous son système était basé sur le renouvellement rapide de son capital, achetait à bas prix, revendait tout de suite avec un bénéfice»[120] ce qui laisse supposer qu'il n'avait pas de stock. Son inventaire après décès apporte une description détaillée du contenu de son appartement[121] et en particulier un «salon éclairé par deux fenêtres sur la rue» avec la liste de tableaux qui s'y trouvaient: Vignon, Doré, Palizzi, Rouart bien sûr, Guillaumin, Quost mais aussi «huit esquisses de l'école impressionniste prisées quarante francs [...] un tableau de l'école impressionniste (la Sieste) prisé cinq cent francs»[122]. Le même inventaire indique que Martin avait formé au 1er juin 1891 avec un certain Lucien Prieur, une société dont il était commanditaire et qui avait pour objet une entreprise de confection pour dames[125] ce qui tendrait à prouver que le commerce de tableaux n'était pas son unique activité, et que la branche de sa belle-famille, les Davy, puis Nicolas Charbuy lui-même, tous dans l'habillement, avait quelque importance. Léonie Rose Charbuy semble avoir continué le commerce de son oncle après son décès car elle s'adresse en août 1892 à Pissarro pour des tableaux.

Les lettres des frères van Gogh apportent peu d'éléments sur le Père Martin; il s'agit peut-être de celui que Theo mentionne comme son ami Martin (T 35). Quoi qu'il en soit, il exposa des toiles de Vincent (LT 561) et celui-ci le cite par ailleurs avec une certaine familiarité qui dénote de la sympathie mais aussi une bonne connaissance de l'homme chez lequel il avait dû, comme tant d'autres, trouver ouverture d'esprit et accueil, peut-être par Guillaumin ou un autre peintre ou son frère et qui connaissait les amateurs de nouvelle peinture (LT 473 à propos de Vignon, LT 503, LT 506).

Georges Thomas

Georges Thomas qui lui aussi accepta de présenter des œuvres de van Gogh apparaît dans l'Almanach de Commerce en 1882, 43, boulevard Malesherbes[124]. En 1896, il est installé 17, avenue Trudaine jusqu'en 1908 date à laquelle il cède son fonds à Libaude, un commissaire-priseur devenu marchand. On ne dispose d'aucun élément d'Etat-civil qui permettrait de le situer; ses activités de marchand nous sont connues par des témoignages et des rapports sur les expositions qu'il organisa dans sa galerie. Ainsi, il vend une des premières toiles de Toulouse-Lautrec[125] et ce dernier le recommanda à Charles Conder et William Rothenstein qui exposent dans sa galerie en 1892[126]. L'opinion de W. Rothenstein est confirmée par A. Alexandre qui le définit ainsi: «Le Père Thomas fut un spécimen de marchand convaincu qui ne fait pas fortune... Passionné surtout de Carrière, d'Anquetin, de Lautrec et de Villette...[127]» En janvier 1894, il montre Schuffenecker, Bernard, Lautrec, Valtat et Bonnard; il expose Slewinski en 1897 et en 1898; le carton d'invitation au vernissage de l'exposition qu'il organise en 1897 récapitule les noms des artistes auxquels il s'intéressait[128] parmi lesquels Schuffenecker qui lui avait par ailleurs acheté des Cézanne et était lié avec lui[129]. Van Gogh avait reçu un accueil semble-t-il favorable de ce marchand, probablement d'une autre génération (on ne parle pas de «père»), puisqu'il avait pu montrer des tableaux chez lui; et c'est certainement sur lui qu'il compte le plus pour lui venir en aide, ainsi qu'à Gauguin et leur permettre aussi de travailler ensemble : «Il me faut faire des choses qui puissent engager quelqu'un, comme Thomas par exemple, de se joindre à toi pour faire travailler ici ceux qui y iront. Alors Gauguin viendrait, je pense, à coup sûr.» (*LT* 495). A plusieurs reprises, il suggère à Theo de proposer ses envois à Thomas (*LT* 506, *LT* 509) mais avec un refus de Thomas de s'engager que lui rapporte Theo (lettre du 23 octobre 1888, *T* 2) à la suite de diverses tentatives pour obtenir son soutien et permettre à Gauguin de venir travailler avec lui dans le Sud soit en lui achetant des toiles à lui ou à Gauguin (F 510), soit en accordant une avance sur ce qu'il a pris en dépôt (F 539), encouragé en cela par le fait que Thomas achète des œuvres de ses camarades (B 10, l'étude d'Anquetin «le paysan») et semble bien disposé à leur égard. Vincent regrette de ne pas avoir pu faire affaire avec Thomas mais celui-ci toutefois garde, comme Tanguy, des œuvres en dépôt (*LT* 561).

Bague et Cie

Par les allusions que contiennent ses lettres d'Arles, Saint-Rémy et Auvers, on se rend compte que Vincent, pendant les deux années passées à Paris, avait multiplié les contacts, parvenant à intéresser quelques marchands comme Portier, Martin, Thomas et un de ses fournisseurs de couleurs, Tanguy. Mais il s'était également fait connaître d'autres marchands par l'intermédiaire de son frère, qui, en rapports avec ses confrères, était au fait de ce qui se passait dans le domaine artistique à Paris et tenait Vincent informé d'autant que celui-ci, de par son passé chez Goupil était à même d'en discuter en professionnel ; il ne manquait pas de visiter régulièrement les galeries pour voir des œuvres, parler de peinture. Et il gardait quelque espoir d'intéresser certains d'entre eux, Bague notamment dont il écrivait : «Bague a cela de sympathique pour moi, qu'il admire la peinture grasse et en pleine pâte, je l'ai assez entendu là-dessus dans le temps. Je n'y compte aucunement qu'ils achèteront, seulement, tu ne feras pas de mal de dire à Bague que j'ai de grandes études ici — nouvelles — d'effets d'automne. Et tiens-le en haleine avec cela.» (*LT* 546). Peintre de formation Athanase Bague[150] s'était associé en 1873 avec Maurice Gouvet, négociant et un commanditaire : Samuel Welles, comte de la Valette, pour former une société ayant pour objet «le commerce des tableaux» ; M. Gouvet était chargé de la comptabilité et A. Bague du choix des tableaux[151]. En 1879, le siège est au 41 Chaussée d'Antin[152]. La correspondance de Bague avec le marchand E. Le Roy, les reçus échangés lors de transactions montrent bien leur intérêt commun pour l'Ecole de Barbizon, Corot, Dupré, Vollon, Troyon, Millet. Ils étaient amenés à faire de fréquents voyages à Bruxelles où ils étaient en relation avec un autre marchand Jean Van der Donckt et aux Pays-Bas qu'ils connaissaient bien ; ils collaboraient parfois avec Georges Petit mais se situaient nettement en concurrents de Goupil, ironisant à l'occasion sur les goûts d'Albert Goupil. Pourtant, Bague avait travaillé avec cette maison car on retrouve son nom à partir de 1875 dans les registres de la maison Goupil pour des achats en compte[153]. Vincent éprouvait de la sympathie pour A. Bague qu'il avait «toujours estimé *bon* larron» (*LT* 547) et dans cette même lettre à Theo, depuis Arles il écrit : «Et je te prie de dire à Bague, si tu le vois, bien le bonjour de ma part et puis que je lui recommande ma "Vigne" et ma "Nuit étoilée". Et la même chose à Trip» ; il prend soin de préciser : «Mais dans le temps ni avec Trip ni avec Bague, je me suis querellé jamais. Seulement tout en n'insistant pas sur les deux premiers envois, dis à Bague, que je suis bien aise qu'il ait acheté cette étude, et que tant que l'automne me sera propice, je fais actuellement des études, que je le prierai de venir voir lorsqu'avec les Gauguin nous les enverrons.»

En janvier 1890, le critique Georges-Albert Aurier publie dans le *Mercure de France* «Les Isolés : Vincent van Gogh» où il loue les toiles de Vincent, en particulier celles qui sont alors exposées aux *XX* à Bruxelles. Vincent trouve l'article trop élogieux et craint «qu'avoir les louanges doit avoir son verso. Mais volontiers je suis fort reconnaissant de l'article [...] puisqu'on peut en avoir besoin, comme on peut avoir vraiment besoin d'une médaille» (*LT* 625, 1er février 1890). Il écrit à sa mère le 15 février suivant, à propos de ce même article : «Je dois avouer toutefois que, plus tard, quand ma surprise fut un peu dissipée, je me suis senti par moment tout réconforté ; à cela est venu s'ajouter que Theo m'a annoncé hier qu'on a vendu une de mes toiles à Bruxelles pour 400 francs. Comparé aux autres prix, même aux prix hollandais, c'est peu, mais justement pour cela, j'essaie d'être "productif", afin de pouvoir continuer à produire à des prix raisonnables.»

NOTES

Je remercie pour leur aide les Archives départementales de l'Ain, les Archives départementales de la Moselle, les Archives de Paris et en particulier Mme Lainé, les Archives nationales, l'Etat civil de la Mairie du 9e arrondissement, le Tribunal de Commerce de Paris mais aussi M. et Mme Allart-Charcot, Mme Bailly-Herzberg, Mme H. Béchet, M. J. Bertin, M. J.-B. Boussod, M. P. Dieterle, Mme A. Distel, M. et Mme Mahot de la Quérantonnais, Mme Martin-Lavigne, Me Milhac, M. Op de Coul, F. Pabst, M.R. Pickvance, Me Semelle, Me Voitey.

1. Mis à part des comptoirs de vente dans le monde entier, jusqu'en Australie, elle compte outre les maisons de Paris: le siège social, 9, rue Chaptal et une succursale 19, boulevard Montmartre, cinq succursales: Londres fondée en 1841, New York en 1845 (reprise par M. Knoedler), Berlin et La Haye en 1860, Vienne en 1865 et Bruxelles en 1866 (Archives nationales: F¹² 5158).
2. Vincent van Gogh (1820-1888) était le frère aîné de Theodorus (1822-1885) père de Vincent le peintre. Les deux frères épousant les deux sœurs, Vincent se marie en 1850 avec Cornelia Carbentus et le pasteur Theodorus épousera Anna Carbentus, l'année suivante.
3. Herman Dirven, «De Kunsthandelaar Vincent van Gogh uit Princenhage», in: *Hage*, juillet 1977, n° 19, p. 5-80.
4. Johan Gram, «De Kunstverzameling Vincent van Gogh in Pulchri Studio», in *Haagsche Stemmen*, 30 mars 1889, n° 31, p. 371-382.
5. Texte introductif au catalogue de la vente après décès de Vincent van Gogh, qui eut lieu dans la grande salle du cercle artistique «Pulchri Studio» de La Haye les 2 et 3 avril 1889 sous la direction de C.M. van Gogh et de H.G. Tersterg.
6. H. van der Tuin, *Les vieux peintres des Pays-Bas et la critique artistique en France de la première moitié du XIXe siècle*, Paris, 1948.
7. H. van der Tuin, *Les vieux peintres des Pays-Bas et la littérature en France dans la première moitié du XIXe siècle*, Paris, 1953 et «Les voyages de Théophile Gautier en Hollande» in *Revue de Littérature comparée*, janvier-mars 1955, n° 1.
8. Thoré-Bürger rédige en 1858 les catalogues des *Musées d'Amsterdam et de La Haye* puis en 1860 *Musée van der Hoop à Amsterdam et musée de Rotterdam*, Vincent van Gogh s'y réfère à plusieurs reprises dans ses lettres. D'autres littérateurs d'importance se pencheront sur l'art des Pays-Bas. Ainsi Taine en 1868 fait une série de conférences sur ce thème à l'Ecole des Beaux-Arts qui seront publiées l'année suivante et en 1876, E. Fromentin publie *Les Maîtres d'autrefois*.
9. Goupil et Cie tient une comptabilité séparée pour le commerce des tableaux à partir de 1846, enregistrant essentiellement les tableaux envoyés à New York. A partir de juillet 1851, on peut suivre les acquisitions de van Gogh. Nos remerciements à M. Dieterle qui nous a permis de consulter les livres de comptes de la maison Goupil à Paris.
10. Enregistrée le 25 mars 1861 «Le siège social est établi à Paris où sont situées les deux maisons principales du commerce de la société rue Chaptal n° 9 et boulevard Montmartre n° 19 et il existe des maisons succursales à La Haye, Londres et Berlin» (Archives de Paris, D31 U3 728). La galerie de Vincent van Gogh à La Haye devenait ainsi une succursale de Goupil et Cie et devait suivre sa fortune jusqu'à la dissolution de la société en 1917. Auparavant située Spuistraat 55, elle paraît dans l'*Adresboek* de La Haye de 1861/1862: «Goupil en Comp., Kunsthandel, Plaats 14». Le changement de la raison sociale et d'adresse est annoncé dans le *Dagblad van Zuidholland in's Gravenhage* du 21-22 juillet 1861. Adolphe Goupil acquiert alors en son nom propre (achat du 1er septembre 1875 à Gerrit Nicolaas Kempenaer, contrat du 1er septembre devant

Me H. Reÿers, notaire à La Haye) les locaux plus spacieux du Plaats 20 et les loue à la société (Archives nationales, Minutier central, XII, 1451: liquidation de la succession de M. et Mme Goupil, 11 juillet 1893, minute consultée avec l'autorisation de Me Voitey).
11. Joseph Henry Rittner, né en 1802 à «Stuggardt, Wurtemberg» mort à Paris en 1840. Il n'apparaît dans l'almanach de commerce de Paris qu'en 1829.
12. Adolphe Goupil (1806-1893), fils et petit-fils d'apothicaires parisiens; sa mère Anne-Marie Pierrette Lutton était la petite-fille du peintre François-Hubert Drouais (1725-1775). Lui-même semble d'abord s'être destiné à une carrière artistique.
13. Société sous-seing privé, enregistrée le 23 mars 1829 (Archives de Paris, D31 U3 40) entre: «d'une part Henry Rittner, md d'estampes, demeurant à Paris, boulevard Montmartre 12, et d'autre part M. Jean Baptiste Adolphe Goupil, propriétaire, demeurant à Paris, rue de Lorillon n° 19». La société sera reconduite par convention verbale du 29 octobre 1838 et prorogée jusqu'au 1er avril 1843. Le siège social est fixé au 12, boulevard Montmartre.
14. «M. Rittner», in *L'Artiste*, 1840, vol. 6, p. 399-400 (article nécrologique).
15. La société mettra au point de nombreux procédés et dès 1845 dépose un brevet d'imprimeur lithographe: procédé Goupil ou goupillage.
16. En août 1829, Adolphe Goupil éditeur d'estampes épouse Elisabeth Brincard, fille d'Antonin, baron Brincard (Archives départementales de la Moselle, contrat du 3 août 1829, Me Berga à Metz) et cinq ans plus tard, Henry Rittner épouse Julie Antoinette Brincard (Archives nationale, Minutier central, contrat du 13 septembre 1834 devant Me Thion de la Chaume, CXII, 1033).
17. Entre-temps, le siège s'est déplacé au 15, boulevard Montmartre (bail du 1er janvier 1834).
Henry Rittner est décédé le 8 décembre 1840. L'analyse des papiers dans son inventaire après décès (Archives nationales, Minutier central, inventaire du 17 décembre 1840, Me Thion de la Chaume, CXII, 1095) donne l'historique de la société d'où sont extraites les données citées plus haut. Il faut souligner l'importance de la valeur de certaines planches, en particulier *La Madone de Saint Sixte* d'après Raphaël gravée au cuivre au burin par Muller qui appartenait en propre à Rittner pour 2/3 ainsi que 200 épreuves, son frère éditeur d'estampes à Dresde détenant 1/3. Peu de temps auparavant, Henry Rittner avait acquis de son père 1/3 des droits pour la somme de 3 750 francs. Cette planche fera partie de la succession d'Adolphe Goupil en 1893 (note 48).
18. La dissolution de la société Rittner et Goupil enregistrée le 14 mai 1841 (Archives de Paris, D31 U3 701) avec effet rétroactif au 31 décembre 1840.
19. Théodore Vibert, par un acte sous seing privé du 30 novembre 1841, avait acquis de son beau-père Jean Pierre Marie Jazet pour 150 000 francs la maison de commerce que celui-ci exploitait 7, rue de Lancry (Archives nationales, Minutier central, XXII, 373). Ce fonds constitue son apport à la société Goupil et Vibert.
20. Archives nationales: F¹² 5158. La succursale américaine prend le nom d'«International Art Union»; en fait, il s'agit plutôt d'une société d'amis des arts. Le fils aîné d'Alphonse Goupil y aura un rôle actif jusqu'à sa mort en 1856. Mettant en avant le rôle des succursales étrangères, et New York en particulier, dans la diffusion d'images françaises, Goupil demandera à plusieurs reprises des subventions à l'Etat et obtiendra le remboursement de frais de transports pour certains tableaux (Archives nationales, F²¹ 33).
21. Société en nom collectif au 1er janvier 1846, dépôt du 30 avril 1846 (Archives de Paris, D31 U3 132). Le 15 avril 1846, par une vente sous seing privé, Antoine Alfred Mainguet,

avocat, acquiert de Vibert la moitié de sa part.
22. Communiqués par M. Jean Dieterle (voir note 9). Philippe Burty écrit dans *Paris-Guide* (Paris 1867, p. 961): «Ce fut Jazet qui, par le succès de ses spirituelles aquatintes d'après des toiles d'Horace Vernet, inspira à la maison Goupil l'idée d'acheter les œuvres mêmes qu'elle faisait reproduire.»
23. 8 février 1850 (Archives nationales: F¹² 5158).
24. Décès 13 mars 1850 (acte de décès: Archives de Paris. Hôtel de Saint-Aignan). Inventaire après décès 25 avril 1850 (Archives nationales, Minutier central, XXII, 373): Adolphe Goupil est désigné subrogé tuteur des enfants de Vibert par le conseil de famille et s'occupe de la succession.
25. Acte sous seing privé du 25 juin 1850, dépôt du 28 juin 1850 (Archives de Paris D31 U3 1127): société qui continue la maison Goupil, Vibert & Cie, jusqu'au 31 décembre 1855.
26. Dépôt du 13 septembre 1854 (Archives de Paris D31 U3 2222).
27. Dépôt du 5 juin 1856 (Archives de Paris D31 U3 1458).
28. Dépôt du 7 juin 1856 (Archives de Paris D31 U3 1480). Objet de la société: le commerce d'estampes, achat, vente et édition. Durée de la société: 5 ans et 8 mois.
29. Léon Boussod (Paris 1826-1896); sur son acte de naissance du 6 juin 1826 son père est noté comme coloriste, 42, rue Croix-des-Petits-Champs, (c'est-à-dire, peintre coloriant des estampes, cartes, etc.) (Archives de Paris, Hôtel de Saint-Aignan). Il avait rempli les fonctions de contrôleur de la comptabilité à la compagnie des Chemins de fer du Grand Central, puis de caissier à la compagnie des Chemins de fer du Bourbonnais avant de s'associer à Goupil (Archives nationales, F¹² 5090). Sa sœur Charlotte avait épousé le graveur Jean Louis Jazet, beau-frère de l'éditeur Vibert, qui travaillait pour la maison Goupil. Et en 1853, Léon Boussod avait épousé Théodorine de Lacépède.
30. Avec de nouveaux procédés: photoglypie et de la photogravure. Ces inventions et ses qualités de gestionnaire lui vaudront d'être chevalier de la Légion d'Honneur en 1886 puis officier en 1889 après que la maison Goupil ait été récompensée aux Expositions Universelles de 1855 (médaille de 1re classe), de 1867 (médaille d'or), 1878 (grand prix) mais aussi de Porto (1865), de Vienne (1867), de Sydney (1879) puis d'Anvers (1886), de Hanoï (1887), de Melbourne (1888) et de Paris en 1889 (grand prix et médaille d'or).
31. Vente du 17 février 1857 (Archives nationales, Minutier central, LXXXVII, 1599).
32. Archives de Paris. Calepins du cadastre de 1862. On y trouve les noms de Jalabert (peintre), Jourdan (artiste), Briant (artiste), de Richebourg (peintre), Compte Calix (artiste), Piallat (photographe), etc.
33. Maxime Vauvert, «Salons d'exposition de tableaux de MM. Goupil»: «Sur la demande d'un grand nombre de peintres qui regrettaient de ne pouvoir faire connaître leurs œuvres nouvelles au public, l'exposition des Beaux-Arts n'ayant pas eu lieu cette année, les célèbres éditeurs préparent, dans leur hôtel de la rue Chaptal, une nouvelle exposition toute gratuite, à laquelle on sera personnellement invité par lettres, et qui comprendra une centaine de toiles au moins...» (slnd, Bibliothèque nationale, Cabinet des estampes).
34. F. Saglio, «Exposition de tableaux modernes dans la galerie Goupil» in *Gazette des Beaux-Arts*, t. 7, 1er juillet 1860, p. 46-52.
35. Cette situation posera à plusieurs reprises la question de l'étendue des droits de Goupil sur l'œuvre des artistes, en l'absence de législation appropriée réglementant la propriété artistique et les droits d'auteur. Le procès opposant la maison aux héritiers de Delaroche, Horace Vernet et Ary Scheffer (Archives nationales, F²¹ 297) se conclut en faveur de Goupil: «Le droit de reproduction fait partie des avantages et accessoires d'un

tableau ; si donc l'artiste, en vendant son œuvre, ne se l'est pas réservé, il l'a transmis à l'acquéreur en même temps que l'œuvre dont il s'est dessaisi.» Tribunal civil de la Seine, 1ʳᵉ chambre, jugement du 26 juillet 1878. Publié avec les conclusions de «M. l'avocat de la République» in *Le Droit, Journal des Tribunaux, de la jurisprudence, des débats judiciaires et de la législation*, dimanche 26 juillet 1878, nº 178.

36. Société en nom collectif, dépôt du 26 mars 1861 (Archives de Paris, D31 U3 728). Vincent van Gogh apporte outre sa galerie de La Haye avec son achalandage, le prestige de son titre de fournisseur du roi.

37. Archives de Paris, Calepin du Cadastre et Archives nationales, Minutier central, LXVI, répertoire 31 : une procuration (en brevet) du 28 novembre 1868, le mentionne domicilié 9, rue Chaptal.

38. A compter du 1ᵉʳ avril 1872. Vente du 29 février 1872. Mᵉ Goupil (Archives nationales, Minutier central, XII, 1257). Il effectuera divers travaux d'aménagement et le revendra en 1882, lorsque, malade, il a complètement cessé ses activités de marchand (vente du 19 septembre 1882, Mᵉ Vallée, XXI, 1114).

39. Vente de la collection de feu Mʳ S. van Walchren van Wadenoyen. Tableaux Modernes. Hôtel Drouot, 24 et 25 avril 1876. Experts M. Durand-Ruel et M. Francis Petit.

40. Sa commandite représente 6/30ᵉ de la société qui reste en nom collectif à l'égard d'Adolphe Goupil (7/30ᵉ), de Léon Boussod (10/30ᵉ) et d'Albert Goupil (fils) (7/30ᵉ), ce dernier nouveau venu. Jusqu'alors sous seing privé, tous les actes de sociétés seront passés devant notaire (Archives nationales, Minutier central, Mᵉ Harly Perrand, 29 janvier 1872, I, 1282).

41. Son neveu Vincent van Gogh évoque à plusieurs reprises dans ses lettres le départ de son oncle, sous-entendant que cela ne s'est pas passé dans de bonnes conditions (*LT* 355, *LT* 492).

42. Vincent, alors employé rue Chaptal, dans ses lettres à son frère Theo évoque les passages de l'oncle Cent (*LT* 29) auquel il vend en particulier un tableau d'Anker.

43. A l'hôtel Bellevue, puis à l'hôtel Alexandra. Il semble avoir passé jusqu'à sa mort ses hivers à Menton et s'être lié avec le pasteur Delapierre de l'église réformée de Menton auquel il léguera 1 000 florins.

44. René Valadon (1848-1921) épouse Suzanne Boussod (1855-1903) en 1874 (contrat du 27 mai 1875, Mᵉ Goupil). A l'Exposition Universelle de 1889, il se verra décerner une médaille d'or et un grand diplôme d'honneur pour ses activités chez Goupil et Cⁱᵉ (Boussod, Valadon et Cⁱᵉ) et sera fait chevalier de la Légion d'honneur en 1891 (Archives nationales, F¹² 5290).

45. 12 janvier 1878, nouveau statuts de la société Goupil et Cⁱᵉ, Mᵉ Harly Perrand, R. Valadon est associé en nom collectif (Archives nationales, Minutier central, I, 1340).

46. 22 avril 1884. Statuts de la Société Boussod, Valadon et Cⁱᵉ. Mᵉ Harly Perrand (Archives nationales, Minutier central, I, 1413).

47. Décédé le 15 décembre 1884. Collectionneur, épris d'art oriental, Albert Goupil avait accompagné son beau-frère le peintre Gérôme lors de ses voyages en Egypte, en Turquie et en Algérie. Ses collections, dispersées à l'Hôtel Drouot les 23-27 avril 1888, étaient visibles à son domicile, 7, rue Chaptal, les 21 et 22 avril. *La Gazette des Beaux-Arts* lui avait auparavant consacré deux articles les 1ᵉʳ mai et 1ᵉʳ octobre 1885.

48. Adolphe Goupil restait propriétaire de l'immeuble 9, rue Chaptal mais aussi de celui du Plaats 20 à La Haye. Il meurt à Paris le 9 mai 1893. Inventaire après décès du 17 mai 1893 (Archives nationales, Minutier central, XII, 1449, non retrouvé), partage au 11 juillet 1893 (Archives nationales, Minutier central, XII, 1451). Boussod, Valadon et Cⁱᵉ quitte le 9, rue Chaptal au 1ᵉʳ juillet 1893 mais le bail de l'immeuble de La Haye sera maintenu.

49. Léon Boussod eut trois fils : Etienne Boussod (1857-1918) qui épouse en 1882 Jeanne Gérôme, fille du peintre Léon Gérôme (1824-1904, lui-même gendre d'Adolphe Goupil), Jean (1860-1907) et Pierre (1873-1896). Deux de ses gendres furent également associés : René Valadon (voir note 43) et Léon Avril (1856-1942). Le troisième, Paul Béchet, sera associé commandité de la société formée par Jean Boussod avec Manzi et Joyant en 1897.

50. Après la mort de Léon Boussod en 1896, René Valadon, prend la tête de la maison qui garde la raison sociale : Boussod, Valadon et Cⁱᵉ. Le siège social, par suite de la vente du 9, rue Chaptal, qui était dans la succession d'Adolphe Goupil, est transféré 24, boulevard des Capucines. En 1897 Jean Boussod forme avec Michel Manzi (1845-1915) un graveur, qui avait dirigé les ateliers de gravure de la firme et Maurice Joyant (1864-1930) un ami de Toulouse-Lautrec qui avait succédé à Theo comme directeur de la succursale 19, boulevard Montmartre, une société en nom collectif pour l'exploitation d'un commerce de gravure (Tribunal de Commerce de Paris, Société du 8 mai 1897, dépôt 15 mai 1897, 1164). La raison sociale est : «Jean Boussod, Manzi, Joyant et Cⁱᵉ». Jean Boussod se retire en 1901.
René Valadon forme en mai 1898 une nouvelle société Boussod, Valadon et Cⁱᵉ avec Etienne Boussod et Auguste Avril (Tribunal de Commerce de Paris, société du 9 mai 1898, dépôt du 14 mai 1898, 784). Le siège social des deux sociétés qui seront dissoutes en 1919 est situé 24, boulevard des Capucines.

51. Les marchands concurrents pouvaient se regrouper pour certains achats, avoir recours aux stocks d'un concurrent pour satisfaire un client, ou s'allier momentanément pour contrecarrer une transaction pouvant desservir leurs intérêts. La correspondance des marchands Bague et Le Roy apporte des indications éclairantes sur ces pratiques : les marchands se spécialisaient dans un certain type de peinture et connaissaient les stocks de leurs concurrents. La prospection de tableaux et de débouchés nécessitait des déplacements et il était profitable, pour faire face à la concurrence des grandes maisons possédant un réseau international de succursales et de dépôts, de s'allier (archives communiquées par M. Dieterle).

52. Elbert J. van Wisseling, fils du marchand d'Amsterdam ; Brian Gould, *Two van Gogh contacts : E.J. van Wisselingh, art dealer ; Daniel Cottier, glass painter and decorator*, Londres, 1969.

53. Vincent van Gogh écrit le 11 octobre 1875 à Theo : «J'habite Montmartre où demeure aussi un jeune Anglais, employé chez Goupil : dix-huit ans, fils d'un marchand de tableaux de Londres et qui succédera sans doute à son père.» (*LT* 42). Il restera en contact avec lui quand celui-ci rentrera à Londres.

54. Voir T.J. Honeyman, «Van Gogh ; a link with Glasgow» in *The Scottish art review*, 1948, vol. 2, nº 2, p. 16-20, et cat. exp. *A Man of Influence : Alex Reid, 1854-1928*, Glasgow, the Scottish Arts Council, 1968, introduction de Ronald Pickvance.

55. Goupil et Cⁱᵉ avait ouvert en 1872 une succursale dans ce nouveau quartier à la mode au 2, place de l'Opéra (bail sous seing privé du 18 janvier 1869, prenant effet du 1ᵉʳ janvier 1870 et enregistré le 22 novembre 1871 : «angle place de l'Opéra et nº 2, avenue Napoléon»). L'almanach de commerce en 1873 précise «face au nouvel Opéra» avec l'adresse : 60, avenue de l'Opéra, puis à partir de 1878 au nº 38 ; il suit en cela les numérotations successives de l'avenue alors en pleine transformation. Cette branche s'est, un temps, spécialisée dans la librairie (Almanach de Commerce de Paris, 1874 et 1875).

56. Il reviendra à maintes reprises sur son départ de chez Goupil insistant sur son caractère «volontaire» (*LT* 191, 251) ; il s'explique d'ailleurs très longuement dans une lettre d'août 1883 «Je doutais à ce moment-là d'avoir embrassé ma véritable carrière... mon départ résulte d'une autre raison que d'une question vestimentaire. On avait plus ou moins décidé de me donner un emploi dans une nouvelle succursale de Londres, je devais m'y occuper de la vente de tableaux, mais, premièrement, je ne me croyais pas fait pour ce travail là, et secondement, cela ne me disait rien. J'aurais aimé rester au service de la firme, si mon travail n'avait pas consisté uniquement à bavarder avec les clients» ; de fait, il se trouvait bien chez Goupil et regrettera cette époque à maintes reprises, mais il aurait semble-t-il, préféré une place à l'imprimerie de Paris ou de Londres (*LT* 315) ; par la suite il ressasse cette question (*LT* 335, 359, etc.), tente de se justifier quand son frère n'ose pas ou ne peut pas l'exposer chez Goupil. Quoi qu'il en soit il semble difficilement concevable qu'il ait pu être congédié étant donné la situation de son oncle.

57. L'oncle Vincent van Gogh avait, auparavant, trouvé un emploi pour le fils de Braat chez Goupil.

58. Tersteeg fera un tout autre portrait de lui dans une lettre à Theo du 7 avril 1890, le décrivant comme un homme difficile et même acariâtre, rabâchant sans fin les mêmes discours et il rapporte que c'est avec soulagement qu'il le voyait partir (reproduite dans les éditions néerlandaise et anglaise des *Lettres complètes*).

59. Anton Mauve (1838-1888) ; il avait épousé une cousine de van Gogh. Il conseille Vincent à ses débuts qui fait souvent allusion à lui dans sa correspondance. Apprenant sa mort à Arles, il peint *L'Arbre fleuri - Souvenir de Mauve* (F 394, Otterlo, Rijksmuseum Kröller-Müller).

60. Un autre de ses oncles paternels, Cornelis Marinus van Gogh (1824-1908) dit oncle Cor, avait un commerce florissant de tableaux à Amsterdam Keizersgracht 453 : en 1885, il demandera des aquarelles à Vincent pour tenter de l'aider à ses débuts.

61. Entré en janvier 1873 à la succursale de Bruxelles, Theo est envoyé à La Haye en novembre de la même année. Il travaille avec Tersteeg et en 1878 il arrive à Paris pour représenter sa succursale au stand Goupil de l'Exposition Universelle. Il reste dans la capitale et c'est sans doute vers 1883 qu'il accède à un poste de responsabilité, si on se fie aux lettres de Vincent qui mentionne sa situation : «Tu as un emploi stable et de jolis revenus.» (*LT* 288).

62. Ses difficultés s'accentuent avec le départ de l'ancienne génération : son oncle, Adolphe Goupil, puis Léon Boussod. L'esprit qui avait prévalu jusqu'alors et auquel les deux frères étaient habitués fait place à un souci plus exclusif de rentabilité, ce qui les amène à regretter le passé : «il y a une différence énorme entre la maison G. et Cⁱᵉ d'autrefois (par exemple quand l'oncle Vincent y était encore, pas seulement pendant ces dernières années) et celle d'aujourd'hui» (*LT* 331). Mais Vincent rappelle à son frère que de tout temps, les collaborateurs «les moins solides» ont eu des difficultés avec la maison Goupil : Obach de la succursale de Londre, etc. (*LT* 333).

63. Il meurt le 29 juillet 1888. Vincent commentera son décès «enfin notre oncle ne souffre plus» (*LT* 516). Dans son testament, l'oncle Cent précise qu'il n'entend rien laisser à son neveu Vincent, mais à Theo il lègue la somme de 1 000 florins qui lui permettra d'aider Vincent à s'installer dans «la maison jaune» à Arles.

64. Depuis 1875, par le critique J. van Santen Kolff. En particulier ceux que Vincent décrit : «Les hommes du jour en Hollande, les mastodontes qui sont Mesdag, Israëls, Maris, etc.» (*LT* 344).

65. Voir ANNEXE *Theo*. Tout d'abord il entrepose des toiles qu'il montre aux amateurs et à partir de 1888, il organise de véritables petites expositions et accroche Pissarro, Gauguin, Guillaumin ; en avril : Schuffenecker, Gauguin et Zandomeneghi; en juillet: 10 paysages d'Antibes de Monet; puis en février-mars 1889: à nouveau des toiles de Monet. En 1890, Raffaëlli, les premiers dessins satiriques de Forain, etc. Voir également John Rewald, «Theo van Gogh, Goupil and the Impressionists» in *Gazette des Beaux-Arts*, janvier 1973, p. 1-64 et février 1973, p. 65-108.

66. Lili Jampoller, «Theo and Vincent as art collectors» in *The Rijksmuseum Vincent van Gogh as treasure of Holland*, Amsterdam, 1987, p. 30-38. Cat. exp. *Collectie Theo van Gogh*, Amsterdam, Stedelijk Museum, février 1960 et E. Joosten, «De verzameling van Theo van Gogh» in *Museumjournaal*, mars-avril 1960, n° 819, p. 155-158. Voir aussi *Le Carnet d'adresses de Theo* publié dans ce catalogue par Ronald de Leeuw et Fieke Pabst (p. 348). Avant 1886 il semble qu'il ait eu des œuvres de Félix Buhot, Cabat, Heyerdahl et peut-être Manet et Raffaëlli puis à partir de 1886 Lepère (cat. n° 9 fig. b), Jeannin, Fantin-Latour, et plusieurs Monticelli, Boggs, A. Besnard, etc.; puis les œuvres des artistes qu'il défend et avec lesquels Vincent fait des échanges: Gauguin, Bernard en particulier.

67. Mais Vincent n'abandonnera pas l'idée d'intéresser Durand-Ruel à sa production car s'il est du côté des impressionnistes, il est du bon côté (*LT 405*).

68. Dans cet envoi figure un tableau de Vincent choisi par lui (*LT 471*): *Pont de Clichy* (F 303) avec une estimation de 250 francs.

69. Le 18 février 1890, Theo lui écrit qu'un de ses tableaux a été vendu 400 francs à Bruxelles (la lettre est perdue). Il s'agirait des *Vignes Rouges* (F 495, Moscou, Musée Pouchkine) qui aurait été acquis par Anna Boch, la sœur du peintre E. Boch (1855-1941); Vincent avait un portrait de celui-ci à Arles en septembre 1888 (F 462, Paris, Musée d'Orsay). M.E. Trabaut in: *Van Gogh le mal aimé*, Lausanne, 1969, p. 302-304, mentionne une lettre de Theo datée du 3 octobre 1888 aux marchands londoniens Sulley et Lori: «Nous avons l'honneur de porter à votre connaissance que nous avons expédié les deux tableaux achetés et régulièrement payés: un paysage par Camille Corot, H. 0,72 × L. 0,83, un portrait de lui-même par V. van Gogh» (publiée par M.E. Tralbaut, *De Gebroeders van Gogh*, Zundert, 1964).

70. Acte de naissance n° 420, Bourg (Ain) (Archives de l'Etat, du département, des communes et des hôpitaux de l'Ain): fils de Jean-Marie Portier et Victorine Bonnardel, 21 ans, propriétaires. Etait présent «François Bonnardel, aïeul, 55 ans» qui avait fait fortune dans le commerce de chandelles.

71. Le voyage était long, coûteux et fort dangereux. L'alternative au célèbre Cap Horn était la traversée de l'isthme de Panama à pied, réputée encore plus périlleuse.

72. Les tissus étaient considérés comme un placement et les belles pièces très recherchées.

73. Comptes de tutelle par M. Portier à son fils du 18 septembre 1866. M⁰ Rollin, notaire à Bourg (Ain) (Archives de l'Etat, du département, des communes et des hôpitaux de l'Ain).

74. 17 juin 1873 (Archives de Paris, V4E 2898).

75. 18 janvier 1874. Inventaire après décès 2 février 1874. Partage du 16 février 1874, M⁰ Lagrange (Archives de l'Etat, du département, des communes et des hôpitaux de l'Ain).

76. 3 avril 1875 (Archives de Paris, V4E 4764). Léonie Meullemiestre est notée: ouvrière en soierie. Ils sont alors domiciliés 104, avenue de Villiers et sont présents: Raguenet, Vidal mais aussi Paul Delance, artiste peintre.

77. 28 juillet 1875 (Archives de Paris, V4E 4929). Il est domicilié 8, rue Germain Pilon. Fabien Rey habite 18, rue de Laval.

78. Le 20 septembre 1875, la société de fait qui existait entre Fabien Rey et Alexandre Froment pour le commerce de couleurs est dissoute; mais il est spécifié que Froment se réserve le droit de retirer les tableaux qu'il a pu déposer. L'objet de la société de fait entre

Rey et Portier reste l'exploitation du commerce de couleurs fines. Rey apporte «le matériel, les marchandises et le droit au bail provenant de l'ancienne société à l'exception des créances» et Portier 10 700 francs. Le siège est au 51, rue de La Rochefoucauld (Archives de Paris, D31 U3 364).

79. Archives de Paris, Calepin du cadastre: Portier est enregistré à partir de 1876, 1ᵉʳ étage, en face à droite et il est spécifié: marchand de tableaux, associé de Froment, 51, rue La Rochefoucauld.

80. Archives de Paris, D31 U3 406.

81. Pissarro se fournissait en couleurs chez Rey et Perrod (cf. *B-H*, t. 1) et peut-être a-t-il connu Portier lorsque celui-ci était associé à Rey.

82. La Fare, «Chez les Impressionnistes» in *Le Gaulois*, 23 février 1882, p. 1.

83. Beaucoup de ces renseignements ainsi que des documents ont été communiqués par la petite-fille d'Alphonse Portier, Mme Martin-Lavigne. Parmi les «protégés», comme Julie Manet le rapporte dans son journal (1893-1899) (Paris, 1979, p. 165), Renée Dellerba qui épousa Francis Casadesus.

84. In: Félix Fénéon, *Œuvres plus que complètes*, Paris, Genève, 1970, t. 1, p. 29.

85. Paul Lafond, *Degas*, 1918, p. 93.

86. Cité par François Lespinasse, *Lebourg*, Paris, 1983, p. 59.

87. Archives du Louvre. Appartenait à la princesse Sagan.

88. Dans l'Almanach de Commerce de 1901, son adresse est: 20, rue Chaptal où il meurt à soixante ans, le 24 juin 1902. Déclaration de décès du 12 juillet 1902 par M⁰ Cotelle (Etude de M⁰ Milhac): en présence de François Julien Allard, marchand de tableaux à Paris, rue Helder n° 3 et Charles Auguste Grolleau, artiste peintre, avenue d'Orléans n° 102. Il n'y a pas eu d'inventaire après décès.

89. Il écrit soixante ans mais en fait, Portier a quarante-trois ans.

90. Toute la correspondance de Camille Pissarro publiée par Jeannine Bailly-Herzberg en témoigne. Portier intervenait même pour des problèmes plus personnels comme l'éducation des enfants et conservait longtemps certains tableaux qu'il entreprenait de nettoyer lui-même.

91. En particulier Emile Bernard, «Julien Tanguy dit le «Père Tanguy», in *Mercure de France*, 16 septembre 1908, p. 600-616; Octave Mirbeau «Le Père Tanguy» in *L'Echo de Paris*, 13 janvier 1894.

92. Etat civil, mairie de Plédran: fils de Louis Tanguy, quarante-trois ans, tisserand et de Jeanne Goulevestre, quarante ans, filandrière.

93. Le 24 avril 1855, Renée Julienne Briend est âgée de trente-quatre ans, charcutière de profession.

94. Le 27 janvier 1856 à Saint-Brieuc. Le 24 décembre 1881, elle épousera à Paris Onésime Joseph Chenu, né à Reims le 30 décembre 1853, sellier. Elle est alors couturière, 9, rue de Norvins (Archives de Paris, V4E 5037).

95. 6, rue Clauzel; mais quand en 1866, Edouard vend son fonds de commerce, Tanguy aurait trouvé une place de concierge 10, rue Cortot puis se serait mis à son compte, allant vendre ses couleurs aux peintres dans les campagnes. C'est ainsi qu'il aurait fait la connaissance de Monet, Renoir, Cézanne, Pissarro. Le Calepin du Cadastre (Archives de Paris) décrit effectivement le 10, rue Cortot comme un petit immeuble de rapport avec une loge de concierge, rôle que remplissait peut-être sa femme.

96. A la suite de son engagement dans les rangs des fédérés, il aurait été déporté en 1871 et gracié en 1873 sur l'intervention du peintre Jobbé-Duval, par ailleurs conseiller municipal et breton comme Tanguy.

97. Il aurait toujours, selon Bernard, logé au 12, rue Cortot avant de s'installer 14, rue Clauzel. Le Calepin du Cadastre (Archives de Paris) décrit les lieux: rez-de-chaussée, à droite: boutique, arrière-boutique, pièce à feu, cuisine; bail de 1873, prenant effet à partir de

1874 au nom de: Vve Tanguy, ce qui laisse supposer que déchu de certains droits à la suite de ses activités politiques, il ne pouvait prendre de bail en son nom. Toutefois, dès cette époque, il fait imprimer des factures avec son nom en en-tête, en témoignent les factures de Cézanne de 1875. Le Calepin du Cadastre de 1876 fait également référence à «Vve Tanguy» avec un bail de 3-6-9 ans d'avril 1882. Mais en 1891 quand il déménage au 9, rue Clauzel, le bail de 3-6-9 ans d'avril 1891 est au nom de Julien Tanguy: rez-de-chaussée à droite, boutique, arrière-boutique, pièce à feu, cuisine. La boutique fermera, après son décès, en avril 1894.

98. Il semble que les fabricants de couleurs réussissaient mieux certaines préparations que d'autres: aussi van Gogh se plaint de la qualité de certaines couleurs de Tanguy, mais aussi des tubes et se fournit également chez Tasset et l'Hôte, (*LT 501*) «... de la couleur, même si chez lui elle soit un tant peu plus mauvaise...».

99. Actuellement rue Victor Massé, deux rues plus haut que la rue Clauzel. Son frère Theo logeait depuis 1883 (d'après le Calepin du Cadastre) au 2ᵉ étage du bâtiment au fond de la cour: entrée, aisances, salles à manger, chambre à coucher à feu, cuisine, chambre à coucher à feu.

100. Comme le docteur Gachet, Rouart mais aussi Chocquet. La critique s'intéresse parfois à sa boutique et le *Mercure de France* (juin 1891, p. 374) signale le transfert du magasin: «Elle (la maison Tanguy) possède, en ce moment, une merveilleuse collection de toiles de Vincent van Gogh, un admirable portrait du peintre Emperaire par Cézanne, des natures mortes et paysages, du même, des Guillaumin, Gauguin, Emile Bernard, Gausson, etc.»

101. Lettre du 16 juillet 1889 de Theo à Vincent (à Saint-Rémy) «Comme chez nous il était absolument impossible de caser toutes les toiles. J'ai loué dans la maison du Père Tanguy une petite pièce où j'en ai mis pas mal. J'ai fait un choix de celles qui sont à enlever des châssis et alors on en mettra d'autres. Le Père Tanguy m'a donné un coup de main et il va être facile de renouveler continuellement ce qu'il faut montrer. Tu penses comme il est enthousiaste de choses de couleurs comme «Les Vignes», «L'Effet de nuit», etc. Je voudrais bien que tu puisse une fois l'entendre.» Dans ses lettres à Vincent, Theo commente régulièrement les toiles que Tanguy met dans sa vitrine, mais aussi nomme les peintres, amateurs et amis qui ont eu l'occasion de les voir.

102. M.E. Tralbaut, «André Bonger, l'ami des frères van Gogh» in *Van Goghiana*, I, Anvers 1962, p. 5-54. Le 12 avril 1894, A. Bonger dresse une liste de tableaux encore en dépôt chez la veuve de Tanguy.

103. Il est né le 17 février à La Chapelle (Jura), fils de Joseph Martin, cultivateur, vingt-sept ans et de Anne Françoise Toubin, également notée «cultivateur» (Etat civil de La Chapelle-sur-Furieuse).

104. Sur son acte de mariage (note 105), sa mère est mentionnée décédée à Paris, 2ᵉ, en 1830.

105. Extrait du registre des actes de mariage de la commune de Montmartre pour l'an 1837 (Archives de Paris, Hôtel de Saint-Aignan, Reconstitution de l'Etat Civil), le 11 décembre 1837, il épouse Victoire Adèle Davy, couturière, âgée de 17 ans, née à Paris, 1ᵉʳ arrondissement, le 29 janvier 1820, demeurant avec son père et mère, rues des Acacias n° 4 à Montmartre, fille mineure de Michel Davy, marchand d'habits..., etc. Parmi les personnes présentes à l'acte: Stanislas Maximilien Cloche, 46 ans, brocanteur, rue de la Vieille Monnaie n° 1 à Paris.

106. Arsène Alexandre, *A.F. Cals ou le bonheur de peindre*, Paris, 1900, p. 49 et s.

107. Archives de Paris, Calepin du Cadastre, 1852: rez-de-chaussée, à l'extrémité droite de la maison, n° 2, boutique et en entresol, pièce sans feu et pièce à feu.

108. Almanach du Commerce de 1854: Martin, marchand et restaurateur de tableaux,

Mogador 20.

109. Déménagement signalé dans le catalogue de vente de tableaux modernes du 3 décembre 1866. L'Almanach de Commerce de 1867 indique : Martin, tableaux, Mansart, 12.

110. Almanach du Commerce de 1869 : Martin, tableaux, Laffitte, 52. Sur le Calepin du Cadastre de 1862 (Archives de Paris) il est inscrit à partir de 1869 : rez-de-chaussée, 3e boutique : boutique, au fond, pièce froide et petite cuisine, à droite couloir et anglaises, au fond pièce à feu et cabinet avec issue sur la cour.

111. Henri Rouart « lettre au directeur du journal des Arts » publiée dans *Le Journal des Arts*, 9 octobre 1891, p. 1.

112. A. Alexandre (voir ci-dessus note 106), p. 50.

113. Joseph Paschal (1845-1881), fils de Jeanne Claude Odile Martin (1812-1880) et d'Adolphe Paschal (1808-1878). A la mort de sa mère, il est seul héritier (Archives nationales, Minutier central, notoriété après décès du 12 avril 1880, Me A. Bourget, CVII, 1022). Il meurt, célibataire, le 22 mars 1881 au 29, rue Saint-Georges. Par un testament déposé le 29 mars 1881 (CVII, 1030) il fait de son oncle Pierre-Firmin Martin, son légataire universel. Dans la notoriété après décès, il est noté « en son vivant, marchand de tableaux, 29, rue Saint-Georges », alors que dans son testament on le dit « employé ».

114. On remarque que deux peintres : Beliard et Cals, sont domiciliés chez lui. Déjà au Salon de 1870, Pissarro dans le catalogue figure à son adresse ; Martin s'était intéressé à lui dès 1868. Cf. *B-H*, t. 1, et A. Distel « Some Pissarro collectors in 1874 » in *Studies on Camille Pissarro*, Londres et New York 1986, chap. 5, p. 65-74. Dans le catalogue de la *IIe Exposition des Impressionnistes* en 1876, plusieurs Sisley viennent de chez Martin.

115. Au moment de son mariage le 5 août 1882, elle est encore domiciliée chez ses parents (Archives de la Seine, V4E 3603). Il est déclaré : Léonie Rose Davy, née à Nevers (Nièvre), le 28 septembre 1858, couturière, domiciliée à Paris avec sa mère, rue Notre-Dame-de-Lorette, 45, etc. Elle épouse Charles Nicolas Charbuy, né à Nevers (Nièvre) le 7 novembre 1857, employé de commerce, domicilié à Paris avec ses père et mère, rue des Coutures-St-Gervais 10 et 12, etc. Dans le registre des patentes (Archives de Paris) de 1890, Martin et Charbuy sont enregistrés à la même adresse, Martin est marchand de tableaux et Charbuy est marchand de vêtements confectionnés en 1/2 gros, 1, rue Saint-Joseph, mais avec des matrices différentes : il est possible qu'habitant le même immeuble, ils logeaient dans des appartements séparés.

116. Décès du 14 juillet 1883 (Etat civil, mairie du 9e arrondissement). La déclaration de succession (Archives de Paris, DQ7 12444) précise qu'elle n'a ni ascendant, ni descendant.

117. De son mariage avec Charles Nicolas Charbuy sont nées, à notre connaissance, deux filles : Alice, le 18 avril 1884 au domicile de ses parents, 29, rue Saint-Georges et Germaine, le 22 juillet 1885 à la même adresse. Alice épouse Paul Soubeiran le 10 mars 1906 à la mairie du 2e arrondissement de Paris ; elle meurt le 16 juin 1956 dans le 5e arrondissement. Son époux fera don aux musées nationaux en 1957 de trois portraits de Cals : ceux de Pierre Firmin Martin (fig. 15) et de son épouse déposés au Musée d'Honfleur et celui de Léonie Rose daté de 1874 déposé au Musée de Senlis, proche du château d'Orrouy, demeure du comte Doria, client et ami de Martin.

118. Théodore Duret, « Lettre de Manet et de Sisley », in *La Revue Blanche*, no 139, 15 mars 1899, p. 433-439.

119. Vente du 4 avril 1892. Me Léon Tual, Commisseur-priseur.

120. Emile Zola, *Carnet d'enquêtes*, éd. H. Mitterand, Paris, 1987, chap. 5, p. 241-242.

121. Par son testament du 5 août 1891 déposé devant Me Agnellet le 3 octobre 1891 (après

son décès le 30 septembre 1891) Pierre Firmin Martin faisait de sa nièce, Léonie Rose Davy (épouse Charbuy) sa légataire universelle. Inventaire après décès du 9 novembre 1891, Me Agnellet notaire, la prisée des « objets susceptibles d'estimation » par Me Charles Léon Tual (Archives nationales, Minutier central, CVII, 1109. Je remercie Me Semelle pour son autorisation de consultation).

122. 19e tableau : dix neuf esquisses par Vignon non encadrées, cinq tableaux par Vignon cadre doré, le tout prisé 250 francs.
20e Seize tableaux et esquisses par Doré dont quatre encadrées, prisés 160 francs.
21e Deux esquisses par Palazzi retouchées, prisées 60 francs.
22e Deux gravures aquarelle et dessins par Rouart et Amado, prisées 50 francs.
23e Quatre tableaux études de femme, un tableau paysage, un tableau religieux, un tableau paysage, prisés 50 francs.
24e Un tableau intérieur d'église et un tableau paysage, prisés 15 francs.
25e Un tableau portrait de femme de Gôse, prisé 50 francs.
26e Un tableau dans la manière de Ruysdaël, prisé 10 francs.
27e Une esquisse par Guillaumin, prisée 10 francs.
28e Huit esquisses de l'école impressionniste, prisées 40 francs.
29e Un tableau et son cadre et un tableau de fleurs, prisés 30 francs.
30e Une esquisse épisode de la chouannerie, prisée 10 francs.
31e Neuf esquisses sur bois sujets divers, prisées 25 francs.
32e Un tableau de l'école impressionniste (La Sieste), prisé 25 francs.
33e Une aquarelle par Rouart, une aquarelle nature morte de Quost, une esquisse de fleurs par Quost, un tableau par Bataille, deux tableaux de Quost (femmes), un tableau tête de jeune femme, deux tableaux sujet religieux dont une grisaille, une esquisse femme nue, un tableau par H. de Sachez, neuf tableaux encadrés études de femmes nues et sujets divers non signés, un tableau allégorie du printemps, prisés 350 francs.

123. Société en nom collectif pour M. Prieur et en commandite simple pour Martin, le siège est fixé 11, rue du Sentier ; raison sociale : Prieur et Cie. Chacun apporte 6 000 francs et Martin se réserve le droit de désigner un employé.

124. Il ne semble avoir aucun lien avec Jean Joseph Thomas (1814-1898) marchand de couleurs et tableaux successivement 18, rue du Bac depuis 1851 puis peu de temps après (1866-67 ?) Ferme des Mathurins 76, avant de s'installer 135, rue Saint-Honoré jusqu'en 1887. A sa mort, il habite 23, rue Clauzel.

125. Rapporté par F. Gauzi, *Lautrec et son temps*, Paris, 1954, p. 154.

126. W. Rothenstein, *Men and Memories*, Londres, 1931, p. 100-101 raconte que Thomas était un de ces marchands courageux qui n'hésitaient pas à prendre des risques financiers en exposant des artistes auxquels il croyait.

127. Arsène Alexandre, *Maxime Maufra*, Paris, 1926, p. 94-95.

128. Un carton d'invitation à cette exposition qui eut lieu du 15 novembre au 15 décembre 1887 (à partir du 12 novembre pour la presse), de 2 h à 7 h du soir, et les dimanches et jours de fête exceptés, précise le nom des exposants : Anquetin, Bellenger, Berton, Carrière, Duez, Dumont, Forain, Fauché, Guilloux, Giran, Lepère, Loiseau, Lautrec, Marold, Muller, Nonell, Maufra, Piet, Schuffenecker, Slewinski, Saint-Marcel, Valtat, Warener (Institut d'Art et d'Archéologie, Bibliothèque Jacques Doucet).

129. Jill Grossvogel, « Margin & image », in catalogue d'exposition *Claude-Emile Schuffenecker, 1851-1934*, University Art Gallery, State University of New York at Binghamton et Hammer Galleries, 1980-1981.

130. 1844-1893 (Etat civil du 9e arrondissement).

131. La société en nom collectif pour Bague et

Gouvet, le siège social : 60, rue de la Chaussée-d'Antin. Elle était établie pour une durée de 10 ans à compter du 15 juillet 1873 (Archives de Paris, D31 U3 333).

152. Almanach de Commerce de 1879.

133. Athanase Bague meurt à l'âge de quarante-neuf ans le 19 juillet 1893. Sa veuve continue le commerce de tableaux en formant une nouvelle société avec Maurice Gouvet : « tableaux, aquarelles, bronzes d'art et coetera ». A partir de 1899, la veuve Bague se retire et jusqu'en 1902, M. Gouvet figure à l'Almanach de Commerce : écoulement de marchandises.

134. *Mercure de France*, janvier 1890, no 1, p. 24-29.

Le carnet d'adresses de Theo van Gogh

annoté et commenté par Ronald de Leeuw et Fieke Pabst

Le carnet d'adresses de Theo van Gogh, frère cadet de Vincent, est conservé au Rijksmuseum Vincent van Gogh d'Amsterdam. Theo l'a utilisé de 1888 environ jusqu'à sa mort.

Ce carnet mesure 14,4 cm sur 10,1 cm.

La couverture, revêtue d'un papier glacé noir, est décorée d'un motif de lierre en relief. Le dos est entoilé.

Il s'agit d'un répertoire alphabétique, formé de cinq cahiers comprenant au total 56 pages de papier blanc à rayures. Les noms et les adresses y ont été reportés à l'encre noire et la plupart des modifications ont été notées au crayon.

La page de garde porte en haut à gauche le chiffre *90*: sans doute est-ce le prix du carnet. Au milieu de la page, figurent les lettres *V G*, initiales de van Gogh.

Les origines du carnet d'adresses

Lors de son séjour à Paris, Vincent van Gogh notait sur ses carnets de croquis les noms et les adresses dont il avait besoin. Theo, qui était un homme d'affaires, utilisait un répertoire où il portait les noms et adresses de parents, amis, artistes, relations de travail — marchands de tableaux en particulier —, journalistes et clients. On ne peut déterminer avec certitude la date à laquelle Theo commença ce carnet d'adresses ; au début, il aura probablement recopié les noms d'un carnet antérieur, pour ensuite en ajouter d'autres. Certains noms qu'il faut associer à la période parisienne de Vincent ne figurent pas dans ce répertoire comme ceux de Signac et de Reid : leur absence permet de supposer que le carnet d'adresses de Theo n'est pas antérieur à juin 1888 (n° 140 dans le carnet). Il est, en revanche, certain qu'il s'en est servi jusqu'à sa mort en 1891. Notons que Johanna van Gogh-Bonger l'a par la suite utilisé, y ajoutant des adresses, essentiellement néerlandaises. On y trouve ainsi le nom d'un fleuriste d'Utrecht, M. D. Bothof qui s'occupait des fleurs sur la tombe de Theo. D'autre part, Johanna van Gogh-Bonger s'est sans doute fréquemment reporté au carnet, lors du transfert des affaires de son mari et de l'administration de la collection de celui-ci.

Pour ceux qui connaissent la vie des frères van Gogh, ce carnet donne une idée très précise de leurs relations, notamment celles de Theo. Il nous apprend ainsi non seulement les noms des clients et des marchands avec lesquels Theo était en relation mais aussi ceux des nombreux employés, graveurs et lithographes travaillant pour la maison Goupil, ainsi que celui de l'emballeur de Theo (n° 182 dans le carnet). Pour combler les lacunes du carnet, nous nous sommes référés à l'article de John Rewald[1] et à la thèse de Bogomila Welsh[2] ; les cartes de visite, conservées aux archives du Rijksmuseum Vincent van Gogh d'Amsterdam, ont également fourni de précieuses indications[3].

Le carnet donne aussi une idée de la composition de la petite colonie néerlandaise — une vingtaine de personnes — telle qu'elle existait à Paris à la fin des années 1880. Elle comptait parmi ses membres des artistes, des diplomates et des journalistes comme Obreen et De Meester, lequel fut un des premiers journalistes à consacrer, aux Pays-Bas, un article à Vincent van Gogh.

Si certains noms restent encore inconnus et ne pourront être identifiés que par le dépouillement d'autres sources, le carnet de Theo fournit de nombreuses indications complémentaires sur des personnes connues. Il est ainsi possible de mieux situer D. Franken dont R. Pickvance rapporte qu'il dîna avec Theo le

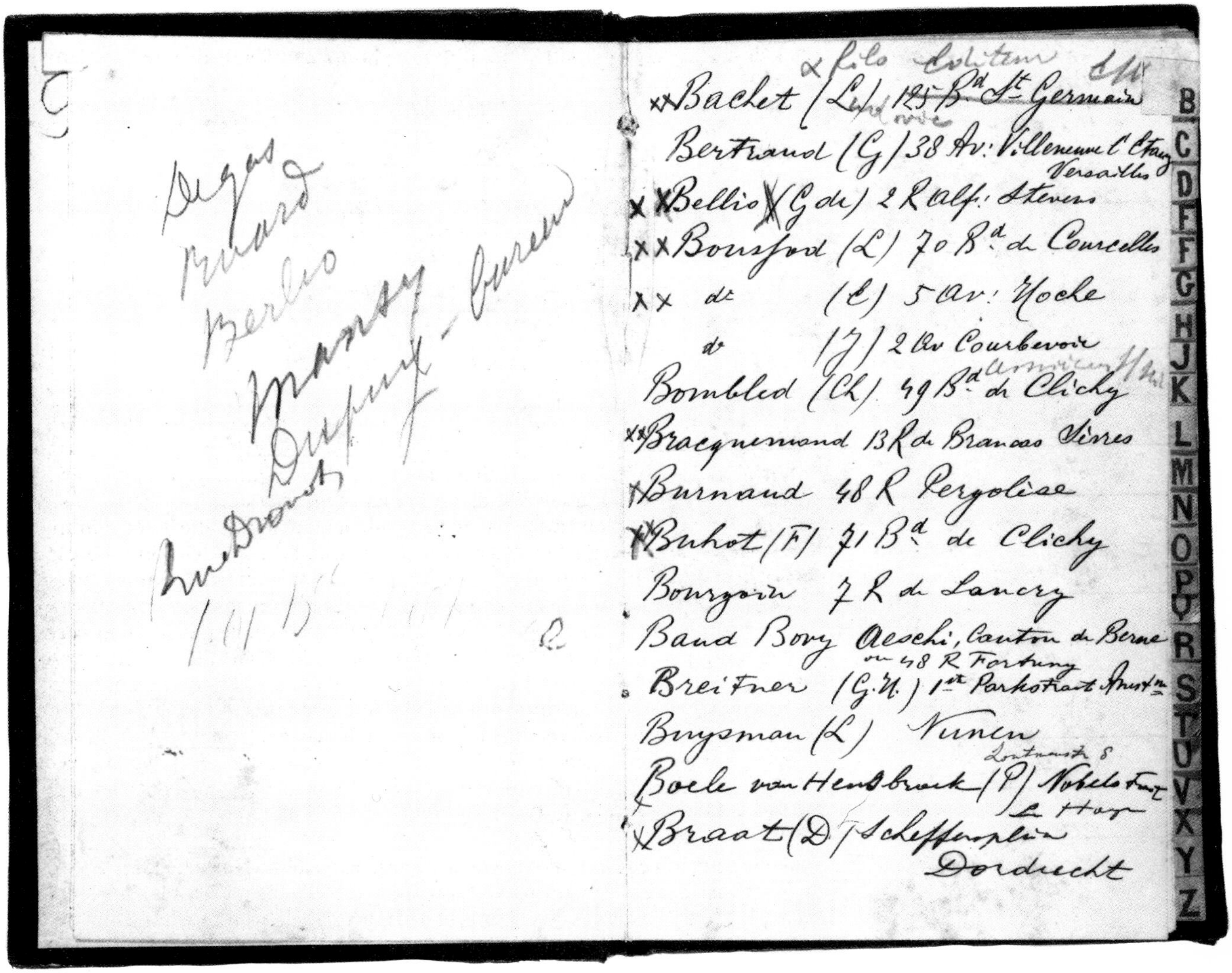

Degas
Nittard
Berlio
Mary
Dupuy - Bureau
AuDrouot
/ 11 15°

× Silo Lesttem   615
×× Bachet (Lehrmore 125 B⁴ St Germain
Bertrand (G) 38 Av. Villeneuve l'Etang
Versailles
×× Bellio ×× (G de) 2 R Alf: Stevens
×× Bousfod (L) 70 B⁴ de Courcelles
×× d° (L) 5 Av: Hoche
d° (T) 2 Av Courbevoie
Bombled (CL) 49 B⁴ de Clichy
×× Bracquemond 13 R de Brancas Sèvres
× Burnand 48 R Pergolèse
× Buhot (F) 71 B⁴ de Clichy
Bourgoin 7 R de Lancry
Baud Bovy Aeschi, Canton de Berne
ou 48 R Fortuny
Breitner (G.H.) 1er Parkostraat Amst⁴⁴
Buysman (L) Nunen
Boele van Hensbroek (P) Nobelstraat
La Hage
× Braat (D) Scheffersplein
Dordrecht

20 juillet 1890[4]. Il s'agit de Daniel Franken, banquier et collectionneur habitant au Vésinet (n° 73); sa sœur était mariée à C.M. van Gogh, oncle de Theo et de Vincent. A sa mort en 1888, il légua une partie de ses collections au Rijksmuseum Vincent van Gogh d'Amsterdam. Si la majeure partie de ses collections était constituée de tableaux néerlandais du XVIIe siècle, on y trouvait aussi des œuvres d'artistes contemporains tels que Bombled et Martens, dont les noms figurent dans le carnet d'adresses de Theo. En 1888, Martens fit le portrait de Franken (n° 158). Le legs de Franken comportait aussi des tableaux du peintre naturaliste néerlandais Auguste Allebé qui auraient beaucoup plu à Vincent: en mai 1877, ce dernier avait en effet accroché au mur de sa chambre une reproduction de *Nadagen* («Crépuscule») (*LT* 95)[5]; notons de plus qu'Allebé, dans *Nature morte aux sandales orientales* fut l'un des rares peintres à avoir employé, avant Vincent, un motif de soulier.

Alors qu'un grand nombre de noms nouveaux apparaissent dans le carnet d'adresses, quelques noms déjà connus en sont absents. On y retrouve les noms des docteurs Rivet et Rey mais on cherche en vain ceux de leurs confrères Gruby et Gachet. Parmi les noms des compatriotes des frères van Gogh, on note particulièrement l'absence de celui d'Andries Bonger. L'explication est facile: il est rare que l'on note les noms et adresses des personnes que l'on côtoie le plus souvent. Ainsi, il est inutile de chercher le nom de Vincent dans le carnet de son frère Theo.

NOTES

1. John Rewald, «Theo van Gogh, Goupil and the Impressionists», *Gazette des Beaux-Arts*, 1973, p. 1-64, p. 64-108.
Article également publié dans John Rewald, *Studies in Post-impressionism*, Londres, 1986, p. 7-115.
2. Bogomila Welsh-Ovcharov, *Vincent van Gogh: his Paris period 1886-1888*, Utrecht, 1976.
3. Cette collection, conservée au Rijksmuseum Vincent van Gogh d'Amsterdam, est la propriété de la Fondation Vincent van Gogh.
4. Ronald Pickvance, catalogue de l'exposition *Van Gogh in Saint-Rémy and Auvers*, New York, The Metropolitan Museum of Art, 1986, p. 214.
5. *Verzamelde brieven van Vincent van Gogh*, rassemblée par Johanna van Gogh-Bonger, Amsterdam, 1953.
6. Nos remerciements les plus vifs vont:
— à la Fondation Vincent van Gogh pour avoir autorisé la publication du carnet d'adresses de Theo van Gogh;
— aux archives nationales et municipales de Grande-Bretagne, de Belgique, de France et des Pays-Bas pour nous avoir communiqué un grand nombre de renseignements utiles;
— à Monique Nonne, documentaliste au musée d'Orsay, pour son aide et ses conseils;
— à Eva Gratama pour la traduction française et son aide;
— à Reindert Groot pour ses avis et son soutien constant en matière d'informatique.

Carte de visite de Theo van Gogh

NOTICE EXPLICATIVE

Nous avons reconstitué, autant qu'il était possible, les données relatives à chacun des noms figurant dans le carnet d'adresses de Theo van Gogh:
1. le(s) prénom(s) et le nom
2. les dates de naissance et de décès
3. l'adresse complète, accompagnée de la période s'y référant
4. la profession
5. le rapport entre la personne et Theo van Gogh

— nom: quand un nom n'est pas lisible et qu'un doute persiste sur l'identité de la personne, un point d'interrogation le signale
— adresse: lorsqu'elle a été confirmée dans l'Almanach du Commerce de Paris (Didot-Bottin), éditions de 1885, 1887 ou 1890, l'adresse est suivie d'un astérisque (*).
— Les textes en corps plus petits correspondent aux commentaires des auteurs.

Trois catégories de notes figurent à la suite de ces données:

— les références aux lettres écrites par Theo van Gogh à son frère Vincent (lettre T...). Ces lettres ont été publiées dans *Verzamelde brieven van Vincent van Gogh*, tome 4, Amsterdam, 1953.
— les références aux œuvres de Vincent van Gogh (F...). Cette numérotation renvoie à l'ouvrage de J.B. de La Faille, *The Works of Vincent van Gogh*, Amsterdam, 1970.
— les références aux œuvres des collections du Rijksmuseum Vincent van Gogh d'Amsterdam, œuvres d'artistes dont les noms figurent dans le carnet d'adresses et qui proviennent de la collection privée des frères van Gogh.
L'abréviation RVG (Rijksmuseum Vincent van Gogh) est utilisée, suivie d'un chiffre qui renvoie au catalogue du musée d'Amsterdam (voir *The Van Gogh Museum*, sous la direction de Evert van Uitert, Amsterdam, 1987).

Tous les documents reproduits proviennent du Rijksmuseum Vincent van Gogh (Fondation Vincent van Gogh) sauf le n° 158.

Photographie de Theo van Gogh

A

1 Avril (L) 8 bis Av. du Bois de Boulogne
— Charles Léon Auguste Avril (1856-1942)
— 8 bis avenue du Bois de Boulogne
— L'un des associés de Boussod, Valadon et Cie (rue Chaptal)
En 1882, il épousa Madeleine Pauline Boussod, fille de François Léon Boussod.

2 Aubry 16 Bd Maillot
— P. Aubry (? -vers 1897)
— 16 boulevard Maillot, Neuilly-sur-Seine
— Collectionneur, client de Theo
Le 10 mai 1897, vente posthume (anonyme) de sa collection par Georges Petit.

3 Aalst (P van) Nieuwehaven Rotterdam
— Petrus Egbertus van Aalst (1852-?)
— Nieuwehaven 75, Rotterdam (20/4/1888-9/4/1896)
— Courtier en céréales, ami de jeunesse de Theo
Theo avait d'abord noté l'adresse antérieure de Aalst, encore lisible «Wijnhaven» (du 19/12/1884 au 20/4/1888).

4 Allard 22 Rue Nollet
L'adresse a été rayée et remplacée par : **Villa des Fleurs à Asnières s/Seine**
— Joseph Allard
— 22 rue Nollet, Paris et Villa des Fleurs à Asnières sur Seine
— Marchand de tableaux
En 1890, Joseph Allard écrivit à Theo van Gogh pour le féliciter de la naissance de son fils. La lettre est envoyée du 22 rue Nollet.

5 Aurier 26 Rue Lepic
— Gustave Albert Aurier (1865-1892)
— 26 rue Lepic, Paris
— Ecrivain et critique d'art; co-fondateur du *Mercure de France*
Aurier consacra un article, intitulé «Les Isolés», à Vincent van Gogh dans le 1ᵉʳ numéro du Mercure de France *(janvier 1890).*
Voir aussi: n° 166
Voir: lettres T 21, T 29, T 33, T 36

6 Art & Critique
Revue littéraire, dramatique, musicale et artistique; dirigée par Jules Antoine; dates de parution: juin 1889-1892

7 Anquetin 58 R de Rome
— Louis Emile Anquetin (1861-1932)
— 58 rue de Rome, Paris
— Artiste-peintre
En 1890, il habite 62, rue de Rome, Paris

8 Adam 75 Rue de Clichy
— Hippolyte Adam
— 75 rue de Clichy, Paris
— Banquier et collectionneur
En 1888, il s'installe à Boulogne

En regard de la deuxième page, Theo van Gogh a noté quelques noms et adresses:

Degas
Voir: n° 64

Ruard (Rouart) ?
Voir: n° 190

Berlio (Bellio) ?
Voir: n° 11

Manzy
Voir: n° 64

Dupuy-bureau
Voir: n° 61

Rue Drouot

101 Bd Voltaire

B

9 Bals|chet L 125 Bd St Germain
Au dessus de l'adresse, Theo a noté : **& fils Editeur,** puis complété par le prénom, **Ludovic**
L'adresse a été rayée au crayon
— Ludovic Baschet (1834-1909)
— 125 boulevard Saint-Germain, Paris*
— Editeur et libraire d'art
— Son fils Marcel André Baschet (1862-1941) est artiste peintre
En 1890, la librairie est 12, rue de l'Abbaye.

10 Bertrand (G) 38 Av. Villeneuve l'Etang Versailles
— Georges Jules Bertrand (1849-1929)
— 38 avenue de Villeneuve-l'Etang, Versailles
— Portraitiste et peintre de genre

11 Bellio (G de) 2 R ALf. Stevens
— Georges de Bellio (1828-1894)
— 2 rue Alfred Stevens, Paris
— Médecin (d'origine roumaine) et collectionneur, client de Theo

12 Boussod (L) 70 Bd de Courcelles
— Léon Boussod (1826-1893)
— 70 boulevard de Courcelles, Paris
— Marchand de tableaux et éditeur d'estampes, fondateur associé majoritaire de Boussod, Valadon et Cie (successeur de Goupil et Cie)

13 dt |Boussod| (E) 5 Av. Hoche
— Etienne Boussod (1857-1918)
— 5 avenue Hoche, Paris
— Marchand de tableaux et éditeur d'estampes
Fils de Léon Boussod et gendre du peintre Gérôme; associé de Boussod, Valadon et Cie.

14 dt |Boussod| (J) 2 Av. Courbevoie
— Jean Boussod (1860-1907)
— 2 avenue Courbevoie, Asnières-sur-Seine
— Marchand de tableaux et éditeur d'estampes
Fils de Léon Boussod.

15 Bombled (Ch) Bd de Clichy
Au-dessus de l'adresse, Theo a noté : **Asnières S/ Seine**
— Louis-Charles Bombled de Richemond (1862-1927)

— 49 boulevard de Clichy (jusqu'à 1889)
— Artiste-peintre
RVG : 1.7

16 Bracquemond 13 R de Brancas Sèvres
— Joseph Auguste (dit Félix) Bracquemond (1833-1914)
— 13 rue de Brancas, Sèvres
— Artiste-peintre et graveur

17 Burnand 48 R Pergolèse
— Eugène Burnand (1850-1921)
— 48 rue Pergolèse, Paris*
— Artiste-peintre

18 Buhot (F) Bd de Clichy
— Félix-Hilaire Buhot (1847-1898)
— 71 boulevard de Clichy, Paris*
— Graveur
Theo connaissait Buhot parce qu'il faisait des gravures pour Boussod, Valadon et Cie.

19 Bourgain 7 R de Lancry
— Désiré Bourgain (né en 1824)
— 7 rue de Lancry, Paris*
— Dessinateur-artiste, ami de Vincent
RVG : 2.60.

20 Baud Bovy Aeshi Canton de Berne ou 48 R Fortuny
— Auguste Baud-Bovy (1848-1899)
— Aeshi, Canton de Berne (1885-1899) ou 48 rue Fortuny, Paris (1882-1888)
— Paysagiste, portraitiste et peintre de genre

21 Breitner G.H.) 1ste Parkstraat Amstm
— George Hendrik Breitner (1857-1923)
— 1ste Parkstraat 438, Amsterdam
— Artiste-peintre, dessinateur et aquarelliste, ami de Theo et de Vincent
En mai 1887, Breitner quitta son domicile du nº 5, Oude Schans pour s'installer au nº 438, 1ste Parkstraat.
RVG : 2.63
Voir aussi : nº 43
Voir : lettre T 1

22 Buysman (L) Nunen
— Lucas Buysman (1830-1901)
— Maison «Houtrijk» F 154, Nuenen
— Rentier

23 Boele van Hensbroek (P) Nobelstraat La Haye
Au dessus de l'adresse est annoté : **Zoutmanstr 8**
— Pieter Andreas Martin Boele van Hensbroek (1853-1912)
— Nobelstraat 18, La Haye adresse de l'éditeur et libraire Martinus Nijhoff chez lequel il travaille ; Zoutmanstraat 8, La Haye (adresse personnelle)
— Homme de lettres et libraire, ami de Theo
Dans le magazine De Nederlandsche Spectator *du 6 mai et du 26 août 1893, Boele van Hensbroek écrivit un article sur les frères van Gogh.*

24 Braat (D) Schefferplein Dordrecht
— Dirk Braat (1851-1926)
— Schefferplein, Dordrecht
— Libraire (fils du propriétaire de la librairie Blussé &

van Braam à Dordrecht). Theo est l'ami des frères Braat, Frans et Dirk. Frans travailla chez Boussod, Valadon et Cie.
La famille Braat habitait au-dessus de la librairie. De janvier à mai 1877, Vincent travailla dans cette librairie

25 Blanchard 9 R Chaptal
L'adresse a été rayée et remplacée par **35 R Washington**
— Blanchard
— 9 rue Chaptal, Paris (siège social de Boussod, Valadon et Cie) et 35 rue Washington, Paris
— Employé chez Boussod, Valadon et Cie ?

26 Blondin 9 R Chaptal
— Georges Blondin
— 9 rue Chaptal, Paris (siège social de Boussod, Valadon et Cie)
— Employé chez Boussod, Valadon et Cie ?

27 Bonys (H) dt |9 R Chaptal|
— H. Bonys
— 9 rue Chaptal, Paris (siège social de Boussod, Valadon et Cie)
— Employé chez Boussod, Valadon et Cie ?

28 Bouet (H.J.) 19 Bd Montmartre
— H.J. Bouet
— 19 boulevard Montmartre, Paris (succursale de Boussod, Valadon et Cie)
— Employé chez Boussod, Valadon et Cie ?

29 Beckhoven (van) Groot Zundert
Le nom et l'adresse ont été rayés
— Caspar van Beckhoven (1813-1889)
— Molestraat 161, Groot-Zundert (jusqu'au 7/11/1889)
— Maire de Zundert
Theo a probablement rayé le nom de Beckhoven après avoir reçu la nouvelle de sa mort.

30 Bataille R des Abesses
— Louis Bataille (? - 1896)
— 20 rue des Abbesses, Paris*
— Traiteur et marchand de vin
Propriétaire d'un restaurant fréquenté par Theo et Vincent. Vincent en a fait un dessin, «La fenêtre chez Bataille» (F 1392).

31 Brak M & Mw. J.S. Keizersgracht Amst
— Johannes Sebastian (1820 - ?) et Marie Anne Henriëtte Brak née d'Ailly (1820-1892)
— Keizersgracht 518, Amsterdam (dès juin 1877)
— Agent et courtier d'assurances, connaissance d'Andries Bonger, beau-frère de Theo

32 Bonger, C. Plantage Leiden
— Cornelis Bonger (1844-1916)
— Plantage 20, Leyde (jusqu'au 12/9/1895)
— Directeur de la Compagnie «Koninklijke Nederlandse Grafsmederij», oncle de la femme de Theo, Johanna van Gogh-Bonger

33 Beaubourg (M) 135 Fg Poissonnière (Revue Indépendante)
— Maurice Beaubourg (1866-1943)
— 135 rue du Faubourg Poissonnière, Paris

— Ecrivain, attaché à la *Revue Indépendante de Littérature et d'Art* (chronique d'art)

Il écrivit un article nécrologique à la mort de Vincent van Gogh (voir: La Revue Indépendante, 16 (1890) n° 47, p. 391-402).

34 Bisbing (H) 23 Rue des Martyrs
— Henry Singlewood Bisbing (1849-1933)
— 23 rue des Martyrs, Paris
— Artiste-peintre

35 Boele van Hensbroek (P) Nobelstr La H
Voir: n° 23

36 Bernard (Em) 5 Av Beaulieu Asnières
— Emile Bernard (1868-1941)
— 5 avenue Beaulieu à Asnières (l'adresse de ses parents)
— Peintre, poète et critique d'art, ami de Vincent
Il travailla à Asnières pendant l'automne 1887.
RVG: 1.17-1.18
Voir: lettres T 12, T 18, T 20, T 21, T 29

37 Bock |= Boch| (E) Portsalio P.R. Couilly (Seine & Marne)
Portsalio a été rayé
— Eugène-Guillaume Boch (1855-1941)
— Port-Salio, Belle-Ile-en-Mer; P.R. Couilly (Seine & Marne)
— Artiste-peintre, ami de Vincent
Vincent van Gogh fit son portrait à Arles (F 462).
RVG: 1.25
Voir: lettre T 38

38 Blot 155 Faubg Poissonnière
— Eugène Blot?
— 155 Faubourg Poissonnière, Paris
— Marchand et amateur, un des clients les plus importants de Theo |s'il s'agit bien d'Eugène Blot|

39 Besnard 7 Rue Guillaume Tell
— Paul Albert Besnard (1849-1934)
— 17 rue Guillaume-Tell, Paris*
— Artiste-peintre et graveur que Theo aidait lorsqu'il avait des embarras pécuniaires
Déjà en février 1886, il habite 17, rue Guillaume-Tell; il y meurt en 1934.
RVG: 1.24

Sous l'adresse n° 39, on lit **de Wizewa dt**
— Teodore de Wyzewa (1862-1917)
— Ecrivain (d'origine polonaise), critique à *La Revue Indépendante* et collaborateur à *La Revue Wagnérienne*.

40 Bonnières (R.) Av de Villars
— Robert de Wievre de Bonnières (1850-1905)
— 7 avenue de Villard, Paris
— Poète, chroniqueur, critique et collectionneur, client de Theo.

41 Brooke E Walpole Brooke 16 Rue de la Gde Chaumière
— Edward Walpole Brooke
— 16 rue de la Grande Chaumière, Paris
— Artiste-peintre (d'origine anglo-australienne) dont Theo fit la connaissance par l'intermédiaire de Vincent.
Edward Brooke et Vincent van Gogh ont travaillé ensemble à Auvers-sur-Oise.
Voir: lettre T 40

42 Boonacker Witte Singel Leyde
— Henri Jacques Marie Boonacker (1860-1950) et Elisabeth Hubertha Vincentia Boonacker née van Gogh (1859-1938)
— Witte Singel F. 380, Leyde (2/11/1889-5/10/1893)
— Médecin militaire de première classe, plus tard médecin civil à Leyde, cousin des frères van Gogh

43 Breitner
Voir: n° 21

44 D. Bothof - Utrecht Houtensche pad 42 Onderhoudt het graf (entretien de la tombe)
— Dirk Bothof (1876-1959)
— Houtensche pad 42 (1900-1929)
— Fleuriste
Le nom, l'adresse et l'annotation ont été ajoutés par Johanna van Gogh-Bonger. Theo avait en effet été enterré à Utrecht avant le transfert de son corps à Auvers-sur-Oise, auprès de Vincent.

C

45 Corcos (V.M.) 8 Via Marcilio Ficino Florence
— Vittorio-Matteo Corcos (1859-1933)
— 8 via Marcilio Ficino, Florence, Italie
— Peintre d'histoire et de genre, ami de Theo
De 1880 à 1886, il habita à Paris, où il fit la connaissance de Theo chez Boussod, Valadon et Cie.
RVG: 1.39

46 Clarembaux (Em) 3 R du Congrès Bruxelles
— Emile Clarembaux (1844-1910)
— 3 rue du Congrès, Bruxelles (18/6/1880-13/7/1909)
— Marchand de tableaux, en relation avec Theo

47 Clapisson 48 R Pierre Laffitte Neuilly
— Léon Marie Clapisson (1837-1894)
— 48 rue Pierre Laffitte, Neuilly
— Agent de change et collectionneur, client de Theo

48 Cate (ten) 65 R de Malte
— Siebe Johannes ten Cate (1858-1908)
— 65 rue de Malte, Paris
— Artiste-peintre

49 Coudray 25 R de Clichy
— B. Coudray
— 25 rue de Clichy, Paris
— Marchand de tableaux, en relation avec Theo

50 Cor 5 Palhamstreet
— Cornelis Vincent van Gogh (1867-1900)
— 5 Pelhamstreet, Lincoln, Grande Bretagne
— Ouvrier-métallurgiste dans une usine, frère benjamin de Theo et Vincent
Cor van Gogh travailla à Lincoln du mois d'octobre 1887 au mois de juillet 1889. Puis il partit pour l'Afrique du Sud.
Voir aussi: n° 108
Voir: lettre T 16, T 19, T 22

51 Carrière (Eug) 15 Impasse Hélène
— Eugène Carrière (1849-1906)
— 15 impasse Hélène, Paris (en 1890)*
— Artiste-peintre et graveur

52 Cézanne 78 Av. d'Orléans
— Paul Cézanne (1839-1906)
— 78 avenue d'Orléans, Paris (en 1890)
— Artiste-peintre, dont Theo vendit des œuvres

53 Cassatt Mary 10 R de Marignan
— Mary Cassatt (1844-1926)
— 10, rue de Marignan, Paris
— Artiste-peintre et graveur
En 1887, Mary Cassatt s'installe au n° 10, rue de Marignan qui
resta son domicile parisien jusqu'à sa mort.

54 Cros Rue de Regard
— César-Isidore-Henry Cros (1840-1907)
— 6 rue du Regard, Paris*
— Sculpteur, céramiste et peintre

55 Carriès 65 Bd Arago
— Jean-Joseph Marie Carriès (1855-1894)
— 65 boulevard Arago, Paris
— Sculpteur et céramiste

56 Colin (G) 14 Rue Fontaine
— Gustave-Henri Colin (1828-1910)
— 14 rue Fontaine-Saint-Georges, Paris
— Artiste-peintre
Il habita 14, rue Fontaine-Saint-Georges de 1885 à 1890.

D

57 Dayot (A) 16 bis R Duffrénoy
— Armand Dayot (1851-1934)
— 16 bis rue Dufrénoy, Paris
— Critique d'art

58 Dietrich (P) 75 Mont. de la Cour de Bruxelles
— Guillaume Paul Dietrich (1855 - ?)
— 75 Montagne de la Cour, Bruxelles
— Employé
M. Dietrich est enregistré à Bruxelles au 58 Montagne de la Cour
du 1/7/1873 au 30/9/1897, adresse de la succursale de Boussod,
Valadon et Cie à Bruxelles. Theo van Gogh y avait travaillé du
6/1 au 4/11 1873.

59 Donatis Dr de la Providence R de Gramont
— A. Donatis
— 12 rue de Gramont, Paris*
— Directeur-adjoint de la Providence, assurances
contre l'incendie

60 Desfossés (V.) 44 R de Douai
L'adresse a été rayée et remplacée par **5 Rue Galilée**
— Victor Antoine Defossés (1835-1898)
— 44 rue de Douai, Paris (jusqu'à 1890) ; puis 5 rue de
Galilée*
— Banquier et collectionneur, client de Theo

61 Dupuis 69 Bd Voltaire
— Dupuis (?-1890)
— 69 boulevard Voltaire, Paris
— Collectionneur, client de Theo

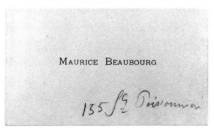

33. Carte de visite de Maurice Beaubourg

34. Carte de visite de H. Bisbing

39. Besnard, *Figure de femme* (1889)
Eau-forte, dédicadée en bas à
droite «à van Gogh souvenir
cordial Besnard 1889»

44. Tombe de Theo van Gogh à Utrecht

62 Dagnan 50 R St Didier
— Pascal-Adolphe-Jean Dagnan-Bouveret (1852-1929)
— 50 rue St-Didier, Paris
— Artiste-peintre

63 Demouth 33 R de Rivoli
— N. Demouth
— 33 rue de Rivoli, Paris

64 Degas (E) 21 R Pigalle
— L'adresse a été rayée et remplacée par **18 R de Boulogne**
— Hilaire-Germain-Edgar de Gas (1834-1917)
— 21 rue Pigalle, Paris ; 18 rue de Boulogne, Paris
— Artiste-peintre dont Theo vendit des œuvres

65 Diot R Laffitte 51
— Aimé François Désiré Diot (1842 - ?)
— 43 rue Laffitte, Paris* (De 1885 à 1890)
— Marchand de tableaux
Voir : lettre T 2

66 Didier 19 Bd Montmartre
— Didier
— 19 boulevard Montmartre, Paris (succursale de Boussod, Valadon et Cie, dont Theo fut le directeur)
— Employé chez Boussod, Valadon et Cie

67 Doorman M & Mevr Plantage Parklaan Amstm
L'adresse a été rayée et remplacée par **Alexanderplein 20 La Haye**
— Augustus Johannes Doorman (1819-1892) et Charlotte Doorman née van Thiel (1837-1934)
— Plantage Parklaan 2, Amsterdam (mai 1876-avril 1890), Alexanderplein 20, La Haye (à partir d'avril 1890)
— Lieutenant-colonel d'artillerie dans l'armée des Indes néerlandaises

68 Doria (Cte) Crépy en Valois
— Armand Doria, comte (1824-1896)
— Chateau d'Orrouy, Crépy en Valois (Oise)
— Collectionneur

69 Daubigny (Mme Vve) Auvers s/Oise S&O
— Marie-Sophie Daubigny née Garnier (1817-1890) veuve de Charles François Daubigny (1817-1878), artiste-peintre
— 24 rue de la Gare (aujourd'hui 25 rue Daubigny) Auvers-sur-Oise
Vincent a représenté, plusieurs fois, son jardin (F 565, F 776, F 777).
RVG : 2.77

E

70 Eeden (F.v) Bussum
— Fredrik Willem van Eeden (1860-1932)
— C 52 (Nieuwe's Gravelandscheweg 46), Bussum (1/4/1886-29/7/1907)
— Médecin et homme de lettres

En correspondance avec Theo à propos de l'organisation de la 2ᵉ exposition du Nederlandse Etsclub, juin 1888
Dans le magazine De Nieuwe Gids, 6(1890) du 1er déc., p. 263-270, van Eeden a écrit un article élogieux sur Vincent van Gogh.

F

71 Fouache (Aimé) 66 Bd Rochechouard
— Aimé Charles Fouache (1854-?)
— 66 boulevard Rochechouart, Paris
— Négociant

72 dt |Fouache| (Mad Vve) 3 Cité Milton
— Madame Veuve Fouache
— 3 cité Milton, Paris
Probablement la mère d'Aimé Fouache.

73 Franken Dzn (D) 65 Route de Croissy Le Vésinet (S & O)
— Daniel Franken Dzn (1838-1898)
— 65 route de Croissy, Le Vésinet (Seine & Oise)
— Banquier et collectionneur
Daniel Franken Dzn est le frère de la femme de C.M. van Gogh (oncle de Theo).
Voir aussi : n° 99

74 Freret (L) 37 bis R du Colisée
— Léon Louis Freret
— 37 bis rue du Colisée, Paris*
— Pensionnaire de l'Opéra

75 Filleau (Dr) R de Grammond
— A. Filleau
— 14 rue de Gramont, Paris (en 1890)*
— Médecin

76 Fénéon (F) 85 R de Courcelles
— Félix Fénéon (1861-1944)
— 85 rue de Courcelles, Paris
— Ecrivain et critique d'art
Il dirigea une chronique, intitulée «Chez Van Gogh» pour La Revue Indépendante où il donna des nouvelles de l'établissement Boussod, Valadon et Cie, 19 boulevard Montmartre.

77 Freret Rue Bocher de Saron
— Armand-Auguste Freret (1830-1919)
— 9 rue Bochard-de-Saron, Paris
— Artiste-peintre

G

78 Grolman (Const. W.) Utrecht
— Constant Wijnand Grolman (1844-1902)
— Korte Jansstraat Wijk G, nr. 310, Utrecht (1/5/1869-8/5/1889) ; ensuite jusqu'au 16/10/1902 : Korte Jansstraat Wijk G, n° 309, Utrecht
— Marchand d'objets d'art

80 Gadala (Ch) 21 Bould Poissonnière
— Ch. Gadala

— 21 boulevard Poissonnière, Paris*
— Agent de change

80 **Grolleau (A) 102 Av. d'Orléans**
— Auguste Charles Grolleau (1825-?)
— 102 avenue d'Orléans, Paris
— Artiste-peintre et restaurateur

81 **Gheus (C de) 56 R de Florence**
— C. de Gheus d'Elzenwalle
— 56 rue de Florence, Paris

82 **Garnier (H) 4 R de Mogador**
— Henri Garnier (?-1894?)
— 4 rue de Mogador, Paris*
— Marchand de tableaux

83 **Geffroy (Gve) 10 Faubg Montmartre**
— Gustave Geffroy (1855-1926)
— 10 rue du Faubourg Montmartre, Paris (adresse du journal *La Justice*)
— Ecrivain et critique d'art, ami de Theo
Gustave Geffroy écrivit un compte-rendu de l'exposition «Monet» organisée par Theo van Gogh, pour La Justice du 17 juin 1888.
Voir aussi: n° 161
Egalement l'avant-propos au catalogue de l'exposition «Camille Pissarro» en février 1890.
Voir aussi: n° 179

84 **Guillaumin 13 quai d'Anjou**
L'adresse a été rayée et remplacée par **8 R Garancière**
— Jean-Baptiste-Armand Guillaumin (1841-1927)
— 13 quai d'Anjou, Paris (1885-1890), à partir de 1890, 8 rue Garancière, Paris*
— Artiste-peintre dont Theo vend des œuvres
En 1891, Guillaumin gagna 100 000 francs à la loterie; à partir de ce moment là, il put se consacrer entièrement à la peinture. Auparavant, il avait travaillé au service des Ponts et Chaussées.
RVG: 1.267-1,268, 2.708
Voir: lettres T 19, T 25, T 29, T 36

85 **Goguin 16 R St Gothard**
— Il s'agit d'Eugène Henri-Paul Gauguin (1848-1903)
— 16, rue du Saint-Gothard, Paris
— Artiste-peintre dont Theo vendait des œuvres
Le 15 janvier 1889 Gauguin loue un atelier dans cette rue; un mois plus tard, il part pour Pont-Aven.
Voir aussi: n° 98

86 **Glaenzer (Eug. 303 Fifth avenue NY)**
— Eugene Glaenzer
— 303 Fifth Avenue, New York
— Marchand de tableaux, en relation avec Theo

87 **Gurlitt (Fritz) 29 Behrenstrasse Berlin**
— Fritz Gurlitt (1854-1893)
— 29 Behrenstrasse, Berlin (plus tard 31 Leipzigerstrasse et 113 Postdamerstrasse, Berlin)
— Marchand de tableaux, en relation avec Theo
Cette galerie d'art berlinoise, qui existait depuis 1880, fut la première en Allemagne à exposer des œuvres d'impressionnistes français (en 1883).

88 **Gogh (Johan v) Banasari Bandoeng Java**
— Johannes van Gogh (1854-1913)

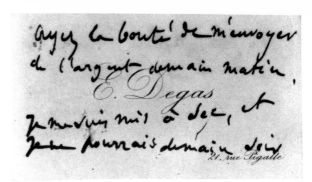

64. Carte de visite de Degas

68. Carte de visite du Comte Doria

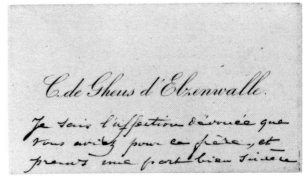

81. Carte de visite de C. de Gheus d'Elzenwalle

— Banasari, Bandoeng, Java
— Planteur à Java, cousin de Theo et de Vincent

Fils de Johannes van Gogh et de Willemina Hermana Alexandrina Elisabeth van Gogh née Bruyns.
Voir aussi: n° 104

89 dt |Gogh| (Willem Soekaboemi (Java)
— Vincent Willem van Gogh (1851-1910)
— Soekaboemi, Java
— Administrateur de l'entreprise Kina & Thee, cousin de Theo et de Vincent

Fils de Johannes van Gogh et de Willemina Hermana Alexandrina Elisabeth van Gogh née Bruyns.

90 Goupil (A) 9 Rue Chaptal
— Jean-Baptiste-Adolphe Goupil (1806-1893)
— 9 rue Chaptal, Paris*
— Marchand de tableaux et éditeur d'art, ancien employeur de Theo

91 Goupy (G) 9, rue Charlot
— Gustave Goupy
— 9 rue Charlot, Paris (en 1885)*
— Fabricant de cuirs et de vernis, collectionneur et client de Theo

92 Geiger (Fois) 9 R Chaptal
— François Geiger
— 9 rue Chaptal, Paris (siège social de Boussod, Valadon et Cie)
— Employé chez Boussod, Valadon et Cie?

93 s' Graeuwen (A) Helvoort
— Abraham Anthonie 'sGraeuwen (1824-1903)
— Molenstraat A25, Helvoirt (du 29/4 au 2/11 1894)
— Lieutenant-Capitaine de vaisseau, oncle par alliance de Theo et Vincent

M.'s Graeuwen était l'époux de Geertruida Johanna's Graeuwen née van Gogh (1826-1891).

Graeuwen (F) adres Mej Koster|s| Nijmegen
— Francina («Fanny») 'sGraeuwen (1857 - ?)
— Chez Mlle Johanna Alberta Kosters, Ridderstraat C 25, Nijmegen (23/9/1884-25/2/1890
— Institutrice, cousine de Theo et Vincent

95 Gampert PC Hoofstr Amst
— Johan Abraham Gampert (1808-1901)
— P.C. Hooftstraat 45, Amsterdam (mai 1880-1892)
— Contrôleur des contributions municipales, parent de Jo Bonger, la femme de Theo

96 Guyotin 16 R Grange Batelière
— 16 rue Grange Batelière, Paris
— Marchand amateur, client de Theo

97 Gausson (Leo) 3 R St Paul Lagny s/Marne
— Louis Léon Gausson (1860-1944)
— 3 rue Saint-Paul, Lagny sur Marne
— Ecrivain, peintre, graveur et ami de Theo
RVG: 1.55
Voir: lettre T 36

98 Gauguin (P) Pouldu Finistère
— Eugène-Henri-Paul Gauguin (1848-1903)
— Le Pouldu, Finistère (2/10/1889-7/11/1890)

— Artiste-peintre dont Theo vend des œuvres
RVG: 1.48-1.54, 2.96-2.99
Voir aussi: n° 85
Voir: lettres T 1, T 2, T 10, T 12, T 16, T 18, T 19, T 20, T 22, T 23, T 28, T 29, T 40

99 Gogh van CM Keizersgr Amst
— Cornelis Marinus van Gogh (1824-1908)
— Keizersgracht 453, Amsterdam
— Libraire et marchand de tableaux, oncle de Theo et de Vincent (oncle Cor)

*La galerie et librairie d'art de son oncle C.M. van Gogh se trouvait au n° 449, Keizersgracht, près de Leidsestraat. Plus tard, l'établissement revint à son fils Vincent.
C.M. van Gogh avait épousé Johanna Franken (1836-1919).*
Voir aussi: n° 73
Voir: lettre T 5

100 dt |Gogh| Vt Jr |Keizersgracht 453|
— Vincent van Gogh (1866-1911)
— Keizersgracht 453, Amsterdam
— Marchand de tableaux, cousin de Theo et de Vincent

Fils de Cornelis Marinus van Gogh et Johanna van Gogh née Franken.

101 |Gogh| fam. Baarn/Javastraat?
— Famille van Gogh
— Javastraat, Baarn?

102 |Gogh| Mad Vve Vt Prinsenhage
— Cornelia van Gogh née Carbentus (1829-1913), veuve de Vincent van Gogh (1820-1888), marchand de tableaux
— Huize Mertersem, Dorp A 360 (à partir de 1907 Voorstraat 44), Princenhage
— Tante de Theo et de Vincent (tante Cornelie)

103 Vve W v G|ogh| den Haag
— Sous l'adresse est annoté: **van Stockum**
— Magdalena Susanna van Gogh née van Stockum (1828-1904), veuve de Willem Daniel van Gogh (1818-1872), trésorier-payeur général
— La Haye
— Tante de Theo et Vincent (tante Lena)

104 Johan v G|ogh| Haarlem
— Johannes van Gogh (1854-1903)
— Raamvest 1, Haarlem (du 11 juin 1890 au 30 septembre 1893)
— Planteur à Java, cousin de Theo et Vincent

Le 30 septembre, Johannes van Gogh part pour les Indes néerlandaises avec une partie de sa famille.
Voir aussi: n° 88

105 Mevr de Wed v Gogh Carbentus mère Heerengracht 100 Leyde
— Anna Cornelia van Gogh née Carbentus (1819-1907), veuve de Theodorus van Gogh (1822-1885), pasteur
— Heerengracht 100, Leyde (du 1er janvier 1890 au 14 novembre 1893)
— Mère des frères van Gogh

Elle habitait à cette adresse avec leur sœur Willemina.

106 Mlle M van Gogh Helvoort
— Maria Johanna van Gogh (1831-1911)
— Molenstraat A25, Helvoirt
— Tante de Theo et Vincent (tante Mietje)

107 E.H. v G|ogh| (Mlle) chez du Quesne van Bruchem
 Eikenhorst
— Elisabeth Huberta van Gogh (1959-1936)
— Villa Eikenhorst, wijk D 99, Soesterberg (du 21/2/ 1880 à 1890)
— Aide familiale, sœur de Theo et Vincent
A partir du mois de février 1880, Lies van Gogh s'occupe du ménage de la famille du Quesne van Bruchem et donne des soins médicaux à la maîtresse de maison ; celle-ci, gravement malade, meurt. Le 17 décembre 1891, Lies se marie avec le veuf, Jean Philippe Théodore du Quesne van Bruchem, avocat (1840-1921).
Voir aussi : n° 189

108 Cor v G|ogh Johannesburg Transvaal
— Cornelis Vincent van Gogh (1867-1900)
— Johannesburg, Transvaal
— Employé chez la Compagnie des Chemins de fer sud-africaine, frère benjamin de Theo et Vincent
Fin août 1889, Cor partit pour l'Afrique du Sud.
Voir aussi : n° 50
Voir : lettres T 16, T 19, T 22

109 Greber 127 Rue de Vaugirard
 12 Impasse
— Henri-Léon Greber (1854-1941)
— 127 rue de Vaugirard, Paris ; à partir de 1885 : 12 impasse du Mont-Tonnerre, Paris*
— Sculpteur-statuaire

H

110 Huet (Mad Busken) 1 R d'Aquesseau
— Au-dessus de l'adresse est annoté : **Samedi**
— Anna Dorothée Busken Huet née Van der Toll (1827-1898), veuve de Conrad Busken Huet (1826-1886), romancier néerlandais, critique et essayiste
— 1 rue d'Aguesseau, Paris
M. Conrad Busken Huet y habita à partir de 1878. Theo fit la connaissance de Mme la veuve Busken Huet et de son fils par l'intermédiaire de son ami (plus tard son beau-frère) Andries Bonger.

111 dt |Busken Huet| (Gédéon) dt |1 R d'Aguesseau|
— Gédéon Busken Huet (1860-1921)
— voir le numéro précédent
— Bibliothécaire
Fils d'Anne et Conrad Busken Huet.

112 Howe W H 11 R Mont Dore (lundi)
— William-Henry Howe (né en 1846)
— 11 rue du Mont-Doré, Paris (en 1890)*
— Artiste-peintre

113 Horst van Lil (van der) Dordrecht
— Willem Herman van der Horst van Lil (1854-1919)
— Wolwevershaven 31, ensuite n° 43, Dordrecht
— Affréteur et expéditeur, en relation avec Theo (?)

114 Horst (A v.d) R d'Hauteville
— Anton von der Horst
— 70 rue d'Hauteville, Paris
— Employé chez H. von der Horst, commissionnaire, en relation avec Andries Bonger, beau-frère de Theo
Anton von der Horst est le neveu de M. H. von der Horst.

98. Billet manuscrit portant l'adresse de Paul Gauguin

105. Carte postale envoyée par Theo van Gogh à sa mère, Madame Vve van Gogh-Carbentus

115 Hove |n?| (van) Geldrop
— Anna Johan Jacob van Hoven (1834-1901)
— Geldrop, dans le Brabant (Pays-Bas)
— Fabricant de lainages

116 Hugot Bains des Fleurs Quai des Mégisserie
— Edouard-Charles Hugot (1815-1888)
— Bains des Fleurs, quai de la Mégisserie, Paris*
— Artiste-peintre (ou s'agit-il de son fils Félix, ami d'Andries Bonger?)

117 Mad Vve Hamman R de Prevost
— Hamman, veuve d'Edouard-Jean-Conrad Hamman (1819-1888)
— rue de Prévost, Paris
— Artiste-peintre, Hamman était un ami de son oncle Vincent van Gogh

118 W C Häberling Weteringschans Amstm
35 Rue Delambre Paris
— Willem Christiaan Häberling (1861-1912)
— Weterlingschans 143, Amsterdam (jusqu'en 1886) ensuite 35 rue Delambre, Paris

119 Haan (M de) Pouldu (Finistère)
Plantage Fransch Iaan 22
— Jacob Meijer de Haan (1852-1895)
— Le Pouldu, Finistère (à partir du 2 octobre 1889); Plantage Franschelaan 22, Amsterdam (à partir du mois d'avril 1885 jusqu'au mois de juillet 1888)
— Artiste-peintre, ami de Theo
De Haan part pour Paris le 1er août 1888. A partir d'octobre, il habite quelque temps chez Theo. Au printemps 1889, il est à Pont-Aven et ensuite au Pouldu. Le 2 octobre 1889, de Haan et Gauguin s'installent dans la maison de Marie Henry. Ils louent, comme atelier, les combles de la villa Maudit, aux Grands Sables.
RVG. 2.710
Voir: lettres T 1, T 2, T 3, T 9, T 12, T 17, T 23

120 [Haan] (de) père Broodfabriek de H
— A. Isaac de Haan (né en 1824) le père de Jacob Meijer de Haan
— Weesperzijde 1a, Amsterdam
— Directeur de la minoterie «de Amstel» et de l'usine de pain «Haan»

121 [Haan] (de) fils Amsterdam
— Samuel J. de Haan (né en 1855), le frère de Meijer
— Valkenburgerstraat 186, Amsterdam
— Boulanger
De mai 1877 à avril 1888, Meijer et Samuel de Haan habitèrent ensemble au n° 186, Valkenburgerstraat.

122 Hamman 2 Rue Gluck
— Knoedler & Co?

123 Hell (ter) Rijswijkscheweg 274's Gravenhage
eigenaar van teekeningen v Vincent
(propriétaire de dessins de Vincent)
— Adriaan Christiaan Willem ter Hell (1863-1926)
— Rijswijkscheweg 274, La Haye (du 7/9/1889 à 1939)
— Artiste-peintre
Le nom, l'adresse et la remarque concernant les dessins ont été écrits par Jo van Gogh-Bonger.

I & J

124 Iterson (T van) 38 van Kinsbergstraat
L'adresse a été rayée et remplacée par: **27 Atjehstraat, La Haye**
— Teunis van Iterson (1847-1925)
— Van Kinsbergenstraat 38, La Haye, ensuite Atjehstraat 27, La Haye
— Employé chez Boussod, Valadon et Cie à La Haye, plus tard marchand de tableaux indépendant, en relation avec Theo
De 1860 à 1894, van Iterson habita à La Haye aux adresses suivantes: 47 Prinsegracht, 38 Van Kinsbergenstraat, 27 Atjehstraat et 20 Atjehstraat. Le registre de la population ne donne pas les dates de déménagement.

125 Inglis (Wm T) 23 bis R de Turin
— William T. Inglis?
— 23 bis rue de Turin, Paris

126 Jeannin père & fils 32 R des Dames
— Georges Jeannin (1841-1925)
— 32 rue des Dames, Paris*
— Artiste-peintre
— Maurice Jeannin (1867-1907) fils de Georges Jeannin
— Artiste-peintre
Voir: lettre T 38

127 Jullien 28, R du Sentier
— Jullien (et Crôn)
— 28 rue du Sentier, Paris*
— Dessinateur pour tissus d'ameublement

128 Jonge v Zwijnsbergen (Ad) Oisterwijk
— Johan Adolphe de Jonge van Zwijnsbergen (1860-1945)
— Oisterwijk
— ami de jeunesse de Theo

129 dt dt Jonge v Zwijnsbergen (fam) Helvoort Nb Hol
— Famille Jonge van Zwijnsbergen
— Château Zwijnsbergen à Helvoirt, Noord-Brabant, Hollande
— Theo était ami de cette famille depuis sa jeunesse

130 Jong W Jan Steenstr 147 Amstm
L'adresse a été rayée
— Willem Jong (1858-?)
— Jan Steenstraat 147, Amsterdam (de décembre 1889 à juin 1890)
— Comptable

131 Israëls, I. 1ste Parkstraat Amstm
— Isaac Lazarus Israëls (1865-1934)
— Warmoesstraat 12, Amsterdam (de juillet 1887 à mai 1890); ensuite il s'installe au 438, 1ste Parkstraat où il avait déjà établi son atelier en 1888
— Artiste-peintre, ami de Theo
Voir aussi: n° 135 RVG: 2.723 Voir: lettre T 19

132 Jong (Dr de) Vaderland LH
— Rédacteur au quotidien *Het Vaderland* publié à La Haye (1876-1911)

133 Isaacson Pontanusstraat Amsterdam
— Joseph Jacob Isaacson (1859-1942)
— Pontanusstraat 4, Amsterdam (1889-juillet 1891)
— Artiste-peintre et chroniqueur, ami de Theo
Il habita en décembre 1888 chez Theo, avec Meijer de Haan. Il mentionna Vincent dans la chronique «Parijsche brieven» du magazine De Portefeuille (voir les numéros du 10, 17, 24, 31 août, ainsi que ceux du 14, 21, 28 septembre et du 5 octobre 1889).

134 Josephson Copenhague
— Ernst Josephson (1851-1906)
— Copenhague
— Artiste-peintre
En 1884, Ernst Josephson offrit à Theo van Gogh l'un de ses tableaux peint «l'Ondine». En 1946, le fils de Theo, Vincent Willem van Gogh, fait don de ce tableau au Musée national de Stockholm.

135 Israëls Joseph Koniginnegr La Haye
— Jozef Israëls (1824-1911)
— Koniginnegracht 6, ensuite n° 2, La Haye (1871-1911)
— Artiste-peintre, client de Theo
Voir aussi: n° 131
Voir: lettre T 1

K

136 Keyzer (Alb) 9 R de la Neva
— Albert Keijzer
— 9 rue de la Neva, Paris
— Ami de Meijer de Haan

137 Knoedler (R) 170 Fifth Avenue N.Y.
— Roland Knoedler (1856-1932)
— 170 Fifth Avenue, New York (de 1869 à 1880/1885)
— Marchand de tableaux, de 1878 à 1928 à la galerie Knoedler, en relation avec Theo

138 Koning (J A) 58 R Paradis
— J.A. Koning
— 58 rue de Paradis, Paris (en 1890)*
— Négociant-commissionnaire

139 Koopmans v Boekeren 68, R Michel Ange
— Koopmans van Boekeren
— 68, rue Michel-Ange, Paris
— Ami d'Andries Bonger, beau-frère de Theo

140 Koning (A H) van Diemenstraat La Haye
Marqué au-dessus **Winschoten**
— Arnold Hendrik Koning (1860-1945)
— Van Diemenstraat 163, La Haye
— Ami de Theo chez qui il habita quelque temps, à Paris
A partir du 2 juin 1888, Koning habite en Hollande, entre autres à Winschoten. En septembre 1888, il retourne vivre à La Haye.
RVG: 1.287-1.300, 2.726-2.730

141 Kroyer Copenhague
— Peter-Severin Kroyer (1851-1909)
— Copenhague
— Artiste-peintre

L

142 Langlet 78 Faubg St Denis
— Napoléon Langlet (? - 1907)
— 78 rue du Faubourg-Saint-Denis, Paris
— Dessinateur

143 Lafon 33 R Marboef
— François Lafon
— 33 rue Marbeuf, Paris (en 1889-1890)*
— Artiste-peintre

144 Lier (Mr J H van) 21 R La Pérouse
— Mattieu Jan Hubert van Lier (1833-19..)
— 21 rue La Pérouse, Paris
— Consul-général des Pays-Bas, directeur de la Chancellerie de la Légation Royale
Van Lier fut consul-général des Pays-Bas de mars 1888 à septembre 1906.

145 Los Rios (de) 46 R Chateaudun
— Ricardo de Los Rios (1846-1929)
— 46 rue de Chateaudun, Paris
— Artiste-peintre et graveur
L'ancienne collection de Theo van Gogh contient 11 estampes de Ricardo de Los Rios.

146 Lucas 21 R de l'Arc de Triomphe
— Georges Aloysius Lucas (1824-1909)
— 21 rue de l'Arc de Triomphe, Paris (1861-1909)
— Agent auprès des marchands de tableaux pour des collectionneurs américains, client de Theo

147 Lessore 2 Quai de Gesvres
— Henri-Emile Lessore (1830-1894)
— 2 quai de Gesvres, Paris*
— Graveur et rentier
L'ancienne collection de Theo van Gogh contient 4 estampes et 1 lithographie de H.E. Lessore.

148 Levié 43 R de Boulainvilliers
— Levié
— 43 rue de Boulainvilliers, Passy
Voir aussi: n°ˢ 178 et 238

149 Lhermitte (L) 19 R Vauquelin
— Léon-Auguste Lhermitte (1844-1925)
— 19 rue Vauquelin, Paris (1883-1890)* (atelier)
— Artiste-peintre et graveur

150 Lautrec (T de) 19 R Fontaine
— Henri Marie Raymond de Toulouse-Lautrec-Monfa (1864-1901)
— 19 bis rue Fontaine, Paris
— Artiste-peintre, dessinateur et lithographe dont Theo vend des œuvres
Depuis 1887 Lautrec habitait 19 bis rue Fontaine. Au cours de 1891, il s'installa à la maison voisine, 21 rue Fontaine.
RVG: 1.332-1.333, 2.784
Voir: lettres T 10, T 16, T 20, T 29

151 Levasseur (H) 2 Place de l'Opéra
— Levasseur
— 2 place de l'Opéra, Paris (succursale de Boussod, Valadon et Cie)
— Employé chez Boussod, Valadon et Cie

147. H.E. Lessore, *Paysage avec rivière et canot*
Eau-forte dédicacée en bas à droite: «A Mr. van Gogh»

150. Reçu de Toulouse-Lautrec à Theo van Gogh

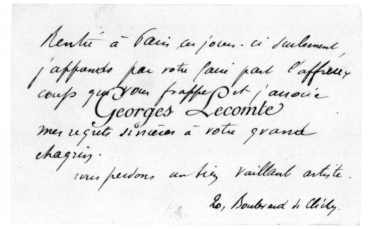

154. Carte de visite de Georges Lecomte

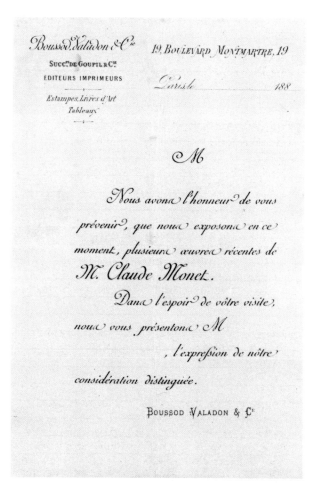

161. Carton d'invitation à l'exposition de Claude Monet
organisée par Theo en 1889

158. Willy Martens, *Portrait de Daniel Franken Dzn*, huile sur toile
Amsterdam, Rijksmuseum Vincent van Gogh
(prêt du Koninklÿk Oudheidkundig Genootshap)

152 dt Levasseur (Alf) 98 R du Cherche-Midi*
— (le seul nom trouvé à cette adresse est J.G. Levasseur, graveur sur acier)

153 dt Levasseur 19 dt R du Cherche-Midi

154 Lecomte Gs 20 Bd de Clichy
— Georges Lecomte (1867-1958)
— 20 boulevard de Clichy, Paris
— Ecrivain et critique d'art (*Art et Critique, La Revue Indépendante, Revue d'Aujourd'hui*)
Voir aussi: n° 198

155 Lauzet 29 Bould Pereire
— Auguste Lauzet (1865-1898)
— 29 boulevard Pereire, Paris
— Artiste-peintre et lithographe
Theo appuya la publication de l'ouvrage «Adolphe Monticelli vingt planches d'après les tableaux originaux de Monticelli et deux portraits de l'artiste lithographiés par A.M. Lauzet», Paris: Boussod, Valadon et Cie, 1890.
Voir: lettres T 21, T 22, T 24, T 25, T 32

156 Lutrenger (E) Auvers sur Oise
— Peut-être s'agit-il de Lutranger, ébéniste à Auvers-sur-Oise
Il habite Auvers-sur-Oise autour de 1885.

M

157 Michiels (Alf) Tirlemont (Belgique).
— Alfred Jules François Michiels (1840-1909)
— Veldbornestraat 10, Tirlemont (en 1890)
— Receveur des hôpitaux civils

158 Martens (Willy) 235 Faub St Honoré
Au-dessus de l'adresse est annoté: **Samedi**
— Willem Martens (1856-1927)
— 235 rue du Faubourg-Saint-Honoré, Paris*
— Artiste-peintre
Il travailla à Paris en 1881, de 1882 à 1885 et de 1887 à 1890. En 1888, il peint un portrait de Daniel Franken Dz.
Voir aussi: n° 73

159 Martin 29 R St Georges
— Pierre Firmin Martin (1817-1891)
— 29 rue Saint-Georges, Paris*
— Expert et marchand de tableaux, en relation avec Theo

160 Mendoza J. P. 4a King St St James's London
— J.P. Mendoza
— 4a King Street, St James's, London
— Marchand de tableaux

161 Monet (Claude) Giverny par Vernon (Eure)
— Claude Monet (1840-1926)
— Giverny par Vernon (Eure) (à partir du 29 avril 1883)
— Artiste-peintre dont Theo vend des œuvres
Au mois de juin 1888 et pendant les mois de février à mars 1889, Theo organisa des expositions des œuvres de Monet chez Boussod, Valadon et Cie, 19 boulevard Montmartre.
Voir: lettres T 5, T 32, T 40

162 Molinard 16 Rue de Provence
— Louis Anselme Molinard (né en 1851)
— 16 rue de Provence, Paris
— Négociant

163 Mesdag (H.W.) Laan v Meerdervoort La Haye
— Henrik Willem Mesdag (1831-1915)
— Laanvan Meerdervoort 9, La Haye (de 1870 à 1915)
— Artiste-peintre, client de Theo
Voir: lettres T 39, T 41

164 Manzy R Forest 9
— François-Marie Manzi (1849-1915)
— 9 rue Forest, Paris (atelier)
— Spécialiste en chromophotographie, graveur, éditeur et marchand de tableaux (imprimeur de Boussod, Valadon et Cie), en relation avec Theo

**165 Meegank R Paul Lelong
(adresse Daverveldt & C')**
— L. Meganck
— 6 rue Paul Lelong
— Ami de Theo

166 Mercure de France
— 15 rue de l'Echaudé, Paris
Recueil mensuel de littérature et d'art; fondé en 1889 par Alfred Vallette.
Voir aussi: n° 5

167 Maus (Octave) Rue au Berger 27 Bruxelles
— Octave Maus (1856-1919)
— Rue Berger 27, Brusselles
— Animateur du groupe des Vingt (artistes d'avant-garde à Bruxelles)
Vincent participa à la 7e exposition annuelle des XX à Bruxelles en janvier 1890.

168 Meester (de) 54 Rue N.D. des Champs
— Eliza Johannes de Meester (1860-1931)
— 54 rue Notre-Dame-des-Champs, Paris
— Romancier et journaliste
Il travailla à Paris comme correspondant du journal Het Algemeen Handelsblad (de 1886 à 1891). En mars 1886, de Meester rend visite à Theo pour faire sa connaissance. Voir son article dans Het Algemeen Handelsblad du 31 décembre 1890 et aussi celui dans Nederland, 1891, 1, p. 312-319.

N

169 Nolot 9 R Chaptal
— Nolot
— 9 rue Chaptal, Paris (siège social de Boussod, Valadon et Cie)
— Employé chez Boussod, Valadon et Cie?

170 Nederhasselt (J.v) Steijnenburgh de Bildt
— Jan Hendrik Julius van Nederhasselt (né en 1858)
— De Bildt straat F16/F17, Steijnenburgh, De Bildt; à partir du 16 mai 1900: Ramstraat 2, Utrecht
— Fabricant
Cousin de M. et Mme Gampert et apparentés à Johanna Bonger, l'épouse de Theo.
Voir aussi: n° 95

171 Normand (Le) 43 Rue de la Rochefoucauld
— Eugène Georges Le Normand (né en 1878)
— 43 rue de la Rochefoucauld, Paris
— «Docteur de bains», médecin de Theo ou l'un de ses clients?

O

172 Obach (Ch) 20 Cockspurstr Pall Mall Londres
— Charles Obach
— 20 Cockspurstreet, Pall Mall, Londres
— Directeur de Obach & Co., marchand de gravures, en relation avec Theo
Il dirigeait auparavant la succursale de Goupil à Londres.

173 Oudshoorn (A) 9 Rue Mazagran
— Arie Oudshoorn (1857-1923)
— 9 rue Mazagran, Paris
— Dessinateur et lithographe

174 Obreen 98 Avenue Niel
— A.L.H. Obreen
— 98 avenue Niel, Paris*
— Correspondant au quotidien Nieuwe Rotterdamsche Courant

P

175 Praag (Em van) 77 R Lafayette
— Emmanuel van Praag (1875-?)
— 77 rue Lafayette, Paris*
— Propriétaire d'une taillerie de diamants pour vitriers, ami de Theo.
M. van Praag habite à Paris à partir du 15 avril 1885.

176 Paulin 58 R Taitbout
— Cyr Paul Paulin (1852-1937)
— 58 rue Taitbout, Paris (en 1890)*
— Médecin et sculpteur

177 Peyrol (Hte) 14 R Crussol
— François Auguste Hippolyte Peyrol (1859-1929)
— 14 rue Crussol, Paris*
— Sculpteur

178 Pialès 43 R de Boulainvilliers
— Madame A. Pialès
— 43 rue de Boulainvillers, Passy
L'adresse d'une pension (et restaurant?)
Voir aussi: n° 148 et n° 236

179 Pissarro (C) Eragny s/Epte (Eure)
— Camille Pissarro (1830-1903)
— Eragny-sur-Epte (Eure) (à partir de 1884)
— Dessinateur, peintre et graveur dont Theo vendit des œuvres
En février 1890, Theo organisa une exposition de 26 œuvres de Camille Pissarro.
Voir lettres: T 12, T 16, T 17, T 18, T 19, T 20, T 22, T 29, T 31, T 32, T 40
RVG: 2.748-2.749

180 Pierson (J) 21 R St Ferdinand
— Jean-Michel Pierson (1828-1896?)
— 21 rue Saint-Ferdinand, Paris
— Propriétaire de la compagnie J. & G.O. Pierson à Paris
Voir aussi: n° 186

181 Portier 54 Rue Lepic
— Alphonse Portier (1841-1902)
— 54 rue Lepic, Paris
— Courtier et marchand de tableaux, en relation avec Theo dont il était le voisin

182 Petit 6 R Lamartine
— Edouard Petit (1842-?)
— 6 rue Lamartine, Paris*
— Emballeur

183 Patron (C) 9 R Chaptal
L'adresse a été rayée et remplacée par: **7 R de Calais**
— Camille Augustin Patron (1851-?)
— 9 rue Chaptal, Paris (siège social de Boussod, Valadon et Cie); adresse à partir de 1889, 7 rue de Calais, Paris
— Avocat

184 Prevost 19 Bd Montmartre
— Nicolas Elie Prevost
— 19 boulevard Montmartre, Paris (succursale de Boussod, Valadon et Cie)
— Garçon de magasin chez Boussod, Valadon et Cie

185 Pointelin 27 R de Fleurus
— Auguste Emmanuel Pointelin (1839-1933)
— 5 rue de Fleurus, Paris (adresse personnelle; atelier au n° 27, rue de Fleurus)*
— Artiste-peintre

186 Pierson (G.O) 21 Rue St Ferdinand
L'adresse a été rayée et remplacée par **3 avenue Trudaine**
— Otto Gerhard Pierson (1866-1944)?
— 21 rue Saint-Ferdinand, Paris; 3 avenue Trudaine, Paris
— Propriétaire de la compagnie J. & G.O. Pierson à Paris
Voir aussi: n° 180

187 Petersen (Ch Mourier) Frederiksholms Kanal 24 Copenhague
— Christian Wilhelm Mourier-Petersen (1858-1954)
— Frederiksholms Canal 24, Copenhague
— Artiste-peintre, ami de Theo
En mai 1888, Mourier-Petersen arrive à Paris, portant avec lui une lettre de recommandation de Vincent pour Theo. (Mourier-Petersen fit la connaissance de Vincent à Arles, où il habitait également). A Paris il logea pendant quelque temps chez Theo.
RVG: 1.32

Q

188 Quost 74 R Rochechouart
— Ernest Quost (1844-1931)

— 74 rue de Rochechouart, Paris*
— Artiste-peintre, connaissance de Theo que Vincent admirait beaucoup
RVG : 2.750
Voir : lettres T 38, T 39

189 Quesne van Bruchem (du) Eikenhorst Soesterberg
— Jean Philippe Théodore du Quesne van Bruchem (1840-1921)
— Villa Eikenhorst, wijk D 99, Soesterberg (1872 env. 1890)
— Avocat, employeur de Lies, sœur de Theo et Vincent
Voir aussi : n° 107

R

179. C. Pissarro, *Portrait de Paul Cézanne*
Eau-forte, 1874, dédicacée en bas à gauche :
« à m. v. Gogh, témoignage d'amitié à C. Pissarro »

190 Rouart (H) 34 R de Lisbonne
— Henri Stanislas Rouart (1833-1912)
— 34 rue de Lisbonne, Paris*
— Ingénieur et collectionneur, client de Theo

191 Rat (P Le) 42 Bd Montparnasse
— Paul-Edme Le Rat (1849-1892)
— 42 boulevard Montparnasse, Paris*
— Graveur

192 Rodin (A) 182 Université (R de l')
— René François Auguste Rodin (1840-1917)
— 182 rue de l'Université, Paris*
— Sculpteur-statuaire dont Theo vendit des œuvres

193 Rivet (Dr) 6 R de la Victoire
— Louis Marie-Hyppolite Rivet (né en 1851)
— 6 rue de la Victoire, Paris*
— Médecin de Theo
Voir : lettres T 13, T 14, T 17

194 Roquet (G) 18 Av. de Villiers
— Gustave Roquet
— 18 avenue de Villiers, Paris

195 Rappard (A G A v) Utrecht
— Anton Gerhard Alexander Ridder van Rappard (1858-1892)
— Heerenstraat wijk A, nr. 1172, Utrecht (jusqu'au 1er mai 1889)
— Artiste-peintre, ami de Vincent.
Van Rappard fit la connaissance de Theo à Paris en 1879. Il a d'autre part correspondu avec Vincent.
RVG : 2.752-2.757, 2.759a

196 Rey
— Félix Rey (1867-1932)
— Hôpital d'Arles, Arles, Bouches-du-Rhône ; adresse privée : Rampe du Pont, Arles
— Chef interne des hospices
Le Dr. Rey était médecin dans l'hôpital d'Arles où Vincent fut soigné pour sa blessure à l'oreille (du 24 décembre 1888 au 7 janvier 1889). Vincent fit un portrait de lui (F 500).
Voir aussi : n° 208
Voir : lettres T 4, T 12

197 Redon (Od) R St Romain
— Odilon Redon (1840-1916)

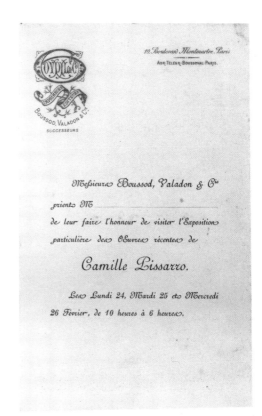

179. Carton d'invitation à l'exposition de Camille Pissarro organisée par Theo en 1890

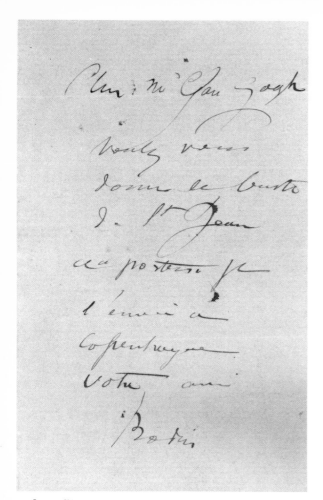

192. Lettre d'Auguste Rodin à Theo van Gogh

194. Carte de visite de Gustave Roquet

196. Portrait de Félix Rey (photographie)

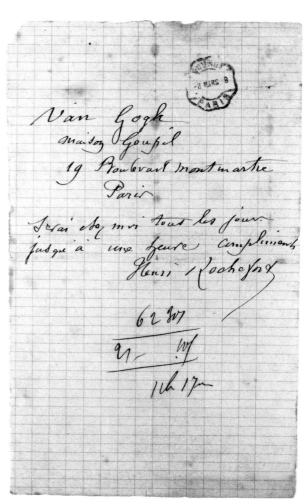

199. Billet de Henri Rochefort à Theo van Gogh

— 18 rue Saint-Romain, Paris (en 1889)
— Artiste-peintre dont Theo vendit des œuvres
RVG: 2.761

198 **Revue moderne**
L'adjectif «moderne» a été rayé et remplacé par:
d'Aujourd'hui
— Revue d'Aujourd'hui (depuis 1889/1890); directeur:
Tola Dorian
— 21 rue des Martyrs, Paris
Voir aussi: n° 198

199 **Rochefort (H) 23 York terrace Regent's Park road
St John's Wood London**
— Victor-Henri de Rochefort Luçay (1831-1913)
— 23 York terrace, Regent's Park road, St John's wood,
Londres
— Journaliste, homme politique et collectionneur

S

200 **Schwarzenberg 75 Montagne de la Cour Bruxelles**
— François Joseph Schwarzenberg (né en 1854)
— 75 Montagne de la Cour, Bruxelles (7/12/1888-8/5/
1891)
— Employé de commerce
Voir aussi: n° 58

201 **Stuers (Chevalier A de) 21 R la Pérouse**
— Alphonse Lambert Eugène Ridder de Stuers (1841-
1919)
— 21 rue la Pérouse, Paris
— Représentant des Pays-Bas, Conseiller d'Etat (et collectionneur), client de Theo

202 **Serret 240 R de Vaugirard**
— Charles Emmanuel Serret (1824-1900)
— 240 rue de Vaugirard, Paris*
— Peintre et lithographe, ami de Theo
RVG: 2.774-2.776
Voir: lettre T 32

203 **Stiefbold Kronenstrasse Berlin**
— Stiefbold & Co.
— Kronenstrasse, Berlin
— Propriétaire d'une librairie d'art ancien, éditeur d'art
et marchand de gravures

204 **Scheltema Nunen**
— Jacobus Hendrik Scheltema (1859-1891)
— Wijk Eeneind, Nuenen
— Apprenti dans une usine, ami de jeunesse de Theo?

205 **Simonson, 20 R de la Paix**
— F. Simonson
— 20 rue de la Paix, Paris*
— Marchand de tableaux, en relation avec Theo

206 **Simon 9 R Chaptal**
Au-dessus de l'adresse est annoté: **21 Bd Berthier**
— Simon
— 9 rue Chaptal, Paris (siège social de Boussod, Va-
ladon et Cie) et 21 boulevard Berthier, Paris
— Employé chez Boussod, Valadon et Cie?

207 **Sunner 33 Bd des Italiens**

208 **Salles**
— Frédéric Salles
— Eglise réformée, 9 rue de la Rotonde, Arles
— Pasteur
Le pasteur Salles correspondait avec Theo lors du sé-
jour de Vincent dans l'hôpital à Arles.
Voir aussi: n° 196

209 **Spijker (B H)**
— François Spijker
— Collègue et ami d'Andries Bonger, beau-frère de
Theo

210 **Mme Vve ten Sijthoff Heerengracht Amstm**
— Philippine Henriette ten Sijthoff née Westenenk
(1830-?) veuve de Jacobus ten Sijthoff (1815-1875) docteur en médecine, chirurgien et gynécologue
— Heerengracht 344, Amsterdam (à partir de novembre 1862)
— Connaissance de la famille Bonger

211 **M & Mad C Schogt Overtoom Amstm**
— Cornelis Schogt (1846-1897) et Elisabeth Caroline
Conradine Schogt née Palthe (1863-?)
— Overtoom 127, Amsterdam
— Commissionnaire

212 **Hr & Mevr W Sethe P.C. Hoogstr Amstm**
— Willem Sethe (né en 1829) et Maria Antoinette Sethe
née Hugot (née en 1848)
— Pieter Corneliszoon Hooftstraat 33, Amsterdam (à
partir de 1874)
— Marchand, connaissance d'Andries Bonger (beau-
frère de Theo)

213 **Dr J Stricker Tesselschadestraat Amst**
— Johannes Andries Stricker (1848-?)
— Tesselschadestraat 31, Amsterdam (à partir de mai
1887-1892)
— Professeur de lycée, cousin de Theo et Vincent
Voir aussi: n° 215

214 **|Stricker| Wageningen**
— Johannes Paulus Stricker (1854-1928)
— Wageningen
— Administrateur, cousin germain de Theo
Voir aussi: n° 215

215 **Mme Vve Stricker Anna Vondelstr Amstm**
— Willemina Catharina Gerardina Stricker née Car-
bentus (1816-18), veuve de Johannes Paulus Stricker
(1816-1886), pasteur à Amsterdam
— Anna Vondelstraat 13, Amsterdam
— Tante de Theo et Vincent
*C'est de leur fille Kee (Cornelia Adriana) Vos née Stricker, que
Vincent, pendant quelque temps, a été désespérément amoureux.*

216 **Swart (Dr de) 80 Av du Maine**
— de Swart
— 80 avenue du Maine, Paris
— Médecin ou client
*Parent de Mme Saar de Swart, sculpteur qui habitait à la même
adresse.*

208. Carte de visite de Frédéric Salles

222. La maison Goupil à La Haye (photographie)

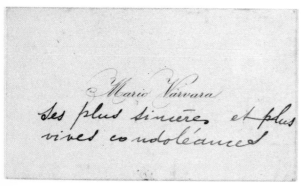

234. Carte de visite de Mario Varvara

217 Stockum (van) Mme Wagenstraat La Haye
— Carolina Adolphina van Stockum-Haanebeek (1852-1926)
— Wegenstraat 55, La Haye (1886-1901)
— Cousine par alliance
Voir: lettre T 1a

218 Schuffenecker Rue Durand Claye
t.p. la gare ceinture Ouest
— Claude Emile Schuffenecker (1851-1934)
— 12 rue Alfred-Durand-Claye, Plaisance, Paris
— Peintre, dessinateur et architecte
Voir: lettres T 10, T 37

219 Stam, J. 45 Rue Claude Bernard

T

220 Tempelaere R Laffitte 22
— Gustave Tempelaere?
— 22 Rue Laffitte, Paris
— Marchand de tableaux

221 Tuxen (L) 69 Bd St Jacques
— Laurits Reguer Tuxen (1853-1927)
— 69 boulevard Saint-Jacques, Paris
— Artiste-peintre et sculpteur

222 Tersteeg (H.G.) 20 Plaats La Haye
— Hermanus Gijsbertus Tersteeg (1845-1917)
— Plaats 20, La Haye (à partir de 1880 jusqu'au 24 mars 1914)
— Marchand de tableaux (chef de la succursale de Boussod, Valadon et Cie à la Haye), ami de Theo
Plaats 20 La Haye était l'adresse de la succursale de Boussod, Valadon et Cie à la Haye ainsi que l'adresse privée de H.G. Tersteeg.
Voir: lettres T 9, T 16

223 Tak (J A) Groenmarkt Middelburg
— Johannes Adriaan Tak (1836-1897)
— Groenmarkt, Middelburg
— Banquier, cousin par alliance de Theo
M. Tak avait épousé Johanna Elisabeth van Gogh, fille de son oncle Johannes.

224 Thomas Bould Malesherbes
— Georges Thomas
— 43 boulevard Malesherbes, Paris*
— Marchand de tableaux, en relation avec Theo
Voir: lettre T 2

225 Tanguy 14 Rue Clauzel
— Julien Tanguy (1825-1894)
— 14 rue Clauzel, Paris*
— Marchand de couleurs de Vincent, devenu son ami
De 1874 à 1892 Tanguy loua une boutique 14, rue Clauzel, puis jusqu'en 1894 au 9 rue Clauzel. Vincent fit plusieurs portraits de lui (F 363, F 364, F 1412).
Voir: lettres T 12, T 13, T 17, T 19, T 21, T 22, T 33, T 34, T 36, T 37, T 40

V & W

226 Valadon (R) 2 R de Phalsbourg
— René Valadon (1848-1921)
— 2 rue de Phalsbourg, Paris
— Fondateur et associé de Boussod, Valadon et Cie, successeur de Goupil, employeur de Theo
Voir: lettre T 40

227 Vivot (E) 3 R de Lismeil Villeneuve St Georges
— E. Vivot
— 3 rue de Lismeil, Villeneuve Saint Georges

228 Velten (Alfonse) Perspectiv Newski St Petersbourg
— Alfonse Velten
— Architecte
Voir aussi: n° 231

229 Wimpfheimer (Sam) 13 Rue Drouot
— Salomon Wimpfheimer (1861-?)?
— 13 rue Drouot, Paris
Sam Wimpfheimer quitta Amsterdam pour Paris le 24 février 1881.

230 Wisselingh (E.J. van) Buitenhof La Haye
— Elbert Jan van Wisselingh (1852-1912)
— Buitenhof 48, La Haye
— Marchand de tableaux, d'abord chez Boussod, Valadon et Cie, ensuite à son compte; en relation avec Theo

231 Velten (Hans) 20 Cockspurstreet Pall Mall Londres
— Hans Velten
— 20 Cockspurstreet, Pall Mall, London
— Employé chez Obach & Co., marchands de gravures? en relation avec Theo
Hans Velten d'origine suisse se fit naturaliser anglais en 1894.
Voir aussi: n° 228

232 Wensink 112 Av V Hugo
— Wensink
— 112 avenue Victor-Hugo, Paris

233 Wensink Jzn 76 Av V Hugo
— Wensink Jzn
— 76 avenue Victor-Hugo, Paris

234 Varvara (Mario)
— Mario Varvara
— Ecrivain?

235 Vignon (Vor) Nesles la Vallée (S & O)
— Victor Alfred Paul Vignon (1847-1909)
— Nesles la Vallée (Seine & Oise)
— Paysagiste et aquafortiste, ami de Vincent
RVG: 1.337

236 Veth (J.) Bussum
— Jan Pieter Veth (1864-1925)
— Parklaan 35, Bussum (29/8/1888-13/5/1924)
— Portraitiste, aquafortiste, lithographe ainsi qu'écrivain, client et ami de Theo

Veth écrivit un article sur Theo à propos de la mort de celui-ci dans le magazine De Amsterdammer, weekblad voor Nederland *(n° 70, 1891).*
Voir: lettre T 19

Z

237 Zandomeneghi 7 Rue Tourlaque
— Frederico Zandomeneghi (1841-1917)
— 7 rue Tourlaque, Paris
— Artiste-peintre, ami de Theo

Pension

238 Mme A. Piales
43 Rue de Boulainvilliers
Passy
Voir aussi: n° 178

239 Mme Busson
26 Rue de la Tour

237. Carte de visite de Frederico Zandomeneghi

Tableaux vendus par Theo van Gogh
pour le compte de la maison Boussod, Valadon et Cie,
1886-mars 1888

C'est John Rewald (*Goupil*, 1973) le premier qui a mis en valeur le rôle de Theo van Gogh auprès des peintres impressionnistes alors qu'il dirigeait une succursale de la maison Goupil (Boussod, Valadon et Cie) 19, boulevard Montmartre à Paris. Cette annexe envisage ses activités uniquement pendant les deux années que Vincent, son frère, passa à Paris. Nous nous proposons de reproduire les tableaux, quarante au total, vendus par Theo durant cette période et les semaines qui suivirent le départ de Vincent. Ceci illustre sa perspicacité d'homme d'affaires et son ascension rapide dans la concurrence qui l'oppose alors à Durand-Ruel sur le marché de la peinture d'avant-garde. La majorité des œuvres présentées ici sont recensées dans les livres de comptes de la maison Goupil et ont été identifiées par J. Rewald ; quelques autres ont été ajoutées ; elles ne figurent pas sur les listes de Goupil. Cependant Wildenstein (*W* II et III, p. 2) a montré qu'elles étaient passées par Boussod et Valadon durant la période où Theo y était employé ; d'autres ont été retenues, pour lesquelles on s'est fondé sur la correspondance de certains artistes, notamment celle de Camille Pissarro. C'est ainsi, par exemple, que des toiles dont on ne retrouve pas trace dans les livres de comptes de Goupil, n'en sont pas moins mentionnées dans des lettres de Pissarro à son fils Lucien comme ayant été vendues à Theo (par exemple *B-H*, II, lettre 454). De même, en ce qui concerne les œuvres que Degas a laissé en dépôt à Theo, il est possible que celui-ci en ait vendu plusieurs (ANNEXE *Lettres :* Vincent à Angrand, et *Goupil*, p. 12, 13), mais toutes n'ont pas été enregistrées et il est difficile de les identifier. Il en est de même des trois tableaux dont Gauguin dit à sa femme qu'il les vend à Theo, et qui ne figurent pas sur les registres de la firme (*Goupil*, p. 18, 19). Notre sélection ne vise donc nullement à présenter un compte exhaustif de toutes les transactions menées par Theo entre 1886 et les premiers mois de 1888. De nombreuses ventes et acquisitions restent encore mystérieuses pour nous (*Goupil*, p. 18). D'autres difficultés concernent l'identification de certaines œuvres de Monet et de toute une série de toiles de Sisley, dont on sait que Theo les a vendues, mais dont les titres et les dimensions indiquées ne nous permettent pas de savoir avec précision de quelle œuvre il s'agit. La liste de ces œuvres est donnée ci-dessous ; toute suggestion permettant de mieux connaître leur identité reste bienvenue.

Les livres de comptes de Goupil témoignent de la grande qualité des œuvres impressionnistes dont Theo se fit, de son propre chef, l'agent commercial, encouragé en ce sens par Vincent, à une époque où les circonstances n'étaient financièrement guère favorables à l'écoulement des œuvres impressionnistes. Et c'est ainsi que Theo devint un des plus grands courtiers de l'art moderne à Paris, mais le recensement donné ci-dessous ne tient pas compte du grand nombre de transactions opérées par lui avec des artistes d'autres écoles (Barbizon, etc.), parmi lesquels Adolphe Monticelli, dont dix-neuf tableaux furent ainsi vendus, — ce qui peut paraître surprenant.

Degas
La Femme aux chrysanthèmes
1865
H. 74 ; L. 91
Acheté à l'artiste le 22.07.1887
Vendu à Boivin le 28.02.1889
New York, The Metropolitan Museum of
Art
L 125

Gauguin
Baigneuses
1886
H. 61 ; L. 73
Acheté à l'artiste le 28.12.1887
Vendu à Dupuis le 26.12.1887
Etats-Unis, collection particulière
W 272

Guillaumin
Paysage, bords de rivière
1886
H. 53 ; L. 65
Acheté à l'artiste le 9.12.1887
Vendu à Dupuy le 7.12.1887

Manet
Marine
Acheté à Bourgeois le 22.10.1886
Vendu à Boggs, à une date inconnue
(Rewald : W 223 ? peut-être W 64 ou W 194 ?)

Monet
Rochers à Port-Coton, le lion
1886
H. 65 ; L. 81
Acheté à l'artiste le 7.04.1887
Vendu à Poidatz le 20.04.1887
Grande-Bretagne, collection particulière
W 1091

Monet
Grotte de Port-Domois
1886
H. 65 ; L. 81
Acheté à l'artiste le 23.04.1887
Vendu à Aubry le 28.04.1887
Etats-Unis, collection particulière
W 1114

Monet
Belle-île, le chenal de Port-Goulphar
1886
H. 60 ; L. 73
Acheté à l'artiste le 10.05.1887
Vendu à Desfossés le 10.05.1887
Collection particulière
W 1098

Monet
Pyramides de Port-Coton
1886
H. 65,5 ; L. 65,5
Acheté à l'artiste le 10.05.1887
Vendu à Dupuy le 21.10.1887
Collection particulière
W 1087

Monet
Falaise et porte d'Aumont par gros temps
1886
H. 65; L. 81
Acheté à l'artiste le 10.05.1887
Vendu à Dupuis le 21.10.1887
W 1048

Monet
Belle-île, coucher de soleil
1887
H. 73; L. 60
Acheté à l'artiste le 17.05.1887
Vendu à Heilbut le 5.12.1889
Collection particulière
W 1103

Monet
Plage, effet de printemps
H. 76; L. 60
Acheté à l'artiste le 17.05.1887
Vendu à Heilbut le 5.12.1889

Monet
Belle-île, effet de pluie
1886
H. 60; L. 73
Acheté à l'artiste le 23.05.1887
Vendu à Clapisson le 23.05.1887
Tokyo, Bridgestone Gallery
W 1112

Monet
Tempête sur les côtes de Belle-île
1886
H. 60; L. 73
Acheté à l'artiste le 11.07.1887
Vendu à Dupuy le 2.09.1887
Collection particulière
W 1119

Monet
Prairie de Limetz
H. 73; L. 93
Acheté à l'artiste le 1.10.1887
Vendu à Guyotin le 22.02.1888

Monet
Champ de coquelicots
1887
H. 73; L. 92
Acheté à l'artiste le 1.10.1887
Vendu à Drummont le 23.12.1891
Collection particulière
W 1146

Monet
Pointe de rochers à Port-Goulphar
1886
H. 81 ; L. 65
Acheté à l'artiste le 1.10.1887
Vendu à Poidatz le 10.01.1888
(*W*, t. II, p. 204, notice 1101 : «acheté à
Monet par Boussod, Valadon et Cie, avril
1887»)
Etats-Unis, collection S. H. Whitmore and
Company
W 1101

Monet
Roche Guibel, Belle-île
1886
H. 65 ; L. 82
Acheté à l'artiste le 22.10.1887
Vendu à Guyotin le 22.02.1888

Monet
Port-Coton, le lion
1886
H. 60 ; L. 73
Acheté à l'artiste le 22.10.1887
Vendu à Sainsère le 27.03.1895
Collection particulière
W 1092

Monet
Sortie de bateaux de pêche à Etretat
1886
H. 66 ; L. 81
W: «acheté à Monet par Boussod,
Valadon et Cie en octobre 1887»
Ne figure pas dans les livres de comptes
de Goupil
Moscou, musée Pouchkine
W 1046

Monet
*Champs de fleurs et moulins près de
Leyde*
1886
H. 64,8 ; L. 81,3
W: «Boussod et Valadon 1887»
Ne figure pas sur les livres de comptes
Goupil
Amsterdam, Stedelijk Museum
W 1068

Monet
Moulins près de Zaandam
1871
H. 40 ; L. 72
Acheté à Portier le 13.12.1887
Vendu à Guyotin le 17.12.1887
Baltimore, Walters Art Gallery
W 170

Monet
Cabane des douaniers, mer agitée
1882
H. 58 ; L. 81
W: «Vente Charles Leroux, Paris Drouot
le 27.02.1888 n° 56 (Boussod, Valadon et
Cie)».
Ne figure pas dans les livres de comptes
de Goupil
Collection particulière
W 738

Monet
Paysage d'hiver au val de falaise
1885
H. 65 ; L. 81
Acheté à l'Hôtel des ventes le 3.03.1888
Vendu à Eastman Chase (N.Y.) le
20.03.1891
W: «Acheté à Monet par Durand-Ruel,
mai 1885 — Leroux, Paris, 1885 — vente
Charles L. [Leroux], Paris, Drouot
27 février 1888, n° 54 (Boussod, Valadon
et Cie)»
Collection particulière
W 975

Monet
Les Pins à Varengeville
1882
H. 59 ; L. 73
Acheté à l'Hôtel des ventes le 29.02.1888
Vendu à Leclanché le 29.02.1888
Collection particulière
W 198

Pissarro C.
La Récolte des foins, Eragny
1887
H. 50 ; L. 60
Acheté à l'artiste le 8.08.1887
Vendu à Aubry le 8.08.1887
Localisation inconnue
P V 713

Pissarro C.
Vaches au pâturage, Eragny
1887
H. 65 ; L. 81
Acheté à l'artiste aux environs de
septembre 1887
Vendu à de Bellio le 24.08.1887
(*B-H*, vol II, L 454)
Ne figure pas dans les livres de comptes
de Goupil
Localisation inconnue
P V 711

Pissarro C.
La Récolte des pois
1887
H. 52 ; L. 63
Acheté à l'artiste en 1887
Vendu à ? en septembre 1887
Ne figure pas dans les livres de comptes
de Goupil
Localisation inconnue
P V 1408

Pissarro C.
Le Marché à la volaille, Pontoise
1882
H. 81 ; L. 65
Acheté à l'artiste le 15.12.1887
Vendu à Guyotin le 15.12.1887
Collection particulière
P V 576

Pissarro C.
La Gardeuse d'oies à Osny
1887
H. 19,5 ; L. 35
Vendu par Theo à Dupuis en mars 1888
(Lettre de Lucien Pissarro à son père
Camille du 12 mars 1888 ; *Complete
Letters*, III, p. 585 et *Goupil*, p. 75)
Ne figure pas dans les livres de comptes
de Goupil
Etats-Unis, collection particulière
P V 1640

Pissarro C.
La Cavée à Eragny, plein midi
1887
H. 73 ; L. 92
Vendu par Theo à Dupuis aux environs
de février-mars 1888
(Lettre de Lucien Pissarro à son père
Camille du 12 mars 1888 ; *Collected
Letters*, III, p. 585)
Ne figure pas dans les livres de comptes
de Goupil
Localisation inconnue
P V 715

Pissarro C.
Maisons de paysans, Eragny
1887
H. 60 ; L. 73
Acheté à l'artiste le 18(?).03.1888
Vendu à Dupuis le 10.03.1888
Sydney, Art Gallery of New South Wales
P V 710

Pissarro C.
Soleil de printemps, dans le pré à Eragny
1887
H. 54 ; L. 66
Acheté à l'artiste le 17.03.1888
Vendu à Buglé le 22.11.1888
Paris, musée d'Orsay
P V 709

Renoir
Canotiers
1879
H. 54 ; L. 65
Acheté à Legrand le 21.11.1887
Vendu à Guyotin le 22.11.1887
Chicago, The Art Institute of Chicago
DR 305

Sisley
Premiers jours d'automne
1886
H. 66 ; L. 92
Acheté à l'artiste le 14.05.1887
Vendu à Viau le 20.06.1895
Collection particulière
DS 648

Sisley
Moret
H. 55 ; L. 45
Acheté à Legrand le 21.11.1887
Vendu à Guyotin le 22.11.1887

Sisley
La Seine
H. 50 ; L. 40
Acheté à Legrand le 21.11.1887
Vendu à Guyotin le 22.11.1887

Sisley
Plateau de Roche Contant
H. 54 ; L. 73
Acheté à l'artiste le 22.06.1887
Vendu à Chapuy le 11.06.1891

Sisley
La Maison abandonnée
1886
H. 54 ; L. 73
Acheté à l'artiste le 22.06.1887
Vendu à Wildenstein N.Y. le 23.11.1891
Collection particulière
DS 652

Sisley
La Seine à Suresne
1879
Acheté à Dubourg le 13.06.1887
Vendu à Aubry le 10.08.1887
Localisation inconnue
DS 514

Sisley
Vue de Chatou
H. 55 ; L. 45
Acheté à Legrand le 21.11.1887
Vendu à Guyotin le 22.11.1887

Lettres

Si la période hollandaise de Vincent van Gogh, comme plus tard celle d'Arles, de Saint-Rémy et d'Auvers, nous ont apporté une correspondance volumineuse, seules sept lettres et une note (INTRODUCTION fig. 1) ont survécu à sa période parisienne. Trois de ces lettres étaient adressées à des artistes : Charles Angrand, le peintre anglais Horace Mann Livens (1862-1936) et Emile Bernard. Toutes trois sont reproduites ci-dessous, de même que les deux lettres écrites en français à son frère. La longue lettre à sa sœur Willemina (*W* 7), d'une grande importance, et qu'il faut probablement dater de la fin de l'été 1887 (*W-O,* p. 251), ainsi qu'une lettre à Theo (*LT* 460) de l'été 1886, sont rédigées en néerlandais et ne sont pas reproduites dans ce catalogue (*Correspondance complète de Vincent van Gogh*). La lettre de Vincent à Charles Angrand a déjà été évoquée plus haut (cat. n⁰ˢ 69 et 80). Celle à Livens est le plus ancien exemple connu d'une lettre écrite par van Gogh en anglais et adressée à cet artiste dont il avait fait la connaissance au début de 1886 à l'Ecole des Beaux-Arts d'Anvers. Elle reste un des rares témoignages que nous ayons sur l'évolution et les projets de van Gogh à Paris et date de la fin de l'été 1887, époque à laquelle il écrit également à sa sœur Willemina (*W* 7). La lettre à Bernard (*B* 7) ne subsiste que dans sa version imprimée et date sans doute de la fin de 1887 ou du début de 1888 : Signac y est mentionné ; or c'est en novembre 1887 que celui-ci revient à Paris. Le contenu de cette lettre témoigne des efforts de van Gogh pour atténuer le différend entre Signac et Bernard à propos du pointillisme auquel Bernard est hostile. Les deux lettres à Theo (*LT* 461, 462, ici reproduites) datent vraisemblablement de la fin de juillet 1887 (*W-O,* p. 251) ; elles font part de la rupture des relations entre Vincent et Agostina Segatori, en même temps qu'elles nous informent sur les grandes toiles qu'il est en train d'achever.

Correspondance assez réduite, donc, entre 1886 et 1888 ; mais ces quelques lettres n'en témoignent pas moins des talents de polyglotte peu communs, ainsi que de la rapidité avec laquelle Vincent van Gogh avait su s'intégrer aux milieux artistiques parisiens et participer à leurs activités.

54 Rue Lepic

Monsieur, j'ai parlé à M. Boggs
de l'entrevue que j'ai eue avec vous
et si vous aimeriez à faire un échange
avec lui allez-y hardiment parceque
vous verrez de belles choses chez lui.
et il sera très content de faire
votre connaissance.

Mais même je me recommande
aussi pour un échange
J'ai justement 2 vues du
moulin de la galette dont je
pourrais disposer
Espérant donc vous voir un de ces jours
je vous serre la main
                                        b à v
                                    Vincent

Allez donc aussi voir mon frère (Goupil & Cⁱᵉ
19 Boulevard Montmartre) il a dans ce moment un
très beau de Gas. J'ai encore revu chez Tanguy
votre jeune fille aux poules c'est justement cette étude là
que j'aimerais bien à vous échanger. Si inclus une carte
de mon frère si vous ne le trouviez pas là vous pourriez
donc toujours monter voir les tableaux

Lettre à Charles Angrand
Collection particulière

My dear Mr Livens,

Since I am here in Paris
I have very often thought of yourself and work
you will remember that I liked your colour
your ideas on art and litterature and I add
most of all your personality

I have already before now thought that
I ought to let you know what I was doing
where I was. —

But what refrained me was that I find
living in Paris is much dearer than in
Antwerp and ~~before~~ not knowing
what your circumstances are I dare
not say Come over to Paris without
warning you that it costs one dearer [than Antwerp]
and that if poor one has to suffer many
things. — As you may imagine —
But on the other hand there is more
chance of selling

There is also a good chance of exchanging
pictures with other artists

In one word With much energy with
a sincere personal feeling of colour in nature
I would say an artist ~~can paint~~ can get on
here notwithstanding the many obstructions

And I intend remaining here still
longer—

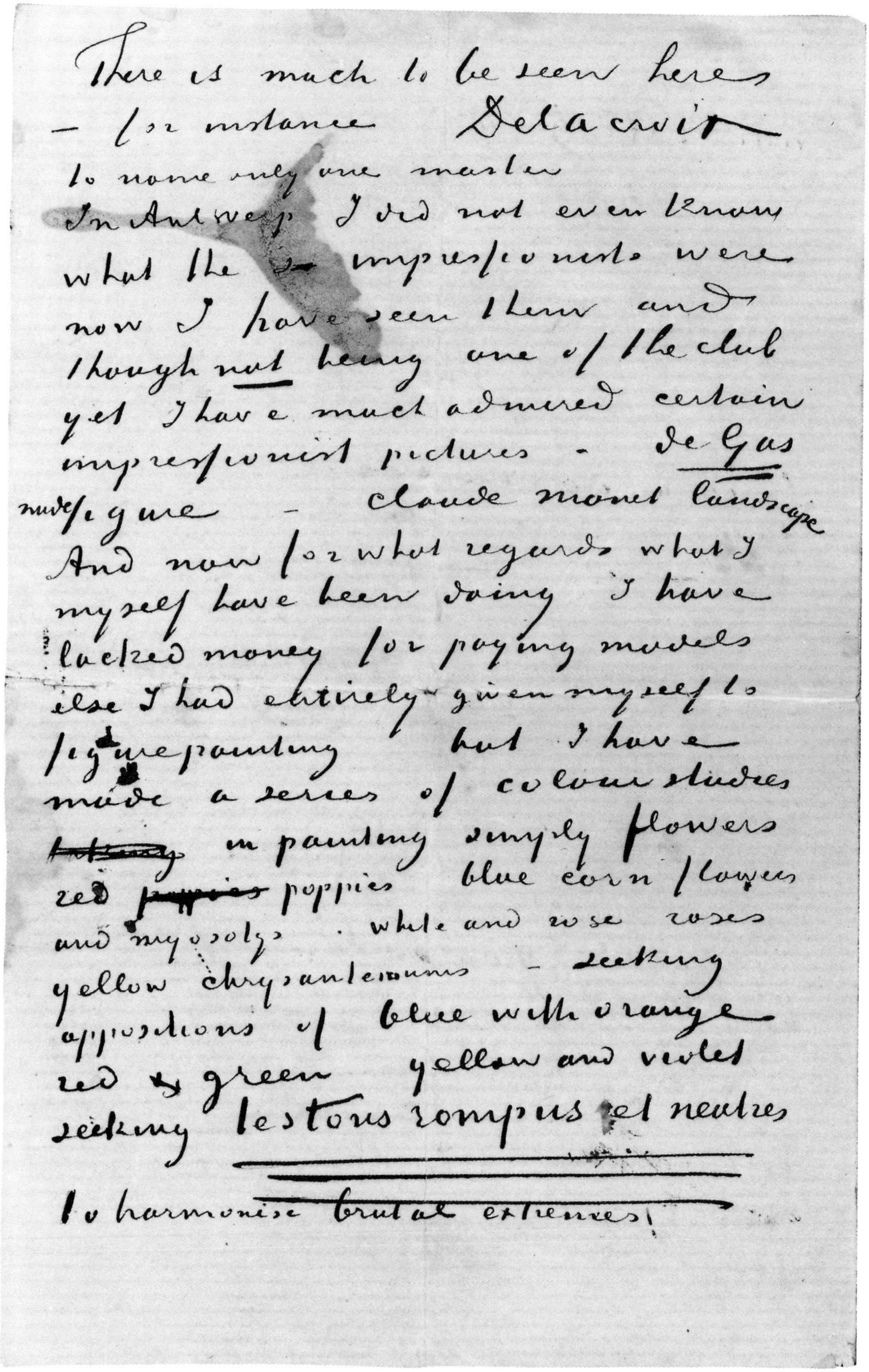

There is much to be seen here
– for instance Delacroix
to name only one master
In Antwerp I did not even know
what the impressionists were
now I have seen them and
though not being one of the club
yet I have much admired certain
impressionist pictures – de Gas
nude figure – Claude monet landscape
And now for what regards what I
myself have been doing I have
lacked money for paying models
else I had entirely given myself to
figure painting but I have
made a series of colour studies
in painting simply flowers
red poppies blue corn flowers
and myosotys. white and rose roses
yellow chrysantemums – seeking
oppositions of blue with orange
red & green yellow and violet
seeking les tons rompus et neutres

to harmonise brutal extremes

Trying to render intense colour
and not a grey harmony
Now after these gymnastics I lately
did two heads which I dare say
are better in light and colour than
those I did before –
So as we said at the time in colour
seeking life The true drawing is
modelling with colour
I did a dozen landscapes too
frankly green frankly blue
And so I am struggling for life
and progress in art
Now I would very much like to know
what you are doing and ~~whether you~~
~~think~~ whether you ever think of going
to Paris –
If ever you did come here write
to me before and I will if you
like share my lodgings and
studio with you so long as I have
any . In Spring – say February
or even sooner I may be going
to the south of France
the land of the blue tones
~~and~~ gay colours

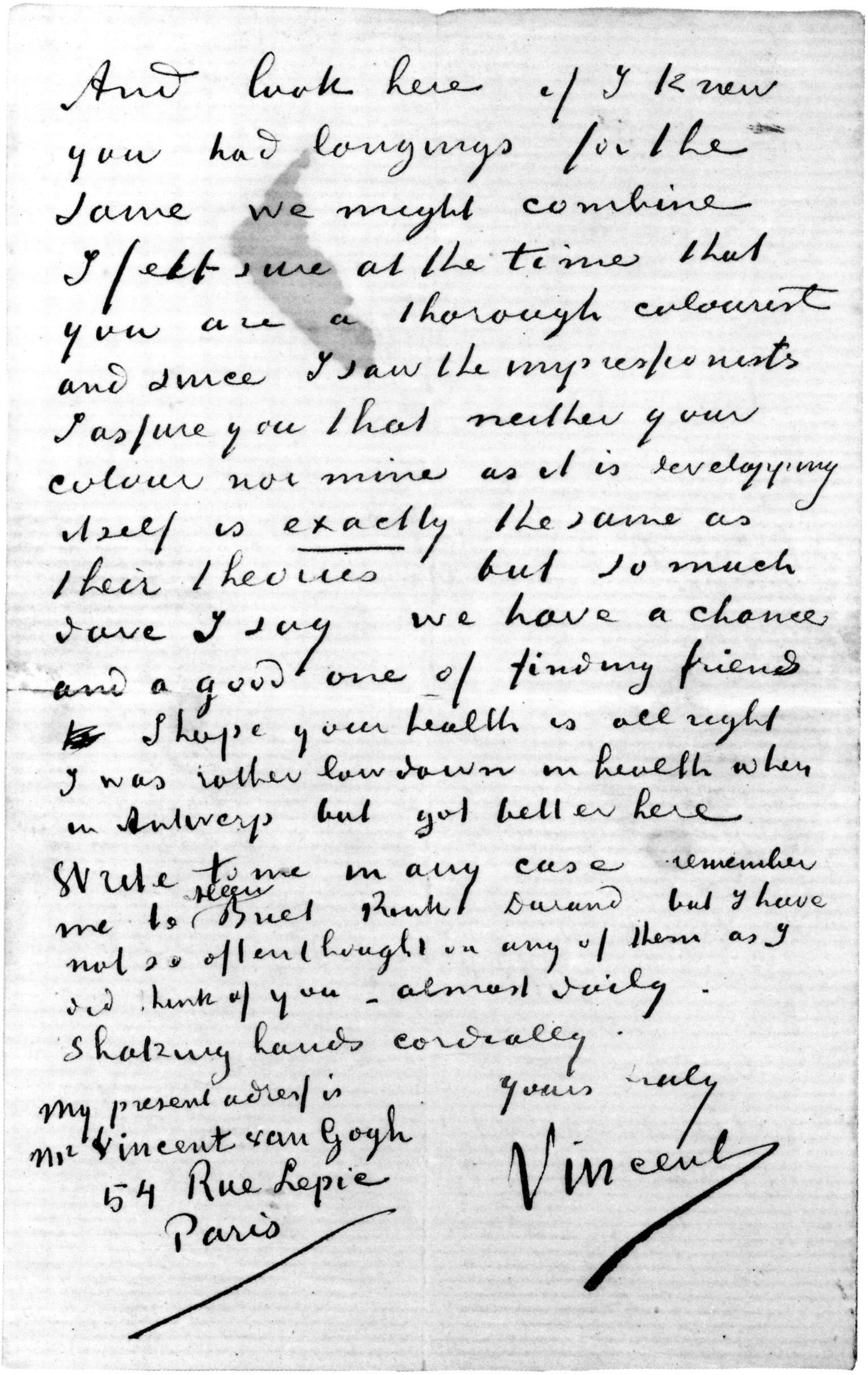

And look here if I knew
you had longings for the
same we might combine
I felt sure at the time that
you are a thorough colourist
and since I saw the impressionists
I assure you that neither your
colour nor mine as it is developping
itself is exactly the same as
their theories but so much
dare I say we have a chance
and a good one of finding friends
I hope your health is all right
I was rather low down in health when
in Antwerp but got better here
Write to me in any case remember
me to Reem Briet Rink Durand but I have
not so often thought on any of them as I
did think of you — almost daily.
Shaking hands cordially.

my present adress is
Mr Vincent van Gogh
54 Rue Lepic
Paris

yours truly

Vincent

What regards my chances of sale look here
They are certainly not much but still
I Do have a beginning

At this present moment I have ~~exhibited~~ found
four dealers who have studies of mine
And I have exchanged studies with several
artists
Now the prices are 50 francs
Certainly not much but — as far as
I can see one must sell cheap
to rise and even at costing price
And mind my dear fellow
Paris is Paris there is but one
Paris and however hard living may
be here and if it became worse
and harder even — the french
air. clears up the brain and does
one good — a world of good —
I have been in Cormons studio
for three or four months but did
not find that so useful as I had
expected it to be. It may be
my fault however any how
I left there too as I left Antwerp
and since I worked alone and
fancy that since I feel my own self
more —

Trade is slow here the great dealers
sell Millet Delacroix Corot Daubigny Dupré
a few other masters at exorbitant prices
They do little or nothing for young artists
The second class dealers contrariwise
sell those — but at very low prices
If one asked more I would do nothing
I fancy. However I have faith
in colour even what regards the price
the public will pay for it in the
longer run —
But for the present Things are awfully
hard therefore let any one who risks
to go over here consider there is no
laying on roses at all

What is to be gained is Progress
and what the deuce that is to
be found here I dare ascertain
Any one who has a solid position
elsewhere let him stay where he is but
for adventurers as myself I think
they lose nothing in risking more
Especially as in my case I am not an
adventurer by choice but by fate and
feeling nowhere so much myself a stranger
as in my family and country —
Kindly remember me to your landlady
Mrs Roosmalen and say her that if she will
exhibit something of my work I will send her a small
picture of mine —

Lettre à Horace Mann Livens (*Lettre* 459a)
Collection particulière

Paris 461

Mon cher ami, ci enclus une lettre
qu'est arrivé d'hier mais que le concierge
ne m'a pas tout de suite remise.

J'ai été au tambourin puisque si je
n'y allais pas on aurait pensé que
je n'osais pas —

Alors j'ai dit à la Segatori que
dans cette affaire je ne la jugerais pas
mais que c'était à elle de se juger
elle même —
Que j'avais déchiré le reçu des
tableaux — mais qu'elle devait tout
rendre.
Que si elle n'était pas pour quelque
chose dans ce qui m'est arrivé elle
aurait été me voir le lendemain
Que puisqu'elle n'est pas venue me
voir je considérais qu'elle savait
qu'on me chercherait querelle mais qu'elle
a cherché à m'avertir en me disant_
allez vous en. ce que je n'ai pas compris
et d'ailleurs n'aurais peut être pas voulu
comprendre

Ce à quoi elle a repondu
que les tableaux a tout le reste
étaient à ma disposition

Elle a maintenu que moi j'avais
cherché querelle — ce qu ne
m'étonne pas — mais sachant
que si elle prenait parti pour moi
on lui ferait des atrocités. —

J'ai vu le garçon aussit en entrant mais il
s'est éclipsé —

Maintenant je n'ai pas voulu prendre
les tableaux tout de suite mais j'ai dit que
quand tu serais de retour on en
causerait puisque ces tableaux
m'appartenaient autant qu'à moi et
qu'en attendant je l'engageais à
réflechir encore une fois à ce que
c'était passé

Elle n'avait pas bien bonne mine
et elle était pale comme de la cire
ce qui n'est pas bon signe

Elle ne savait pas que le garçon était monté chez toi – Si cela est vrai – je serais encore davantage porté à croire qu'elle a plûtot cherché à m'avertir qu'on me chercherait querelle que de monter le coup elle même – Elle ne peut pas comme elle voudrait Maintenant j'attendrai ton retour pour agir –

J'ai fait deux tableaux depuis que tu es parti –

Maintenant j'ai encore deux louis et je crains que je ne saurai comment passer les jours d'ici jusqu'à ton retour –

Car remarquez que lorsque j'ai commencé à travailler à Asnières j'avais beaucoup de toiles et que Tanguy était très bon pour moi – Cela à la rigueur et l'est tout autant mais sa vieille sorcière de femme s'est aperçue de ce qui se passait et s'y est opposé – maintenant j'ai engueulé la femme à Tanguy et j'ai dit que c'était de sa faute à elle si je ne leur prendrais plus rien le père Tanguy est sage assez pour

Je faire et il fera tout de même
ce que je lui demanderai
   mais avec tout cela le travail
n'est pas bien commode
J'ai vu de Lautrec aujourd'hui
~~......~~ il a vendu un tableau je
crois par Portier ~
On a apporté une aquarelle de Mr Mesdag
que je trouve très belle
   Maintenant j'espère que
ton voyage là bas t'amusera
Dites bien des choses de ma part
à ma mère à Cor à Wil
Puis si tu peux faire de façon
que je ne m'embête pas trop
d'ici jusqu'à ton retour en
m'envoyant encore quelque chose
je tacherai de te faire encore
des tableaux - car je suis tout
à fait tranquille pour mon travail
ce que me gênait un peu dans cette
                        au tambourin
histoire c'est qu'en n'y allant pas
cela avait l'air lâche Et cela
m'a rendu ma sérénité d'y être
allé . - je te serre la main
                        Vincent

Lettre à Theo (*LT* 461), Amsterdam, Rijksmuseum Vincent van Gogh (Fondation Vincent van Gogh)

Mon cher ami, je te remercie de ta
lettre et de ce qu'elle contenait.
Je me sens triste de ce que même en
cas de succès la peinture ne rapportera
pas ce qu'elle coûte
J'ai été touché de ce que tu écris
de la maison – "on se porte assez bien
mais pourtant c'est triste de les voir"
Il y a une douzaine d'années
pourtant on aurait juré que
quand même la maison prospérerait
toujours et que cela marcherait
Cela ferait bien plaisir à ta
mère si ton mariage réussit
et pour la santé et les affaires
il faudrait pourtant ne pas rester
seul –
Moi – je me sens passer l'envie
de mariage et d'enfants et
à des moments je suis assez mélancolique
d'être comme ça à 35 ans lorsque
je devrais me sentir tout autrement
Et j'en veux quelquefois à cette
sale peinture

C'est Richepin que a dit quelquepart

l'amour de l'art fait perdre l'amour vrai

Je trouve cela terriblement juste mais à
l'encontre de cela   l'amour vrai dégoûte
de l'art.

Et il m'arrive de me sentir ~~vieillir~~
déjà vieux et brisé et pourtant encore
amoureux assez pour ne pas être
enthousiaste pour la peinture..

Pour réussir il faut de l'ambition
et l'ambition me semble absurde
Il en résultera je ne sais quoi

je voudrais surtout t'être moins à
charge — et cela n'est pas impossible
dorénavant.   car j'espère faire du
progrès de façon à ce que tu puisses
hardiment montrer ce que je fais sans
~~que~~ te compromettre –

Et puis je me retire quelquepart dans
le midi ~~mais~~ pour ne pas voir
~~d'autant de~~ peintres que me dégoûtent
comme hommes –

Tu peux être sûr d'une chose c'est
que je ne chercherai plus à travailler
pour le tambourin – Je crois aussi
que cela passera dans d'autres mains
et certes je ne m'y oppose pas. –

Pour ce qui est de la legatori
; celu c'est une toute autre affaire
j'ai encore de l'affection pour
elle et j'espère qu'elle en a
encore pour moi aussi
mais maintenant elle est
mal prise, elle n'est ni libre
ni maitresse chez elle, Surtout
elle est souffrante et malade.
Quoique je ne dirais ~~cela~~ pas
cela en public – j'ai pour
moi la conviction qu'elle s'est
fait avorter ~~et~~ (à moins encore
qu'elle ait eu une fausse
grosse[sse]) – quoi qu'il en
soit dans son cas je ne la
blamerais pas –
Dans ~~deux mois~~ elle sera remise j'espère
et alors elle sera peut être reconnaissante
de ce que je ne l'ai pas gênée
Remarquez que si ~~elle~~ en bonne santé et
de sang froid elle refusaient de me rendre
ce qui est à moi ou me ferait du tort quelconque
je ne ~~la~~ la ménagerais pas – mais cela ne sera
                                        pas nécessaire
Mais je la connais assez bien pour
avoir encore confiance en elle

Et remarquez que si elle réussit à
maintenir son établissement au point de
vue des affaires je ne lui donnerais pas tort
de préférer être la mangeuse et non la
mangée. Si pour réussir elle ~~marche~~
me marcherait un peu sur le pied – à la
rigueur – elle a carte blanche
Quand je l'ai revue elle ne m'a pas marché
sur le coeur ce qu'elle aurait fait si elle
était aussi méchante qu'on la dit. –
J'ai vu Tanguy hier et il a mis dans la
vitrine une toile que je venais de faire
j'en ai fait quatre depuis ton départ
et j'en ai une grande en train
Je sais bien que ces grandes toiles longues
sont de vente difficile mais plus tard
on verra qu'il y a du plein air et de la
bonne humeur – Maintenant le tout
fera une décoration de salle à manger
ou de maison de campagne.
Et si tu te mettais bien amoureux
et si tu te mariais ensuite il ne
me semblerait pas impossible que tu
arrives à conquérir une maison de campagne
toi même comme tant d'autres marchands
de tableaux. Si on vit bien on dépense plus
mais on gagne plus de terrain aussi et peutêtre
réussit on mieux par le temps qui court en ayant
l'air riche qu'en ayant l'air gêné. Il vaut mieux
se faire du bon sang que de se suicider – Bien des
choses à tous à la maison
                              b à t Vincent

54, Rue Lepic.

Mon cher copain Bernard,

Je sens le besoin de te demander pardon de t'avoir lâché si brusquement l'autre jour. Ce que par la présente je fais donc sans tarder. Je te recommande de lire les Légendes Russes de Tolstoï, et je t'aurai aussi l'article sur Eugène Delacroix, dont je t'ai parlé.

Je suis, moi, tout de même allé chez Guillaumin, mais dans la soirée, et j'ai pensé que peut-être toi ne sais pas son adresse, qui est : 13, Quai d'Anjou. Je crois que comme homme Guillaumin a les idées mieux en place que les autres et que si tous étaient comme lui, on produirait davantage de bonnes choses et aurait moins de temps et d'envie de se manger le nez.

Je persiste à croire que, non pas parce que moi je t'ai engueulé, mais parce que cela deviendra ta propre conviction, je persiste à croire que tu t'apercevras que dans les ateliers non seulement on n'apprend pas grand chose quant à la peinture, mais encore pas grand chose de bien en tant que savoir-vivre ; et qu'on se trouve obligé d'apprendre à vivre comme à peindre sans avoir recours aux vieux trucs et trompe-l'œil d'intrigants.

Je ne pense pas que ton portrait de toi-même sera ton dernier ni ton meilleur, quoique, en somme, ce soit terriblement toi.

Dites donc, en somme, ce que je cherchais l'autre jour à t'expliquer, revient à ceci. Pour éviter les généralités permets-moi de prendre un exemple sur le vif. Si tu es brouillé avec un peintre et qu'en conséquence de cela tu dis : « Si Signac expose là où j'expose, je retire mes toiles », et si tu le dénigres, alors il me semble que tu agis pas aussi bien que tu pourrais agir. Car il est mieux d'y regarder longtemps avant de juger si catégoriquement et de réfléchir, la réflexion nous faisant apercevoir à nous-mêmes, en cas de brouille, pour notre propre compte autant de torts que notre adversaire — et à celui-ci autant de raisons d'être que nous puissions en désirer pour nous.

Si donc tu as déjà réfléchi que Signac et les autres qui font du pointillé font avec cela assez souvent de très belles choses, au lieu de dénigrer celles-là il faut surtout, en cas de brouille, les estimer et en parler avec sympathie.

Sans cela on devient sectaire, étroit soi-même et l'équivalent de ceux qui n'estiment pour rien les autres et se croient les seuls justes.

Ceci s'étend même aux académiciens ; car prends, par exemple, un tableau de Fantin-Latour, surtout l'ensemble de son œuvre. Eh bien, voilà quelqu'un qui ne s'est pas insurgé ; et est-ce que cela l'empêche d'avoir ce je ne sais quoi de calme et de juste qui en fait un des caractères les plus indépendants existants.

Je voulais encore te dire un mot pour ce qui regarde le service militaire que tu seras obligé de faire. Il faut absolument que tu t'occupes dès à présent de cela. Directement, pour bien t'informer de ce que l'on peut faire en pareil cas pour pouvoir garder le droit de travailler d'abord, pour pouvoir choisir une garnison, etc., mais indirectement en soignant ta santé. Il ne faut pas y arriver trop anémique ni trop énervé, si tu tiens à sortir de là plus fort.

Je ne considère pas cela comme un très grand malheur pour toi que tu sois obligé de partir soldat, mais comme une épreuve très grave de laquelle — si tu en sors — tu sortiras un très grand artiste.

D'ici là, fais tout ce que tu peux pour te fortifier, car il te faudra joliment du nerf. Si, pendant cette année-là, tu travailles beaucoup, je crois que tu peux bien arriver à avoir un certain stock de toiles, desquelles on cherchera à te vendre, sachant que tu auras besoin d'argent de poche pour te payer des modèles.

Volontiers, je ferai mon possible pour faire que ce qu'on a commencé dans la salle (*) réussisse ; mais je crois que la première condition pour réussir, c'est de laisser là les petites jalousies, il n'y a que l'union qui fasse la force. L'intérêt commun vaut bien qu'on lui sacrifie l'égoïste : chacun pour soi.

Je te serre bien la main.

Lettre à Emile Bernard (*B* 1)

Catalogues raisonnés concernant van Gogh

F   LA FAILLE J.-B. de
L'Œuvre de Vincent van Gogh: catalogue raisonné, 4 vol., Paris et Bruxelles, 1928.
LA FAILLE J.-B. de
The Works of Vincent van Gogh: His Paintings and Drawings, New York, 1970.
HULSKER J.
The Complete van Gogh: Paintings, Drawings, Sketches, Oxford et New York, 1980.
CdA   LECALDANO P.
Tout l'œuvre peint de van Gogh, (Les Classiques de l'Art, 2 vol.: I (1881-1888), II (1888-1890), Paris, 1971.

Catalogues raisonnés concernant les autres peintres

Bazetoux BAZETOUX D. et BOUIN-LUCE J.
Maximilien Luce: catalogue de l'œuvre peint, 2 vol., Paris, 1986.
DELTEIL L.
Le Peintre-graveur illustré: Raffaëlli, Paris, 1923.
DS   DAULTE F.
Alfred Sisley: catalogue raisonné de l'œuvre peint, Lausanne, 1959.
DR   DAULTE F.
Auguste Renoir: catalogue raisonné de l'œuvre peint, vol. I, 1860-1890, Lausanne, 1971.
H   HAUKE C.M. de
Seurat et son œuvre, 2 vol., Paris, 1961.
DORRA H. et REWALD J.
Seurat: l'œuvre peint, biographie, catalogue critique, Paris, 1959.
Dortu   DORTU M.G.
Toulouse-Lautrec et son œuvre, 6 vol., New York, 1971.
L   LEMOISNE P.A.
Degas et son œuvre, 4 vol., Paris, 1946-1949.
Luthi   LUTHI J.-J.
Emile Bernard: catalogue raisonné de l'œuvre peint, Paris, 1982.
PV   PISSARRO L.-R. et VENTURI L.
Camille Pissarro: son art - son œuvre, 2 vol., Paris, 1939.
Serret et Fabiani SERRET G. et FABIANI D.
Armand Guillaumin (1841-1927): catalogue raisonné de l'œuvre peint, Paris, 1971.
Thorold   THOROLD A.
A Catalogue of the Oil Paintings of Lucien Pissarro, Londres, 1983.
VENTURI L.
Cézanne: son art, son œuvre, 2 vol., Paris, 1936.
W   WILDENSTEIN D.
Monet: biographie et catalogue raisonné, 3 vol.: I (1840-1881), II (1882-1887), III (1888-1898), Lausanne et Paris, 1974-1979.

Correspondance de van Gogh

Vollard   *Lettres de Vincent van Gogh à Emile Bernard*, E. Bernard ed., Paris: Vollard, 1911.

Verzamelde Brieven van Vincent van Gogh, 4ᵉ ed., 4 vol., préface et texte introductif de J. van Gogh-Bonger, Amsterdam et Anvers, 1955.

Complete Letters   *The Complete Letters of Vincent van Gogh*, 3 vol., introduction de V.W. van Gogh, préface et texte introductif de J. van Gogh-Bonger, Londres et New York, 1958.

Correspondance complète de Vincent van Gogh: enrichie de tous les dessins originaux, 3 vol., traduction de M. Beerblock et L. Reelandt, introduction et notes de G. Charensol, Paris, 1960.

LT Lettre à son frère Theodorus (Theo)
W Lettre à sa sœur Willemina (Wil)
B Lettre à Emile Bernard
T Lettre de son frère Theodorus (Theo)

Letters of Vincent van Gogh, 1886-1890: A Facsimile Edition, préface de J. Leymarie, introduction de V.W. van Gogh, Londres, 1977.
Karagheusian A., *Vincent van Gogh's Letters Written in French: Differences between the Printed Versions and the Manuscripts*, New York, 1984.

Correspondances des autres peintres:

Lettres impressionnistes au Dr. Gachet et à Murer, P. Gachet ed., Paris, 1957.

W   WILDENSTEIN D., *Claude Monet: biographie et catalogue raisonné*, 3 vol.: Lettres comprises dans vol. I, p. 419-448; vol. II, p. 213-295; vol. III, p. 221-239, Lausanne et Paris, 1974 - 1979.

B - H   *Correspondance de Camille Pissarro*, J. Bailly-Herzberg ed., 2 vol.: I (1865-1885), II (1886-1890), Paris, 1980 - 1986.
Pissarro C., *Lettres à son fils Lucien*, J. Rewald ed., Paris, 1950.

Unpublished Correspondance of Henri de Toulouse-Lautrec, L. Goldschmidt et H. Schimmel ed., Londres, 1969.

Généralités

A l'exception des ouvrages de références (catalogues raisonnés, correspondances d'artistes), cette bibliographie comprend surtout des témoignages directs, comme celui essentiel du peintre Emile Bernard et d'écrivains comme Gustave Coquiot qui interrogea des personnes ayant connu les frères van Gogh et leur entourage à Paris. Pour une bibliographie générale plus complète, on se référera aux ouvrages fondamentaux de John Rewald *Histoire de l'Impressionnisme*, Paris, 1986 et *Le Post-impressionnisme de Van Gogh à Gauguin*, Paris, 1961. Les catalogues d'expositions et les monographies ont été retenus en fonction de leurs rapports avec le thème de l'exposition. Quant aux documents inédits cités en cours de texte, nous renvoyons aux archives du Rijksmuseum Vincent van Gogh d'Amsterdam.

ALAUZEN A.M. et RIPERT P.
Monticelli: sa vie et son œuvre, Paris, 1969.
ALEXANDRE A.
A.-F. Cals ou le bonheur de peindre, Paris, 1900.
AURIER G.A. (Luc le Flâneur)
«En quête de choses d'art», in *Le Moderniste illustré*, 1ère année, n° 2, 13 avril 1889, p. 14.
BERNARD E.
«Vincent van Gogh», in *Les Hommes d'Aujourd'hui*, vol. VIII, 1891, p. 390.
BERNARD E.
«Vincent van Gogh», in *La Plume*, vol. III, 1er septembre 1891, p. 300-301.
L'Arte   BERNARD E.
«Les Peintres originaux: Vincent van Gogh», in *L'Arte*, vol. XIII, 9 février 1901, p. 1-2.
Note sur L'Ecole BERNARD E.
«Notes sur l'Ecole dite de Pont-Aven», in *Mercure de France*, vol. XII, décembre 1903, p. 675-682.
BERNARD E.
«Julien Tanguy», in *Mercure de France*, vol. LXXXIV, décembre 1908, p. 600-616.
Souvenirs BERNARD E.
«Souvenirs sur van Gogh», in *L'Amour de l'art*, vol. V, 1924, p. 393-400.
BERNARD E.
«Louis Anquetin: artiste-peintre», in *Mercure de France*, 1er novembre 1932, p. 590-607.
BERNARD E.
«Louis Anquetin», in *Gazette des Beaux-Arts*, vol. XL, février 1934, p. 108-121.
BERNARD E.
«Des relations d'Emile Bernard avec Toulouse-Lautrec», in *Art-Documents*, n° 18, mars 1952, p. 13.
«Emile Bernard et Vincent van Gogh», M.A. Bernard-Fort ed., in *Art-Documents*, nᵒˢ 16 - 18, 21, 27 et 29, 1952-1953.

BOLME A.
The Academy and French Painting in the Nineteenth Century,
Londres, 1971.

Cachin   CACHIN F.
Paul Signac, Paris, 1971.

CLARCK T.J.
*The Painting of Modern Life: Paris, in the Art of Monet and his
Followers*, Londres, 1985.

COOPER D.
*Drawings and Watercolours by Vincent van Gogh: A Selection of 32
Plates in Colour*, New York, 1955.

COOPER D.
Henri de Toulouse-Lautrec, New York, 1966.

Coquiot   COQUIOT G.
Vincent van Gogh, Paris, 1923.

COQUIOT G.
Monticelli, Paris, 1925.

DUJARDIN E.
«Aux XX et aux Indépendants: le Cloisonnisme», in *La Revue
indépendante*, t. VI, mars 1888, p. 487-492.

DURET T.
Critique d'Avant-garde, Paris, 1885.

Fénéon   FÉNÉON F.
Œuvres plus que complètes, 2 vol., Genève et Paris, 1970.

GACHET P.
Vincent van Gogh aux «Indépendants», Paris, 1953.

GANS L.
«Vincent van Gogh en de Schilders van de Petit Boulevard», in
Museumjournaal, vol. IV, nos 5-6, 1958, p. 85-93.

Gauzi   GAUZI F.
Lautrec et son temps, Paris, 1954.

GEFFROY G.
Claude Monet: sa vie, son œuvre, Paris, 1922.

GERSTEIN M.
Impressionist and Post-Impressionist Fans, Cambridge (Massachusetts), 1978.

GRAY C.
Armand Guillaumin, Chester (Connecticut), 1972.

HAMMACHER A.M.
«An Unknown Van Gogh from the Paris Period», in *Vincent: Bulletin of the Rijksmuseum Vincent van Gogh*, vol. II, n° 1, 1972,
p. 18-20.

HAMMACHER A.M.
«Vincent — Michelet — Zola», in *Vincent: Bulletin of the Rijksmuseum Vincent van Gogh*, vol. IV, n° 3, 1975, p. 2 - 21.

HAMMACHER A.M. et HAMMACHER R.
Van Gogh: A Documentary Biography, Londres, 1982.

Hartrick   HARTRICK A.S.
A Painter's Pilgrimage through Fifty Years, Cambridge, 1939.

HERBERT R.L.
«City vs. Country: The Rural Image in French Painting from Millet
to Gauguin», in *Art Forum*, vol. VIII, n° 6, 1970, p. 44-45.

HONEYMAN T.J.
«Van Gogh: A Link with Glasgow», in *The Scottish Art Review*,
vol. II, n° 2, 1948, p. 16-20.

HOUSE J.
Monet: Nature into Art, New Haven (Connecticut) et Londres,
1986.

WTRT   *Van Gogh door Van Gogh: De brieven als commentaar op zijn
werk*, J. Hulsker ed., Amsterdam, 1973.

HULSKER J.
«What Theo Really Thought of Vincent», in *Vincent: Bulletin of the
Rijksmuseum Vincent van Gogh*, vol. III, n° 2, 1974, p. 2-28.

HULSKER J.
Lotgenoten Het Leven van Vincent en Theo van Gogh, Amsterdam,
1985.

JOYANT M.
Henri de Toulouse-Lautrec, 1864-1901, 2 vol. Paris, 1926.

KAHN G.
«Peinture: exposition des Indépendants», in *La Revue Indépendante*, vol. VIII, n° 18, 1888, p. 160-164.

KODERA T.
«Japan as Primitivistic Utopia: Van Gogh's Japonisme Portraits»,
in *Simiolus*, 1984, p. 189-208.

LE PAUL C.-G. et LE PAUL J.
L'Impressionnisme dans l'Ecole de Pont-Aven, Lausanne et Paris,
1983.

Leprohon   LEPROHON P.
Vincent van Gogh, Cannes, 1972.

LESPINASSE F.
Charles Angrand, 1854-1926, Rouen, 1982.

LEYMARIE J.
Van Gogh, Genève, 1977.

NORDENFALK C.
«Van Gogh and Literature», in *Journal of the Warburg and Courtauld Institutes*, vol. X, 1947, p. 132-147.

NORDENFALK C.
The Life and Work of Van Gogh, New York, 1953.

ORTON F.
«Vincent's Interest in Japanese Prints: Vincent van Gogh in Paris,
1886-87», in *Vincent: Bulletin of the Rijksmuseum Vincent van
Gogh*, vol. I, n° 3, 1971, p. 2-12.

PARKER K. T.
«Van Gogh and Fénéon: A Conversation Piece» in *Festschrift
Friedrich Winkler*, Berlin, 1959.

PERRUCHOT H.
«Le Père Tanguy», in *L'Œil*, vol. VI, 15 juin 1955, p. 14-19.

POLLOCK G.
«Stark Encounters: Modern Life and Urban Work in Van Gogh's
Drawings of the Hague 1881-83», in *Art History*, vol. 6, n° 3, sep-
tembre 1983, p. 330-358.

REFF T.
Degas: The Artist's Mind, New York, 1976.

Goupil   REWALD J.
«Theo van Gogh: Goupil and the Impressionnists», in *Gazette des
Beaux-Arts*, vol. LXXXL, janvier-février 1973, p. 1-108.

Imp.   REWALD J.
Histoire de l'Impressionnisme, nvelle ed. entièrement refondue, revue et augmentée, Paris, 1986.

Post-imp.   REWALD J.
Le Post-impressionnisme: de van Gogh à Gauguin, Paris, 1961.

REWALD J.
Studies in Impressionism, New York, 1986.

REWALD J.
Studies in Post-Impressionism, New York, 1986.

ROSKILL M.W.
Van Gogh, Gauguin and the Impressionist Circle, New York, 1970.

SCHAPIRO M.
Vincent van Gogh, Paris, 1961.

SCHAPIRO M.
«L'Objet personnel, sujet de nature morte: à propos d'une notation
de Heidegger sur van Gogh», in *Macula*, n° 3-4, 1978, p. 6-10.

SEZNEC J.
«Literary Inspiration in van Gogh», in *The Magazine of Art*,
vol. XLVIII, n° 8, 1950, p. 282-288.

SHEON A.
«Monticelli and van Gogh», in *Apollo*, n° 85, juin 1967, p. 444-448.

SHIKES R.E. et HARPER P.
Pissarro, Paris, 1981.

SUTTER J.
Les Néo-impressionnistes, Paris, 1970.

TELLEGEN A.
«Vincent en Gauguin», in *Museumjournaal*, vol. XI, n° 1-2, 1966,
p. 42-44.

TELLEGEN A.
«De Populierenlaan bij Nuenen van Vincent van Gogh», in *Bulletin
Museum Boymans-van Beuningen*, vol. XVIII, n° 1, 1967,
p. 1-15.

THANNHAUSER H.
«Van Gogh et John Russell: documents inédits», in *L'Amour de
l'Art*, vol. XIX, n° 7, 1938, p. 281-286.

THOMSON R.
«Van Gogh in Paris: The Fortifications Drawings of 1887», in *Jong
Holland*, vol. 3, n° 3, septembre 1987, p. 2-4.

TONIO (pseudonyme d'Antonio CRISTOBAL)
«Notes et souvenirs: Vincent van Gogh», in *La Butte*, 21 mai 1892.

TRALBAUT M.E.
Van Gogh le mal aimé, Lausanne, 1969.

TUCKER P.H.
Monet at Argenteuil, New Haven (Connecticut) et Londres, 1982.
VAN DER WOLK J.
De Schetsboeken van Vincent van Gogh, Amsterdam, 1986.
VENTURI L.
Les Archives de l'Impressionnisme, 2 vol., Paris, 1939.
VOLLARD A.
Souvenirs d'un marchand de tableaux, ed. revue et augmentée, Paris, 1984.
Angrand WELSH-OVCHAROV B.
The Early Work of Charles Angrand and his Contact with Vincent van Gogh, Utrecht et La Haye, 1971.
WELSH-OVCHAROV B.
Van Gogh in Perspective, Englewood Cliffs (New Jersey), 1974.
W-O WELSH-OVCHAROV B.
Vincent van Gogh: His Paris Period, 1886-1888, Utrecht et La Haye, 1976.
WELSH-OVCHAROV B.
« Vincent to Livens, When and Why », in *Vincent van Gogh's letter to Horace Mann Livens*, Londres, 1987.
WHITE B.E.
Renoir, Paris, 1985.

Catalogues d'expositions

1962, Londres
Van Gogh's Life in his Drawings: van Gogh's Relationship with Signac, catalogue rédigé par A.M. Hammacher, 1962, Londres, Marlborough Fine Art.
1963, Paris
Signac, catalogue rédigé par M. Th. Lemoyne de Forges et P. Bascul-Gauthier, 1963, Paris, musée du Louvre.
1968, Edimbourg
A Man of Influence: Alex Reid, 1854-1928, catalogue rédigé par R. Pickvance, 1968, Edimbourg, The Scottish Arts Council.
1968, Londres
Vincent van Gogh, catalogue rédigé par A. Bowness, 1968-1969, Londres, Hayward Gallery.
1969, New York
Néo-Impressionism, catalogue rédigé par R.L. Herbet, 1969 New York, S.R. Guggenheim Foundation.
1978, Amsterdam
Japanese Prints Collected by Vincent van Gogh, catalogue rédigé par F. Orton et W. van Gulik, 1978, Amsterdam, Rijksmuseum Vincent van Gogh.
1978, Amsterdam
Russell, The Art of John Peter Russell, catalogue rédigé par A. Galbally, 1978, Amsterdam, Rijksmuseum Vicent van Gogh; Brisbane, Université Art Museum; Melbourne, National Gallery of Victoria; Sydney, Art Gallery of New South Wales.
1978, Pittsburgh
Monticelli: His Contemporaries, His Influences, catalogue rédigé par A. Sheon, 1978, Pittsburg Museum of Art, Cannegie Institute; Toronto, Art Gallery of Art; Amsterdam, Rijksmuseum.
1979, Ann Arbor
The Crisis of Impressionism 1878-1882, catalogue rédigé par J. Isaacson, 1979-1980, Ann Arbor, The University of Michigan Museum of Art.

1979, Chicago
Toulouse-Lautrec: Paintings, catalogue rédigé par N.E. Maurer, E.M. Maurer et C.F. Stuckey, 1979, Chicago, The Art Institute.
1979, Londres
Post-Impressionism: Cross Currents in European Painting, catalogue rédigé par Beresford, S. Guretzner, J. House et M.A. Stevenson, 1979-1980, Londres, Royal Academy of Arts.
1980, Paris
Hommage à Claude Monet, catalogue rédigé par H. Adhémar, A. Distel, S. Gache, 1980, Paris, Galeries nationales du Grand Palais.
1981, Paris
Camille Pissarro, 1830-1903, catalogue rédigé par J. Bailly-Herzberg, R. Brettell, F. Cachin, A. Distel, C. Llyod, J. Rewald et B. Shapiro, 1980-1981, Londres, Hatward Gallery; Paris, Galeries nationales du Grand Palais; Boston, Museum of Fine Arts.
1981, Paris
Carnavalet, Paris vu par les maîtres de Corot à Utrillo, 1981, Paris, musée Carnavalet
1981, Toronto
Vincent van Goth and the Birth of Cloisonism, catalogue rédigé par B. Welsh-Ovcharov, 1981, Toronto, Art Gallery of Ontario.
1982, Washington
Manet and Modern Paris, catalogue rédigé par T. Reff, 1982, Washington, National Gallery of Art.
1983, Amsterdam
A Fruitful Palst. A. Survey of Dutch and Flemish Fruit still Lifes from Brueghel to van Gogh, catalogue rédigé par S. Segal, 1983, Amsterdam, Gallery P. de Boer; Braunschweig, Herzog, Anton Ulrich Museum.
1983, Paris
L'Ecole de La Haye: les maîtres hollandais du XIXᵉ siècle, 1983, Paris, Galeries nationales du Grand Palais; Londres, Royal Academy of Arts; La Haye, Haags Gemeente-museum.
1984, Los Angeles
A day in the Country: Impressionism and the French Landscape, catalogue rédigé par R. Bretell, S. Gache-Patin et S. Schaeffer, 1984, Los Angeles, Los Angeles County Museum of Art.
1984, New York,
Van Gogh in Arles, catalogue par R. Pickvance, 1984, New York, The Metropolitan Museum.
1985, Paris
Renoir, catalogue rédigé par A. Distel, L. Crawing et J. House, 1985, Londres, Hayward Gallery; Paris, Galeries nationales du Grand Palais; Boston, Museum of Fine Arts.
1985, Tokyo
Alfred Sisley, catalogue rédigé par C. Lloyd, 1985, Tokyo, Isetan Museum of Art.
1986, Amsterdam
Monet in Holland, catalogue rédigé par B. Bakker, A.-H. Hussen Jr., J. Joosten, R. Pickvance et E. van de Wetering, 1986, Amsterdam, Rijksmuseum Vincent van Gogh.
1986, San Francisco
The New Painting: Impressionism 1874-1886, catalogue rédigé par R. Brettell, S.E. Eisenman, C. Hollis, J. Isaacsen, Ch. Moffet, M. Ward et F. Wissman, 1986, Washington, National Gallery of Art; San Francisco, The Fine Arts Museum.
1987, Richmond
Art nouveau: Bing, Paris style 1900, catalogue rédigé par G.P. Weisberg, 1987, Richmond, The Virginia Museum of Fine Arts; Sarasota, John and Mable Ringling Museum of Art; Omaha, The Jeslyn Art Museum; New York, The Cooper Hewitt Museum, the Smithsonian Institution's National Museum of Design.

Albi, Musée Toulouse-Lautrec, 313-315-317
Amsterdam, Rijksmuseum Vincent van Gogh, 41-55-59-69-71-73-75-81-85-87-89-91-93-97-103-105-
    107-111-125-133-135-141-145-149-159-161-163-167-173-175-209-223-279-321-323
Amsterdam, Stedelijk Museum, 45-273
Bâle, Kunstmuseum, 47-165-205
Baltimore, The Baltimore Museum of Art, 65-305
Berlin, Nationalgalerie, 295
Boston, Museum of Fine Arts, 325
Cambridge (Massachusetts), Fogg Art Museum, 65
Chicago, The Art Institute of Chicago, 79-99-113
Dallas, Dallas Museum of Fine Arts, 101
Detroit, The Detroit Institute of Arts, 117
Edimbourg, The National Gallery of Scotland, 287
Genève, Musée du Petit Palais, 219-229
Glasgow, Glasgow Art Gallery and Museum, 115
Hambourg, Hambourg Kunsthalle, 237
Hartford, The Wadsworth Atheneum, 191
Houston, collection Dominique de Menil, 123
Londres, Tate Gallery, 319
Londres, The National Gallery, 271
Lyon, Musée des Beaux-Arts, 245
Manchester, The Whitworth Institutes, Whitworth Art Gallery, 137
Mannheim, Städtische Kunsthalle, 51
Minneapolis, The Minneapolis Institute of Arts, 303
New York, The Museum of Modern Art, 199
Otterlo, Rijksmuseum Kröller-Müller, 57-63-121-153-155-157-227
Oxford, Ashmolean Museum, 259-261-263
Paris, Musée d'Orsay
Paris, Musée Rodin, 169
Paris, Réunion des musées nationaux, 61-119-127-171-203-217-233-241-251-255-291-309
Pittsburgh, Carnegie Institute, Art Museum, 83
Rotterdam, Museum Boymans-van Beuningen, 49
Saint Louis, The Saint Louis Art Museum, 147
Springfield, Museum of Fine Arts, 249
Troyes, Musée de Troyes, 283
Williamstown, Sterling and Francine Clark Art Institute, 45-273
Zurich, Kunsthaus, 53